# COMMENTO AL SALMO CXVIII

# TUTTE LE OPERE
# DI
# SANT'AMBROGIO

edizione bilingue
a cura della Biblioteca Ambrosiana

promossa dal cardinale
**GIOVANNI COLOMBO**
arcivescovo di Milano

in occasione del XVI centenario
dell'elezione episcopale di Sant'Ambrogio

SANCTI AMBROSII EPISCOPI MEDIOLANENSIS
OPERA
10

# EXPOSITIO PSALMI CXVIII
## (LITTERAE XII-XXII)

recensuit

Michael Petschenig

Mediolani
Bibliotheca Ambrosiana

Romae
Città Nuova Editrice

MCMLXXXVII

SANT'AMBROGIO

Opere esegetiche VIII/II

# COMMENTO AL SALMO CXVIII
## (LETTERE XII-XXII)

introduzione, traduzione, note e indici
di
Luigi Franco Pizzolato

Milano
Biblioteca Ambrosiana

Roma
Città Nuova Editrice

1987

Questo volume è pubblicato con il contributo della Fondazione
S. Ambrogio per la Cultura Cristiana, sostenuta dal Dr. Ing. Aldo Bonacossa

ISBN 88-311-9167-5

# Expositio Psalmi CXVIII
## (XII-XXII)

# Commento al Salmo CXVIII
## (XII-XXII)

## XII

### Littera «Labd»

1. «Labd» littera duodecima incipit, cuius interpretatio «cor» uel, ut alia habet interpretatio, «seruo». Vnde uidetur admonere uel prudenter haec intellegenda uel sollicite seruanda praecepta. Nam hoc primus statim uersiculus admonet; cor etenim sibi mundum creari in superioribus hic propheta [a], ut legimus, postulauit, cor sibi prudens dari orauit a domino filius huius Salomon [b]. Qui ergo habet cor mundum, qui habet cor prudens, ipse intellegit seriem subditorum uersuum atque uirtutem. Vnde et alibi inuenimus «cor solum», id est uel singulare uel quod nulla inlecebra saeculi huius inpediat et carnis possit interturbare sapientia. Qui autem habet cor, seruat mandata dei, quemadmodum legisti de Maria, quae conseruabat omnia domini saluatoris in corde suo [c] uel dicta uel gesta.

2. Circumcidamus ergo cor nostrum [a], nihil corporeum, nihil uile quaeramus; uile autem omne terrenum. Nihil ergo terrenum, nihil saeculare, nihil corporeum, nihil leue atque mutabile in eloquiis constituamus caelestibus — *eloquia* enim *domini eloquia casta* [b] —, ut in his mysteriorum caelestium inmaculata et pudica sinceritas spiritali interpretatione resplendeat. Non adulterina quadam opinione misceamus terrena diuinis et illud inuiolabile sacramentum propheticae uisionis aut perennis oraculi naturae nostrae aestimatione uiolemus. Ideo enim addidit: *Argentum igne examinatum, purgatum terrae, probatum septuplum* [c], ut tamquam

1. [a] Cf. Ps 50, 12.
  [b] Cf. 3 Reg 3, 9.
  [c] Cf. Lc 2, 51.
2. [a] Cf. Rom 2, 29.
  [b] Ps 11, 7.
  [c] * Ps 11, 7.

# XII
## Lettera «Labd»

1. Comincia la lettera dodicesima, «Labd», che significa «cuore» o, secondo un'altra interpretazione, «mantengo fede». Ne risulta un invito o a comprendere con sapienza queste prescrizioni o a mantenervi fede con zelo. Questo è l'invito che immediatamente rivolge il primo versetto. Prima questo profeta ha chiesto — come abbiamo letto — che gli fosse creato un cuore puro [1]; Salomone, suo figlio, pregò che il Signore gli concedesse un cuore sapiente. Dunque, l'uomo che ha un cuore puro, che ha un cuore sapiente, è lui che può comprendere la successione e l'efficacia dei versetti successivi. Così anche altrove abbiamo trovato l'espressione «solo cuore» [2], che vuol dire: o un cuore unico (singolare) o un cuore che nessuna lusinga di questo tempo inceppa [3] e che nessuna sapienza carnale può intralciare. Ma chi ha cuore mantiene fede ai comandamenti di Dio, come hai letto di Maria, che nel suo cuore custodiva tutto — parole e azioni — del Signore Salvatore.

2. Bisogna dunque che noi circoncidiamo il nostro cuore; che non ricerchiamo niente di materiale, niente che sia scadente: ma scadente è ogni realtà terrestre. Dunque, non dobbiamo attribuire alcuna intenzione terrestre o temporale o materiale o futile e volubile ai detti celesti (*i detti del Signore sono detti di castità*), se vuoi che in essi appaia in tutto il suo splendore — grazie ad una interpretazione spirituale — la genuinità senza macchia e casta delle mistiche realtà del Cielo. Non si devono frammischiare con congetture adulteratrici realtà terrene a realtà divine, né si deve violare — con apprezzamenti tipici della nostra natura — quel sacro segno inviolabile rappresentato da una visione profetica o da una massima eterna. Ha soggiunto: *Argento saggiato al fuoco, purificato della terra, raffinato sette volte;* proprio perché

---

[1] Cf. 10, 45, dove aveva già orchestrato il Salmo CXVIII col Sal L, 12, al quale qui Ambrogio fa riferimento.

[2] Forse in Atti 4, 32?

[3] Diremmo, cuore «allo stato puro», senza altri elementi, che ne alterino o ne inquinino la natura.

boni nummularii spiritu examinemus prophetici sermonis argentum, secernentes domini pecuniam atque ab omni labe terrena salutaris fontis infusione purgantes, ut Christo digne sentire uideamur, qui ait: *Nolite thesaurizare uobis in terra, ubi aerugo et tinea exterminat, sed thesaurizate uobis in caelo* [d].

3.   Thesaurus tuus est fides pietas misericordia, thesaurus tuus Christus est. Noli eum aestimare de terris, hoc est de creaturis, quia dominus totius creaturae est. *Maledictus*, inquit, *homo qui spem habet in homine* [a], sed mihi salus per hominem uenit. Vide tamen quid scriptura uetus dixerit: *Et homo est, et quis cognoscet eum?* [b]. Ille igitur homo non humana mihi, sed diuina potestate omnia peccata donauit, deus in corpore dominus Iesus, mundum reconcilians sibi [c] quem redimebat a culpa.

4.   Thesaurus noster pretiosus intellectus est. Si terrenus intellectus fuerit, si fragilis, haeretica eum tinea et impietatis aerugo consumet. Leuemus ergo et erigamus sensus nostros nec inpossibile iudicemus, ut haec humani corporis infirmitas ad cognitionem mysteriorum caelestium prouehatur, cum iam ad nos dominus Iesus in quo absconditi erant scientiae sapientiaeque thesauri [a], diuina sua miseratione descenderit, ut clausa reseraret, aperiret latentia, reuelaret occulta. Veni ergo, domine Iesu, aperi nobis et istius prophetici sermonis ianuam; multis enim clausa est, etsi prima specie aperta uideatur.

5.   *In aeternum*, inquit, *domine, permanet uerbum tuum in caelo* [a]. Vides etiam in te permanere debere quod etiam in caelo permanet ac perseuerat. Serua ergo uerbum dei et serua in corde tuo et ita serua, ne obliuiscaris. Serua legem domini et meditare, ne iustificationes domini de tuo corde labantur. Docet te litterae

---

[d] * Mt 6, 19-20.
3.   [a] * Ier 17, 5.
   [b] * Ier 17, 9.
   [c] Cf. 2 Cor 5, 19.
4.   [a] Cf. Col 2, 3.
5.   [a] * Ps 118, 89.

noi, come esperti cambiavalute [4], abbiamo a saggiare con lo spirito l'argento del discorso profetico, separando le monete del Signore e togliendo loro ogni impurità terrena, immergendole nel fonte
salvifico, di modo che i nostri pensieri siano degni di Cristo. Di
Lui che ha esclamato: *Non mettetevi da parte tesori sulla terra,
dove ruggine e tignole li rovinano, ma mettetevi da parte tesori nel
cielo.*

3. Il tuo tesoro sono fede, devozione, misericordia. Il tuo
tesoro è Cristo. Non lo devi considerare alla stregua delle realtà
terrene, cioè delle creature, perché Egli è il Signore di tutto il
creato. *Maledetto* — si dice — *l'uomo che pone la sua speranza
nell'uomo*; ma la mia salvezza è giunta attraverso un uomo. Guarda
peraltro come s'è espressa la Scrittura antica: *Ed è uomo, ma chi
lo riconoscerà?* Orbene, quell'uomo mi ha condonato tutti i peccati
con una potenza non umana, ma divina: Egli è Dio che ha preso
corpo, il Signore Gesú, che riconciliava a Sé il mondo che stava
riscattando dalla colpa.

4. Nostro tesoro prezioso è l'intelligenza. Se l'intelligenza
sarà terrena, fragile, la tignola dell'eresia e la ruggine dell'infedeltà la intaccheranno. Solleviamo dunque ed innalziamo i nostri
pensieri, e non stiamo a ritenere impossibile che questa debolezza
del nostro corpo d'uomini si spinga fino alla conoscenza delle
mistiche realtà del Cielo [5]. Tanto piú che ormai il Signore Gesú,
nel quale erano nascosti i tesori della conoscenza e della sapienza,
è disceso fino a noi nella sua divina misericordia, per dischiuderci
le porte sbarrate, per aprirci gli enigmi, per rivelarci i segreti.
Vieni dunque, Signore Gesú, spalancaci la porta anche di questo
discorso profetico! Molti la trovano sbarrata, anche se, a prima
vista, sembra loro aperta.

5. *Per l'eternità* — egli dice —, *o Signore, dura la tua parola
nel cielo.* Tu puoi vedere come anche in te debba durare ciò che
anche in cielo dura e persiste. Mantieni dunque fede alla Parola
di Dio e mantienila nel tuo cuore [6] e mantienila in modo da non
scordartene! Mantieni fede alla legge del Signore e fanne oggetto
di riflessione, perché le opere con cui il Signore giustifica non
scivolino fuori dal tuo cuore. Il senso letterale ti insegna a mante-

---

[4] Cf. anche *Exp. eu. Luc.*, I, 1 e IX, 18, ma il motivo è già in ORIGENE, *Hom.
Luc.*, I, 1 (SCh 87, pp. 98 s. e la nota 2).

Per questa espressione, che è accolta come un detto *agraphon* di Cristo e per
la sua fortuna presso i Padri, cf. A. RESCH, *Agraphon 87* («Texte und Untersuchungen», 30), Leipzig 1906, pp. 112-128. Essa è utilizzata soprattutto in appoggio alla
delineazione della dottrina della *discretio spirituum*, anche se inizialmente il suo
uso avveniva in ambito esegetico, in opposizione alle scritture apocrife o ereticali
(come anche Ambrogio lo usa nell'*Exp. eu. Luc.*, cit.). Qui invece pare che sia
impiegata per indicare l'operazione di interpretazione spirituale dell'Antico Testamento, le cui parole vengono da questi *cambiavalute* lavate e restaurate dalle
incrostazioni dell'interpretazione letterale con l'acqua dell'interpretazione cristica
neotestamentaria.

[5] Sul rapporto tra *mysterium* e *sacramentum*, cf. 3, 24 e nota 41.

[6] Sono qui fuse, come spesso accade in Ambrogio, le due interpretazioni della
lettera *labd*, presentate a 12, 1: *seruo* e *cor*.

interpretatio, ut serues diligenter, docet te propheta in subditis dicens: *Nisi quia lex tua meditatio mea est, tunc forsitan perissem in humilitate mea; in aeternum non obliuiscar iustificationum tuarum* [b]. Legis ergo meditatio facit, ut tempora tribulationis, tempora quibus humiliamur aliquibus aduersis, sustinere et tolerare possimus, ut neque humiliato nimis neque deiecto frangamur affectu. Denique dominus non frangi nos humilitate usque ad desperationem uult, sed usque ad correptionem.

6.   Vnde et Hieremias propheta sub hac littera in Threnis ait: *Vt humiliaret sub pedibus omnes uinctos terrae et declinaret iudicium uiri contra faciem altissimi, ad condemnandum hominem cum iudicatur, dominus non dixit* [a], et infra: *De ore altissimi non exibunt mala* [b]. Humilitas ergo, quae a dominio est, plena iustitiae, plena est aequitatis, quia non exeunt mala de ore domini. Denique qui humiliabatur a domino dicebat: *Humiliatus sum, et saluum me fecit* [c].

7.   Ergo sicut prudenter considerandum est, quando humilitas a domino sit causa probationis, quando etiam ipsa ab homine inferendae humilitatis inpressio, quae tamen ipsa solet patientia et magnanimitate tolerari, ita etiam sapienter considerandum, quid sit in aeternum in caelo uerbum domini permanere uel, sicut aliqui codices habent, *in saeculum* [a], quia Graecus εἰς τὸν αἰῶνα posuit, quod diuerse interpretati sunt translatores, alii «in aeternum» [b], alii «in saeculum» [c]. In saeculum ergo permanet uerbum tuum, domine, in caelo. Et quomodo ipse dixisti: *Caelum et terra transibunt, uerba autem mea non praeteribunt* [d]? In saeculum permanet uerbum, non ultra saeculum et saecula; saecula enim temporis sunt. Caelum ergo et terra, id est opera mundi istius, praeteribunt et tempora permanebunt. Alius qui spiritalis est et diiudicat uerba legis: *In aeternum*, inquit, *domine, permanet uerbum tuum in caelo* [e]; aeternitas enim uerbi manentis opinionem uerbi praetereuntis excludit. Quomodo autem permanet uerbum

   [b] * Ps 118, 92-93.
6.   [a] * Thren 3, 34-36.
   [b] * Thren 3, 38.
   [c] * Ps 114, 6.
7.   [a] * Ps 118, 89.
   [b] * Ibid.
   [c] * Ibid.
   [d] Mt 24, 35.
   [e] * Ps 118, 89.

nere fede ad essa con scrupolosità. Il profeta te lo insegna nei versetti successivi, con le parole: *Se la tua legge non fosse oggetto della mia riflessione, allora forse sarei già perito nella mia umiliazione; per l'eternità non scorderò le opere con cui tu giustifichi.* Dunque, la riflessione sulla legge ci mette in condizione di sostenere con pazienza i momenti di tribolazione, i momenti in cui qualche fatto ostile ci umilia; ed essa ci impedisce di abbatterci in uno stato d'animo di eccessiva umiliazione e di prostrazione. Tant'è vero che il Signore non vuole che l'umiliazione ci abbatta fino alla disperazione, ma fino ad un cocente rimprovero[7].

6. Cosí anche il profeta Geremia, sotto la corrispondente lettera nelle Lamentazioni, esclama: *Per umiliare sotto i suoi piedi tutti i prigionieri della terra e per deviare il giudizio dell'uomo davanti al volto dell'Altissimo, per condannare l'uomo nel momento del giudizio: non per questo ha parlato il Signore.* E piú avanti: *Dalla bocca dell'Altissimo non uscirà il male.* Dunque, l'umiliazione che viene dal Signore è piena di giustizia, è piena di rettitudine, dal momento che non esce il male dalla bocca del Signore. Tant'è vero che chi veniva umiliato dal Signore diceva: *Sono stato umiliato, e cosí mi ha fatto salvo.*

7. Dunque, dobbiamo sagacemente valutare quando l'umiliazione venga dal Signore e sia motivo di prova, e quando la stessa venga invece dall'uomo e sia il colpo d'una umiliazione da infliggere a qualcuno, di natura tale peraltro da poter essere comunemente sopportata da una pazienza indulgente. Altrettanto sagacemente dobbiamo valutare che cosa voglia dire: *La parola del Signore dura «in aeternum»* (per l'eternità) o, come portano alcuni codici, *«in saeculum»* (cioè *per la durata del mondo*). Il testo greco ha usato l'espressione: εἰς τὸν αἰῶνα (*eis tòn aiṓna*), che i traduttori hanno reso in maniera diversa: con *in aeternum* alcuni e con *in saeculum* altri. Dunque, *per la durata del mondo* dura la tua parola, o Signore, nel cielo. E come mai allora Tu stesso, o Signore, hai detto: *Cielo e terra passeranno, ma le mie parole non passeranno?* La parola resta nel tempo, non al di là di esso e dei secoli: i secoli infatti appartengono al tempo. Dunque vuol dire che cielo e terra, cioè l'opera di questo mondo, passeranno e i tempi dureranno. L'altro, che ha sensibilità spirituale e che sa ben valutare le parole della legge, ha detto: *per l'eternità*, o Signore, dura la tua parola nel cielo. L'eternità d'una parola che resta, esclude l'idea di una parola che passa[8]. Ma come può durare la

---

[7] A meno di non leggere *correctionem*, come a 6, 28, e come suggerisce la mano correttrice di T, accolta dall'*editio Amerbachiana*.

[8] Se il cielo e la terra passano, la Parola di Dio — che resta nel cielo — permarrebbe solo fino alla fine del cielo (del tempo), e non oltre. Il passo è preso da ORIGENE, in HARL, SCh 189, p. 332, 21-24, dove compare la stessa citazione di Mt 24, 35 e da dove si deduce che l'espressione *in caelo* è interpretata in senso «fisico». Mentre la seconda interpretazione di cielo, spirituale (*alius qui spiritalis est*), come fedele perfetto che vive nel Cielo — Trono di Dio — la sua vera vita, rivela una realtà che dura oltre il tempo del mondo: anche per questo cf. ORIGENE, *ibid.*, p. 332, 24-27. Il testo ambrosiano, di ispirazione origeniana, sembra peraltro tener conto anche di ILARIO, *Tract. ps. CXVIII*, 12, 3 (CSEL 22, pp. 457 s.), dove c'è

in caelo, si ipsum caelum praeterit? Et quomodo possunt stare culmina, si cedant fundamenta, aut quomodo permanere habitator in habitatione sua, nisi et habitatio perseueret? Sed forte illud occurrat, quia scriptum est: *Erit caelum nouum* [f]. Verum nec sic absolubile, quia nec in hoc potest permanere quod praeterit nec illud potest dici mansisse quod coeperit. Tinea intellectum tuum scindet, si putes uerbum sicut caelum uel incipere uel praeterire.

8.    Vnde, si uirtutem prophetici sensus cognoscere uolumus, primum in his quae uisibilia et sensibilia sunt ethicum consideremus, ut ex eo quae sunt intellegibilia manifestemus. Si uerbum dei in caelo permanet, imitemur caelum ubi permanet uerbum, permanet ordo sollemnis caelestium statutorum et beneficiorum domini crebrae uices sollemnibus muneribus perseuerant. Supernis nempe uel pluuiis uel calore uel fotu aeris huius infunditur terris atque alitur larga fecunditas. Caelo annus labitur per dies ac menses et tempora autumni atque hiemis, ueris quoque et purae digestus aestatis. De caelo uitae tuae imaginem cape; etiam quando non germinas fructum, sere tamen semen ad fructum. Sunt semina quae de caelo sunt et seruntur in terris. Est etiam superna uindemia, unde ait propheta: *Serite uobis ad iustitiam, uindemiate ad fructum* [a]. Et quando non florent opera tua, foue tamen semina tua, ne lasciuiendo luxurient. Quod luxuriat in flore seminis, tenuatur et hebetatur in fructu. Fructus ipsos usque ad maturitatem decoque.

9.    Imitatores etiam ipsius caelestis simus elementi: non semper sole feruet ardenti, frequenter nubibus texitur, pluuiis uehementibus inhorrescit, iactis niuibus tegit terram. Non ergo sit in te quoque diuturna lasciuia; succedant maesta senilium curarum

[f] * Is 65, 17.
8.  [a] * Os 10, 12.

parola nel cielo, se lo stesso cielo passa? E come possono resistere i tetti se crollano le fondamenta? O come può restare un abitante nella sua abitazione, se non resta salda anche quella abitazione? Ma forse ci potrebbe venire in aiuto quanto sta scritto: *Ci sarà un cielo nuovo*. Veramente, nemmeno questa sembra la soluzione, perché la parola non può durare in qualcosa che passa né si può dire che abbia durato ciò che ha avuto un inizio [9]. La tignola [10] lacera la tua intelligenza, se tu credi che la parola, come il cielo, abbia un inizio o passi.

8.  Cosí, se vogliamo conoscere il valore del pensiero del profeta, dobbiamo per prima cosa valutare — nelle realtà visibili e sensibili — il senso morale, per poter rendere esplicite, a partire da esso, le realtà intelligibili, ideali [11]. Se la Parola di Dio dura nel cielo, imitiamo allora il cielo dove dura la parola; dove dura l'ordine fisso della decisione celeste e dove persiste con funzioni fisse il ripetuto alternarsi dell'azione provvidente del Signore. Appunto, sia le piogge sia il caldo sia il tepore di questa nostra atmosfera vengono dall'alto e istillano nei terreni una ricca fecondità e la alimentano. Per opera del cielo, l'anno scorre attraverso i giorni, i mesi e le stagioni: autunno e inverno e poi primavera, ed il limpido periodo dell'estate. Cogli nel cielo l'immagine della tua vita! Anche quando non produci frutto, semina lo stesso la semente che lo produrrà! Ci sono sementi che vengono dal cielo e che si seminano sui terreni. C'è anche una vendemmia dell'alto, che fa esclamare al profeta: *Seminate semi per la vostra giustizia, vendemmiate per aver frutto!* E, quando le tue opere non fioriscono, mantieni lo stesso nel tepore le tue semenze, che una mancanza di controllo non le faccia fiorire troppo. Una fioritura eccessiva della semenza la estenua e la sua fiacchezza è pagata dal frutto. E i frutti, lasciali al sole fino a quando non sono ben maturi!

9.   Cerchiamo di essere imitatori anche dello stesso principio elementare del cielo [12]! Non sempre esso s'incendia nella vampa del sole, spesso si increspa di nubi, rabbrividisce sotto gli scrosci della pioggia, copre la terra con bufere di neve. Dunque, neanche dentro di te ci deve essere una permanente dissolutezza: subentri

un esplicito riferimento a *Latini quidam interpretes*, a proposito dell'ambiguità di *aeternum* e *saeculum*.

[9] Se il cielo passa, la Parola viene a perdere la sua dimora. D'altra parte, se il cielo è *nuovo*, vuol dire che ha avuto origine e che non è durato.

[10] Cioè, l'eresia: cf. 12, 4. Forse si tratta dell'eresia ariana, che considerava il Figlio come una creatura.

[11] È qui espressa la distinzione tra senso *ethicus* e senso *intellegibilis*, e anche la posteriorità esegetica dell'*intellegibilis* sul *moralis*: quasi che il senso morale sia strumentale alla comprensione dell'intelligibile (cf. anche *Expl. ps. XXXVI*, 64). Mi pare che il significato del rapporto possa essere cosí spiegato: attraverso un riferimento sensibile — di valore morale — operato dal profeta Davide (cioè, l'esigenza che rimanga nell'uomo, come nel cielo, la Parola di Dio), si possono cogliere realtà che trascendono la materia (un altro cielo e un'altra Parola e un'altra permanenza) e che permettono un'utilizzazione mistica (cristica) del testo biblico in questione.

[12] Cf. ORIGENE, in HARL, SCh 189, p. 330, 1 ss.

tempora et tamquam incana maturitas agrum hunc tui corporis reprimat. Vtilior saepe tristitia est, quae comitem solet habere grauitatem. Numquid ulla in ipso est sole praeuaricatio? Nonne cotidianos cursus suos seruat? Numquid continuos nouit luna defectus et commissi munus deserit ministerii? Isdem nempe uicibus annus redit, eodem statu reparantur tempora, isdem obsequiis reformantur. Sol diem inluminat tempora statuta custodiens, fulget splendoribus luna nocturnis et lux eius in tenebris micat. Stellarum nitentium rutilat globus sollemnique statione et conuersione ac demutatione funguntur. Lex una diuersis, constitutorum semel uices cursuum custodire nec fines transire praescriptos. Manet ipsa inmutabilis demutatio et conuersio uertere ordinem suum nescit. Vna omnium oboedientia, discretis muneribus indiscretam praescriptae constitutionis tenere concordiam.

10.  In caelo ergo permanet uerbum, quia satanas de caelo cecidit [a]. Non habebat in caelo locum, propterea cecidit. Quo cecidit nisi in terras? Ideo hic adulteria homicidia ebrietates abundare coeperunt. Inde exclusus acrior ad nos uenit et temptationes solito asperiores tamquam iratus exercet. In caelo igitur permanet uerbum, quia inde deiectus est diabolus; in terris non permanet, quia huc totus aduenit. Et uide utrum hic permanere uerbum possit in nobis, ubi tantos laqueos diabolus aspersit, qui dum esset in caelo, nec ibi uerbum poterat permanere. Denique quia et ipse uerbum non tenuit, cecidit e caelo.

11.  In caelo ergo uerbum permanet, quod secundum uerbi dispositionem regitur et gubernatur. Sed quia et ipsum caelum praeterit, ideo non dixit «in saecula» permanere, sed «in saeculum» [a], quamquam propterea praetereat, ut fiat nouum caelum, noua terra [b], nouum testamentum, ut facie ad faciem gloriam domini uidere possimus [c].

12.  Verumtamen quia et in caelo fuit uitiis locus — nam utique non cecidisset inde aduersarius nisi in criminibus deprehensus; nam et *stultus sicut luna mutatur* [a] et caelum ipsum tene-

10. [a] Cf. Is 14, 12.
11. [a] * Ps 118, 89.
    [b] Cf. Is 65, 17.
    [c] Cf. 2 Cor 3, 18.
12. [a] Eccli 27, 11 (12).

in te la mesta stagione delle preoccupazioni senili e una, per cosí dire, veneranda anzianità [13] imbrigli questo campo che è il tuo corpo! Spesso è piú utile la tristezza, che ha come compagna abituale la serietà. Forse che, proprio nel sole, si riscontra qualche trasgressione? Forse che esso non mantiene il suo corso quotidiano? Forse che la luna subisce continue eclissi ed abbandona le funzioni ad essa affidate? L'anno ritorna proprio con la medesima frequenza, le stagioni si ripresentano con le medesime caratteristiche, si rimodellano sulle medesime leggi. Il sole rischiara il giorno, osservando i periodi stabiliti; la luna risplende nelle notti e la sua luce brilla nelle tenebre. Le sfere splendenti delle stelle mandano bagliori e a periodi fissi si fermano e ritornano, invertendo il loro corso. La legge che governa corpi tanto diversi è unica: rispettare i ritmi dei percorsi, stabiliti una volta per sempre, e non valicare i limiti loro assegnati. Perfino la stessa variabilità resta immutabile e la conversione dei corpi celesti non può essere sovversione dell'ordine. La consegna di tutti i corpi è unica: mantenere, pur nella distinzione di funzioni, una concordia senza distinzione, legata alla disposizione stabilita.

10.   Dunque, nel cielo dura la parola, giacché Satana è caduto giú dal cielo. Il cielo non era fatto per lui, e per questo ne è caduto giú [14]. Dove è caduto, se non sulla terra? Cosí, ecco che quaggiú cominciarono a prosperare gli adulteri, gli omicidi, il bere smodato. Escluso dal cielo, è venuto con piú accanimento su di noi e, arrabbiato com'è, esercita su di noi la sua arte tentatrice, piú violenta che mai. Nel cielo, allora, dura la parola, perché di là è stato precipitato il diavolo. Non dura sulla terra, perché egli è arrivato tutto intero quaggiú. E figurati se può la parola durare quaggiú, dentro di noi, dove il diavolo ha disseminato tanti lacci, dal momento che, quando egli era ancora nel cielo, la parola non poteva durare nemmeno là! Tant'è vero che egli è caduto giú dal cielo proprio perché non è riuscito, nemmeno lui, a mantenere in sé la parola.

11.   Dunque, nel cielo dura la parola, perché esso è retto e governato secondo l'ordinamento voluto dalla Parola. Ma, siccome anche il cielo passa, allora non ha detto dura *in saecula* (cioè *per i secoli*), ma *in saeculum* (cioè *per la durata del mondo*), benché il cielo passi proprio per dar vita a un nuovo cielo, a una nuova terra, a un nuovo patto: di modo che noi possiamo vedere a faccia a faccia la gloria del Signore [15].

12.   Tuttavia, anche nel cielo c'è stato spazio per difetti. Certo, non ne sarebbe caduto giú l'Avversario, se non fosse stato colto in colpa: *lo stolto muta come la luna* e il cielo stesso si offusca

---

[13] Cf. 19, 19; *Expl. ps. XXXVI*, 59; *Apol. alt.*, 38.
[14] Cf. ORIGENE, in HARL, SCh 189, p. 330, 17-18, dove si parla di Ἐωσφόρος (Lucifero).
[15] Sulla dottrina escatologica di Ambrogio, cf. J.E. NIEDERHUBER, *Die Eschatologie des hl. Ambrosius. Eine patristische Studie* («Forschungen zur christlichen Literatur-und Dogmengeschichte», 6/3), Paderborn 1907.

bris obducitur —, uidetur utique non de elemento dictum, sed de uirtutibus potestatibusque caelestibus. Sunt enim sanctae uirtutes in caelo, in quibus nihil lubricum atque terrenum sit. Sunt etiam in terris caeli qui enarrant gloriam dei [b]. Qui sunt isti caeli? Audi dicentem: *Sicut portauimus imaginem illius terreni, portemus et imaginem huius caelestis* [c]. Isti igitur caeli sunt qui etiam in terris positi audent dicere: *Nostra autem conuersatio in caelis est* [d]. Isti sunt caeli in quibus fides grauitas continentia doctrina uita caelestis. Nam quemadmodum terra dictus est [e], qui lapsus ex illa praeuaricatione caelestis gratiae et in haec uitia terrena deiectus praeuaricationis suae uinculis se ligauit, ita e contrario caelum dicitur, qui uitam angelorum custodia integritatis exercet et corpus suum continenti sobrietate moderatur, mentem quoque suam miti tranquillitate componit, pecuniam pauperibus misericordi liberalitate dispensat. Est ergo et in terris caelum in quo possunt uirtutes esse caelestes. *Caelum mihi thronus* [f] ego magis iusti affectum quam elementum intellego. Illum puto caelum ad cuius animam uenit Christus et pulsat ianuam et, si aperueris, ingreditur [g]. Nec solus ingreditur, sed etiam cum patre, sicut ipse ait: *Ego et pater ueniemus et mansionem apud eum faciemus* [h].

13.   Vides igitur quod uerbum deus et otiosum prouocat et dormientem excitat. Qui enim uenit et ianuam pulsat, uult semper intrare. Sed in nobis est quod non semper ingreditur, non semper manet. Pateat aduenienti ianua tua; aperi ianuam tuam, expande. Gremium tuae mentis, ut uideat diuitias simplicitatis, thesauros pacis, suauitatem gratiae [a]. Dilata cor tuum [b], occurre soli lucis aeternae quae inluminat omnem hominem [c]. Et illud quidem uerum lumen omnibus lucet; sed si quis fenestras suas clauserit, aeterno lumine se ipse fraudabit. Excluditur ergo et Christus, si tu mentis tuae ianuam claudas. Etsi possit intrare, non uult tamen inportunus inruere, non uult inuitos cogere. Ortus ex uirgine processit ex aluo, uniuersa totius orbis inradians, ut luceret omni-

[b] Cf. Ps 18, 2.
[c] 1 Cor 15, 49.
[d] Phil 3, 20.
[e] Cf. Gen 3, 19.
[f] * Is 66, 1.
[g] Cf. Apoc 3, 20.
[h] * Io 14, 23.
13. [a] Cf. 2 Cor 8, 2.
[b] Cf. 2 Cor 6, 11.
[c] Cf. Io 1, 9.

di tenebre. Allora, quanto è stato detto non pare proprio riferirsi al principio elementare del cielo, ma alle virtú e alle potestà celesti [16]. Ci sono nel cielo virtú sante, che non contengono niente di insicuro e di terreno. Mentre ci sono, anche sulla terra, cieli che narrano la gloria di Dio. Chi sono questi cieli? Ascolta colui che dice: *Come abbiamo portato l'immagine di quell'uomo terreno, portiamo anche l'immagine di quest'uomo celeste!* Questi allora sono i cieli [17] che, anche quando sono collocati sulla terra, possono permettersi di dire: *La nostra vita però è nei cieli.* Questi sono i cieli nei quali alberga la fede, la serietà, la continenza, la dottrina, la vita celeste. Come è stato chiamato «terra» l'uomo che è caduto per opera di quella trasgressione dallo stato di grazia celeste, che è stato precipitato in questa condizione terrena di peccato e si è avvinto con le catene della sua trasgressione, cosí all'opposto viene chiamato «cielo» l'uomo che, conservando la sua purezza, conduce la vita degli angeli; che sa controllare il suo corpo con una vigile sobrietà; che sa creare armonia anche nella sua intelligenza, grazie ad una mite serenità; che elargisce il suo denaro ai poveri con una misericordiosa generosità. Anche nella terra dunque c'è un cielo, nel quale possono abitare le virtú celesti [18]. *Il cielo è il mio trono*: io lo interpreto piú come la disposizione d'animo del giusto che come un principio elementare [19]. Per me è «cielo» l'uomo alla cui anima viene Gesú e bussa alla porta e, se gli avrai aperto, ecco che entra. E non entra Lui sòlo, ma insieme col Padre, come Egli stesso esclama: *Io e il Padre verremo e faremo sosta in lui.*

13.     Vedi allora che Dio Parola provoca l'ozioso e sveglia il sonnolento. Colui che viene e bussa alla porta, vuole sempre entrare [20]. È colpa nostra se non sempre entra e non sempre resta. Al suo arrivo, sia spalancata la tua porta! Apri la tua porta; distendi il grembo del tuo spirito, che veda quanto ricca è la semplicità, che tesoro è la pace, quanto dolce è la grazia! Allarga il tuo cuore! Va' incontro al sole della luce eterna che illumina ogni uomo! E quella vera fonte di luce risplende, sí, per tutti, ma chi terrà chiuse le sue finestre, si priverà da solo della luce eterna. Dunque, anche Cristo viene lasciato fuori, se tu chiudi la porta del tuo spirito. Egli avrebbe la possibilità di entrare, ma non vuole farvi irruzione come un seccatore; non vuole imporre la sua presenza a chi non la gradisce. Nato dalla Vergine, proruppe dal suo seno spandendo i suoi raggi su tutte le parti del mondo,

---

[16] Sull'accostamento, questa volta, tra cielo e *potestates caelestes*, cf. ORIGENE, in HARL, SCh 189, p. 330, 1-4.

[17] Cioè i credenti che si sono spogliati dell'uomo vecchio e rivestiti del nuovo.

[18] Ambrogio «stabilisce una piena continuità fra la Chiesa della gloria e quella della terra, perché nelle anime, giunte ad una perfetta santificazione, la condizione del cielo inizia qui in terra»: TOSCANI, *Teologia della Chiesa...*, pp. 410 s. e nota 44. Anche Origene assimila i giusti al cielo: cf. HARL, SCh 190, pp. 675-677.

[19] Come Origene, anche Ambrogio ha «una concezione spirituale dei luoghi e degli stati escatologici»: DASSMANN, *La sobria ebbrezza...*, p. 244.

[20] L'azione efficace di Dio-Parola trasforma anche l'esegesi dell'uomo in una risposta ad una provocazione divina.

bus. Capiunt, qui desiderant fulgoris perpetui claritatem, quam nox nulla interpolat. Soli enim huic quem cotidie cernimus nox tenebrosa succedit, sol autem iustitiae [d] numquam occidit, quia sapientiae non succedit malitia.

14.   Beatus ergo ille cuius pulsat ianuam Christus. Ianua nostra est fides quae totam domum, si fuerit robusta, communit. Per istam ianuam Christus ingreditur, unde et ecclesia dicit in Canticis: *Vox fratris mei, pulsat ad ianuam* [a]. Audi pulsantem, audi introire cupientem: *Aperi mihi, soror mea sponsa, columba mea, perfecta mea, quia caput meum repletum est rore et crines mei guttis noctis* [b]. Considera quando maxime pulsat ianuam tuam deus uerbum: cum repletum est caput eius rore nocturno. In tribulatione etenim et temptationibus positos uisitare dignatur, ne quis forte succumbat uictus aerumnis. Repletur ergo caput eius rore uel guttis, quando corpus eius laborat. Tunc ergo uigilandum, ne, cum uenerit sponsus, recedat exclusus. Si enim dormias et cor tuum non uigilet [c], discedit antequam pulset, si cor tuum uigilet, pulsat et aperiri sibi ianuam poscit. Habemus ergo animae nostrae ianuam, habemus et portas de quibus dictum est: *Tollite portas, principes, uestri, et eleuamini, portae aeternales, et introibit rex gloriae* [d]. Est ergo et caelum in his in quibus portae sunt aeternales. Si has fidei tuae portas uelis attollere, intrabit ad te rex gloriae triumphum portans propriae passionis. Habet etiam iustitia portas. Nam etiam de his legimus scriptum dicente domino Iesu per prophetam suum: *Aperite mihi portas iustitiae* [e], et infra ait propheta Dauid: *Lauda, Hierusalem, dominum, lauda deum tuum, Sion, quoniam confortauit seras portarum tuarum* [f].

15.   Est ergo anima quae habet ianuam, est quae habet portas. Ad hanc ianuam uenit Christus et pulsat, pulsat et portas. Aperi ergo illi; uult introire, uult sponsam inuenire uigilantem. Noli bono amatori facere moras, cito recedit et tu somno torporis tui uideris exclusisse pulsantem. Excludis enim eum, cum desidiosus es, cum piger, cum somnolentus; his repagulis Christus exclu-

---

[d] Cf. Mal 4, 2.
14. [a] * Cant 5, 2.
     [b] * Ibid.
     [c] Cf. Cant 5, 2.
     [d] * Ps 23, 7.
     [e] Ps 117, 19.
     [f] Ps 147, 1-2 (12-13).

---

14, 15-16 portas, principes uestri *Petschenig*.

per diffondere su tutti la sua luce. Riescono a captarla gli uomini che desiderano la luminosità dello splendore eterno che nessuna notte interrompe. Questo sole di quaggiú, che vediamo ogni giorno, lascia il posto alla notte; ma il Sole di giustizia non tramonta mai, perché la Sapienza non lascia il posto al male.

14.    Dunque, beato l'uomo alla cui porta bussa Cristo. La nostra porta è la fede, che, quand'è robusta, è una protezione per tutta la casa. Per questa porta entra Cristo, tanto che anche la Chiesa dice nel Cantico dei Cantici: *È la voce del mio fratello, che bussa alla porta.* Ascolta: Egli bussa. Ascolta: Egli ha voglia di entrare: *Aprimi, sorella mia amata, mia colomba, mia bellissima; il mio capo è madido di rugiada ed i miei capelli son bagnati di stille notturne.* Rifletti al momento in cui, in modo particolare, Dio Parola bussa alla tua porta: quando il suo capo è madido di rugiada notturna. Egli si degna di visitare chi si trova nelle angustie e nelle tentazioni, perché non vuole che qualcuno soccomba sotto il peso schiacciante delle disgrazie. Dunque, è madido di rugiada e di stille il suo capo, quando il suo corpo è sotto sforzo. Allora è il tempo di stare vigili, perché, quando lo Sposo verrà, non sia costretto a tornarsene indietro perché noi l'abbiamo chiuso fuori. Se tu dormi e non è sveglio il tuo cuore, egli se ne va ancor prima di bussare. Se il tuo cuore è sveglio, egli bussa e chiede che gli sia aperta la porta. Dunque, noi abbiamo una porta dell'anima nostra. Abbiamo anche piú porte, delle quali sta scritto: *Levate le vostre* [21] *porte, o principi, e sollevatevi, porte eterne, ed entrerà il re della gloria.* Dunque vuol dire che c'è ànche il Cielo in coloro che possiedono porte eterne. Se tu volessi sollevare queste porte della tua fede, entrerà dentro di te il Re della gloria, recando il trionfo della propria Passione. Ci sono porte anche della giustizia. Anche a proposito di esse leggiamo che sta scritta la parola del Signore Gesú, espressa per mezzo del suo profeta: *Apritemi le porte della giustizia*, e, piú avanti, il profeta Davide esclama: *Loda, Gerusalemme, il Signore! Loda il tuo Dio, o Sion, poiché egli ha rafforzato le sbarre delle tue porte.*

15.    C'è dunque un'anima che ha una porta e un'anima che ha porte. Alla prima porta giunge Cristo e bussa; bussa anche alle porte. Aprigli, dunque! Egli vuole entrare, vuole trovare sveglia la sua Sposa. Non fare aspettare un buon amante, altrimenti Egli fa presto ad andarsene, e tu fai la figura di chi, assonnato e torpido, non l'ha fatto entrare quando bussava. Non lo fai entrare quando sei trascurato, pigro, sonnolento: questi sono i catenacci

---

[21] Interpreto questo *uestri* come un pronome (genitivo) e quindi la punteggiatura richiede la virgola dopo *principes*. Sono confortato da *Expl. ps. XXXVII*, 35, dove la citazione suona *tollite portas, principes, uestras* (alcune varianti anche là portano *uestri*, come qui d'altra parte i mss. GMNO portano *uestra*, lezione accolta dai Maurini); e da *De fide*, IV, 9, dai Maurini punteggiata come abbiamo proposto noi qui.
    Cf. B. STUDER, *Die anti-arianische Auslegung von «Psalm» 23, 7-10 in «De Fide» IV, 1-2 des Ambrosius von Mailand*, in *Ambroise de Milan. XVI Centenaire de son élection épiscopale*, Paris 1974, p. 255.

ditur. Etsi castus, etsi sobrius sis, caue ne sis neglegens; maiorem Christo facit iniuriam qui aduenientem repellit.

16.   Nonnumquam etiam, si moraris, mittit manum suam per fenestram, sicut ait sponsa: *Frater meus misit manum suam de prospectu, et uenter meus conturbatus est super eum. Exsurrexi ego aperire fratri meo, manus meae distillauerunt myrram, digiti mei myrra pleni* [a]. Primum ergo tamquam a prospectu mittit manum suam, quando deus esse operibus aestimatur; unde ait: *Si mihi non creditis, uel operibus credite* [b]. Deinde augetur amor et intimis uisceribus conceptus inolescit. Inde intelligibili utero, in quo est receptaculum uerbi, seminibus eius infusis plenitudinem eius corpolariter inhabitantem [c] haurire anima nostra desiderat. Non enim turbatur uterus feminarum nisi quae fuerint aluo graues.

17.   Surgit igitur anima, ut aperiat dei uerbo. Sed dum se expandit atque aperit, ut opera mundi huius [a] uerbi receptione mortificet — sicut ille qui ait: *Mortificationem domini Iesu in corpore nostro circumferimus* [b] —, ergo dum aperit, transiuit sponsus. Vult enim semper quaeri, frequentius inueniri, et si clausam ianuam inuenerit, pulsat, et si per moram fuerit exclusus, recedit. Sed cito redit et iterum pulsat, ut uel postea sponsam inueniat praeparatam. Potest quidem et sic accipi: *Frater meus transiuit* [c], sicut legimus, quod penetrauit dilectae intima medullarum, et quemadmodum ad Mariam dictum est: *Et tuam ipsius animam pertransibit gladius, ut reuelentur multorum cordium cogitationes* [d]. Denique addidit sponsa animam suam exisse in uerbo eius [e], quod fit quando anima peregrinatur a corpore et deo praesens est [f].

18.   Explanauimus igitur, ut potuimus, quid esset: *In aeternum, domine, permanet uerbum tuum in caelo* [a]. Possumus tamen et sic intellegere, quia in caelo magis permanet in aeternum, ubi angeli et archangeli, Cherubim et Seraphim, quoniam homines quamuis sancti sint, tamen affectus eorum saepe mutatur. Nunc gaudemus, continuo maeremus irascimur ingemescimus. In ipsa paenitentia non uult nos satis contristari apostolus, ne tristitia

16. [a] * Cant 5, 4-5.
     [b] * Io 10, 38.
     [c] Cf. Col 2, 9.
17. [a] Cf. Rom 8, 13.
     [b] * 2 Cor 4, 10.
     [c] * Cant 5, 6.
     [d] * Lc 2, 35.
     [e] Cf. Cant 5, 6.
     [f] Cf. 2 Cor 5, 8.
18. [a] * Ps 118, 89.

che non fanno entrare Cristo. Sta bene: sei casto, sei sobrio; ma attento a non essere trascurato. Fa un torto piú grave a Cristo colui che lo respinge quand'Egli viene.

16. Se tu perdi tempo, Egli fa qualche volta passare la sua mano attraverso la finestra, come esclama la sposa: *Il mio diletto ha fatto passare la sua mano dallo spiraglio e le mie viscere si sono alterate a causa sua. Mi sono alzata ad aprire al mio diletto; dalle mie mani sono cadute stille di mirra, le mie dita erano roride di mirra.* Dunque, per prima cosa Egli fa passare la sua mano dallo spiraglio, perché è dalle opere che lo si ritiene Dio. Per questo esclama: *Se non credete a me, credete almeno alle mie opere!* Poi ecco che l'amore cresce e il suo concepimento trova sviluppo nella profondità delle viscere. Di lí i suoi semi si spargono in quell'utero ideale, che dà accoglienza al Verbo, e l'anima nostra desidera attingerne la pienezza, che dentro di sé abita *fisicamente*. Non si altera l'utero delle donne, a meno che non siano gravide.

17. Orbene, si alza l'anima per aprire alla Parola di Dio. Ma, nel momento in cui essa si distende ed apre per far morire le opere di questo mondo, con l'accoglienza della Parola — come colui che esclama: *Portiamo attorno nel nostro corpo la morte del Signore Gesú* — nel momento in cui, dunque, essa apre, lo Sposo è già passato oltre. Egli ama sempre essere cercato, piú spesso farsi trovare. E, se ha trovato la porta chiusa, bussa, e se lo si è lasciato fuori, perché si perde tempo, se ne va. Ma dopo un po' ritorna e bussa un'altra volta, per vedere se trova, almeno allora, preparata la sposa. L'espressione *il mio diletto è passato oltre* [22] può avere anche un'altra interpretazione: secondo quanto abbiamo letto — e cioè che egli è penetrato nell'intimità piú stretta dell'amata — e nel senso in cui è stato detto a Maria: *E una spada passerà da parte a parte* [23] *l'anima tua, per portare alla luce i pensieri di molti cuori.* Tant'è vero che la sposa ha soggiunto che la propria anima è uscita dietro la sua parola: e questo avviene quando l'anima va lontano dal corpo ed è alla presenza di Dio [24].

18. Abbiamo cercato di spiegare, come abbiamo potuto, il significato dell'espressione: *Per l'eternità, o Signore, dura la tua parola nel cielo.* Tuttavia possiamo intendere anche cosí: è piuttosto nel cielo che essa dura per l'eternità, dove stanno gli angeli e gli arcangeli, i Cherubini e i Serafini, dato che, per quanto gli uomini possano essere santi, tuttavia i loro pensieri sono spesso volubili. Un momento siamo contenti, subito dopo piangiamo, ci arrabbiamo, ci lamentiamo. Perfino nel pentimento l'Apostolo

---

[22] Cf. 6, 9.

[23] L'interpretazione di *transire* come «penetrare», è favorita dal richiamo verbale *pertransiuit gladius* di Lc 2, 35, che anche altrove da Ambrogio è interpretato come l'azione efficace che sull'anima esercita la Parola, intesa nella sua duplice valenza di Parola-Scrittura e Parola-Cristo (cf. *Expl. ps. XXXVII*, 22; *XLIII*, 12).

[24] Cf. 6, 9, dove Cant 5, 6 serve ad introdurre il motivo dell'anima che esce dalla corporeità. Lo Sposo passa oltre (trapassa l'anima) e l'anima gli va dietro, uscendo dal corpo. Lo sviluppo del pensiero si basa su richiami di parole tra Cant - Lc - Cant.

absorbeamur [b]. Vbi ergo iracundia, ubi tristitia grauis, non permanet ibi uerbum. Denique de solo domino Iesu dictum est a Iohanne, quia uidit spiritum descendentem de caelo sicut columbam et manentem super eum [c]. Nam et prophetae non semper prophetabant, sed cum infunderet his spiritus gratiam prophetandi. Denique nec Dauid praesciuit quid adnuntiaret Nathan missus a domino [d], et utique inferior Nathan propheta cognouit quod Dauid praestantior nesciebat, et alius dixit propheta: *Caelauit me dominus* [e]. Vnde et plerique accipiunt in caelo permanere dei uerbum in potestatibus caelestibus, in quibus non sunt affectuum uarietates. Aliqui autem de ipsa accipiunt trinitate, quae sola inmutabilis sit. Et ideo in caelo permanet uerbum, id est in patre, quia uerbum dixit: *Ego in patre et pater in me* [f].

19. *In generationem et generationem ueritas tua* [a]. Multi sunt qui dicuntur dii [b], sed non sunt. Ergo in gentibus mendacium est, in ecclesia ueritas. Hanc tamen ueritatem habuit primo synagoga, quae habebant eloquia dei [c]; est enim ueritas et in ueteri testamento, quae fuit ante in populo Iudaeorum; *notus* enim *in Iudaea deus* [d]. Deus autem ueritas est, ergo in Iudaea ueritas. Fuit igitur ueritas in patribus, Moyse et Iesu Naue, in Samuhel, in Dauid, Helia, Heliseo et in illis septem milibus uirorum, qui non curuauerunt genua Baal [e]. Sed quia posterior suboles Iudaeorum a patrum moribus deuiauit, recessit ab illis ueritas et ad ecclesiam uenit. Recessit enim ab illis, quando dixerunt de domino Iesu: *Tolle tolle, crucifige eum* [f]; tradiderunt enim ueritatem et elegerunt iniquitatem. Omnes ergo aliae generationes ueritatis exortes, omnium haereticorum generationes non tenent ueritatem. Sola ecclesia ueritatem pio affectu possidet, quia generatio Iudaeorum, quae ante eam possidebat, amisit. Populus ergo Iudaeorum prior fidei generatio et ideo infantior et infirmior, qui lubrico adulescentiae stare non potuit. Populus autem christianus fidei secunda generatio, ideo robustior et uenerabili maturior senectute. Illa

[b] Cf. 2 Cor 2, 7.
[c] Cf. Io 1, 32.
[d] Cf. 2 Reg 12, 5-7.
[e] * 2 Reg 4, 27.
[f] Io 14, 10.
19. [a] Ps 118, 90.
[b] Cf. 1 Cor 8, 5.
[c] Cf. Rom 3, 2.
[d] Ps 75, 2.
[e] Cf. 3 Reg 19, 18.
[f] Io 19, 15.

non vuole che eccediamo in mestizia, perché essa non ci inghiotti-sca. Dunque, dove c'è l'ira, dove c'è una pesante mestizia, lí non dura la Parola. Tant'è vero che solo a proposito del Signore Gesú è detto da Giovanni che ha visto lo Spirito discendere dal cielo in forma di colomba e restar posato su di Lui. Infatti, i Profeti stessi [25], nemmeno loro esercitavano sempre la profezia, bensí quando lo Spirito infondeva loro il dono della profezia. Tant'è vero che nemmeno Davide sapeva che cosa gli avrebbe annuncia-to Natan, inviatogli dal Signore. Ciò vuol dire che Natan, profeta meno importante, sapeva qualcosa che Davide, piú importante, ignorava. E un altro profeta ha detto: *Il Signore me l'ha tenuto nascosto.* Perciò ci sono anche parecchi esegeti che intendono che la Parola di Dio dura nel Cielo presso le potestà celesti, che non sono soggette a mutabilità di sentimenti. Alcuni poi intendo-no la frase come riferita alla stessa Trinità, che è la sola ad essere immutabile: e perciò la Parola dura nel cielo, cioè nel Padre [26], dal momento che la Parola ha detto: *Io sono nel Padre e il Padre è in me.*

19. *Di generazione in generazione la tua volontà.* Sono molti i cosiddetti dèi, che in realtà non sono tali. Dunque, presso i Gentili regna la menzogna, nella Chiesa la verità. Eppure questa verità in precedenza l'ha avuta la Sinagoga, che possedeva i detti di Dio. La verità esiste anche nell'Antico Testamento e fu prece-dentemente presso il popolo dei Giudei [27]: *Dio fu conosciuto in Giudea.* Ma siccome Dio è Verità, dunque in Giudea fu la Verità. Orbene, la Verità esistette presso i padri, Mosè e Giosuè, presso Samuele, presso Davide, Elia, Eliseo e presso quei settemila che non piegarono il ginocchio davanti a Baal. Ma siccome successiva-mente la generazione dei Giudei traviò dalla condotta dei padri, ecco che la Verità si è ritirata da loro ed è passata alla Chiesa. Infatti si è ritirata da loro quando essi, a proposito del Signore Gesú, hanno detto: *Toglilo, toglilo di mezzo! Crocifiggilo!* Cosí han-no abbandonato ad altri la verità ed hanno scelto l'ingiustizia. Dunque, tutte le successive generazioni sono prive della verità, le generazioni di tutti gli eretici non sanno tenere salda la verità. Solo la Chiesa con il suo atteggiamento di devozione possiede la verità, dato che la generazione dei Giudei, che prima la possedeva, l'ha perduta. Dunque, il popolo dei Giudei fu la prima generazione della fede, e perciò è piú infantile e piú insicuro, perché non ha potuto tenersi ritto sul terreno scivoloso dell'adolescenza. Mentre il popolo cristiano è la seconda generazione della fede, e perciò è piú robusto e piú maturo nella sua veneranda vecchiaia. Quella

[25] La Parola resta solo in Cristo, nemmeno nei Profeti è permanente.

[26] In *De fide*, I, 63 Ambrogio interpreta Sal CXVIII, 89 nel senso che il Figlio resta eternamente presso il Padre. Si tratta di interpretazione fondamentalmente antiariana, presente anche in *De Spir. Sanct.*, II, 135, e che può essere fatta risalire a Didimo di Alessandria.

[27] Sull'accostamento di questo versetto al passaggio da Israele alla Chiesa, cf. ORIGENE, in HARL, SCh 189, p. 332, 1-9, che è stato fedelmente seguito da ILARIO, *Tract. ps. CXVIII*, 12, 6 (CSEL 22, p. 460).

generatio legis, haec gratiae. Vnde et alibi ait: *In generationem et generationem adnuntiabit ueritatem tuam* ᵍ.

20.    Sequitur uersus tertius: *Fundasti terram et permanet. Dispositione tua permanet dies* ᵃ. Quomodo fundauerit deus terram ᵇ, scriptura nos docuit dicente propheta: *Deus sapientia fundauit terram, parauit autem caelos in intellectu* ᶜ. Terra ergo tamquam fundamentum est, in qua consistimus, licet ipsam uel in hemicyclio caeli esse et is qui foris est sermo concelebret et scriptura significare uideatur dicente Iob: *Suspendens terram in nihilo* ᵈ. Includitur ergo orbe caelesti et ideo sol noctibus non uidetur, quia gyrando in inferiore inuenitur orbis parte caelestis. Sed non est cura sanctis axem caeli et elementorum spatia philosophico more numerosque describere — quid enim hoc prodest saluti? —, quia sancti spiritalibus semper intendunt et uitae aeternae profutura uel cognoscere gestiunt uel docere.

21.    Denique hunc locum pulchre nobis aperuit Ecclesiastes spiritalem esse, non materialem, dicens: *Quae abundantia homini in omni labore suo quo laborat sub sole? Generatio uadit et generatio uenit et terra stat in saeculum* ᵃ, hoc est: Quae abundantia spiritali homini laboranti sub sole iustitiae ᵇ? Et subiecit: *Generatio uadit et generatio uenit* ᶜ. Vadit generatio, quia *diuites eguerunt et esurierunt* ᵈ. Qui ante abundabant gratia, postea tamen propter perfidiam suam egere coeperunt. Qui autem pauperes erant populi nationum, iam per fidem Christi satiantur et abundant, sicut scriptum est: *Edent pauperes et saturabuntur* ᵉ. Audierunt enim dicentem: *Abundantes in omni bono*, non in pecuniis utique, non in auro et argento, sed *in omni uerbo*, inquit, *et cognitione* ᶠ et alibi ait: *In diuitiis simplicitatis* ᵍ. Hae diuitiae sunt salubres; nam copiae saeculares salutem adferre non possunt. Qui autem habuerit abundantiam spiritalem, huius terra fructifera stat in saeculum

---

ᵍ * Ps 88, 2.
20. ᵃ Ps 118, 90.
    ᵇ * Ps 118, 91.
    ᶜ * Prou 3, 19.
    ᵈ * Iob 26, 7.
21. ᵃ * Eccle 1, 3-4.
    ᵇ Cf. Mal 4, 2.
    ᶜ * Eccle 1, 4.
    ᵈ Ps 33, 11.
    ᵉ Ps 21, 27.
    ᶠ * 1 Cor 1, 5.
    ᵍ * 2 Cor 8, 2.

fu la generazione della Legge, questa della grazia [28]. Perciò, anche in un altro passo Davide esclama: *Di generazione in generazione annuncerà la tua verità.*

20. Prosegue il versetto terzo: *Hai fissato la terra ed essa dura. Secondo quanto hai predisposto dura il giorno.* Come Dio ha fissato la terra? Ce lo insegna la Scrittura con la parola del profeta: *Dio ha fissato la terra con la sapienza, ha invece disposto i cieli nella sua intelligenza.* La terra dunque è qualcosa di fisso, su cui noi stiamo, anche se essa è situata almeno nel semicerchio del cielo, come proclama una citazione non cristiana [29] e come sembra suggerire la Scrittura, quando Giobbe dice: *appendendo la terra al nulla.* Dunque, essa è inclusa nella sfera celeste e proprio per questo di notte il sole non è visibile: nella sua orbita esso infatti viene a trovarsi nella parte inferiore della sfera celeste. Ma gli agiografi non si preoccupano di descrivere — come i filosofi — l'asse del cielo, gli spazi dei corpi e i loro ritmi: che giova questo alla salvezza? Gli agiografi hanno sempre di mira i valori spirituali e loro intenzione è di conoscere ed insegnare ciò che può giovare alla vita eterna [30].

21. Tant'è vero che l'Ecclesiaste bene ci ha dimostrato che qui si tratta d'un luogo spirituale e non materiale. Esso dice: *Quale prosperità trae l'uomo da tutta la fatica con cui s'affatica sotto il sole? Una generazione va e una viene e la terra resta sempre.* In altre parole: quale prosperità trae l'uomo spirituale che si affatica sotto il sole della giustizia? Ed ha soggiunto: *Una generazione va e una viene.* Una generazione va, perché *i ricchi sono diventati poveri ed affamati.* Prima essi [31] erano ricolmi di grazia; dopo però, a causa del loro rifiuto della fede, hanno cominciato a diventare poveri. Mentre gli altri — i popoli delle varie stirpi —, che erano poveri, ora, grazie alla fede in Cristo, sono saziati e ricolmi, secondo quanto sta scritto: *Mangeranno, i poveri, e si sazieranno.* Hanno ascoltato colui che diceva: *ricolmi di ogni bene.* Non di denaro — si capisce —, non d'oro e d'argento, ma *di ogni parola e conoscenza,* come sta scritto. E altrove questi esclama: *delle ricchezze della semplicità.* Queste sono le ricchezze che salvano, mentre l'abbondanza di mezzi mondani non può recare salute. Se l'uomo, invece, è ricolmo di beni spirituali, la sua terra sarà stabilmente feconda per sempre, ben fissata com'è sulla radice

---

[28] Il motivo della storia della salvezza accostata alle età della vita dell'uomo è ampiamente trattato nell'*Epist.*, 16 (= Maur. 76): cf. HAHN, *Das wahre Gesetz...*, pp. 246-248. Sul tema, cf. J. DE GHELLINCK, *Iuventus, gravitas, senectus*, in *Studia Mediaevalia in honorem R. J. Martin*, Brugis Flandrorum 1947, pp. 39-59.

[29] Cf. SERVIO, *In Verg. Georg.*, IV, 64: *similia sunt hemicycliis caeli, quibus cingitur terra.*

[30] Ne deriva che, ogni qualvolta pare che la Scrittura insista su questioni non pertinenti alla salvezza dell'uomo, c'è da sospettare che quei luoghi debbano essere sottoposti ad interpretazione spirituale (cf. infatti l'inizio del successivo c. 21). È invocato qui quello che gli esegeti alessandrini, ed Origene in particolare, chiamano il principio dell'ὠφέλεια (utilità: qui *prodesse*) morale della Scrittura. Cf. J. DANIÉLOU, *Messaggio evangelico e cultura ellenistica*, trad. it., Bologna 1975, p. 337; il mio, *La dottrina esegetica...*, pp. 16 s.

[31] Si tratta dei Giudei.

bene fundata radice uirtutum, uel anima utique bonos germinans fructus uel caro nullis cupiditatibus mobilis ad prolapsionem.

22.   Hanc terram circuit sol iustitiae [a] salutaris, de quo scriptum est: *Et oritur sol et occidit et in locum suum trahit; ipse oriens illuc uadit ad austrum et gyrat ad aquilonem; gyrando gyrat spiritus et in gyros eius conuertitur spiritus* [b]. Oritur sol iustis, occidit autem iniustis; oritur tranquillitati piae mentis, occidit iracundiae. Vnde ait: *Sol non occidat super iracundiam uestram* [c]. Hinc potest colligi, quia isdem oriatur et occidat, quorum et uitia sepeliat et inluminet gratiam. Mortuus est enim peccato, ut deo uiueret [d], hoc est: peccato sumus in illo mortui, ut deo in perpetuum uiueremus. Vide ipsum mysterium praenuntiatum: *Et oritur*, inquit, *sol et occidit et in locum suum trahit* [e]. Hoc est quod ait dominus: *Cum exaltatus fuero, omnia traham ad me ipsum* [f]. Traxit enim ad se omnium studia, ut uel peccata nostra crucifigeret [g] uel bonum ingenium ad iustitiam prouocaret. Aduerte quemadmodum trahat ad se: *Pater, uolo ut ubi ego sum et isti sint mecum* [h], et ad latronem ait: *Hodie mecum eris in paradiso* [i]. Aduerte quomodo omnia trahat: exaltatus est cruce et totus credidit mundus.

23.   *Ipse oriens*, inquit, *uadit ad austrum et gyrat ad aquilonem* [a], ille utique oriens, qui ait: *Oriens nomen est mihi* [b], qui semper oritur piis, numquam occidit. Ipse oriens populo Hebraeorum ad austrum iuit, ad molliorem populum luxuria magis feruentis corporis lubricum quam impietatis inmanitate praedurum, aut certe ad nobiliorem plebem, quae erat genus electum [c] uindicans sibi patriarcharum prosapiam.   Sed quia perseuerabat in uitiis nec emendabat errorem, ideo sol iustitiae gyrauit ad gentes, quae ante eloquiis caelestibus defraudatae inmanens et ignobiles habebantur; aquilo enim grauis uentus ut populus nationum. Sed qui erant graues ante perfidia, nunc super aquilas leuiores facti sunt fide atque pietate, posteaquam uenit qui diceret: *Ab aquilone adduc* [d], et in euangelio: *Venient ab oriente et occidente et ab aquilone et austro et recumbent in regno dei. Et ecce sunt nouissimi qui erant primi, et sunt primi qui erant nouissimi* [e]. Denique et ipse

---

22. [a] Cf. Mal 4, 2.
  [b] * Eccle 1, 5-6.
  [c] Eph 4, 26.
  [d] Cf. Rom 6, 10.
  [e] * Eccle 1, 5.
  [f] * Io 12, 32.
  [g] Cf. Rom 6, 6.
  [h] * Io 17, 24.
  [i] Lc 23, 43.
23. [a] * Eccle 1, 5-6.
  [b] * Zach 6, 12.
  [c] Cf. 1 Pt 2, 9.
  [d] * Is 43, 6.
  [e] Lc 13, 29-30.

delle virtú [32], perché da una parte l'anima sua produce ovviamente buoni frutti, dall'altra la sua carne non è indotta dalle passioni a fare passi falsi.

22. Attorno a questa terra gira il Sole della giustizia [33] che salva. Di esso sta scritto: *Sorge il sole e tramonta e attira verso il proprio sito. É lui che sorge e va laggiú, verso austro, e che gira verso aquilone. Nel suo girare gira il soffio e sui suoi giri ritorna il soffio.* Sorge il Sole per i giusti, tramonta invece per gli ingiusti. Sorge per la serenità d'un animo devoto, tramonta sull'ira. Per questo si esclama: *Non tramonti il sole sopra la vostra ira!* Se ne può dedurre che Egli sorge e tramonta per quegli stessi, di cui seppellisce i vizi e fa risplendere la grazia. Infatti, è morto al peccato per vivere in Dio; in altre parole: in Lui siamo morti al peccato, per poter vivere per sempre in Dio. Vedi che è qui preannunciato proprio il mistero. Sta scritto: *Sorge il sole e tramonta e attira verso il proprio sito.* Non è altro che quanto dice il Signore: *Quando sarò innalzato, attirerò tutto a me.* Ha attirato verso di Sé le aspirazioni di tutti, sia per crocifiggere i nostri peccati sia per stimolare l'indole onesta verso la giustizia. Nota bene come faccia ad attirare a Sé: *Padre, io voglio che, dove sono io, là siano con me anche costoro.* E al ladrone dice: *Oggi sarai con me in paradiso.* Nota bene come faccia ad attrarre ogni cosa: è stato innalzato sulla croce e tutto il mondo ha creduto.

23. *È lui che sorge* — si dice — *e che va verso l'austro e gira verso l'aquilone.* Quello che sorge è proprio Colui che esclama: *Oriente è il mio nome*: è Colui che sempre sorge per i devoti e non tramonta mai. Egli, sorgendo per il popolo degli Ebrei, s'è diretto verso l'austro, cioè verso un popolo piú tenero, cedevole, a causa della lussuria d'un corpo ardente, piuttosto che irrigidito dalla durezza dell'infedeltà. Oppure — ed è interpretazione sicura — s'è diretto verso un popolo piú nobile, che era stirpe eletta che si vantava d'essere prosapia dei Patriarchi. Ma siccome esso persisteva nel vizio e non si correggeva dell'errore, ecco che il Sole della giustizia si è girato verso i Gentili, che precedentemente erano privi della rivelazione celeste ed erano considerati non umani e spregevoli: l'aquilone è un vento pesante come il popolo di altre razze. Ma loro, che prima erano pesanti a causa dell'incredulità, ora — grazie alla fede e alla devozione — sono diventati piú leggeri delle aquile, da quando è venuto Colui che poteva dire: *Conducili via dall'aquilone!* E nel Vangelo: *Verranno da oriente e da occidente e dall'aquilone e dall'austro e si sdraieranno nel regno di Dio. Ed ecco che diventano ultimi quelli che erano i primi e diventano primi quelli che erano gli ultimi.* Tant'è vero che anche

---

[32] Pare di avvertire qui l'influsso del greco εὔριζος, che Ambrogio, a proposito di Sal XLVII, 3, traduce letteralmente con *bona radice*: cf. *Expl. ps. XLVII*, 4.

[33] Il Sole di giustizia si trova introdotto analogamente a *Exam.*, IV, 5, dove però Sal CXVIII, 90 indica la creazione operata da Cristo.

psalmista ait: *Mons Sion, latera aquilonis, ciuitas regis magni* [f], hoc est: qui erant aquilonis latus, populus factus est regis aeterni qui solus magnus est dominus [g].

24.   Sed forte dicas: «Quomodo in Canticis est: *Exsurge, aquilo, et ueni, auster* [a]?». Plerique enim accipiunt, quasi proiciatur aquilo et inuitetur auster. Quodsi ita accipiunt, exturbatur ab ecclesia perfidiae glacialis asperitas, ne fiat fuga nostra hieme uel sabbato [b], et inuitatur australis uerna temperies. Aut certe *exsurge, aquilo* [c] hoc est: *Surge qui dormis et exsurge a mortuis* [d]; populus nationum, qui diu ante dormisti, euigila aliquando, et inlucescet tibi Christus. Postremo omnes inuitantur ad ecclesiam, et synagogae populus et gentilium, sed prius synagogae, quia priores ex Iudaeis apostoli crediderunt, per ipsos postea nationum populi congregati sunt.

25.   Vide ergo uenientem solem nostrum ad austrum postea gyrantem ad aquilonem. *Hierusalem Hierusalem* — uenit utique ad eam quam etiam uocare dignatus est, sed haec Hierusalem terrena est, quae occidit prophetas, hoc est synagoga Iudaeorum —, *quotiens*, inquit, *uolui congregare filios tuos sicut gallina pullos suos, et noluisti. Ecce relinquetur uobis domus uestra deserta* [a]. Gyrauit igitur se ad gentes, gyrando autem gyrauit spiritus dei et in gyros suos conuersus est, ut fieret deus omnia et in omnibus [b]. Ideo sanctus caelum dicitur, quia uicinior eum claritas solis semper inlustrat; habet splendorem suum domesticum, ut tenebras noctis non sentiat. Ideo ecclesia et caelum dicitur et mundus, quod habeat sanctos angelis et archangelis conparandos, habeat etiam plerosque terrenos. Dicitur et orbis terrarum, qui est fundatus super maria et super flumina praeparatus [c]. Denique quasi orbis terrarum dicit ecclesia: *Nolite aspicere me, quoniam fusca sum, quia non respexit me sol* [d], eo quod uelut pruinis hiemalibus geluque constrictam gentilis erroris congregationem gentium sol iustitiae diu indignam aestimauerit quam serena uultus sui luce lustraret. Nonne tibi uidebatur hiberni rigor temporis, quando notus erat in Iudaea tantummodo deus [e]? Nunc autem plenitudo lucis fulget aestiuae, quando omnia et in omnibus Christus [f].

---

[f]   Ps 47, 3.
[g]   Cf. Ps 94, 3.
24. [a]  * Cant 4, 16.
   [b]  Cf. Mt 24, 20.
   [c]  Cant 4, 16.
   [d]  Eph 5, 14.
25. [a]  * Mt 23, 37-38.
   [b]  Cf. 1 Cor 15, 28.
   [c]  Cf. Ps 23, 2.
   [d]  * Cant. 1, 6 (5).
   [e]  Cf. Ps 75, 2.
   [f]  Cf. 1 Cor 15, 28.

lo stesso Salmista esclama: *Monte di Sion, costole dell'aquilone, città del grande re*. Che vuol dire: coloro che erano le costole dell'aquilone, sono diventati il popolo del re eterno, che è l'unico, grande Signore [34].

24.  Ma potresti obiettare: «Come mai nel Cantico dei Cantici si trova scritto: *Levati, aquilone, e vieni, austro!*? La maggior parte degli esegeti intende come se qui venga disperso l'aquilone ed invitato l'austro [35]. Che se questo è il senso, è come dire che la Chiesa caccia via la rigidità glaciale dell'incredulità (che la nostra fuga non avvenga né d'inverno né di sabato!) ed invita il clima primaverile dell'austro. Oppure — perché no? — : *Levati, aquilone*, nel senso di: *Svegliati dal sonno e sollevati dai morti*. Tu, popolo delle altre razze, che prima a lungo hai dormito, sta' un po' sveglio, e risplenderà per te la luce di Cristo! Ultima interpretazione: tutti sono invitati alla Chiesa, sia il popolo della Sinagoga che quello dei Gentili. Per primo però quello della Sinagoga, perché i primi a credere furono gli Apostoli che provengono dai Giudei; poi, per mezzo loro, sono stati radunati i popoli delle altre razze.

25.  Osserva, dunque! Il nostro Sole proviene dalle regioni dell'austro e poi si gira verso l'aquilone. *Gerusalemme, Gerusalemme* (è venuto proprio da lei, e si è anche degnato di chiamarla per nome, ma questa Gerusalemme è la Gerusalemme terrena che uccide i Profeti, cioè è la Sinagoga dei Giudei), *quante volte* — dice — *ho voluto radunare i tuoi figli come fa la chioccia con i suoi pulcini, e tu non hai voluto! Ecco che la vostra casa sarà abbandonata nella desolazione*. Allora s'è girato verso i Gentili, e nel suo girarsi s'è girato il soffio di Dio ed è ritornato sui suoi giri, perché Dio si faccia tutto e in tutti. E il santo è chiamato «cielo» proprio perché la luminosità del Sole gli sta piú vicina e sempre lo illumina. Gli è familiare uno splendore che non gli fa avvertire le tenebre della notte. E la Chiesa viene chiamata «cielo» e «mondo» proprio perché nel suo seno stanno i santi, paragonabili agli angeli e agli arcangeli; e anche una folla di uomini «terreni». Viene chiamata anche «terra tutta», che è fissata sopra i mari e stabilita sopra i fiumi. Tant'è vero che la Chiesa cosí parla, come fosse tutta la terra: *Non guardatemi, che sono buia, perché il sole non ha volto il suo sguardo verso di me!* Ciò avvenne perché quell'accolta di gente era come imprigionata nella morsa invernale della brina e del ghiaccio — propri del paganesimo — e il Sole della giustizia per molto tempo l'ha ritenuta immeritevole di essere rischiarata dalla luce radiosa del suo volto. Non è forse vero che pareva di essere nei rigori dell'inverno quando Dio era conosciuto solo in Giudea? Ora invece risplende in tutto il suo fulgore la pienezza dell'estate, poiché Cristo è tutto e in tutti. Non è forse vero che ora *la terra è del*

---

[34] Cf. *Expl. ps. XLVII*, 5, dove compare Cant 4, 16: è la tecnica dei «nidi di citazioni», ricorrente ogni qualvolta si incontri una qualsiasi delle citazioni costitutive di quel «nido».

[35] Questa interpretazione si trova in *Expl. ps. I*, 45 e *XLVII*, 5-6.

Nonne *terra domini et plenitudo eius* [g]? Et uere orbis terrarum in ecclesia, in qua non Iudaeus tantummodo aut Graecus, non barbarus aut Scytha, non seruus aut liber, sed omnes in Christo unum sumus [h]. Sol omnibus fulget, dies omnibus lucet.

26. Ideoque ait: *Dispositione tua permanet dies* [a]. Nam nisi ita accipias, quomodo permanet dies, cum post breue momentum diei sequatur occasus et fiat noctis successio? Sed sunt quibus semper dies est, illis utique quibus adest Christus, qui dicit: *Ambulate dum lucem habetis* [b]. Hic est dies quem uidit Abraham, dies remissionis peccatorum, de quo legis: *Hic est dies quem fecit dominus: exultemus et laetemur in eo* [c]. Sunt ergo sancti quibus sol numquam occidit, quia dominus lux eorum est, sicut scriptum est: *Et erit illis dominus lumen aeternum* [d].

27. Et expressit causam permanentis diei atque subtexuit: *Dispositione*, inquit, *tua permanet dies, quoniam uniuersa omnia seruiunt tibi* [a]. Videtur itaque significare futurum illud, quando *nox non erit amplius et non indigebitur lucernae uel solis lumine, quoniam dominus inluminabit eos* [b]. Qui sint illi, supra ait dicens: *Et serui eius seruient ei* [c], hoc est: Domini facient uoluntatem. Nunc enim non omnes seruimus; cum autem tradiderit regnum

g * Ps 23, 1.
h Cf. Gal 3, 28.
26. a * Ps 118, 91.
 b Io 12, 35; cf. Io 8, 56.
 c * Ps. 117, 24.
 d * Is 60, 19.
27. a * Ps 118, 91.
 b * Apoc 22, 5.
 c * Apoc 22, 3.

*Signore, suo pieno dominio* [36]? Ed è proprio cosí: la terra tutta sta nella Chiesa, perché in essa non c'è solo il giudeo o il greco, il barbaro o lo scita, il servo o il libero, ma tutti siamo una cosa sola in Cristo. Il Sole risplende per tutti, il giorno è chiaro per tutti.

26. Proprio per questo esclama: *Secondo quanto hai predisposto dura il giorno.* Se non lo si intende in quel senso, come è possibile dire che il giorno dura, dal momento che, dopo un breve spazio di tempo, subito viene il tramonto del giorno che è avvicendato dalla notte? Ma per qualcuno è sempre giorno. E costoro sono gli uomini che hanno con loro Cristo, il quale dice: *Camminate, finché avete la luce!* Questo è il giorno che Abramo ha visto [37], il giorno della remissione dei peccati, del quale leggi: *Questo è il giorno che ha fatto il Signore. Esultiamo e rallegriamoci in esso!* [38]. Dunque, sono i santi quelli per i quali il Sole non tramonta mai, perché la loro luce è il Signore, come sta scritto: *E il Signore sarà la loro luce senza fine* [39].

27. Ed ha voluto esprimere il motivo della durata del giorno, soggiungendo: *Secondo quanto hai predisposto* — è detto — *dura il giorno, poiché tutte le realtà servono te.* E cosí pare qui indicare quella condizione futura, *in cui la notte non ci sarà piú e non ci sarà bisogno di lucerna né della luce del sole, perché il Signore sarà la loro luce.* Chi sono costoro? L'ha detto poco prima con le parole: *Ed i suoi servi lo serviranno,* ossia: «faranno la volontà del Signore». Difatti ora non tutti lo serviamo [40]. Ma quando Egli

---

[36] Stessa interpretazione della costituzione della Chiesa si trova in *Expl. ps. XLV*, 17, dove si cita Sal XXIII, 1, come qui.

[37] Cf. *Expl. ps. XLIII*, 69.

[38] Cf. *Expl. ps. XXXVIII*, 18; *XLIII*, 6.

[39] Stessa citazione e stesso motivo in Origene, in Harl, SCh 189, p. 334, 5-9 e in *Fr. ps. CXVIII*, 91 (Cadiou, p. 113).

[40] Qui Sal. CXVIII, 91 è interpretato in un senso escatologico, non in funzione antiereticale, come in *De Spir. Sanct.*, I, 23, dove si sottolinea di piú *omnia* in quanto forma di genere *neutro*, per distinguere *cose* create da Spirito Santo che non è servo. E per distinguerle dal Figlio, in *De fide*, IV, 139. Mentre in *Epist.*, Maur. 46, 9 la stessa citazione serve a dimostrare che Cristo si è umiliato fino ad assumere forma di servo.
Il successivo passo di 1 Cor 15, 24-28 è da Ambrogio interpretato come esprimente unità tra Figlio e Padre (cf. *De fide*, II, 102; V, 149), nella quale viene incluso anche lo Spirito Santo (*De Spir. Sanct.*, I, 49). Qui Ambrogio evita di porre il problema dell'assoggettamento del Figlio al Padre (cf. 1 Cor 15, 28), ma insiste sull'assoggettamento di tutta la realtà *per unigeniti passionem*. Sull'assoggettamento di Cristo si era diffuso nel *De fide* (soprattutto nel 1. V), dove sosteneva — in opposizione alle dottrine ariane — che il Figlio, nell'espressione di 1 Cor di cui ci occupiamo, è *non ancora* soggetto al Padre e quindi, a maggior ragione, non lo era al tempo dell'Incarnazione; che Cristo come Dio non può essere assoggettato in senso *seruilis*: la sottomissione è volontaria, per consegnare il Regno al Padre. Il pensiero di Ambrogio mi pare bene riassunto nell'*Exp. ps. LXI*, 8: *Cum autem fuerit omnia et in omnibus Christus, erit omnia et in omnibus Deus. Vnde colligitur unum esse regnum Patris et Filii et etiam Spiritus Sancti, quia qui Filium receperit et Patrem recipit et Spiritum Sanctum, quia una potestas, una gratia, una operatio trinitatis est.* Sul tema, cf. E. Schendel, *Herrschaft und Unterwerfung Christi. 1. Korinther 15, 24-28 in Exegese und Theologie der Väter bis zum Ausgang des 4. Jahrhunderts* («Beiträge zur Geschichte der biblischen Exegese», 12), Tübingen 1971, pp. 171-178.

deo et patri [d], tunc erunt subiecta omnia ei qui sibi uniuersa subiecit, adquirens omnium fidem per unigeniti passionem. Subiectio igitur mentium facit sedulam seruitutem. Ergo cum omnes crediderint in dominum Iesum, tunc uniuersa deo seruient, *ut sit deus omnia et in omnibus* [e]. Nunc autem non omnes serui dei, quia plerique serui peccati; *qui enim peccatum facit, seruus est peccati* [f]. Dominus autem non uult cum aliis consortium habere dominatus; permanet ergo dies inmutabilis. Potuit dicere «permanebit», sed prophetis futura pro praesentibus praesto esse uidentur in spiritu.

28.   Sequitur uersus quartus: *Nisi quia lex tua meditatio mea est, tunc forsitan perissem in humilitate mea* [a]. Lucebat propheta ut dies, cui meditatio lex erat [b]; etenim oleum luminis accipiebat ex lege. Denique ne corpore mortis lux diei posset extingui, ambulabat in lege et ideo ambulabat in lumine. Alioquin *perissem*, inquit, *in humilitate mea* [c]. Humilitas non semper uirtutis est, sed est etiam adflictionis, hoc est non semper uoluntaria, sed quae etiam ex necessitate suscipitur, quando aliqua adflictione temptamur. Alioquin nemo perit in humilitate, quae magis seruare consueuit. Ergo quando in adflictionis tempore sumus et quatimur aduersis, meditatio nobis in lege sit, ne inparatos procella temptationis adfligat. Athleta nisi exercitio palaestrae prius fuerit adsuefactus, non audet subire certamen. Vngamus igitur oleo lectionis nostrae mentis lacertos. Sit nobis tota die ac nocte exercitii usus in quadam caelestium scripturarum palaestra artusque animorum nostrorum salubris spiritalium ferculorum esca confirmet, ut, cum aduersarius adsistere coeperit et puluere nos suae temptationis asperserit, stemus intrepidi, nitamur non ut in incertum nec ut aera caedentes. Melius percutimus uerberati [d], si percutienti maxillam alteram praebeamus [e], si uindictam non requiramus, sed ei, qui dixit: *Mihi uindictam, ego retribuam* [f], causam uindictae

---

[d] Cf. 1 Cor 15, 24.28.
[e] * 1 Cor 15, 28.
[f] * Io 8, 34.
28. [a] * Ps 118, 92.
   [b] Cf. Ps 118, 1.
   [c] Ps 118, 92.
   [d] Cf. 1 Cor 9, 26.
   [e] Cf. Mt 5, 39.
   [f] * Rom 12, 19.

consegnerà il Regno a Dio e Padre, allora tutta la realtà sarà assoggettata a Lui che ha assoggettato tutto a Sé, comperando la fede di tutti per mezzo della Passione del Figlio unigenito. Orbene, l'assoggettamento degli spiriti produce una servitú premurosa. Dunque, in quel giorno in cui tutti crederanno nel Signore Gesú, allora tutte le realtà serviranno Dio e *Dio sarà tutto e in tutti*. Ora invece non tutti sono servi di Dio, perché c'è una folla di servi del peccato: *Chi commette il peccato, è servo del peccato*. Ma il Signore non vuole dividere la sua signoria con altri. Dura dunque, senza mutamento, il giorno. Avrebbe potuto dire «durerà» [41], ma si sa che per i Profeti la realtà futura è già lí, spiritualmente presente.

28.   Prosegue il versetto quarto: *Se la tua legge non fosse oggetto della mia riflessione, allora forse sarei già perito nella mia umiliazione.* Il profeta risplendeva come il giorno, perché la sua riflessione era la Legge: difatti riceveva dalla Legge l'olio che alimentava la luce. Tant'è vero che, affinché il corpo di morte non estinguesse la luce del giorno, camminava nella Legge, che è come camminare nella luce. Altrimenti — egli dice — *sarei già perito nella mia umiliazione*. L'umiliazione non è sempre un segno di virtú; può esserlo anche di oppressione [42]. Ossia, non è sempre una scelta volontaria, ma anche una condizione forzata, quando qualche oppressione ci mette alla prova. Altrimenti nessuno potrebbe perire nell'umiliazione, se essa fosse piuttosto una condizione di salvezza. Dunque, quando siamo in una situazione di oppressione e le avversità ci scuotono, dobbiamo fare della Legge l'oggetto della nostra riflessione, se non vogliamo che la tempesta della prova ci opprima mentre siamo impreparati. L'atleta non affronta la contesa se prima non ha fatto un lungo allenamento preparatorio in palestra. Ungiamo allora con l'olio della lettura i muscoli del nostro spirito! Alleniamoci tutto il giorno e tutta la notte in quella specie di palestra che sono le Sacre Scritture, e il cibo salutare delle pietanze spirituali [43] rafforzi le membra del nostro animo! Cosí, quando l'avversario comincerà ad affrontarci e ci cospargerà con la polvere della sua tentazione, noi possiamo stare a piè fermo, intrepidi, e reggerci non in modo malsicuro né dando pugni all'aria. Colpiti, riusciamo a percuotere meglio se offriamo l'altra guancia a chi ci ha percosso; se non ricerchiamo la vendetta, ma ne riserviamo tutto intero il pretesto a Colui che ha detto: *Mia è la vendetta. Sarò io a ricompensare!*

---

[41] Infatti, a *De fide*, V, 199 Ambrogio usa la forma *permanebit*: *Non solum «permanet» dixit, sed etiam permanebit, ut eius dispositione, «quae uentura sunt», gubernentur.* La lezione piú diffusa e accettabile è quella al tempo presente: Ambrogio quindi si accostò col tempo alla lezione corretta, anche se giustificò l'errore con il principio dell'intercambiabilità tra presente e futuro, tipica dei Profeti.

[42] L'accostamento di umiliazione a oppressione/persecuzione, con introduzione del motivo del martirio, è presente in ORIGENE, in HARL, SCh 189, p. 336, 92, 1-11; ILARIO, *Tract. ps. CXVIII*, 12, 10 (CSEL 22, p. 462).

[43] La Scrittura è cibo dell'anima e la sua varietà di generi letterari è paragonata ai vari cibi: cf. il mio, *La dottrina esegetica...*, pp. 27-36.

integram reseruemus. Caedimus aerias potestates, si nos ipsos
castigare nouerimus. Castigabat carnem suam Paulus, ut aduersarios uerberaret, et seruituti redigebat corpus suum, ut dominaretur inimicis <sup>g</sup>. Exerceamur igitur indefesso meditationis usu, exerceamur ante certamen, ut simus certamini semper parati, et cum
frequentior aduersarii ictus ingruerit nunc inopia nunc rapina
nunc orbitate nunc corporis aegritudine nunc maerore animi
nunc terrore mortis et acerbitate poenarum, dicat unusquisque
nostrum qui potuerit sustinere ac perpeti: *Nisi quia lex tua meditatio mea est, tunc forsitan perissem in humilitate mea* <sup>h</sup>.

29.   Quanta simul coaceruata sunt, ut illa adflictione Iob
sanctus periret! Sed quia patriarcharum moribus informatus ora-
culorumque caelestium et naturalis legis erat institutione formatus, ideo in temptationibus tantis perire non potuit. Denique cum
amisisset tam amplas subito facultates, carissimos filios, quasi is,
cui meditatio cotidiana esset in lege diuina, ait: *Nudus exiui de
uentre matris meae, nudus ibo eo. Dominus dedit, dominus abstulit;
sicut domino placuit, ita factum est; sit nomen domini benedictum* <sup>a</sup>.
Perfusus etiam corporis totius ulceribus cum temptaretur uxoris
alloquiis, qui meminisset Adam sic esse deiectum, dum propriae
credit uxori, respondebat: *Sicut una ex insipientibus mulieribus
locuta es* <sup>b</sup>. Quodsi illam quasi sapientem uoluisset audire, ipse
sapiens non fuisset. Temptatus etiam diuersis alloquiis amicorum
cum fidei stabilis inmobilisque patientiae praemia meruisset a
domino, nonne dicebat: *Nisi quia lex tua meditatio mea est, tunc
forsitan perissem in humilitate mea* <sup>c</sup>?

30.   Quam grate hoc dicit hodie qui in martyrio plurima
flagella sustinuit eculeo et ungulis, plumbo, lamminis ardentibus,
gladio conprobatus! Potuit enim perire, nisi meditatus in lege
grauiora praesentibus futura supplicia credidisset.

31.   Quanta sanctus Ioseph pertulit, quam acerba, quam dura! Primum fratrum odia, degeneris seruitutis aerumnas, parentibus defraudatus, ablegatus exilio, negotiatorum uernula et Aegyptii ignobilis uile mancipium <sup>a</sup>. Quae potuit nobilis prosapiae puero
grauior esse temptatio, quam ut tanto familiae splendore deiectus

<sup>g</sup> Cf. 1 Cor 9, 27.
<sup>h</sup> * Ps 118, 92.
29.<sup>a</sup> * Iob 1, 21.
  <sup>b</sup> * Iob 2, 10.
  <sup>c</sup> * Ps 118, 92.
31.<sup>a</sup> Cf. Gen c. 37 ss.

È come se dessimo pugni agli spiriti dell'aria, se impareremo a castigare noi stessi. Paolo castigava la sua carne per colpire gli avversari; e riduceva in schiavitú il suo corpo per poter dominare i nemici. Alleniamoci allora, senza stancarci, nella pratica della riflessione! Alleniamoci prima della gara, per essere sempre pronti a gareggiare. E quando l'Avversario ci assalirà, con colpi piú incalzanti — ora riducendoci in miseria, ora derubandoci, ora colpendoci con lutti, ora con malattie fisiche, ora con afflizioni spirituali, ora spaventandoci con la morte, ora con punizioni dolorose —, ciascuno di noi, che sarà in grado di resistere e di sopportare, dica: *Se la tua legge non fosse oggetto della mia riflessione, allora forse sarei già perito nella mia umiliazione.*

29.   Quante sofferenze si erano insieme accumulate per far perire il fedele Giobbe sotto il loro peso opprimente! Ma egli era plasmato sul modello di vita dei Patriarchi, era modellato su quell'educazione che proviene dai detti del cielo e dalla legge naturale, sicché non poté perire neppure sotto cosí gravose tentazioni. Tant'è vero che, pur avendo perso repentinamente proprietà cosí cospicue e i figli amatissimi, esclamò, da uomo che faceva della legge divina l'oggetto di quotidiana riflessione: *Nudo sono uscito dal ventre di mia madre, nudo me ne andrò là. Il Signore ha dato, il Signore ha tolto. Come al Signore piacque, cosí è avvenuto. Sia benedetto il nome del Signore!* Cosparso anche di piaghe per tutto il corpo, era messo a dura prova dai discorsi della moglie. Ma egli ricordava come Adamo fosse stato precipitato proprio nel momento in cui aveva prestato fede a sua moglie, e cosí le rispondeva: *Hai parlato come una delle tante donne ignoranti.* Che se invece egli fosse stato a sentirla come una saggia, sarebbe stato lui il non saggio. Fu messo alla prova anche da vari discorsi degli amici e ottenne dal Signore la ricompensa per la sua fede salda e per la sua resistenza incrollabile. Non è forse vero che diceva: *Se la tua legge non fosse oggetto della mia riflessione, allora forse sarei già perito nella mia umiliazione?*

30.   Con quanto compiacimento può ripetere oggi queste parole quel martire [44] che ha sopportato infinite frustate, che è stato saggiato sul cavalletto e con gli unghioni, con la frusta piombata, con le piastre infuocate, con la spada! Sarebbe potuto perire, se non avesse riflettuto sulla legge [45] e se non avesse ritenuto che i supplizi futuri sarebbero stati piú duri dei presenti.

31.   Quante pene dovette sopportare il fedele Giuseppe; quanto aspre, quanto dure! Per prima, l'invidia dei fratelli, le disgrazie d'una schiavitú indegna, la privazione dei genitori, la cacciata dalla patria, diventato schiavetto dei mercanti e vile proprietà dell'oscuro popolo degli Egiziani. Quale prova sarebbe potuta essere piú gravosa per un giovane di nobile stirpe del cadere

[44] Il passo sembra alludere alla celebrazione della festa d'un martire. Cf. Introduzione: I, pp. 12-15.
[45] Cf. ORIGENE, in HARL, SCh 189, p. 336, 10-11; ATANASIO, *Exp. ps. CXVIII*, 92 (PG 27, 497 B).

seruiret apud Aegyptios? Est consolabilis seruitus seruire uel iustis; aequitate domini leuatur iniuria seruitutis. Tanto igitur genere deiectus satis gratum habebat, si ministro regio suum obsequium probaretur. Ne hoc quidem satis fuit ad temptationis acerbitatem. Redit aduersarius ad suas artes notasque uires suas omni fraude commouit, ut per mulierem laqueos innoxiae necteret conscientiae. Concitatuit in eum libidinis stimulis uxorem domini sui, quae adulterinos a seruulo concubitus flagitaret, ut, si adquiesceret, crimen impleret, si recusaret, incideret offensam, nexum calumniae non euaderet. Denique trusus in carcerem et innocens inter noxios aestimatus ab eo amplius coepit urgeri, cui fidem suam cum periculis praestitisset. Sed quia contumeliae uirum frangere nequiuerunt, mutata est temptatio, longe asperior specie prosperorum; plurimos enim subplantauerunt secundae res, quos supplicia acerba non fregerant. Producitur e carcere nutu regio, interpretatur somnium, eligitur ut honore praestantior esset omnibus Aegyptiis, regi secundus esurientibus populis alimenta diuideret. Obiciuntur ei fratres, qui eum ad seruitutis iniuriam non fraterno amore uendiderant, ut uel contumeliae et adpetitae salutis dolore temptatus excuteret germanitatis affectum. Sed uir iustus oblitus est contumeliam, cumulauit gratiam; eo se magis fratrem uoluit exhibere quo fratres ipse non fuisset expertus. Denique hoc munere et patrem recepit et fratrem pia fraude quaesiuit. Quid igitur aliud melius diceret sanctus Ioseph quam istud ad dominum: *Nisi quia lex tua meditatio mea est, tunc forsitan perissem in humilitate mea* [b]?

32. Fertur prophetae cuidam — et plerique ferunt quod Esaiae in carcere posito —, cum mole inminentis urgeretur exitii,

[b] * Ps 118, 92.

cosí in basso, dai fastigi della sua famiglia alla schiavitú presso gli Egiziani? Ci si può rassegnare ad essere schiavi, almeno se si è schiavi di persone giuste: in tal caso l'onta della schiavitú è riscattata dall'onestà del padrone. Orbene, egli, caduto cosí in basso da una cosí alta stirpe, si sarebbe accontentato come d'una gratificazione che la sua devozione fosse apprezzata dal ministro del re. Ma l'asprezza della tentazione non era ancora sufficiente. L'Avversario tornò ai suoi artifici e, con tutto l'inganno possibile, mise in moto le sue famigerate capacità e, servendosi d'una donna, volle avvolgere nei suoi lacci una coscienza innocente. Scatenò, eccitandone la passione verso di lui, la moglie del suo padrone, che pretendesse dal giovane servo un rapporto adultero. E cosí, se egli avesse acconsentito, avrebbe compiuto un misfatto; se si fosse rifiutato, sarebbe incorso in un affronto [46]: non avrebbe avuto scampo dalle spire della calunnia. Tant'è vero che fu trascinato in prigione e, innocente, subí la sorte dei malfattori e cominciò ad essere vieppiú oppresso, proprio da parte di colui a cui s'era serbato fedele cosí rischiosamente. Ma siccome le infamie non riuscirono a spezzarne la tempra, la tentazione mutò aspetto e assunse la forma, assai piú aspra, del benessere: moltissimi, che crudeli supplizi non valsero a spezzare, caddero a terra ad opera della buona fortuna. Con disposizione del re, vien fatto uscire di prigione, interpreta il sogno, viene scelto alla piú alta dignità tra tutti gli Egiziani — secondo solo al re —, col compito di distribuire gli alimenti tra i popoli colpiti dalla carestia. Gli si presentano i suoi fratelli, che, non certo con amore fraterno, l'avevano venduto, esponendolo all'onta della schiavitú: si voleva cosí che egli, messo alla prova dalla sofferenza per l'oltraggio subito e per l'attacco alla sua incolumità [47], si scuotesse di dosso l'affetto fraterno. Ma quell'uomo giusto dimenticò l'oltraggio, accrebbe la sua benevolenza: volle dimostrarsi tanto piú fratello quanto meno lo erano stati nei suoi confronti i suoi fratelli. Tant'è vero che, in quella sua funzione, diede accoglienza al padre e chiese notizie del fratello, con pio inganno. Allora, il fedele Giuseppe, con quale altra espressione migliore di questa si sarebbe potuto rivolgere al Signore: *Se la tua legge non fosse oggetto della mia riflessione, allora forse sarei già perito nella mia umiliazione?*

32. Si racconta che il diavolo cosí abbia parlato ad un profeta — e molti affermano trattarsi di Isaia incarcerato [48] —, quando

---

[46] Il costrutto *incido + acc.* (senza *in*) è caro ad Ambrogio: cf. *De Hel.*, 22; *Exam.*, V, 14; *De off.*, III, 27; *Expl. ps. XXXVII*, 18; *XXXIX*, 16.

[47] Cf. *De Ios.*, 3: *ut laesus parceret, adpetitus ignosceret;* 31: *temptatus non decidit, adpetitus non adpetiuit.*

[48] In effetti il riferimento qui indicato è riconducibile ad *Ascensio Isaiae*, V, 4.8: «Cosí gli disse [Belchira, per istigazione di Mekenburus, cioè del demone tentatore]: Di': Tutto ciò che ho proferito, ho mentito... Di' ciò che io ti suggerisco ed io muterò la loro mente» (Erbetta, p. 193). Da tale testo apocrifo Ambrogio trae anche la notizia del martirio di Isaia (cf. *Exp. eu. Luc.*, IX, 25; X, 122). Ma dal dubbio che qui egli esprime a proposito dell'identità del profeta, si può dedurre che egli non abbia attinto *direttamente* al testo apocrifo in questione, ma che abbia recuperato le tradizioni su Isaia da una qualche sua fonte esegetica, che potrebbe

dixisse diabolum: «Dic quia non a domino locutus es quae dixisti, et omnium in te mentes affectusque mutabo, ut, qui indignantur iniuriam, absolutionem conferant». Sed ille gratius iudicauit pro ueritate supplicium quam pro adulatione beneficium. Quod utique non fecisset, nisi meditatione legis fuisset exercitatus.

33.    Sit nobis ergo cotidiana lectio pro exercitio, ut quae legimus meditemur imitari. In hac desudemus uirtutum palaestra, ut, cum increpuerint temptamenta, non tamquam inexercitatos, non tamquam expertes ciborum spiritalium et adtenuatos ieiunio lectionis temptationum tempus inueniat. Quodsi athleticis epulis pastam animam nostram potuerit inuenire, si sit euangelicus sucus in nobis, si apostolicis escis maturitas nostrae mentis toros, animae robusta solidauerit, si frequenti meditatione memoria tenax praeceptorum caelestium parata ad tempus exempla deprompserit, nulla temptationum poterit nos perturbare congressio.

34.    Sequitur uersus quintus: *In aeternum non obliuiscar iustificationum tuarum, quoniam in ipsis uiuificasti me* [a]. Lex secundum apostolum paedagogus est paruulorum [b], donec ad perfectae fidei maturiorem quandam ueniamus aetatem. In lege autem mandata sunt, iustificationes, testimonia, iustitiae, praecepta; uiuificamur ergo in lege, unde apostolus ait: *Lex autem non est ex fide, sed qui facit illam uiuet in ea* [c]. Sed quia idem supra ait: *Quoniam in lege nemo iustificatur* [d], intellegis utique quia iustificatio legis species est et imago, non ueritas. Secundum ueritatem ergo et perfectionem nemo iustificatur in lege, secundum speciem iustificatur. Ergo sanctus propheta, qui adhuc in legis iustificatione uiuebat, uidebat autem fulgorem euangelii, quasi memor ueteris disciplinae legi tamquam paedagogo utili gratiam reseruabat. Considera

34. [a] Ps 118, 93.
    [b] Cf. Gal 3, 24.
    [c] * Gal 3, 12.
    [d] Gal 3, 11.

era schiacciato dal peso d'una fine imminente: «Di' che le cose che tu hai detto non venivano dal Signore e allora io cambierò l'atteggiamento di tutti nei tuoi confronti: cosí quelli che non sopportano il tuo modo di offendere, ti concederanno l'assoluzione». Ma quello ritenne piú bello il supplizio nel nome della verità che il condono nel nome dell'adulazione. Non si sarebbe, certo, comportato cosí se non si fosse allenato nella riflessione della legge.

33. Dunque, per noi la funzione di quell'allenamento sia tenuta da una lettura quotidiana, tale che ci porti a riflettere sul come imitare quello che leggiamo. Dobbiamo sudare in questa palestra di virtú, se vogliamo che — quando le tentazioni faranno sentire la loro voce — quel tempo delle tentazioni non ci trovi, per cosí dire, fuori allenamento o ignari di cibi spirituali o estenuanti da un digiuno di letture. Che se invece potrà trovare la nostra anima ben nutrita di alimenti da atleti; se ci sarà in noi il succo del Vangelo; se uno sviluppo perfetto — grazie ai cibi degli Apostoli — rassoderà i muscoli del nostro spirito, la robustezza dell'anima; se — grazie ad una riflessione frequente — la memoria tenace saprà tirar fuori esempi di precetti celesti pronti per la circostanza, non ci sarà assalto di tentazioni in grado di sconvolgerci.

34. Prosegue il versetto quinto: *Per l'eternità non scorderò le opere con cui tu giustifichi, poiché è proprio in esse che tu mi hai infuso vita.* La Legge, secondo l'Apostolo, è la maestra di quando siamo piccoli, fino al momento in cui giungiamo ad un'età piú matura di fede perfetta. Nella Legge però si trovano comandamenti, opere di giustizia, prescrizioni [49]. Dunque, nella Legge ci è infusa vita. Per questo l'Apostolo esclama: *La Legge poi non viene dalla fede, ma colui che pratica la Legge, vivrà in essa.* Ma siccome lo stesso Paolo prima ha detto: *poiché nessuno è giustificato nella Legge,* puoi certamente capire come la giustificazione della Legge sia una figura e un'immagine, non la verità. Dunque, nessuno viene giustificato nella Legge secondo verità e perfezione; ne viene giustificato secondo figura [50]. Dunque, il santo profeta, che viveva ancora sotto la giustificazione della Legge, vedeva però già lo splendore del Vangelo e — quasi ricordando l'antica economia di vita — attribuiva alla Legge un valore, come ad

essere Ilario, data la vicinanza del testo di ILARIO, *Tract. ps. CXVIII*, 3, 20 (CSEL 22, p. 389) e di *Exp. ps. CXVIII*, 3, 44 di Ambrogio, dove ricorre un altro accenno al martirio di Isaia. Sul problema, cf. A. ACERBI, *Serra lignea. Studi sulla fortuna della «Ascensione di Isaia»*, Roma 1984, pp. 89-92 (alle pp. 69-102 la fortuna dell'*Asc. Is.* nella letteratura cristiana dei primi secoli).

[49] A partire dalla citazione di Gal 3, 24, il passo è pressoché una traduzione da ORIGENE, in HARL, SCh 189, p. 336, 93, 1-4. Il passo paolino trova un commento particolare nell'*Epist.*, 20 (= Maur. 77), dove la legge è *praenuntia* della carità del Vangelo (c. 8), mentre qui essa è *species* e *imago*. Su questi e altri testi ambrosiani, che commentano Gal 3, cf. HAHN, *Das wahre Gesetz...*, pp. 381 s.

[50] Il termine *species* può essere, come qui, sinonimo di *typus*, del quale sottolinea particolarmente l'aspetto di provvisorietà e di affinità, visivamente riscontrabile, con la *ueritas*: cf. il mio, *La dottrina esegetica...*, pp. 83 s.

aliquem excedentem ex ephebis in diuitiis et honoribus constitutum paedagogo suo honorificentiam reseruantem, cuius officiis
informatum se esse cognosceret, ut maturiorem regere posset
aetatem.

35.   Monet siquidem etiam ipsa lex, ut his, qui nobis aliquando profuerint, nequaquam esse debeamus ingrati. Nam sicut habemus in ueteri testamento, pascha celebratum est in Aegypti finibus, cum adhuc sub rege Pharao positi patres nostri deplorarent
miserae seruitutis iniuriam [a], et postea liberati rursus in terra
repromissionis pascha celebrarunt [b], superius ad commonitio-
nem, posterius ad recordationem. Si quis ergo interrogat Hebrae-
um, qua ratione in Aegypto celebratum est, respondebit: «Quia
regi Pharao adhuc seruitutis uinculo obnoxii tenebamur, ille agnus
patrum populum liberauit, ille agnus uocauit ad libertatem, ille
agnus maris profunda solidauit, ut Aegyptum transire possemus.
Quotiens ergo pascha celebramus, meminisse debemus ueteris
seruitutis et nouae libertatis, quid fuerimus et quid acceperimus».
Non enim potest plene quis intellegere quid acceperit, nisi memi-
nerit ante quid fuerit.

36.   Non ergo obliuiscamur, quia dominus Iesus, agnus dei [a],
mundi hostia, soluit nos grauium nexibus delictorum, quibus
Pharao ille taeterrimus, non unius Aegypti, sed saeculi istius
princeps, uinculo seruitii grauis nos tenebat adstrictos. Non
obliuiscamur in aeternum, ut, cum uenerimus in illam uere terram repromissionis, ubi est regio uiuorum [b], meminerimus quanta
hic nobis Pharao dirus intulerit, quot perpessi in hoc simus saeculo, quibus tandem erepti malis, et agamus gratias eripienti nos
domino Iesu, qui perturbatorem omnium fecit esse captiuum.

37.   Sequitur uersus sextus: *Tuus sum ego, salua me, domine,
quoniam iustificationes tuas exquisiui* [a]. Facilis uox et communis
uidetur, sed paucorum est. Satis rarus est enim qui potest dicere
deo: «Tuus sum». Ille enim dicit, qui adhaeret deo totis sensibus,
qui aliud cogitare non nouerit. Ille hac uoce utitur, qui potest

35. [a] Cf. Ex 12.
    [b] Cf. Ios 5, 10-11.
36. [a] Cf. Io 1, 29.
    [b] Cf. Ps 114, 9.
37. [a] * Ps 118, 94.

un'utile maestra [51]. Prendi il caso d'una persona che esce dall'età
dell'adolescenza e che, arrivata ad una condizione di ricchezza e
di prestigio, riserva al suo maestro una posizione onorifica, rico-
noscendo alla funzione di quello la propria formazione che l'ha
reso capace di padroneggiare l'età piú matura.

35.   Infatti anche la Legge, proprio essa, ci invita a non essere
mai ingrati nei confronti di coloro che ci hanno aiutato in qualche
circostanza. Come possiamo vedere nell'Antico Testamento, la
Pasqua fu celebrata dentro i confini dell'Egitto, quando i nostri
padri, che soggiacevano ancora al dominio del re Faraone, non
potevano che piangere la vergogna d'una infelice schiavitú. E poi,
una volta liberati, celebrarono nuovamente la Pasqua nella Terra
Promessa: la prima celebrazione come incitamento, la seconda
come memoria. Se si interroga dunque un ebreo sul motivo di
quella celebrazione in Egitto, risponderà: «Perché eravamo ancora tenuti assoggettati in un legame di schiavitú da parte del re
Faraone: quell'agnello liberò il popolo dei nostri padri, quel-
l'agnello ci chiamò alla libertà, quell'agnello rese solide le profondità del mare per permetterci di passare oltre l'Egitto. Ogni volta
dunque che celebriamo la Pasqua, dobbiamo ricordarci dell'antica
schiavitú e della nuova libertà: che cosa siamo stati e che cosa
abbiamo ricevuto». Non può capire pienamente il dono ricevuto
chi non si rifà alla situazione in cui si trovava prima [52].

36.   Dunque, non dobbiamo dimenticare che è stato il Signore Gesú, l'Agnello di Dio, la vittima del mondo, a scioglierci dalle
funi delle nostre gravi mancanze. Da quelle funi con le quali il
Faraone — quel tremendo principe, non del solo Egitto, ma di
questo tempo [53] — ci teneva stretti nel legame d'una dura schiavitú. Non dobbiamo dimenticarlo mai: e così, quando giungeremo
in quella regione che sarà la vera Terra Promessa, dove c'è la
regione dei viventi, dobbiamo ricordare quante sofferenze ci ha
inferto quaggiú il crudele Faraone; quanto abbiamo patito in
questo tempo e infine da quali mali siamo stati strappati. E al
Signore Gesú, che ce ne strappa, dobbiamo rendere grazie: a Lui
che ha reso prigioniero colui che stravolge ogni cosa.

37.   Prosegue il versetto sesto: *Tuo io sono, salvami, o Signore,
poiché ho ricercato le opere con cui tu giustifichi!* Pare un grido
banale e comune, in verità è raro. Abbastanza raramente infatti
si può trovare un uomo capace di dire a Dio: *Tuo io sono.* Cosí
parla l'uomo che resta attaccato a Dio con tutte le sue forze, che

---

[51] Anche qui, Davide, in quanto profeta, è già inserito nella temperie cristica,
alla quale egli riferisce quella veterotestamentaria.

[52] Contro quegli eretici, che vogliono accontentarsi della pienezza neotestamentaria, Ambrogio produce qui un argomento, tratto dalla logica comune: il
passato spiega il presente, secondo il criterio dell'*ordo*. Anche se l'esegesi mistica
di Ambrogio tende piú spesso a gettare luce sul passato (Antico Testamento) a
partire dall'inveramento neotestamentario del *typus*.

[53] C'è uno sviluppo del motivo dell'*intelligibilis Pharao*, che nell'*Exam.* (I, 14)
è impiegato nel contesto della lettura tipologico-battesimale dell'Esodo. Sulla
fortuna del motivo in Ambrogio, cf. J. PÉPIN, *Exégèse de «In principio» et théorie
des principes dans l'«Exameron» (I, 4, 12-16),* in *Ambrosius Episcopus...,* I, pp. 465-475.

dicere: *Ostende nobis patrem, et sufficit nobis* [b]. Numquid hac uoce utitur auidus pecuniae honoris potestatis? Multis non est satis deum scire, et quidem pluribus. Tanti populi, tantae nationes, tanti diuites paupertatem putant domino seruire et qui supra omnes est, illis exiguus et angustus est, illis non est satis dei filius in quo sunt omnia [c]. Denique ille diues in euangelio, cui dictum est: *Si uis perfectus esse uende omnia quae habes et da pauperibus* [d], deum sibi non sufficere iudicauit. Denique et contristatus est [e], quasi quod plus esset relinquere iuberetur, quod minus esset eligere. Ille ergo dicit: «Tuus sum», qui dicere potest: *Ecce omnia reliquimus et secuti sumus te* [f].

38.  Apostolorum itaque uox ista est, nec omnium tamen apostolorum; nam et Iudas apostolus fuit et in conuiuio Christi inter apostolos recumbebat [a]. Dicebat et ipse: «Tuus sum», sed uoce, non corde. Venit et introiuit in eum satanas [b] et coepit dicere: «Non est tuus, Iesu, sed meus est. Denique ea quae mea sunt cogitat, quae mea sunt, in pectore suo uoluit. Tecum epulatur et mecum pascitur, a te panem accipit, a me pecuniam, tecum bibit et mihi tuum sanguinem uendit; tuus est apostolus et meus est mercennarius».

39.  Non potest dicere saecularis: «Tuus sum»; plures enim dominos habet. Venit libido et dicit: «Meus es, quia ea quae sunt corporis concupiscis. In illius adulescentulae amore te mihi uendidisti, in illius concubitu meretricis pretium pro te adnumeraui». Venit auaritia et dicit: «Argentum et aurum quod habes seruitutis tuae pretium est; possessio quam tenes iuris tui emptio, uenditio libertatis tuae est». Venit luxuria et dicit: «Meus es. Vnius diei conuiuium pretium tuae uitae est; ille sumptus epularum tui capitis licitatio, tui est summa contractus et, quod peius est, caro emptus es, uilior cibo es tuo; pretiosior est unius diei mensa tua quam totius temporis uita. Inter calices te redemi, inter epulas adquisiui». Venit ambitio et dicit tibi: «Plane meus es. Nescis, quod ideo imperare te aliis feci, ut mihi ipse seruires? Nescis, quod ideo potestatem in te contuli, ut meae te subicerem potestati? An ignoras ipsi domino salutari dictum esse ab huius mundi principe, cum ei ostendisset omnia regna mundi: *Haec omnia tibi dabo, si procidens adoraueris me* [a]? Ante ergo ipse subicitur qui alios uult habere subiectos». Veniunt omnia uitia et singula dicunt: «Meus es». Quem tanti conpetunt, quam uile mancipium est!

---

[b] Io 14, 8.
[c] Cf. Rom 11, 36.
[d] * Mt 19, 21.
[e] Cf. Mt 19, 22.
[f] * Mt 19, 27.
38. [a] Cf. Mt 26, 20.
　　[b] Cf. Io 13, 27.
39. [a] * Mt 4, 9.

non sa pensare ad altro. Questo grido fa suo l'uomo che può dire: *Mostra a noi il Padre e ci basterà!* Fa forse suo questo grido l'uomo avido di denaro, di gloria, di potere? Non sono tanti quelli a cui basta conoscere Dio; e non sono certo la maggioranza. Tanti popoli, tante razze, tanti ricchi ritengono cosa da poveri servire il Signore: l'Essere che sta sopra chiunque è per loro poco importante e meschino. A loro non basta il Figlio di Dio, nel quale esiste ogni cosa. Tant'è vero che quel ricco nel Vangelo, al quale era stato detto: *Se vuoi essere perfetto vendi tutto quello che hai e dallo ai poveri*, pensò che non gli bastasse Dio. E cosí si rattristò, come se gli fosse ingiunto di abbandonare la cosa piú importante e di scegliere quella meno. Dunque dice: *Tuo io sono*, l'uomo che può dire: *Ecco, noi abbiamo abbandonato ogni cosa e ti abbiamo seguito.*

38.    Allora questo è il grido degli Apostoli. Non di tutti gli Apostoli, peraltro: ché anche Giuda era un apostolo e tra gli Apostoli sedeva al banchetto di Cristo [54]. Anche lui diceva: *Tuo io sono*, ma a parole, non col cuore. Arrivò e penetrò in lui Satana che cominciò a dire: «Gesú, questi non è tuo, ma è mio! Tant'è vero che egli la pensa come me; rimugina nel suo cuore le mie idee. Banchetta con te, ma si sazia da me; da te riceve il pane, da me il denaro; beve con te e vende a me il tuo sangue; è tuo apostolo e mio mercenario».

39.    L'uomo legato a questo mondo non può dire: *Tuo io sono*, perché ha piú d'un padrone [55]. Arriva l'erotismo e gli dice: «Sei mio, perché i tuoi desideri sono desideri carnali. Ti sei venduto a me per amore di quella ragazzetta; ho pagato per te il prezzo quando ti sei unito a quella meretrice». Arriva l'avidità e dice: «L'argento e l'oro che possiedi sono il prezzo della tua schiavitú; gli averi che tu possiedi sono il prezzo con cui si acquista la tua indipendenza, il frutto della vendita della tua libertà». Arriva il lusso e dice: «Sei mio! Il festino d'un solo giorno è il prezzo per la tua vita; la spesa di quelle vivande è il prezzo all'incanto della tua testa, è la somma totale del tuo contratto e, quel che è peggio, sei stato pagato a caro prezzo, ma vali meno del tuo cibo. Val di piú il tuo vitto di un solo giorno che la vita di tutto il tempo. Ti ho riscattato tra le coppe, ti ho acquistato tra le vivande». Arriva l'ambizione e ti dice: «Sei proprio mio! Non sai che ti ho fatto comandare agli altri proprio per farti servire a me? Non sai che ti ho dato potere proprio per assoggettarti al mio potere? Ignori forse che al Signore stesso, che è la salvezza, il Principe del mondo, dopo avergli mostrato tutti i regni del mondo ha detto: *Tutto questo io ti darò, se, prostrato mi adorerai?* Dunque l'uomo che vuole tenere assoggettati gli altri, deve essere prima soggetto lui stesso». Arrivano tutti i vizi e uno dopo l'altro dicono: «Sei mio!». In tanti sono a richiederlo. Vuol dire che è proprio un possesso alla portata di tutti.

[54] Cf. *Epist.*, extr. coll., 14 (= Maur. 63), 94-95.
[55] Simile tema in ILARIO, *Tract. ps. CXVIII*, 12, 12 (CSEL 22, p. 464).

40.   Quomodo ergo tu, qui huiusmodi es, potes Christo dicere: «Tuus sum»? Respondebit tibi ille: *Non quicumque dicit mihi «domine domine», intrabit in regnum caelorum* [a], non quicumque dicit mihi: «Tuus sum», meus est. Meus plane es, si uocem non redarguat conscientia, si sermonem tuum animus aut opera non refutent. Ego non nego meum esse eum qui ipse se non neget aut certe si pro me se ipsum sibi abneget. Nolo habere seruulum pluribus dominis seruientem. Nam quomodo meus est, si mihi dicat uerbo «tuus sum» et operibus neget et factis se diabolo adiudicet et obstringat? Non est meus quem libido succendit, quia mea castitas est; non est meus quem cura spoliandi minoris exagitat, quia mea integritas est; non est meus quem ira mobilis inquietat, quia mea tranquillitas est; non est meus uini crapula temulentus in lucem, ambitione gloriae saecularis ebrius in periculum, qui non possit sobriae moderationis seruare uestigium. Pax sum ego [b], litigare non noui. Quid mihi ad eum de quo ueniens diabolus dicat: «Meus est; nam mihi sua colla curuauit, mea in illo plura repperio, nomen sibi tuum uindicat et meum munus»?

41.   Non ergo est Christi nisi qui est alienus a crimine, non est Christi nisi qui potest semper se Christi seruulum demonstrare. Nam si quis mutabilis est, ut ego aut maerore mutor aut indignatione, uenit ira et dicit: «Meus est; ante horam meus erat, spero quod iterum meus fiat». Venit tristitia et dicit: «Meus est; ante horam in mea possessione fuit, in meo iure; erigere animum prae maerore non poterat nec oculos eleuare et, si triste aliquid acciderit, ad me ilico reuertetur». Quis ergo est dei nisi qui potest dicere: *Nihil mihi conscius sum* [a]? Ideo dicebat Paulus apostolus Iesu Christi [b], quia nulli alii obnoxius tenebatur [c]. Ego autem nunc dei mei sum, nunc tristitiae, nunc iracundiae, nunc uerbi otiosi. Et ideo qui plures dominos habet non potest uni dicere: «Domine Iesu, tuus sum». Vnde arbitror etiam de huius mundi dominis dixisse Paulum: *Nam etsi sunt qui dicantur dii siue in caelo siue in terra, nobis tamen unus deus pater, ex quo omnia et nos in illum, et unus dominus Iesus, per quem omnia et nos per ipsum* [d]. Verbi igitur totus erat apostolus Paulus. Ideo dicebat: *Quoniam experimentum quaeritis eius qui in me loquitur Christus* [e]. Ille ergo dicebat: «Christi sum», et respondebat ei dominus: «Meus es». Qui

---

40.[a] * Mt 7, 21.
  [b] Cf. Eph 2, 14.
41.[a] 1 Cor 4, 4.
   [b] Cf. 1 Cor 1, 1.
   [c] Cf. Mt. 12, 36.
   [d] 1 Cor 8, 5-6.
   [e] * 2 Cor 13, 3.

---

41, 9   dicebat *codd.*, dicebatur *emendauit Petschenig.*

40. Dunque come puoi tu, che sei di quella risma, dire a Cristo: *Tuo io sono?* Egli ti risponderà: «*Non chi dice "Signore, Signore" entrerà nel regno dei cieli.* Non chi mi dice: "Tuo io sono" è veramente mio. Sei proprio mio se la coscienza non smentisce la tua affermazione, se l'anima o il tuo operato non confutano il tuo discorso. Io non rifiuto di riconoscere come mio l'uomo che non abbia da sé rifiutato di esserlo oppure — ed è certamente vero! — che abbia rinnegato se stesso per me. Non voglio avere un servitorello, servitorello di più padroni. Come può essere mio se a parole dice: *Tuo io sono,* ma nelle opere si smentisce e con i fatti si consegna al diavolo e a lui si obbliga? Non è mio chi si lascia infiammare dall'erotismo, perché mia è la castità. Non è mio chi è sconvolto dalla bramosia di defraudare un minorenne, perché mia è l'onestà. Non è mio chi si lascia agitare dall'ira frenetica, perché mia è la pace dell'anima. Non è mio l'ubriaco che arriva all'alba pieno di vino, l'ebbro di ambizione per una gloria di questo tempo fino al pericolo, chi non è capace di mantenersi sulla carreggiata d'una sobria misura. Io sono la pace: non so che cosa sia la lite. Di qualcuno arriva il diavolo e dice: "È mio, ha piegato sotto di me il suo collo. Troppo di mio trovo in lui; egli si vuol fregiare del tuo nome, ma delle mie qualità!". Che ho a vedere io con costui?».

41. Dunque, non è di Cristo altri che l'uomo estraneo alla colpa. Non è di Cristo altri che l'uomo che può sempre dimostrare di essere un suo povero servo. Che se qualcuno è incostante; se, ad esempio, io cambio idea sotto la spinta del dolore o dell'irritazione, arriva l'ira e dice: «È mio! Un'ora fa era mio, spero che lo sia di nuovo». Arriva la tristezza e dice: «È mio! Un'ora fa è stato in mio potere, sotto la mia legge; non era capace di sollevare il suo morale a causa del dolore né di alzare gli occhi e, se gli capiterà qualcosa di triste, tornerà subito da me». Chi dunque è di Dio se non l'uomo che può dire: *Non ho coscienza di alcuna colpa?* Paolo, apostolo di Gesú Cristo, lo poteva dire proprio perché non era tenuto in soggezione da nessun altro. Io invece ora sono del mio Dio, ora della tristezza, ora dell'ira, ora della parola oziosa. E perciò l'uomo che ha più padroni non può dire ad uno solo: «Signore Gesú, sono tuo!». Cosí penso che Paolo abbia inteso parlare anche a proposito dei padroni di questo mondo: *Anche se ci sono alcuni cosiddetti dèi sia nel cielo sia sulla terra, noi abbiamo tuttavia un unico Dio Padre, dal quale proviene tutto e noi siamo per lui; e un unico Signore Gesú, per mezzo del quale tutto esiste e noi per mezzo suo.* Orbene, l'apostolo Paolo era totalmente della Parola. E per questo diceva: *dal momento che cercate una prova di colui che parla in me, di Cristo.* Dunque, egli diceva: «Sono di Cristo». Gli faceva eco il Signore: «Sei mio!».

uere dicit: «Tuus sum», audit a domino: «Meus es». Denique de ipso dominus ad Ananiam, cum mitteret eum ad sanandum Paulum, ait: *Vade, quoniam uas electionis est mihi* [f]. Et quia perseuerauit Christi esse, quasi impleto certamine coronam meruit inuenire iustitiae [g].

42.   Recte ergo propheta dixit Dauid: *Tuus sum* [a], qui semper in domino mansit. Et qua ratione dixerit «tuus sum», addidit: *Iustificationes tuas exquisiui* [b], hoc est: Nihil aliorum quaesiui, sed id solum quod tuum est desideraui. Alii quaerunt monilia pretiosa, ego solas iustificationes tuas quasi quaedam serta iustitiae. Alii domum ad domum, uillam ad uillam iungunt, quasi soli habitare possint in terra hac, et elementum uolunt occupare commune, alii possessionem aeris ipsius uindicare; mihi in tuis iustificationibus omne patrimonium est, nescio possidere nisi quod tui iuris est, in tuis eloquiis spiritalis mihi cura refulsit argenti. Mihi portio deus est [c], tuus sum ego, quia pars mihi hereditatis [d] non in auro, non in argento est, sed in Christo Iesu.

43.   Sequitur uersus septimus: *Me expectauerunt peccatores, ut perderent me; testimonia tua intellexi* [a]. Potest uox ista conuenire martyrio, in quo positus sanctus iam de iudicio persecutoris egressus dicat: *Me expectauerunt peccatores, ut perderent me* [b], hoc est: Adhibuerunt omnia genera poenarum, omnes artes persuasionum, sed de proposito abducere nequiuerunt; uicit fides uitae huius inlecebram corporisque cruciatum. Expectauerunt peccatores, ut de me triumphum referrent; sed gratias Christo, qui mihi dedit de persecutoribus triumphare. Redite uicti qui sperabatis uos esse uictores, redite deiecti qui ueneratis superbi. *Vbi est, mors, uictoria tua? Vbi est, mors, aculeus tuus?* [c]. Non tua iam, sed nostra coepit esse uictoria, quia in te uincimus in qua antea uincebamur. Bene ergo dicit martyr: *Me expectauerunt peccatores, ut perderent me* [d]. Post momentum, immo adhuc in corpore positus uidet deducentium choros, angelorum gaudia — qui enim super unius peccatoris conuersione laetantur [e], quanto magis in passione iustorum! —, uidet gloriam et ait: Me expectauerunt iusti, ut

[f] Act 9, 15.
[g] Cf. 2 Tim 4, 8.
42. [a] Ps 118, 94.
     [b] Ibid.
     [c] Cf. Ps 118, 57.
     [d] Cf. Ps 15, 5.
43. [a] Ps 118, 95.
     [b] Ibid.
     [c] * 1 Cor 15, 55.
     [d] Ps 118, 95.
     [e] Cf. Lc 15, 7.

Chi dice con verità: «Sono tuo!», si sente rispondere dal Signore: «Sei mio!». Tant'è vero che — a proposito di lui — il Signore disse ad Anania, nel mandarlo a guarire Paolo: *Va', poiché egli è per me un vaso di elezione.* E siccome ha perseverato ad essere di Cristo, ha meritato di conseguire la corona della giustificazione, come al termine vittorioso di una gara.

42. Giustamente dunque il profeta Davide ha detto: *Tuo io sono*; lui che è rimasto sempre nel Signore. Ed ha soggiunto il motivo per cui ha detto: «Tuo io sono»: *Ho ricercato le opere con cui tu giustifichi.* Cioè: Non ho cercato alcunché da altri, ma ho desiderato solo ciò che è tuo. Alcuni [56] cercano gioielli preziosi, io solo le opere con cui tu giustifichi, che per me sono come corone della giustificazione. Alcuni accumulano casa su casa, podere su podere, come se fossero i soli ad abitare su questa terra e vogliono occupare ciò che è un elemento di tutti. Altri rivendicano la proprietà perfino dell'aria. Tutto il mio patrimonio invece consiste nelle opere con cui tu giustifichi. Non ci trovo gusto a possedere altro che ciò che sta sotto la tua giurisdizione: nei tuoi detti ho visto accendersi per me il gusto d'un argento spirituale. La mia parte di eredità è Dio; io sono tuo perché la mia parte di eredità non è rappresentata né dall'oro né dall'argento, ma da Cristo Gesú.

43. Prosegue il versetto settimo: *Mi hanno aspettato i peccatori per rovinarmi. Io ho pensato ai segni della tua volontà.* È questa un'espressione che potrebbe ben figurare in un martirio [57], a cui fosse sottoposto un uomo di Dio. Sfuggito ormai al giudizio del persecutore, egli direbbe: *Mi hanno aspettato i peccatori per rovinarmi.* Cioè, hanno messo in opera ogni sorta di punizione, ogni artificio persuasivo, ma non sono riusciti a farmi recedere dal mio ideale: la fede è risultata vittoriosa sulle profferte di questa vita e sulle torture del corpo. Mi hanno aspettato i peccatori per riportare trionfo su di me. Ma sia ringraziato Cristo, che ha concesso a me il trionfo sui persecutori! Ritornatevene sconfitti, voi che speravate di essere vincitori! Ritornatevene umiliati, voi che eravate arrivati pieni di sicumera! *Dov'è, morte, la tua vittoria? Dov'è, morte, il tuo pungiglione?* Questo è stato l'inizio non piú della tua, ma della nostra vittoria: noi vinciamo su di te, mentre prima ne eravamo vinti. Dunque, dice bene il martire: *Mi hanno aspettato i peccatori per rovinarmi.* Un attimo dopo — anzi quando è ancora nel corpo — egli vede il coro che gli fa scorta, la gioia degli angeli (che, se si rallegrano della conversione d'un solo peccatore, quanto piú nella passione dei giusti!); vede la gloria

---

[56] Inizia un breve, ma significativo, uso della contrapposizione retorica *alii... ego...*, secondo la figura della *Priamel* dei valori, cara al mondo antico, sia classico che cristiano: cf. S. COSTANZA, *La scelta della vita nel Carme 1, 2, 10 di Gregorio di Nazianzo. La priamel dei valori e delle professioni e il topos* ἄλλοι μὲν - ἐγὼ δὲ, in *Studi in onore di A. Ardizzoni*, I, Roma 1978, pp. 231-280.

[57] Come sostiene il Dassmann (*Ambrosius und die Martyrer...*, p. 63), Ambrogio nell'*Exp. ps. CXVIII* costruisce continuamente i ponti tra eccezionalità del martirio e normalità della testimonianza cristiana. Cf. anche 14, 35 s.; 20, 46-48.

deducerent me, uidet dominum Iesum et ait:   Me expectauit
Christus, ut coronaret me.

44.   Aliter qui uult intellegere: Multi, inquit, peccata persuadere atque ex pectore fidem extorquere conati sunt mihi, alius
adulterium, alius hominis necem, alius oppressionem uiduae uel
pupilli, alius aliud, et putabant me suis retibus esse capiendum.
Expectauerunt me, ut perderent contagione peccati, sed ego non
inlecebris peccatorum mentem a studio diuinae cognitionis auerti
nec intentionem meam, domine, a mandatorum tuorum serie
declinaui, sed intellexi testimonia tua; si enim non intellexissem,
peccatores me utique illi perdidissent. Quae intellexi utique sensu,
etiam operibus secutus sum; neque enim nudus intellectus est,
sed quem etiam facta testantur. Denique *beatus qui intellegit super
egenum et pauperem* [a]. Ille utique intellegit super pauperem qui
largitur pauperi; nam quid prodest misereri inopis, nisi alimoniam
eidem largiaris?

45.   Sequitur uersus octauus: *Omnis consummationis uidi finem, amplificum mandatum tuum ualde* [a]. Non possumus in omnibus uim Graeci sermonis exprimere; maior in Graeco plerumque
uis et pompa sermonis est. Τέλος dicitur Graece quod nos Latine
et finem dicimus et consummationem; τέλος autem et consummationis ipsius finis est, sicut *finis legis* est *Christus ad iustitiam omni
credenti* [b]. Habes scriptum: *Ecce ego uobiscum sum usque ad consummationem saeculi* [c]. Consummatio ergo saeculi finis saeculi
est, finis autem omnium Christus. Consummationes autem multae. Est consummatio, quando et resurrectio ad salutem; consummatum quoque opus dicitur perfectum opus; consummata malitia
dicitur, id est plena, cui nihil desit ad studium et artem nocendi;
est consummatio hominis et multae consummationes, donec ad
perfectum ueniat.

46.   Legimus ergo et consummationem saeculi, legimus et
finem. De consummatione saeculi supra posuimus exemplum,

44. [a] Ps 40, 2.
45. [a] * Ps 118, 96.
    [b] Rom 10, 4.
    [c] Mt 28, 20.

ed esclama: «Mi hanno aspettato i giusti per scortarmi»; vede il Signore Gesú ed esclama: «Mi ha aspettato Cristo per incoronarmi».

44.  C'è chi ne dà un'altra interpretazione [58], come se si dicesse: Molti hanno tentato di convincermi a peccare e di strapparmi la fede dal cuore. Uno mi voleva convincere all'adulterio, un altro all'assassinio, un altro ancora ad approfittare della vedova o dell'orfano minorenne, un altro ad altri delitti, e credevano che io cascassi nelle loro reti. Mi hanno aspettato per rovinarmi tramite il contagio del peccato. Ma io non ho ceduto alle profferte dei peccatori, non ho distolto il mio pensiero dalla ricerca della conoscenza di Dio e non ho deviato la mia tensione morale, o Signore, dall'ambito dei tuoi comandamenti. *Ho* bensí *pensato ai segni della tua volontà.* Che se non ci avessi pensato, certamente quei peccatori mi avrebbero rovinato. Li ho pensati — beninteso! — con la mia speculazione e li ho attuati nella prassi; infatti, non c'è il pensiero puro e semplice, ma esso è anche attestato dalle opere. Tant'è vero che *beato è colui che pensa al bisognoso e al povero.* E chi pensa al povero se non chi è generoso col povero? Che importa sentir compassione per chi è privo di tutto, se non gli si offre nulla da mangiare [59]?

45.  Prosegue il versetto ottavo: *Ho visto la fine di ogni compimento; straordinariamente grande è il tuo comandamento.* Non si può rendere in tutti i particolari l'efficacia espressiva della lingua greca [60]: normalmente si notano nel greco una efficacia e una eleganza espressive maggiori. In greco si chiama τέλος (*telos*) quello che noi, nella nostra lingua, indichiamo con «fine» e «compimento». Ma τέλος è anche «fine-culmine della stessa perfezione», come Cristo è *fine della legge per la giustizia di ogni credente* [61]. Trovi scritto: *Ecco, io sono con voi fino al compimento del tempo del mondo.* Dunque, compimento del tempo è lo stesso che fine del tempo, ma fine di tutto è Cristo. Però ci sono molti compimenti [62]. C'è il compimento, quando si dà anche una risurrezione destinata alla salvezza. Un'opera si dice che è compiuta, quando è un'opera portata a termine. Si dice «compiuta malvagità», cioè «piena», quella a cui — quanto a voglia ed abilità di nuocere — non manca nulla. C'è un compimento dell'uomo e molti compimenti, fino a che egli non giunga al punto conclusivo.

46.  Abbiamo dunque letto, da una parte, di un compimento del tempo; abbiamo letto, dall'altra, di una fine. Sopra abbiamo

---

[58] Ad es., ILARIO, *Tract. ps. CXVIII*, 12, 13 (CSEL 22, p. 464), anche se non vedo un particolare influsso espressivo su Ambrogio.

[59] In *Expl. ps. XL*, 4, a proposito del testo scritturistico di Sal XL, 2, il *beatus* ha soprattutto la dote della *fides*, poi della *misericordia*.

[60] Analogo motivo, al proposito, in ILARIO, *Tract. ps. CXVIII*, 12, 14 (CSEL 22, p. 465).

[61] Cf. *Expl. ps. LXI*, 1, dove però *finis* rende il greco σκοπός.

[62] Come DIDIMO, in HARL, SCh 189, p. 340, anche Ambrogio distingue tra un unico *finis* (τέλος), che è Cristo, e molte *consummationes* (συντέλειαι). Sottostà probabilmente una fonte origeniana, di cui Didimo si è bene impadronito (HARL, SCh 190, p. 682). Cf. infatti ORIGENE, *Fr. ps. CXVIII*, 96a (Cadiou, p. 114).

quam sequitur resurrectio; *sicut enim in Adam omnes moriuntur,* *ita et in Christo omnes uiuificabuntur.* Post resurrectionem consummatio, *Vnusquisque autem in suo ordine; primitiae Christus, deinde* *hi qui sunt Christi, qui in aduentum eius crediderunt, deinde finis,* *cum tradiderit regnum deo et patri, dum euacuauerit omnem principatum et potestatem* [a]. Ergo consummationem saeculi sequitur finis iuxta apostolum; unde colligitur, quod sequatur finis omnem consummationem.

47.　*Mundus in maligno positus est* [a], ut dixit Iohannes. Ergo et saeculum in maligno est, mundus plenus peccati. Consummauerat malitiam suam mundus, sicut consummauerat Saul, cuius uidens consummatam malitiam Ionathan filius in Dauid prophetam eidem nuntiauit, ut declinaret et fugeret [b]. Est ergo consummatio malitiae consummatio peccatorum. Venit *agnus dei qui tollit* *peccatum mundi* [c], qui est Christus Iesus, finis legis, principium et finis et remissio peccatorum [d]. Hunc finem consummationis propheta uidit in spiritu, qui consummatum saeculi aboleret errorem, uidit sanguine eius diuersa omnium peccata mundari. Bene ergo dixit: *Omnis consummationis uidi finem* [e], hoc est: Vidi consummati adulterii remissorem, uidi consummatae luxuriae atque lasciuiae, consummatae crudelitatis atque saeuitiae, omnis postremo flagitii per crucem suam delicta donantem.

48.　Est etiam consummata uirtus et consummata sapientia, consummata iustitia, sed habet finem. Finis uirtutum omnium Christus, *qui finis est legis ad iustitiam omni credenti* [a]. Vides quia finis est fidei. Bene ergo ait: *Omnis consummationis uidi finem* [b].

49.　Nunc, quia consummationis fines agnouimus, agnoscamus quid sit: *Latum mandatum tuum ualde* [a]. Legimus quod angusta sit porta, per quam ingrediantur qui aeternae uitae fructum adipiscuntur. Rara enim uirtus, difficilis passionum tolerantia, plures qui saeculi huius spatiosa sectentur, qui dicant: Angusta et arta nobis est uia quae ad deum ducit [b]; conterimur in illa, relinquamus eam. Quomodo ergo dicit propheta latum mandatum dei et ualde latum? Ideo, quia angustae uiae latum mandatum necessarium est. Denique hic ipse propheta ait: *In tribulatione*

46. [a] * 1 Cor 15, 22-24.
47. [a] 1 Io 5, 19.
　　 [b] Cf. 1 Reg. 20.
　　 [c] Io 1, 29.
　　 [d] Cf. Rom 10, 4; Apoc 1, 8; Eph 1, 7.
　　 [e] Ps 118, 96.
48. [a] Rom 10, 4.
　　 [b] Ps 118, 96.
49. [a] * Ibid.
　　 [b] Cf. Mt 7, 14.

portato l'esempio d'un compimento a cui segue la risurrezione: *Infatti, come in Adamo tutti muoiono, cosí pure in Cristo tutti riceveranno vita.* Un compimento viene dopo la risurrezione: *Ma ciascuno nel suo ordine: la primizia è Cristo, poi vengono quelli che appartengono a Cristo, che hanno creduto alla sua venuta; da ultimo la fine, quando consegnerà il regno a Dio, al Padre, quando esautorerà ogni principato e potestà.* Dunque, secondo l'Apostolo, la fine è successiva al compimento del tempo: se ne deduce che la fine è successiva ad ogni compimento [63].

47.  *Il mondo è in potere del maligno,* come ha detto Giovanni. Dunque anche la storia è in potere del Maligno, il mondo è pieno di peccato. Il mondo aveva portato a compimento la sua malizia, come l'aveva portata Saul; alla vista di una malizia giunta a tale compimento nei confronti del profeta Davide, Gionata — figlio di Saul — avvisò Davide di starsene alla larga e di fuggire. Dunque, il compimento della malizia è il compimento dei peccati. Viene allora *l'agnello di Dio che toglie il peccato del mondo,* che è Cristo Gesú, fine della legge, principio e fine, remissione dei peccati. Questa fine di quel compimento ha visto il profeta con gli occhi dello spirito; una fine che cancellava l'errore della storia giunto al compimento; ha visto che dal suo sangue venivano lavate tutte le specie dei peccati di tutti. Ha dunque detto giusto: *Ho visto la fine di ogni compimento.* Cioè, ho visto chi rimette un adulterio compiuto; ho visto chi rimette una compiuta lussuria e una compiuta dissolutezza, una compiuta crudeltà ed efferatezza; infine chi sa perdonare per mezzo della sua croce la colpa di ogni infamia.

48.  C'è anche una virtú compiuta, una sapienza compiuta, una giustizia compiuta: ma hanno una fine. Fine di tutte le virtú è Cristo, che è *fine della Legge per la giustizia di ogni credente.* Tu puoi vedere come Egli sia fine della fede. Dunque giusta è l'esclamazione: *Ho visto la fine di ogni compimento.*

49.  Ora, dato che abbiamo capito la fine del compimento, cerchiamo di capire che cosa significhi: *straordinariamente largo è il tuo comandamento.* Leggiamo che stretta è la porta attraverso la quale entrano quanti ottengono il guadagno della vita eterna. Perché rara a trovarsi è la virtú, ardua la sopportazione delle sofferenze, e molti piú sono quelli che frequentano invece gli spaziosi cammini di questo tempo, che dicono: «Angusta e stretta è la via che conduce a Dio. In essa rischiamo di essere calpestati, abbandoniamola!». Come mai dunque il profeta chiama «largo», «straordinariamente largo», il comandamento di Dio? Proprio perché la strada è stretta, c'è bisogno d'un largo comandamento.

---

[63] Il passo non è perspicuo, ma mi pare si possano intravedere questi momenti: 1) *consummatio saeculi,* che equivale a *finis saeculi,* è la fine del mondo (*finis* ha valore cronologico); 2) *resurrectio,* come ulteriore *consummatio;* 3) *consummatio* come pienezza finale dell'uomo e del mondo. Cristo è *finis* in senso sia cronologico che teleologico, ed è quindi termine finale di ogni *consummatio* (12, 48: *finis omnis consummationis*).

*dilatasti mihi* <sup>c</sup>, et iterum: *In tribulatione inuocaui dominum et exaudiuit me in latitudine* <sup>d</sup>.

50.  Haec latitudo mandatorum caelestium cor prophetae dilatat, dilatabat et apostoli. Denique ipse dicebat: *Os nostrum patet ad uos, o Corinthii, cor nostrum dilatatum est* <sup>a</sup>. Dispensando enim mandata caelestia cor suum dilatauerat et, quod ante persecutionis perfidia coartabat, hoc Christi amplificauit gratia. Et qua ratione latum mandatum? Ne nos coartaremur angustiis mandatorum, unde ait: *Non coangustamini in nobis* <sup>b</sup>. Si hoc Paulus, quanto magis Christus qui clausa reserauit! Ergo dicit: Nolo coartetur in me populus meus. In angusto uirtutum tramite debet latitudo praecepti mei uiantibus esse solacio, ne quis deficere possit aut conteri.

51.  Ambulemus ergo in dei mandato, quia satis latum est. Est enim mandatum sapientiae quae *in exitu canitur, in amplis autem fiducialiter agit* <sup>a</sup>; πλατεῖα enim Graeci sermonis est, quae Latine dicitur latitudo. Dilatemus igitur cor nostrum, ut recipiamus apostolicae uim sententiae, qui ait: *Capite nos* <sup>b</sup>. Recipiamus ergo eius sermones in cor nostrum, induamus uiscera misericordiae benignitatem humilitatem patientiam. O homo, quam latus es, si ad amplitudinem praeceptorum caelestium sinum tuae mentis expandas! Quam latum mandatum est caritatis! *Diligite*, inquit, *inimicos uestros* <sup>c</sup>. Omnes utique affectu caritatis inclusit qui non exclusit inimicos; quis enim uidetur exceptus, cum recipiatur inimicus? Vnde apostolus: *Si fieri*, inquit, *potest, cum omnibus hominibus pacem habentes* <sup>d</sup>. Non potest hoc Iudaeis dici, non gentibus, ut cum omnibus pacem habeant. Illi uix suos diligunt, Christiano etiam inimicos non licet non amare. Christianum cum dico, perfectum dico; in Christo enim plenitudo diuinitatis est <sup>e</sup>, cuius nomen usurpas. Qui uocabulum geris, interpretationem uocabuli perfectionemque cur refugis? Audi latum mandatum: *Benedicite eos qui persecuntur uos et nolite maledicere* <sup>f</sup>. Iste, qui latum dicit esse mandatum, probauit supra dicens: *Illi quidem detrahebant, ego autem orabam* <sup>g</sup>. Quid oras, Dauid, dicito nobis ipse. Sed dixisti; legi enim dicentem: *Maledicent illi, et tu benedices* <sup>h</sup>.

  <sup>c</sup> Ps 4, 2.
  <sup>d</sup> * Ps 117, 5.
50. <sup>a</sup> 2 Cor 6, 11.
  <sup>b</sup> * 2 Cor 6, 12.
51. <sup>a</sup> * Prou 1, 20.
  <sup>b</sup> 2 Cor 7, 2.
  <sup>c</sup> Mt 5, 44.
  <sup>d</sup> Rom 12, 18.
  <sup>e</sup> Cf. Col 2, 9.
  <sup>f</sup> * Rom 12, 14.
  <sup>g</sup> * Ps 108, 4.
  <sup>h</sup> Ps 108, 28.

Tant'è vero che questo stesso profeta esclama: *Nell'affanno mi hai allargato*; e ancora: *Nell'affanno ho invocato il Signore ed egli mi ha esaudito nella larghezza* [64].

50. Questa larghezza dei comandamenti celesti allarga il cuore del profeta, come allargava anche quello dell'Apostolo. Tant'è vero che l'Apostolo stesso diceva: *La nostra bocca è aperta per voi, Corinzi, per voi il nostro cuore è allargato*. Il suo cuore si era allargato nel diffondere i comandamenti celesti: quel cuore che, prima, un rifiuto a credere — diventato persecutore — aveva ristretto, ora la grazia di Cristo l'ha espanso. E per che motivo un comandamento largo? Per non sentirsi oppressi dalle strettoie dei comandamenti. Tant'è vero che esclama: *Non siete nelle strettezze in noi*. Se cosí può parlare Paolo, quanto piú lo può Cristo, che ha aperto le serrature chiuse! Dunque Egli dice: «Non voglio che il mio popolo si senta stretto in me. Nello stretto sentiero delle virtú, la larghezza di quanto io prescrivo deve essere fonte di consolazione che elimina cedimenti o logoramenti».

51. Camminiamo dunque nel comandamento di Dio, perché esso è largo quanto basta. C'è anche il comandamento della sapienza, la quale *viene cantata all'aperto, negli slarghi poi opera con fiducia* [65]. Πλατεῖα (*plateia*) dice la lingua greca, che nella nostra suona come «larghezza». Allarghiamo allora il nostro cuore, se vogliamo accogliere l'importanza del pensiero dell'Apostolo, che esclama: *Accoglieteci!* Accettiamo dunque i suoi discorsi nel nostro cuore. Vestiamoci dei frutti della misericordia: cioè, della bontà, della umiltà, della pazienza! O uomo, quanto sei «largo», se espandi il grembo del tuo intelletto fino a raggiungere l'ampio orizzonte dei precetti celesti! Quanto è largo il comandamento della carità! Vi si dice: *Amate i vostri nemici*. Vuol proprio dire che nell'atteggiamento della carità sono stati compresi tutti, se non ne vengono esclusi nemmeno i nemici. Chi può farne eccezione, se viene accolto anche il nemico? Perciò l'Apostolo dice: *Se è possibile, conservando un rapporto di pace con tutti gli uomini*. Questo non può essere rivolto ai Giudei e nemmeno ai Gentili, cioè di conservare un rapporto di pace con tutti. Quelli riescono a malapena ad amare i loro amici; al cristiano non è permesso di non amare nemmeno i nemici. Quando dico «cristiano», dico «perfetto», ché in Cristo — del cui nome tu ti fregi — c'è la pienezza della divinità. Se ne porti il nome, perché schivi il senso e la pienezza connessi al nome? Ascolta il «largo comandamento»: *Benedite quelli che vi perseguitano e non li maledite!* Costui, che afferma che il comandamento è «largo», l'aveva precedentemente dimostrato dicendo: *Quelli, da parte loro, mi umiliavano, invece io pregavo*. Qual è la tua preghiera? Diccela tu, Davide. Ma l'hai già detta. Ho letto infatti che tu dicevi: *Quelli malediranno, e tu benedirai*.

---

[64] Tema e «nido di citazioni» riscontrabili in 4, 27; *Expl. ps. XLIII*, 94.
[65] Cf. *Expl. ps. XLIII*, 95.

# XIII

## Littera «Mem»

1. Incipit littera tertia decima quae dicitur «Mem», quod sonat in Latino «ex intimis» et, ut alii, «ignis ex ultimis», et utrumque non discordat a textu. Nam statim primus uersus internorum uiscerum caritatem exprimit, quae utique ex ultimis procedit medullis et quodam nexu caloris inplicatur ossibus.

2. Denique in Threnis Hieremiae textus litterae huius hoc continet: *Ex alto suo misit ignem in ossibus meis* [a]. Bonus ergo deus, qui nobis inmittit unde diligentes eum meritum sub conspectu eius inuenire possimus. Quem mittat ignem, ipse nos doceat: *Ignem ueni mittere in terram, et quid uolo nisi ut iam accendatur?* [b]. Bonus ignis quem desiderat omnium saluator accendi, cum praesertim ipsum deum legerimus ignem esse [c], qui nostra peccata consumit intimisque pectoribus [sui] diuinae cupiditatem cognitionis infundit atque inradiat in nobis cor nostrum, cum legimus diuinarum seriem scripturarum, si forte aliquid, quo aperiantur propheticae lectionis occulta, intellectu adsumimus spiritali. Hoc igne Cleopas cor suum dicebat ardere, cum ipsi et socio eius Christus scripturas aperiret [d]. De hoc igne dixit dominus in libro Ezechiel: *Ecce proficiscar in Hierusalem et exsufflabo in uos in igne irae meae, ut tabescatis a plumbo et ferro et reliquis materialibus* [e]. Profunda in uerbis usitatis uidemus mysteria, totum hoc spiritale. Quibus precibus emerear ut ueniat dei uerbum, intret ecclesiam, fiat ignis consumens [f], ut exurat faenum et stipulam et quicquid est saeculare consumat, graue plumbum iniquitatis [g], quod in plerisque est, liquefiat igne diuino et ferreus quidam peccati rigor superno mollescat incendio, meliorentur uasa aurea et argentea, ut omnis sapientium sensus, omnis sermo prudentium flagrantium passionum calore decoctus incipiat esse pretiosior [h]. Bonus ignis caritatis quo corpus omne ecclesiae in mutuam adolescit gratiam; bonus ignis dilectionis quo unusquisque sanctus ad reuerentiam sui auctoris accenditur. Sed qui deum diligit non perfunctorie diligit, sed diligit legem eius, praecepta custodit,

---

2.  [a] * Thren 1, 13.
    [b] * Lc 12, 49.
    [c] Cf. Deut 4, 24.
    [d] Cf. Lc 24, 32.
    [e] * Ez 22, 19-21.
    [f] Cf. 1 Cor 3, 12-13.
    [g] Cf. Ier 6, 29.
    [h] Cf. 2 Tim 2, 20-21.

---

2,  8  sui *recte inclusit Petschenig*; suae *G M O edd. Ballerinii et Maurinorum*; suis *Rm2 Tm2 ed. Amerbachiana. Omittit cod. Monacensis 2564 saec. XII.*
    23  decoctus *codd. G M O Pm2 et edd.*; decoctos *Pm1*; recoctus *ceteri*; decocto *Petschenig.*

# XIII

## Lettera «Mem»

1. Comincia la lettera tredicesima, che si chiama «Mem». Nella nostra lingua il suo significato suona «dall'intimità» e, secondo altri, «fuoco che viene dal profondo». Nessuno dei due significati contrasta con il testo. Subito il primo versetto esprime la carità *intima* delle viscere, che certo promana dalle *profonde* midolla e avvolge le ossa in una morsa di *calore*.

2. Tant'è vero che nelle Lamentazioni di Geremia, il testo di questa stessa lettera comprende questa espressione: *Dalla sua altezza ha mandato un fuoco dentro le mie ossa.* Dunque, è buono Dio che istilla in noi una capacità di amarlo, grazie alla quale noi possiamo trovare merito al suo cospetto. Quale fuoco ci porta? Ce lo insegni lui stesso: *Sono venuto a portare il fuoco sulla terra, e che altro voglio se non che sia ormai acceso?* Buono è il fuoco, la cui accensione è desiderata dal Salvatore di tutti, soprattutto in considerazione del fatto che noi abbiamo letto che proprio Dio è un fuoco che consuma i nostri peccati, e nell'intimo dei cuori infonde l'ardore di conoscerlo. Esso sparge luce dentro di noi, nel nostro cuore, nel momento della lettura del racconto delle Scritture divine, qualora ci avvenga di afferrare — con una interpretazione spirituale — un'idea che ci dischiuda le oscurità della lettura dei Profeti. Di questo fuoco Cleopa diceva che gli ardeva il cuore, quando Cristo spiegava le Scritture a lui e al suo compagno. Di questo fuoco cosí ha parlato il Signore nel Libro di Ezechiele: *Ecco, mi porterò a Gerusalemme e soffierò forte su di voi, nel fuoco della mia ira, per farvi sciogliere e separarvi dal piombo, dal ferro e dagli altri elementi materiali.* Dentro parole usuali scorgiamo profonde realtà mistiche: tutto questo ha un significato spirituale. Con queste preghiere possa io ottenere che il Verbo di Dio venga, che entri nella Chiesa, che diventi un fuoco che divora, che incenerisca l'erba e la paglia e che divori qualsiasi elemento di questo mondo; che il pesante piombo dell'ingiustizia, che grava su moltissimi, si fonda al fuoco divino, e quella qual ferrigna durezza del peccato diventi tenera in quell'incendio che cala dall'alto; che si raffinino i vasi d'oro e d'argento: e cosí ogni pensiero dei sapienti, ogni discorso dei saggi — reso incandescente al calore [1] di sofferenze infuocate — trovino finalmente una purezza piú pregiata. Buono è il fuoco della carità, grazie al quale tutto il corpo della Chiesa arde in un vicendevole dono d'amore. Buono è il fuoco dell'amore che accende ciascun santo d'un sacro rispetto verso il suo artefice. Ma amare Dio non è un semplice amare: bensí un amare la sua legge, un osservarne le prescrizioni,

---

[1] L'accettazione della lezione *decoctus*, al posto di *decocto* del Petschenig, si raccomanda anche per ragioni di senso: infatti *decocto* si fonda sul valore negativo del termine *passiones*, mentre qui esse sono la tentazione e la prova che saggiano le forze del giusto.

iustificat cor suum non dictorum sonora praedicatione, sed studiosa imitatione factorum. Doceat igitur nos deus, quemadmodum a sanctis suis diligitur.

3. Sic inquiens propheta adicit: *Quomodo dilexi mandatum tuum, domine! Tota die meditatio mea est* [a]. Diligentis circa studium cognoscendae legis haec uox est, quae instruit perfectionem hominis, quam totus hic psalmus informat. Et quoniam maximum mandatum esse in lege cognouit, ut diligamus dominum deum nostrum ex toto corde nostro et ex tota anima nostra [b], sui imitatione nos quoque quos erudire studet uult esse perfectos dicens: *Quomodo dilexi mandatum tuum, domine!* [c]. Hoc ipso caritas crescit affectu, quod ipsum testem aduocat cui *munus* dilectionis *inpenditur* nec speciem, sed plenitudinem caritatis tali conuentione testatur. Hac usus est Petrus: *Tu scis*, inquit, *domine, quia diligo te* [d]. Sed qui diligit dominum legem eius diligit, sicut Maria diligens filium omnia uerba eius in corde suo materno conferebat affectu [e]. *Diligens te feci uoluntatem tuam* [f], scriptum est. Ideo commisit et Christus Petro, ut pasceret gregem suum [g] et domini faceret uoluntatem, quia caritatem eius agnouit. Qui enim diligit, ex uolunte facit quae sibi sunt imperata, qui timet, ex necessitate. Itaque dominus operationes seruulorum suorum spontaneas probat potius quam coactas. Ideo ex seruis liberos facit, ut uoluntatum nostrarum munera quam necessitatum obsequia conferamus.

4. Non potest dicere Marcionita: *Quomodo dilexi legem tuam!* [a], qui legem non suscipit; non potest dicere Iudaeus, qui legem spiritalem ignorat et litteram legis nudam, non sensum legis intellectumque meditatur. Solus ergo dicit christianus, qui multum iam legis cognitione profecerit, qui non poenam legis pauido corde formidet, sed diuina mysteria ueri Hebraei, ueri

3. [a] * Ps 118, 97.
   [b] Cf. Deut 6, 5.
   [c] * Ps 118, 97.
   [d] * Io 21, 15.
   [e] Cf. Lc 2, 19.
   [f] * Is 48, 14.
   [g] Cf. Io 21, 18.
4. [a] Ps 118, 97.

un rendere giusto il proprio cuore non con una dichiarazione altisonante, ma con una appassionata imitazione delle sue opere [2]. Orbene, sia Dio ad insegnarci quale sia l'amore dei suoi santi per Lui.

3.  Il profeta aggiunge queste parole: *Come ho amato il tuo comandamento, o Signore! Tutto il giorno si estende la mia riflessione*. Questa è parola di chi ama interessarsi della conoscenza della Legge, che costruisce la perfezione dell'uomo, alla quale tutto questo Salmo dà forma. E siccome egli sa che il più grande comandamento della Legge è amare il Signore Dio nostro con tutto il nostro cuore e con tutta la nostra anima, allora vuole che — come lui — anche noi, che egli cerca di istruire, siamo perfetti. Così dice: *Come ho amato il tuo comandamento, o Signore!* La carità cresce in intensità proprio per il fatto che egli si appella a quel testimone stesso [3] al quale viene pagato il dovuto tributo dell'amore, e per il fatto che — grazie ad una tale chiamata in causa — egli testimonia non una parvenza di carità, ma una pienezza. Di tale chiamata in causa si è servito anche Pietro, che disse: *Tu sai, Signore, che io ti amo.* Ma chi ama il Signore, ne ama la Legge, come Maria che, nel suo amore verso il Figlio, ne riponeva con affetto materno nel suo cuore tutte le parole. *Siccome ti amo, ho fatto la tua volontà,* sta scritto. Perciò anche Cristo ha affidato a Pietro il compito di pascere il suo gregge e di fare la volontà del Signore, dal momento che ha riconosciuto la sua carità. Chi ama, fa volontariamente ciò che gli viene comandato; chi teme lo fa per costrizione [4]. E allora il Signore, di fronte alle azioni dei suoi poveri servi, predilige quelle spontanee piuttosto che quelle coatte. Da servi ci rende liberi proprio perché i gesti che noi poniamo siano offerte della nostra volontà più che atti di ossequio obbligato.

4.  Un marcionita non può dire: «Come ho amato la tua legge!». Egli non accetta la Legge [5]. Non può dirlo il Giudeo, che non conosce la legge spirituale e volge la sua riflessione alla nuda letteralità della Legge, non alla comprensione del suo significato. Lo può dire dunque solo quel cristiano che è già molto avanti sulla strada della conoscenza della Legge; che non prova spavento nel suo cuore di fronte alla punizione della Legge, ma che svisce-

[2] Il significato etimologico della lettera aveva stimolato una bella pagina sul fuoco dell'amore che arde nei fedeli. Ambrogio non vuole lasciare l'impressione d'un discorso emozionale e, spinto dal carattere morale del Salmo CXVIII, non intende separare l'atmosfera della carità da quella della Legge, che il testo del Salmo invita a considerare.

[3] Che è il Signore, scoperto nel vocativo *domine*, presente in Sal CXVIII, 97. La terminologia giuridica (*aduocare testem, impendere munus; conuentio*) è familiare ad Ambrogio.

[4] Sulla differenza tra agire per amore e agire per costrizione, in questo stesso contesto, cf. ORIGENE, in HARL, SCh 189, p. 346, 27-31.

[5] Marcione, eretico del Ponto (I-II sec.), vedeva un contrasto insanabile tra Antico e Nuovo Testamento, che rispecchiava l'antitesi tra il Dio creatore del mondo e il Dio spirituale del Cristianesimo. E rifiutava all'Antico Testamento il valore di testo sacro. Cf., ad es., S. PÉTREMENT, *Le dualisme chez Platon, les gnostiques et les manichéens*, Paris 1947.

sabbati, uerae remissionis intrepido rimetur affectu. Vere ergo diligit qui sine tristitia, sine timore uoluntario potius studio quam coacto praecepta conseruat.

5.   Alius uero uersus cito probauit diuturnae meditationis effectum, quando intellexit super inimicos suos domini mandatum [a]. Sed quos habet inimicos propheta, qui et sui populi uiros legitima debet caritate conplecti et alienigenas euangelica praedicatione inuitare ad dei gratiam? Ferae consortem naturae suae diligere: quomodo dilectionem conformis sui propheta respuerit? Esse igitur iustam aliquam causam oportet, qua hi quos significat iure uideantur inimici. Ea quae sit possumus inuestigare, si meminerimus quia alibi idem ipse dixit: *Et super inimicos tuos tabescebam, iusto odio oderam illos* [b]. Istos ergo euangelica auctoritate suos inimicos dicit esse qui inimici sunt dei. Nam si is, qui non relinquit parentes propter dei nomen, non est deo dignus [c], quanto magis, qui diligit eius inimicos, acceptus deo esse non poterit? Quos ergo inimicos habet? Si gentiles, quomodo eos prophetico credituros spiritu praeuidebat? Denique ut benedicant et ipsi dominum [d] in superioribus adhortatus est. Et quae magna laus super eos intellegere, qui metalla et saxa uenerando similem rigorem stuporis adtraxerint?

6.   Quos igitur habet inimicos nisi haereticos? Ipsi enim sunt inpugnatores fidei, ueritatis inimici. Quos nisi Iudaeos? Ipsi enim grauiores inimici qui ex amicis inimici facti sunt. Super eos intellegit qui legem spiritalem esse intellegit. Quid ergo prodest lex, si finem legis ignores, si mysterium nescias, si sacramenta non noueris? Iudaeis ex ouibus agnus occiditur pro celebritate paschali, nobis pro redemptione mundi unigenitus dei, partus uirginis immolatur. Quid proficiunt Iudaei, quod sanguine agni domos et postes suos inliniunt [a]? Nihil utique, quoniam ligna his aut saxa prodesse non possunt. Nobis proficit omne mysterium, qui abhorrere credimus a gratia spiritali, ut habitationes nostras sanguine pecudis cruentemus et ne ora nostra cruore tinguamus [b]. Sed

---

5.  [a] Cf. Ps 118, 98.
    [b] * Ps 138, 21-22.
    [c] Cf. Mt 10, 37.
    [d] Cf. Ps 65, 8.
6.  [a] Cf. Ex 12, 7.
    [b] Cf. Ex 12, 9; Gen 9, 4; Leu 17, 14.

---

5, 1   Alius uero uersus *codd. (praeter A Rm1*: alii uero uersus), Alio uero uersu *Petschenig.*
    5   *post* ferae *Petschenig inseruit* feruntur.

ra [6] con atteggiamento coraggioso le mistiche realtà divine del vero Ebreo, del vero sabato, del vero perdono. Dunque è vero amore quello che sa osservare le prescrizioni senza malumore, senza paura, con intenzione volontaria piuttosto che coatta.

5.  Ma subito, il versetto successivo ha verificato il positivo effetto di una diuturna riflessione, se è vero che (il profeta) ha capito il comandamento di Dio piú dei suoi nemici. Ma quali nemici ha il profeta, che deve abbracciare con una carità doverosa i membri del suo popolo e invitare alla grazia di Dio gli estranei, mediante la proclamazione del Vangelo? Ecco che le fiere amano [7] il loro simile: come potrebbe allora un profeta rigettare l'amore d'un suo simile? È allora necessario che ci sia un motivo serio per considerare legittimamente come nemici quelli che egli cosí designa. Quale sia questo motivo, lo si può scoprire, se si tiene presente che, in un altro passo, sempre questo stesso profeta ha detto: *E mi consumavo piú dei tuoi nemici, li odiavo con odio motivato.* Con un'autorevolezza evangelica, egli afferma che sono suoi nemici quelli che sono nemici di Dio. Infatti, se l'uomo che non abbandona i suoi parenti a causa del nome di Dio non è degno di Dio, quanto piú sgradito a Dio potrà essere l'uomo che ama i nemici di Dio? Quali nemici egli ha dunque? Se questi sono i pagani, come mai egli ne prevedeva con profetica ispirazione la futura conversione? Tant'è vero che precedentemente egli li ha invitati a benedire, loro pure, il Signore. E che gran vanto sarebbe il capire piú di gente che — adorando metalli e marmi — si è attirata addosso un tale istupidimento che la paralizza [8]?

6.  Allora, quali nemici ha se non gli eretici? Sono proprio essi gli ostili avversari della fede, i nemici della verità. Quali i nemici, se non i Giudei? Sono essi i nemici, tanto piú accaniti, in quanto che da amici sono diventati nemici. Piú di essi ha capito colui che ha capito l'essenza spirituale della Legge [9]. A che giova dunque la Legge, se non si conosce la fine e il fine della Legge, se non si sa il senso mistico, se non si conosce il valore dei sacri segni? Per i Giudei la vittima della celebrazione pasquale è un agnello tratto dal gregge; per noi vittima sacrificale della redenzione del mondo è il Figlio unigenito di Dio, il generato da una vergine. Che vantaggio traggono i Giudei dallo spalmare le loro case e gli stipiti delle loro porte col sangue dell'agnello? Nessun vantaggio, veramente. Il legno o la pietra non possono essere loro di giovamento. A noi invece giova ogni realtà mistica, perché noi crediamo che contrasti con la grazia, che è spirituale, lo sporcare di sangue di pecora le nostre abitazioni e arrossare di sangue la

---

[6] La plausibilità della lezione *rimetur* è attestata da *Expl. ps. XLIII*, 52.

[7] Lascerei l'infinito (storico), che rende inutile l'aggiunta di *feruntur*. Il *diligunt* di alcuni mss. conferma l'assenza di altri termini.

[8] I nemici non sono quindi i Gentili.

[9] Davide, prototipo del cristiano, ha come nemici i Giudei stessi, che non comprendono l'essenza spirituale della Legge: cosí già in ORIGENE, in HARL, SCh 189, p. 346, 1-5. Anche ILARIO, *Tract. ps. CXVIII*, 13, 4 (CSEL 22, pp. 468 s.) annovera tra questi nemici gli eretici e i Giudei.

corpora nostra sacramento crucis dominicae consecramus et confessione mortis domini nostri Iesu Christi sanctificamus oris adloquia; *corde* enim *creditur ad iustitiam, ore confessio fit ad salutem* [c]. Quid prodest, quod Hebraei aurem seruuli pertundunt subula et praeputia sui circumcidunt corporis [d]? Non intellegunt penitus, quid lex diuina discernat. Signa sunt ista, non ueritas. Sed ille intellegit, qui cor suum spiritali circumcisione castificat, ut conluuiem omnem corporeae labis emundet. Ille intellegit, qui subulam et aurem mentis uigore transcendit et illam animam, quam pertransiuit gladius ad reuelanda cordis occulta [e], perpetuae praemio libertatis attollit uel examinandis sermonibus sollicite seruiens, quoscumque uirtutis suae aure susceperit, mysterio sanctificat spiritali. Azyma [f] sibi Iudaeus quibusque annis facere consueuit et nescit se malitiae esse fermentum. Sed qui intellegit quid sit uetus expurgare fermentum, ne totam massam corrumpat, ueterem hominem cum actibus suis expurgat, ut fiat noua consparsio ueritatis [g]. Iudaeo ista dicta sunt et christianus audiuit, quia, dum aurem suam subula illa pertundit, audire non potuit uulneratam aurem gerens; non legis, sed stultitiae suae subula cruentauit aurem suam. Illa audiendo quae spiritaliter reuelantur perforauit aurem suam ferro; maluit enim in ferrum quam in uerbum credere. Ideo seruit, ideo liber esse non meruit, ideo nec completi temporis ei gratia suffragatur, quia plenitudinem temporis non recepit, quo filius dei missus est ad salutem et uenit ad redemptionem, factus sub lege, natus ex uirgine, uictor mortis, largitor resurrectionis [h]. Manet ergo uulnus illi cui Christus non resurrexit. O uulnus quod sarciri non possit, nisi forte relinquat subulam et sumat sibi gladium, quod pro Christi nomine non refutet uel quo corporalia a spiritalibus, umbram a ueritate distin-

[c] * Rom 10, 10.
[d] Cf. Ex 21, 6; Gen 17, 11.
[e] Cf. Lc 2, 35.
[f] Cf. Ex 12, 8.
[g] Cf. 1 Cor 5, 7.6.
[h] Cf. Gal 4, 4-5.

nostra bocca [10]. Noi invece rendiamo sacro il nostro corpo con il sacro segno della croce del Signore, e con la professione di fede nella morte del nostro Signore Gesú Cristo rendiamo sante le parole che escono dalla nostra bocca: *Col cuore si crede per la giustizia, dalla bocca esce la professione di fede per la salvezza.* Che giova se gli Ebrei perforano con la lesina l'orecchio dei loro piccoli schiavi e circoncidono il prepuzio del loro corpo? Essi non sanno capire in profondità quale discrimine voglia porre la legge divina. Questi sono solo segni, non sono la verità. Lo capisce invece l'uomo che rende puro il suo cuore con una circoncisione spirituale, per eliminare ogni impurità di tara corporea. Lo capisce l'uomo che con la sua forza d'intelletto sa andare oltre la lesina e l'orecchio e che sa sollevare fino al premio della libertà senza fine quell'anima che la spada ha trapassato, perché fossero svelati i segreti del cuore. Oppure l'uomo che si pone con zelo al servizio della comprensione dei discorsi di Dio e tutti li sa santificare con una interpretazione spirituale, mistica, recependoli con l'orecchio della sua virtú. Il giudeo è abituato a farsi ogni anno il pane azzimo, senza sapere di essere lievito di malizia. Ma chi capisce che cosa significhi scartare il lievito vecchio, perché non rovini tutta la pasta, questi scarta l'uomo vecchio con le sue azioni per produrre un nuovo impasto di verità. Queste parole sono state dette per il giudeo, ma le ha udite il cristiano, perché l'altro — fino a che perfora il proprio orecchio con quella lesina — non ha potuto udirle, proprio perché aveva l'orecchio bucato; egli ha insanguinato il proprio orecchio con la lesina della stoltezza e non della Legge. Ascoltando quelle parole, il cui senso si disvela con l'interpretazione spirituale, ha perforato il suo orecchio con un ferro: difatti ha preferito affidarsi al ferro piuttosto che alla Parola. Per questo resta schiavo, per questo non ha meritato la libertà, per questo non lo avvantaggia nemmeno il dono del tempo ormai reso pieno: proprio perché non ha saputo accogliere la pienezza dei tempi, quando il Figlio di Dio fu inviato per salvarci [11] e venne a riscattarci, Lui, concepito sotto la Legge, nato da una vergine, vincitore della morte, generoso donatore di risurrezione. A colui, per il quale Cristo non è risorto, resta dunque quella ferita. O ferita che non può rimarginarsi, a meno forse che non sia fatta cadere la lesina e sia presa su la spada, che non va disdegnata a pro del nome di Cristo e che va usata per separare le realtà fisiche da quelle spirituali, l'ombra dalla

---

[10] Il testo risulta poco perspicuo. Forse si vuol dire che non è possibile trattare col sangue edifici materiali senza insozzare anche il proprio corpo di sangue. Il sacrificio cristiano invece non corre il rischio di insozzare il corpo, perché è sacrificio d'un Agnello mistico. Piú semplice sarebbe il testo omettendo *et ne*, come fanno le edizioni *Amerbachiana*, del Ballerini e dei Maurini: se cosí fosse, il testo indicherebbe che contrastano con la spiritualità della grazia lo sporcare di sangue sia le abitazioni sia la bocca, mediante il sacrificio dell'agnello materiale.

[11] Il modo di presentare l'Incarnazione richeggia qui l'espressione del Simbolo: *propter nostram salutem*, che in Ambrogio rasenta l'unilateralità: cf. TOSCANI, *Teologia della Chiesa...*, p. 297.

guat, sumat dei uerbum, gladium bis acutum [i], et ex illo diuino
ore doceatur mandatum domini, praescriptum legis agnoscere,
quod non temporalis habeat obseruantiam celebritatis, sed saluta-
ria et sempiterna remedia suco gratiae spiritalis infundat!

    7.   Tota ergo die in lege meditare, non perfunctoria tibi debet
esse transcursio. Si agrum emere uelis, si mercari domum, pru-
dentiorem adhibes et quid iuris sit diligenter consideras et, ne
in aliquo forte fallare, tibi ipse non credis. At nunc tu ipse emen-
dus es tibi. De tuo pretio tracta, considera quid sis, quod nomen
habeas, quid adquiras tibi: non agrum, non pecuniam, non gemmarum monilia, sed Christum Iesum, cui nulla possint pretia,
nulla ornamenta conferri. Adhibe tibi consiliarios Moysen Esaiam
Hieremiam Petrum Paulum Iohannem, ipsum magnum consiliarium [a] Iesum dei filium, ut adquiras patrem. Cum his tractandum,
cum his tota conferendum est tibi, tota meditandum die, sicut
meditabatur Dauid et haec erat illi sola meditatio. Non saecularibus animus transducebatur inlecebris, non pecuniaria coaceruan-
di patrimonii cupiditate flagrabat, non proferendi limitis exclu-
dendique finitimi anxius curarum aestus studio meditationis intentum reflectebat affectum, quicquid poterat temporis dies habere, hoc totum sola sibi in lege meditatio uindicabat.

    8.   Sed etiam hoc parum est diligenti qui uelit ad beatitudinis
gratiam peruenire; beatus enim die ac nocte meditatur in lege [a].
Angustior dies est meditatione doctrinae, non tantus dies in tempore quanta meditatio est in lege. Vnde uide ne illud magis
significare uideatur, quod ei qui in lege meditatur semper dies
est et lumen sine defectu, quod nullae tenebrae noctis interpolent.
Alioquin quomodo neglegentiorem in processu operis declararet

[i] Cf. Hebr 4, 12.
7.  [a] Cf. Is 9, 6.
8.  [a] Cf. Ps 1, 2.

verità [12]! A meno che non sia presa su la Parola di Dio, che è una spada a doppio filo [13], e che non s'impari — da quelle labbra divine — a riconoscere il comandamento del Signore, la prescrizione della Legge, che non ottiene il rispetto d'una adesione temporanea, ma che sa istillare, con la linfa della grazia dello Spirito, rimedi salvifici ed eterni.

7.   Dunque, rifletti tutto il giorno sulla Legge: non ti deve bastare una semplice scorsa. Se vuoi comprare un campo, trattare l'acquisto di una casa, ti prendi uno piú esperto, esamini con attenzione le norme della legge e, per non incorrere magari in qualche errore, non ti fidi di te stesso. Ebbene, ora si tratta di fare l'acquisto di te stesso. Discuti sul tuo prezzo! Esamina che cosa tu sia, che nome tu abbia, quale guadagno ne ricavi! Non un campo, non denaro, non gioielli di pietre preziose, ma Cristo Gesú, che è al di là di ogni prezzo, al di là di ogni magnificenza. Prenditi come consiglieri Mosè, Isaia, Geremia, Pietro, Paolo, Giovanni e lo stesso eccelso consigliere Gesú, se vuoi acquistare il Padre [14]. Con loro devi trattare, con loro devi confrontarti tutto il giorno, devi tutto il giorno riflettere, come rifletteva Davide: ed era quella la sua unica materia di riflessione. Il suo animo non era traviato da lusinghe di questo mondo, non bruciava di venale cupidigia di ammassare patrimoni [15]; non c'era febbre di attivismo, ansiosa di dilatare i confini delle proprietà e di spossessarne il vicino e capace di distogliere la sua mente, concentrata nella volontà di riflettere; qualsiasi ritaglio di tempo potesse avere, se lo accaparrava tutto quanto per sé solo la riflessione della Legge.

8.   Ma anche questo è troppo poco per quell'uomo appassionato che voglia arrivare al dono della beatitudine. L'uomo beato riflette infatti sulla Legge giorno e notte. Il giorno è piú breve della riflessione su quell'insegnamento: il giorno non ha a disposizione tanto tempo quanto la riflessione sulla Legge. Perciò, osserva se il senso della frase non possa essere un altro: cioè che per l'uomo che riflette sulla Legge è sempre giorno e la luce non ha fine; che non ci sono tenebre notturne ad interromperla [16]. Altrimenti come potrebbe il profeta ammettere che quell'uomo, che

---

[12] Cristo è discrimine tra antica e nuova economia: qui si sottolinea di piú la differenza, come altrove piú si insiste sulla continuità.

[13] Cf. anche *De Abr.*, II, 1; *Expl. ps. XXXVIII*, 12. Mentre là però il «doppio filo» indica i sensi morale e mistico della Scrittura, qui esso pare indicare l'Antico e il Nuovo Testamento, come già in TERTULLIANO, *Adu. Iud.*, 9, 18; *Adu. Marc.*, III, 14, 3 (CChL 2, p. 1369; 1, p. 526): cf. il mio, *La dottrina esegetica...*, pp. 39 s.

[14] Come già a 12, 37, anche qui c'è un'oscillazione tra una visione cristocentrica e una teocentrica (cf. DASSMANN, *La sobria ebbrezza...*, pp. 231 s.). Ma l'oscillazione si ferma nella visione mistica dell'unità dell'economia di salvezza.

[15] Sulle riserve di capitale-moneta da parte di avari, cf. *Exp. eu. Luc.*, IX, 18. PIETRO CRISOLOGO, *Serm.*, XXIII, 3-4 (CChL 24, pp. 136 s.). Cf. L. CRACCO RUGGINI, *Economia e società...*, p. 199.

[16] Ambrogio si differenzia da ORIGENE, in HARL, SCh 189, pp. 344, 5 - 346, 24, perché per lui *giorno perenne* è possibilità già di questo mondo, per chi medita la legge del Signore: cf. AUF DER MAUR, *Das Psalmenverständnis des Ambrosius...*, n. 657, pp. 545 s. Si può notare come, quando si introduce il tema della preghiera, il cosiddetto «morale» Ambrogio si emancipa da Origene. Cf. anche *Expl. ps. I*, 31.

quem diligentiorem in ipsis operis sui propheta principiis esse
uoluisset? In die ergo meditatur legis et euangelii praedicator.

9.   Et fortasse illi qui nouum non recipiunt testamentum in
nocte legerunt et ideo nescierunt neque intellexerunt. Vnde saluator, ne etiam nos legeremus in tenebris, admonet dicens ambulandum in die [a], quia non offendat qui in die ambulat; uidet enim
gratiam lucis. Qui enim ambulat in tenebris, scopulum offensionis
incurrit.

10.   Sequitur uersus tertius: *Super omnes docentes me intellexi, quia testimonia tua meditatio mea est* [a]. Doctrinam profitentur
scribae Iudaeorum, quia legem et prophetas ipsi priores habere
meruerunt. Sed illi profitentur docere, sed non docent. Ei autem
populo qui ex gentibus conpetit dicere: *Super omnes docentes me
intellexi* [b], quia illi non intellexerunt. Respondet Iudaeus: «Vnde
habuisti intellegere, scriptum est: *Interroga patrem tuum, et adnuntiabit tibi; seniores tuos, et dicent tibi* [c]. Ego sum pater tuus, me
interroga». *Sed etsi interrogauero, non respondebitis mihi* [d], dixit
Iesus, et ex illo respondere non possunt et ex illo supra illos
intellego qui non intellegebant, quia testimonia didici quae ille
non nouit. Didici: *Qui sequitur me tollat crucem suam* [e], didici:
*Diligite inimicos uestros* [f]. Et ideo optat anathema esse Paulus pro
fratribus genere [g], inimicis fide.

11.   Videretur inconueniens esse uerecundiae prophetali
huiusmodi usurpatio, eo quod praesumpserit dicere quod super
omnes docentes intellexerit, cum uel legem Moyses acceperit a
domino et populo eius instituta tradiderit [a], Aaron sacrificiorum
omnium decurso ritu sacerdotalem docuerit disciplinam [b], Iesus
Naue significauerit quemadmodum circumcisio possit iterari [c],
Samuhel unctionis propheticae pariter ac regiae sacramenta mon-
strauerit [d]. Videretur, inquam, incongrua praesumptio, nisi prae-

---

9.   [a] Cf. Io 11, 9-10.
10. [a] Ps 118, 99.
    [b] Ibid.
    [c] * Deut 32, 7.
    [d] * Lc 22, 68.
    [e] * Mt 16, 24.
    [f] Mt 5, 44.
    [g] Cf. Rom 9, 3.
11. [a] Cf. Ex 19, 7.
    [b] Cf. Ex 28.
    [c] Cf. Ios 5.
    [d] Cf. 1 Reg. 16, 13.

egli, proprio agli inizi della sua opera, aveva preteso piú zelante, diventi — nel progredire di essa — piú trascurato [17]? Dunque, nel giorno riflette l'uomo che proclama la Legge e il Vangelo.

9.   E forse coloro che non accolgono il Nuovo Testamento, sono quelli che hanno letto di notte e perciò non hanno saputo né capito. Perciò il Salvatore, per ammonirci a non leggere — anche noi — nelle tenebre, ci dice che bisogna camminare di giorno, perché chi cammina di giorno non inciampa, dato che vede la grazia della luce. Colui che cammina nelle tenebre va a sbattere contro il masso che gli fa male.

10.   Prosegue il versetto terzo: *Ho capito piú di tutti i miei maestri, poiché oggetto della mia riflessione sono i segni della tua volontà*. Gli scribi giudaici fanno per professione i maestri, perché hanno avuto il privilegio di possedere per primi la Legge e i Profeti. Ma essi insegnano per professione, senza però insegnare. Invece tocca a quel popolo venuto dai pagani dire: *Ho capito piú di tutti i miei maestri* [18] perché quelli non hanno capito. Risponde il giudeo: «Proprio là, donde hai avuto la capacità di capire, sta scritto: *Interroga il padre tuo, ed egli te lo rivelerà; interroga i tuoi anziani e te lo diranno. Io, sono tuo padre, è me che devi interrogare!*». Ma — ha detto Gesú — *anche se vi interrogherò, voi non mi risponderete*. E non possono rispondere a partire da Lui, ed io — a partire da Lui — capisco piú di loro, che non capivano, proprio perché io ho appreso i segni della volontà che quelli [19] non conoscevano. Ho appreso questo: *Chi mi segue prenda la sua croce!*; e questo: *Amate i vostri nemici!* Ed è per questo che Paolo auspica di essere anatema a vantaggio dei fratelli di razza, ma nemici di fede.

11.   Sembrerebbe sconveniente per la modestia di un profeta una tale rivendicazione, cioè la sua pretesa di affermare di aver capito piú di tutti i maestri, dal momento che, almeno la Legge, Mosè l'ha ricevuta dal Signore e poi ha trasmesso al popolo i suoi dettami; dal momento che Aronne fu maestro della disciplina sacerdotale, esponendo il completo rituale dei sacrifici; dal momento che Gesú di Nave indicò come ci possa essere una seconda circoncisione; dal momento che Samuele ha mostrato i sacri segni d'una unzione, al tempo stesso profetica e regale. Sembrerebbe una sconveniente pretesa — dico — se non ci fossero state quelle premesse, mediante le quali egli ha provato che non era fuor di

---

[17] Se in Sal I, 2 Davide afferma una meditazione protratta *giorno e notte* e qui, in Sal CXVIII, 97, solo *di giorno*, si darebbe l'apparente contraddizione che all'inizio il *beatus* sarebbe migliore che in una fase piú avanzata del suo progresso spirituale. Infatti il Salterio è visto, nel suo complesso, come l'esposizione progressiva del progresso spirituale. La contraddizione viene sanata interpretando Sal CXVIII, 97 nel senso che il beato vive *sempre* nel giorno. Il raccordo tra Salmo I e Salmo CXVIII, con il motivo dello sviluppo progressivo dell'uomo verso la perfezione (che è giorno senza fine), è già in ORIGENE, in HARL, SCh 189, pp. 344-346.

[18] Il passo ambrosiano, fino a questa ripresa di Sal CXVIII, 99, risulta modellato su ORIGENE, in HARL, SCh 189, 99, p. 350, 1-6.

[19] Cioè il padre, vale a dire i Giudei che, rispetto ai Cristiani, possono essere riguardati come padri.

misisset superiora, quibus non inmerito super docentes intellexisse se conprobaret. Debuit hanc adsumere confidentiam qui docebatur a domino; et mandatum quod docebatur domini erat et ipse dominus qui docebat [e]. Merito super omnes intellexit quem docebat ipsa sapientia. Vnde et alibi ait: *Beatus quem tu erudieris, domine, et de lege tua docueris eum* [f].

12.   Ostendit igitur quod diuinum est homines docere non posse; et ideo qui docere praesumunt nesciunt, sed agnoscit discipulus qui docetur. In quo praeter donum scientiae, quod de spiritu sancto fuerat consecutus, moralis quoque suauis est locus, quod multi docentes sunt, qui quod non intellegunt docere se dicunt, et plurimi sunt discipuli, qui studio suo adsecuntur et industria quod non didicerint a magistris. Denique ante nos quidam interesse dixit inter docentes atque doctores, fortasse hoc arbitratus, quia doctores sunt aliorum iudicio ad hoc munus electi, docentes autem qui propria usurpatione hoc sibi munus adsumpserint. Sed cedant necesse est ei doctores quoque, quem testimoniorum meditatione caelestium doctrina dei docentis inbuerit.

13.   *Super seniores intellexi, quia praecepta tua quaesiui* [a]. Nec hoc quidem difficile, ut is quem dominus docuerit super seniores intellegat, siquidem dei gratia ad doctrinam maturitatemque aetatis progrediatur senilis. Cum enim aetas senectutis uita inmaculata sit [b], utique doctrina uitae inmaculatae senilem praestat aetatem. Denique excusanti Hieremiae, quod iuuenis esset, responsum est: *Noli dicere: Iuuenis sum* [c], eo quod non aestimaretur iuuenis definitione diuina qui incanam haberet prudentiam [d], quae sanctificationis caelestis gratia reluceret.

14.   Verumtamen non mihi uidetur se ipsum propheta laudare et praeferre senioribus, cum legeris: *Non te praetereat narratio seniorum; et ipsi enim didicerunt a patribus* [a]. Nam et alibi Sirach dixit Sapientia: *Vbi sunt senes, non multum loquaris* [b]. Sed nouit quibus se praeferat senioribus, inueteratis scilicet in peccato et ueterno impietatis atque senio perfidiae delirantibus. Isti sunt

---

[e] Cf. Ps 118, 12.66.68; cf. Ps 118, 4.
[f] * Ps 93, 12.
13. [a] * Ps 118, 100.
   [b] Cf. Sap. 4, 9.
   [c] * Ier 1, 7.
   [d] Cf. Sap 4, 9.
14. [a] * Eccli 8, 9 (11).
   [b] Eccli 35, 9 (32, 13).

luogo il suo «aver capito piú dei maestri». Un uomo, ammaestrato
dal Signore, ha dovuto vestirsi di questa sicurezza. E il comandamento che gli veniva insegnato era del Signore, ed era il Signore
in persona che lo insegnava. Aveva ragione di dire di «aver capito
piú di tutti», visto che sua maestra era la Sapienza stessa. Perciò,
anche in un altro punto, ha esclamato: *Beato l'uomo che tu,
Signore, hai educato, e a lui hai insegnato la tua legge.*

12. Vuol dimostrare che ciò che è divino gli uomini non
possono insegnarlo. E perciò, quanti hanno la pretesa di insegnarlo sono ignoranti; mentre lo può riconoscere il discepolo che ne
è ammaestrato. Qui, oltre al dono del sapere — che egli aveva
ottenuto dallo Spirito Santo —, c'è anche un dolce motivo di tipo
morale [20]: molti sono i maestri che sostengono di insegnare quanto non sanno capire, e moltissimi sono i discepoli che acquisisco-
no con una personale, appassionata applicazione quanto non sono
riusciti ad apprendere dai maestri. Tant'è vero che c'è stato uno
prima di noi [21] che ha trovato una differenza tra maestri e dottori,
forse pensando che i *dottori* sono uomini scelti a questo ufficio
per giudizio altrui, mentre *maestri* possono essere coloro che si
sono assunti questo ufficio, arrogandoselo da sé. Ma è inevitabile
che anche i dottori cedano di fronte a colui che è stato istruito
dall'insegnamento d'un maestro come Dio nella riflessione sui
segni della volontà del Cielo.

13. *Ho capito piú degli anziani, perché ho cercato le tue prescrizioni* [22]. Non è nemmeno difficile che un uomo, ammaestrato
dal Signore, capisca piú degli anziani, se è vero che la grazia di
Dio avanza fino a raggiungere la maturità di dottrina tipica della
vecchiaia. Se è vero che l'età della vecchiaia consiste in una vita
senza macchia, allora la dottrina, propria di una vita senza macchia, produce la realtà della vecchiaia. Tant'è vero che Geremia,
che si scusava di essere giovane, ebbe questa risposta: *Non dire:
«Sono giovane»!* Proprio perché, secondo la definizione divina,
non era da ritenersi giovane un uomo che possedeva una saggezza
da anziano, che aveva lo splendore della grazia di una consacrazione operata dal cielo [23].

14. Tuttavia non mi sembra che il profeta lodi se stesso e
si anteponga agli anziani, dal momento che si può leggere: *Non
trascurare il racconto degli anziani, perché anch'essi l'hanno appreso
dai padri.* Anche in un altro punto la sapienza di Sirach ha detto:
*Dove ci sono dei vecchi non parlare molto!* Ma egli sa a quali
anziani anteporsi: a quelli che sono risecchiti nel peccato e
farneticano nella decrepita senilità, tipica di chi non ha o rifiuta

---

[20] Sulla dolcezza della morale, cf. 11, 7 e nota 17.

[21] Non si può ravvisare con sicurezza questo autore, ma la definizione di *doctor*
risulta simile in AMBROSIASTER, *Ad I Cor.*, 12, 29: *Ille doctor est cui conceditur* (CSEL
81/2, p. 142).

[22] A 2, 17 questo versetto è interpretato all'interno dell'ambito veterotestamen-
tario e messo sulla bocca di Davide, secondo AUF DER MAUR, *Das Psalmenverständnis
des Ambrosius...*, n. 2359, p. 428. Ma il passo di 2, 17 è troppo secco per dedurne
con tanta precisione un tipo di interpretazione cosí decisamente configurata.

[23] Cf. *Expl. ps. XXXVI*, 59-60.

seniores plebis qui dominum Iesum Pilato praesidi tradiderunt. *Conuenerunt* enim *sacerdotes et scribae et seniores* [c], ut ait Marcus, et iterum: *Fecerunt sacerdotes consilium cum senioribus, ut eum traderent* [d]. Et aduersum apostolos in Actibus eorum quod seniores Israel conuenerint [e]. Petrus sanctus et Lucas euangelista testantur. Non ergo senili derogauit aetati, sed uoce populi iunioris indocilem dei uetustum illum dierum [f]. Iudaeorum fore populum prophetauit, qui, quod in iuuentute sua non adquisierat, in senectute inuenire non potuit [g]. Nam qui a principio frequentibus dominum exasperauit offensis, cuius gratiam, cum esset iuuenis, non poterat emereri, huius aduentum senex non meruit agnoscere, donum tenere non potuit. Sponsum autem incanae indicium senectutis in sensu est et ueterani consilii scientia intellectus maturitate [h], non uitae longaeuitate praefertur.


15.    Exquiramus ergo mandata dei, ut super seniores intellegamus, fugiamus uiam lubricam peccatorum, ut possimus praecepta custodire caelestia; hoc enim declarant sequentia. Super seniorem intellexit Iacob iunior frater, quia, cum senior Esau praerogatiuam sibi benedictionis priuilegio aetatis exposcit, reliquit epulas mitiores, dum quaerit agrestes [a]. Profecto illo in uenationem iunior frater uestimenta eius accepit et mihi tradidit populo nationum, materno usus consilio. Illam ergo sapientiae stolam, quam habuit ante populus Iudaeorum, induit me Rebecca; stola eius bona, lex et prophetae. Hac stola ille populus est nudatus, nos induti sumus; induit nos mater illa Hierusalem quae in caelo sursum est [b]. Accedimus ergo ad patrem, offerimus illi epulas mitiores, patientiae cibos, misericordiae lenitatem, suauitatem intellectus. Accipio benedictionem, praeripio fratri seniori gratiam spiritalem. Venit ille, irascitur, non inuenit quod accipiat; mater occurrit et pio nos informat hortatu. Residet penes me stola illa bonis intexta mandatis.


    [c] * Mc 14, 53.
    [d] * Mc 15, 1; Mt 27, 1.
    [e] Cf. Act 4.
    [f] Cf. Dan 7, 9.13.22.
    [g] Cf. Eccli 25, 3 (5).
    [h] Cf. Eccli 25, 4-5 (6-7).
15. [a] Cf. Gen 27.
    [b] Cf. Gal 4, 26.

14, 18 Sponsum *codd.*, Speciosum *Petschenig.*
    — indicium *P. edd. Maurinorum et Ballerinii*, iudicium *ceteri et Petschenig.*

la fede. Questi sono gli anziani del popolo che consegnarono il Signore Gesú al governatore Pilato: *Si radunarono i sacerdoti, gli scribi e gli anziani*, come dice Marco. E ancora: *I sacerdoti tennero un consiglio con gli anziani per consegnarlo*. E negli Atti degli Apostoli il santo Pietro e l'evangelista Luca attestano che gli anziani di Israele si radunarono per opporsi agli Apostoli. Dunque, non ha inteso screditare l'età della vecchiaia, ma, con la voce di un popolo piú giovane, ha profetato che quel popolo dei Giudei, antico d'anni, sarebbe diventato riottoso all'insegnamento: esso che non ha potuto trovare nella vecchiaia ciò che non aveva appreso nella sua giovinezza. Infatti esso, che fin dall'inizio ha esacerbato il Signore continuando ad offenderlo, che non ha potuto guadagnare la benevolenza finché era giovane, diventato vecchio non è stato in grado di riconoscerne la venuta, non ha saputo tenersi stretto quel dono. Mentre in quella capacità di comprendere [24] c'è la prova garantita di una vecchiaia veneranda, ed è privilegiato il sapere tipico di un'assennatezza antica per maturità di comprensione, non per durata di vita.

15. Esaminiamo dunque i comandamenti di Dio, se vogliamo capire piú degli anziani! Fuggiamo la strada infida dei peccatori, se vogliamo essere capaci di conservare le prescrizioni del Cielo! Lo rivela il seguito [25]. Giacobbe, il fratello minore, ha capito piú dell'anziano, perché, nel momento in cui l'anziano, Esaú, richiese — in forza della primogenitura — il vantaggio della benedizione paterna, abbandonò le vivande piú blande per andare in cerca di quelle selvatiche. Una volta partito quello per la caccia, il fratello minore ha indossato i suoi vestiti e li ha trasmessi a me, popolo di altre razze, obbedendo al consiglio della madre. Con quella veste di sapienza, che prima era stata proprietà del popolo dei Giudei, Rebecca ha rivestito me: la sua veste è buona: Legge e Profeti. Quel popolo fu svestito di questa veste e ne siamo stati rivestiti noi. Ce ne ha rivestito quella madre, la Gerusalemme che sta nel Cielo [26]. Ci accostiamo cosí al Padre, gli offriamo vivande piú blande: i cibi della sopportazione, la bontà della misericordia, la soave dolcezza dell'intelligenza. Ecco che ricevo la benedizione, strappo al fratello piú anziano il dono dello Spirito. Quello ritorna, si adira, non trova piú nulla da ricevere; ci soccorre la madre e ci educa con il suo amorevole consiglio. Si trova da me quella veste tessuta di buoni comandamenti [27].

[24] Di cui si dice fornito Davide, in Sal CXVIII, 100.

[25] Cf. Sal CXVIII, 101, introdotto a 13, 16. I motivi di Giacobbe, Esaú, Rebecca e delle vesti sono ripresi da ORIGENE, in HARL, SCh 189, pp. 350, 1 - 352, 15.

[26] Rebecca è qui simbolo della Gerusalemme celeste, «intenta con la sua mediazione a far passare le benedizioni dal popolo ebraico al popolo cristiano»: TOSCANI, *Teologia della Chiesa...*, p. 198. Cf. anche 4, 14.

[27] Le vivande selvatiche esprimono la durezza e la rigidità del popolo giudaico, mentre le *epulae minores* sono le doti del popolo nuovo, piú umile. La diversità consiste nel differente atteggiarsi dei due popoli di fronte all'azione di Dio. Ma *la veste* è sempre quella: resta al popolo cristiano il patrimonio della Legge antica.

Per un'analisi dell'interpretazione ambrosiana dell'episodio di Esaú e Giacobbe, particolarmente estesa in *Epist.*, 20 (= Maur. 77) e in *De Iac.*, II, cf. HAHN, *Das wahre Gesetz...*, pp. 149-157.

16. *Ab omni uia maligna prohibui pedes meos, ut custodiam uerba tua* [a]. Vere dignus qui super seniores intellexerit, quandoquidem diuino est honoratus spiritu, ut seniores doceret non solum intellectus ueritatem, uerum etiam peccati fugam culpaeque cautelam. Itaque cum fragilitas humana prona sit, ut ad imum affectibus et currente uestigio feratur in uitium, docet quemadmodum uiae istius lubricum, itineris huius anfractus uiantem implicare non possit. *Prohibui*, inquit, *pedes meos a maligna uia* [b], hoc est ab istius saeculi uanitate, quia saeculum in maligno positum est. Dubium quicquid est et ancipitis effectus, hoc malignum est; ut lux dubia maligna dicitur, ita malignum est quicquid admiscet malitiae tenebras ueritati. Reuoca ergo ab istius mundi lubrico pedes animi tui et mentis incessum. Prohibe, inquam, resiste cupiditatibus, obsiste motibus qui uidentur inruere sicut bestiae atque iumenta, ut teneros fructus et noua ruris huius nostri culta depascant.

17. *Prohibui*, inquit, *pedes meos* [a]. Non utique corporis pedes prohibuit, qui mentis piae plerumque obsecuntur arbitrio. Neque enim prohibendi sunt, cum prodeunt ad dei templum, uiduae opem ferre festinant, impium praeuenire, subplantare aliquem fraudulentum. Alius igitur est pes qui iure prohibetur. Qui ille sit, ipse propheta nos doceat: *Non ueniat*, inquit, *mihi pes superbiae* [b]. Est etiam pes iniquitatis, qui cito labitur, stare non potest, sicut pes perfidorum est, de quibus scriptum est: *Ibi ceciderunt operantes iniquitatem, expulsi sunt nec potuerunt stare* [c]. Prohibe ergo pedes tuos, ne cadas; sunt enim non solum criminum, sed etiam infirmitatis pedes, et uidendum ne cadas. Et uideris tibi forsitan bene stare, sed dicit tibi Paulus: *Et tu qui stas uide ne cadas* [d]. Diligenter attende uiam tuam, ut audias: *Tu autem hic sta mecum* [e]. Stans enim cum deo lapsum timere non poteris, stans cum deo poteris dicere: *Eruit pedes meos a lapsu* [f]. Sed ita eruit dominus pedes tuos ab omni lapsu, si cognouerit quod tu prohibeas pedes tuos a lapsu. Ideo hoc meruit Dauid, ut deus a lapsu pedes eius erueret, quoniam pedes suos ipse prohibebat, ne praecipiti atque incauto peccatorum laberentur uestigio, unde et potuit uerba custodire diuina. Non enim custodire quis poterit, nisi potuerit prius stare. Cum autem custodierit ipse, incipit ei dei uerbum ferre custodiam. Prohibitos pedes suos a uia maligna bene dicit qui Christum esse uiam nouit.

---

16. [a] * Ps 118, 101.
    [b] * Ibid. Cf. 1 Io 5, 19.
17. [a] Ps 118, 101.
    [b] * Ps 35, 12-13.
    [c] * Ibid.
    [d] 1 Cor 10, 12.
    [e] * Deut 5, 31.
    [f] * Ps 114, 8.

16. *Ho vietato ai miei piedi ogni via maligna per conservare le tue parole.* È proprio meritevole di aver capito piú degli anziani, dal momento che ha ricevuto dall'ispirazione divina l'onore di insegnare agli anziani non solo la vera intelligenza, ma anche la ·fuga dal peccato e la cautela di fronte alla colpa. E cosí, mentre la debolezza umana è istintivamente incline a cadere nel baratro del vizio, a causa dei propri sentimenti e con grande velocità, egli insegna come sia possibile che questa via scivolosa e questo percorso tortuoso non impiglino il viandante. *Ho vietato* — egli dice — *ai miei piedi la strada maligna,* cioè la vanità di questo tempo, dato che il tempo del mondo è in potere del Maligno. Tutto ciò che è incerto ed ambiguo, questo è maligno. Come la luce incerta è chiamata maligna [28], cosí maligno è tutto ciò che mescola alla verità le tenebre del male. Distogli allora dal terreno scivoloso di questo mondo i piedi della tua anima e il cammino dello spirito. Vietaglielo — dico —; resisti ai desideri smodati; opponiti alle passioni, che sembrano irrompere come un branco di bestie o una mandria che voglia far pascolo dei teneri frutti e sulle fresche colture di questa nostra campagna.

17. Dice: *Ho vietato ai miei piedi.* Non l'ha certo vietato a quei piedi del corpo, che sono abituati a rispondere al comando di uno spirito devoto. Non dev'esserci divieto per essi, quando si avviano al tempio di Dio, quando si affrettano a portare aiuto alla vedova, a prevenire l'azione del sacrilego, a fare lo sgambetto a qualche imbroglione. Allora è un altro il piede a cui giustamente si fa divieto. Quale sia ce l'insegni proprio questo profeta: *Non mi capiti il piede di superbia,* egli dice. C'è anche un piede dell'ingiustizia, che in un attimo vacilla, che non sa stare saldo: il piede degli increduli, ad esempio, a proposito dei quali sta scritto: *Lí caddero gli operatori di ingiustizia, furono cacciati e non poterono stare ritti.* Poni dunque il divieto ai tuoi piedi, se non vuoi cadere. Non solo sono delittuosi quei piedi, ma anche deboli, e devi stare attento a non cadere. A te forse parrà di stare ben saldo, ma ti dice Paolo: *E tu che stai saldo, guarda di non cadere!* Osserva con attenzione la tua strada, se vuoi sentirti dire: *Ma tu sta' qui, saldo, con me!* Se stai saldo con Dio potrai dire: *Ha strappato i miei piedi alla caduta.* Ma ad ogni caduta strapperà cosí i tuoi piedi il Signore, se saprà che tu vieti ai tuoi piedi quella caduta. Davide ha ottenuto che i suoi piedi fossero da Dio strappati alla caduta, proprio perché lui faceva divieto ai suoi piedi di vacillare e di cadere sulle tracce rovinose ed incaute dei peccatori. E perciò poté conservare le parole di Dio. Non si sarà in grado di conservarle, se prima non si sarà in grado di stare saldi. Quando invece uno le abbia da sé custodite, è il Verbo di Dio che comincia a custodire lui [29]. E può legittimamente dire di aver vietato ai propri piedi la strada maligna, l'uomo che sa che la strada è Cristo.

[28] Cf. VIRGILIO, *Aen.,* VI, 270: *per incertam lunam sub luce maligna.*
[29] Il testo mi pare che non si possa letteralmente spiegare, se non con un ardito anacoluto (*ipse... ei*), o ipotizzando una corruzione del testo. Oppure spostando la virgola tra *ipse* e *incipit.*

18.  *A iudiciis tuis non declinaui, quoniam tu legem posuisti mihi* [a]. Exposuit quid esset a uia maligna prohibere pedem, a iudiciis utique non declinare diuinis et firmum atque inmobile perseuerantis innocentiae tenere uestigium, non deflectere gradum nec de curriculo auertere disciplinae, sed semitis non solum ueteris in Sina, sed etiam nouae legis insistere secundum euangelii claritatem.

19.  Est etiam euangelii lex, de qua dicit in superioribus hic propheta: *Constitue, domine, legislatorem super eos, sciant gentes quoniam homines sunt* [a]. Aduentum utique domini intellegimus prophetari, uocationem gentium, quae ante in lutum quoddam corporis huius uidebantur infixae, uoluptati corruptionis suae tamquam faeci et libidini inhaerentes, quia dominum nescierunt. Et ideo iratus: *Auertantur*, inquit, *peccatores in infernum* [b], ut non uiderent descendentem et ascendentem animam domini Iesu et conuerterentur ad dominum, qui conuerti, cum uiuerent, noluerunt. Sed de illis dicit gentibus quae obliuiscuntur dominum [c].

20.  Scierunt ergo et obliti sunt. Tamen prophetica benignitate orat ut exsurgat dominus, non praeualeat homo, ut cogitationes terrenae et motus omnes feruentes huius corporis conquiescant. *Iudicentur gentes* [a], quoniam tunc cognoscitur dominus, cum timentium conuertitur affectus grauis terrore iudicii, et *discant gentes quoniam homines sunt* [b], luti corruptione solubiles et limo durescente formati, quod ante qui legem non acceperant nesciebant. Vnde propheta, quasi et ipse turbatus terrenae fragilitatis contemplatione, ait: *Vt quid, domine, discessisti longe?* [c]. Bene timet qui hominem se esse cognoscit; sed quia plus timet nobis

18. [a] * Ps 118, 102.
19. [a] * Ps 9, 21.
    [b] * Ps 9, 18.
    [c] Cf. Ps 9, 18.
20. [a] Ps 9, 20.
    [b] * Ps 9, 21.
    [c] * Ps 9, 22 (10, 1).

18.  *Dai tuoi giudizi non ho deviato, poiché tu mi hai posto la Legge.* Ha spiegato cosa s'intenda per «vietare al piede la strada maligna»: vuol dire proprio non deviare dai giudizi di Dio e mantenere il passo sicuro e saldo d'una costante integrità di vita. Vuol dire non piegare il passo e non stornarlo dall'orbita della regola, bensí mantenere il proprio cammino sui sentieri, non solo della Legge antica del Sinai, ma anche della nuova legge, secondo la luminosa chiarezza del Vangelo.

19.  Anche il Vangelo ha una legge. Di essa cosí si esprime questo profeta in passi precedenti: *Stabilisci, o Signore, un legislatore sopra di essi, sappiano le nazioni che di uomini sono costituite!* [30]. Certo, noi capiamo che questa è una profezia della venuta del Signore, della chiamata delle nazioni [31], che prima parevano piantate nel pantano di questa corporeità, avvinte alle brame della propria corruzione come ad una passione torbida, perché non avevano conosciuto il Signore. E con ira ha detto: *Siano allontanati i peccatori nell'inferno!*, proprio perché non potessero vedere l'anima del Signore Gesú scendervi e risalire e non potessero convertirsi al Signore, essi che nella loro vita non vollero convertirsi. Ma cosí parla di quelle nazioni che si sono dimenticate del Signore.

20.  Dunque hanno saputo e si sono dimenticate. Ciononostante, con una bontà propria d'un profeta, egli prega che si levi il Signore e non sia l'uomo ad avere il sopravvento. Prega che trovino riposo i pensieri fatti di terra e tutte le ribollenti passioni di questo corpo. *Siano giudicate le nazioni,* dal momento che si riconosce il Signore allorquando il terrore di un giudizio severo produce la conversione di un animo timoroso. *E imparino le nazioni che di uomini sono costituite,* destinati a disfarsi quando la melma si sfalda e ad avere forma quando il fango s'indurisce. Mentre prima, quelli che avevano ricevuto una legge, non lo sapevano [32]. Perciò il profeta, come se fosse egli stesso turbato di fronte alla fragilità terrena, esclama: *Perché mai, o Signore, ti sei ritirato lontano?* Ha buoni motivi di temere, egli che conosce

---

[30] Il Salmo IX è testo profetico d'una legge che si trova nel Vangelo e che sostituisce, per i Gentili, la legge mosaica. Stessa citazione del Salmo IX, allo stesso proposito, si trova in ORIGENE, in HARL, SCh 189, p. 354, 2-4.

[31] Ambrogio usa i termini *uocatio* e *congregatio* per indicare il rapporto tra piano divino di salvezza e umanità. *Vocatio* è l'atto primo della chiamata, che chiede risposta; *congregatio* è il risultato della chiamata, che si esprime in una comunità messa insieme dalla grazia: cf. anche 22, 41-43. Cf. TOSCANI, *Teologia della Chiesa...,* pp. 360 s.

[32] La Legge come realtà di origine divina ed eteronoma, è estranea al mondo classico, come gli è estranea la categoria della creazione e della dipendenza ontologica dell'uomo da Dio. Può qui essere sotteso anche il motivo della derivazione dell'uomo dal fango (*limus* o *humus*), che la Scrittura rivela fin dall'Antico Testamento. La rivelazione infatti, come si vede immediatamente piú avanti, nella figura dell'uomo fa riferimento all'*infirmitas* e alla *gratia,* cioè alla debolezza della sua struttura terrena e al dono di spirito, che su di lui ha riversato Dio creatore e redentore.

qui ex gentibus peccatores, precatur, ne longe fiat a suis gentibus, ut qui longe eramus incipiamus esse propiores et sciamus quia homines sumus, ad imaginem scilicet et similitudinem dei facti [d], quibus per uirginis uterum etiam Christus conformis est factus. Recte ergo et ad infirmitatem accipitur et gratiam: *Sciant gentes quoniam homines sunt* [e], altero per commune quoddam atque carnale consortium bestiarum, altero per imaginem dei et carnis dominicae sacramentum. Dignitas coepit esse quae ignobilitas uidebatur.

21.   Merito ergo non declinauit a iudiciis dei populus natio-num qui potest dicere: *Quoniam tu legem posuisti mihi* [a]. Non per Moysen, non per prophetas, sed ipse per te, Iesu, legem posuisti mihi, hoc est euangelium. Ideo non declinaui, quia te aspexi et cognoui; tua itinera et te secutus ueram cognoui uiam.

22.   Itaque praedicationem audiens euangelii, quam prophe-ticus spiritus praecinebat, ait: *Quam dulcia faucibus meis uerba tua, super mel et fauum ori meo!* [a]. Et bene «dulcia», quibus praedi-catur remissio peccatorum, uitae perennitas, resurrectio etiam defunctorum, quae perpetuae mortis et acerbae amaritudinem temperarunt. Per haec mortem coepimus non timere, qui coepi-mus dicere: *Vbi est, mors, uictoria tua?* [b]. Et bene «faucibus dulcia», eo quod intimis infusa uisceribus gratia spiritalis sit.

23.   *Super mel et fauum*, inquit, *ori meo dulcia* [a]. Et ideo, quia nobis dulcia uerba tua esse coeperunt, dicis ad ecclesiam: *Fauum distillant labia tua, sponsa* [b]. Qui sit fauus, doce nos, Salomon; tu enim dixisti: *Faui mellis sermones boni* [c]. Et uere bonus fauus quem manducat ecclesia, multorum prophetarum uelut apum spiritali ubertate congesta mella redolentem. Hoc est mel de quo ait: *Manducaui panem meum cum melle meo, bibi uinum meum cum lacte meo* [d]. Mysticus sermo caelestium scripturarum sicut

[d] Cf. Gen 1, 26.
[e] Ps 9, 21.
21. [a] * Ps 118, 102.
22. [a] * Ps 118, 103.
   [b] 1 Cor 15, 55.
23. [a] * Ps 118, 103.
   [b] * Cant 4, 11.
   [c] * Prou 16, 24.
   [d] * Cant 5, 1.

20, 16-17 altero... altero *codd.*, alterum... alterum *Petschenig.*

di non essere che un uomo [33]. Ma siccome teme ancor di piú per noi, che siamo peccatori usciti dalle nazioni, ecco che lo prega di non allontanarsi dalle sue nazioni, di modo che noi, che eravamo lontani, cominciamo a diventare piú vicini. Ed apprendiamo che non siamo che uomini, fatti naturalmente a immagine e somiglianza di Dio, e simili ai quali s'è fatto anche Cristo, nel seno d'una vergine. È giusto dunque interpretare quel: *sappiano le nazioni che di uomini sono costituite*, nel senso d'una debolezza e di un dono di grazia: nel primo senso in forza della comunanza di forma e di destino fisico con le bestie; nel secondo in forza dell'immagine di Dio e di quel sacro segno che è la carne del Signore. Quello che prima sembrava un disonore ha cominciato a configurarsi come un onore.

21. È ben vero che non ha deviato dai giudizi di Dio il popolo delle altre razze, che non è in grado di dire: *Poiché tu mi hai posto la Legge*. Non per mezzo di Mosè, non per mezzo dei Profeti, ma Tu stesso, per mezzo tuo, o Gesú, hai posto per me la legge, cioè il Vangelo [34]. E proprio per questo non ho deviato, perché ti ho guardato e ti ho conosciuto. Ho seguito i tuoi percorsi e Te, e cosí ho conosciuto la vera strada.

22. Pertanto, ascoltando quella proclamazione del Vangelo, che l'ispirazione profetica gli prediceva, esclama: *Come sono dolci per il mio palato le tue parole, piú d'un favo di miele per la mia bocca!* È esatto dire *dolci*, perché tramite esse viene proclamata la remissione dei peccati, la vita eterna, anche la risurrezione dei morti; perché esse hanno mitigato l'amarezza della morte eterna ed aspra. Grazie ad esse abbiamo cominciato a non temere piú la morte, se abbiamo cominciato a dire: *Dov'è, morte, la tua vittoria?* Ed è esatto dire: *...dolci per il palato*, proprio per il fatto che è la grazia spirituale quella che permea le nostre parti piú segrete.

23. *Dolci per la mia bocca* — egli dice — *piú d'un favo di miele.* E proprio perché le tue parole hanno cominciato ad essere dolci per noi, tu dici alla Chiesa: *Le tue labbra, o mia promessa, stillano un favo.* Insegnaci tu, o Salomone, di che favo si tratti! Sei tu che hai detto: *Favi di miele sono i buoni conversari.* Ed è proprio un buon favo che mangia la Chiesa, un favo che ha la fragranza del miele accumulato dall'abbondante ricchezza spirituale di molti profeti, che ne sono le api. È questo il miele che fa esclamare: *Ho mangiato il mio pane con il mio miele. Ho bevuto il mio vino con il mio latte.* Il dettato mistico delle Scritture celesti è come il pane [35], che rinsalda le forze dell'uomo, come se con esso la

---

[33] Il tema del «conosci te stesso» (cf. 2, 13 e nota 30) è qui abbozzato come invito a comprendere la propria umanità peccatrice, e quindi come stimolo all'invocazione di Dio.

[34] Sui due legislatori — Mosè e Cristo — qui individuati, cf. ORIGENE, in HARL, SCh 189, p. 354, 4-9.

[35] I due cibi, miele e pane, indicano rispettivamente la valenza persuasiva morale e quella mistica della Scrittura: cf. il mio, *La dottrina esegetica...*, pp. 32 s., con gli altri testi ambrosiani pertinenti.

panis est, qui confirmat cor hominis ᵉ uelut fortior cibus uerbi; suasorius autem ethicus dulcis et mollior, eo quod ethica praedicatione mentis interna mulcentur, amara febribus, id est paenitentia delictorum, miti corda sermone dulcescunt. Stillant mel labia praedicantis, quando conlisa duris casibus uel ruinis lapsae animae membra refouentur.

.   24.   Est etiam uis feruentior uerbi sicut uini, est etiam in lactis specie sermo lucidior. *Edite,* inquit, *proximi mei, et bibite et inebriamini* ᵃ. Bona ebrietas, quae ad meliora atque iucunda facit quendam mentis excessum, ut inmemor sollicitudinum ᵇ animus noster uino iucunditatis hilaretur. Bona mensae spiritalis ebrietas; denique *poculum inebrians quam praeclarum!* ᶜ. Sed et alibi habes: *Riuos eius inebria, multiplica generationes eius* ᵈ, eo quod ebrietas terrae, cum infusa fuerit imbre caelesti, suscitare semina, fructus multiplicare consueuerit. Itaque uerbum dei, quod sicut pluuia descendit e caelo ᵉ, ubi uenas terrae nostrae uel animae ac mentis inebriauit praedicatione diuina, excitauit uirtutum studia diuersarum fructusque fidei et castae deuotionis adoleuit. Meritoque dicitur ei: *Visitasti terram et inebriasti eam* ᶠ. Susceptione etenim corporis uisitauit, ut sanaret infirmos, inebriauit gratia spiritali, ut anxios iucunditate mulceret.

---

ᵉ Cf. Ps 103, 15.
24. ᵃ * Cant 5, 1.
  ᵇ Cf. Eccli 34, 27 (31, 35).
  ᶜ * Ps 22, 5.
  ᵈ * Ps 64, 11.
  ᵉ Cf. Ps 71, 6.
  ᶠ Ps 64, 10.

parola ci nutrisse piú gagliardamente. Invece il dettato etico, suadente, è dolce e piú tenero, proprio perché l'esposizione dei principi morali è fatta per toccare come una carezza l'interiorità dello spirito e per raddolcire, con un dettato accondiscendente, il cuore, reso amaro dalle febbri, cioè dal rimorso delle colpe commesse. Stillano miele le labbra di chi lo proclama, poiché ne sono ravvivate le membra dell'anima [36] caduta, schiacciata dai gravi crolli e dalle macerie.

24.   Esiste anche, della parola, una forza piú ardente, paragonabile a quella del vino, ed esiste anche un linguaggio piú lucido, sotto l'immagine del latte. Dice: *Mangiate, amici miei cari, bevete e inebriatevi!* È buona l'ebbrezza [37] che produce una specie di estasi che trasporta lo spirito in zone migliori e piacevoli e fa sí che il nostro animo dimentichi le sue preoccupazioni e sia rallegrato dal vino che dà il piacere. È buona l'ebbrezza del convito spirituale: *Che meraviglia il calice che dà l'ebbrezza*, appunto! Ma anche in un altro passo trovi: *Inebria i suoi rivoli, moltiplica le sue generazioni*. Questo, perché l'ebbrezza della terra — quando è stata bene imbevuta dalla pioggia del cielo — sa suscitare i semi, moltiplicare i frutti. E cosí la Parola di Dio, che è discesa dal Cielo come una pioggia, non appena ha inebriato le vene di questa nostra terra o dell'anima e dello spirito nostri con una proclamazione operata da Dio, ha ridestato la passione per diverse virtú e rende profumati i frutti della fede e d'una religiosità pura. E merita che le si dica: *Hai visitato la terra e l'hai inebriata*. Difatti l'ha visitata assumendo un corpo per guarire gli ammalati; l'ha inebriata con la grazia spirituale per dare agli angosciati una carezza di gioia [38].

---

[36] L'accenno agli *animae membra* si presta a riassumere il complesso degli accostamenti tra sensi fisici e sensi spirituali, che si rinvengono frequentemente anche nell'*Exp. ps. CXVIII*: per i riferimenti, cf. G. MADEC, *L'homme intérieur selon saint Ambroise*, in *Ambroise de Milan. XVI Centenaire de son élection épiscopale*, Paris 1974, pp. 283-308, soprattutto alle note 6, 8, 19 e alla *note annexe*).
La dottrina dei sensi spirituali fu introdotta in area cristiana da Origene, secondo K. RAHNER, *Le début d'une doctrine des cinq sens spirituels chez Origène*, in «Revue d'Ascétique et de Mystique», 13 (1932), pp. 113-145. Ma essa non compare per la prima volta tra i Latini con Agostino, come voleva B. ALTANER, *Augustin und Origenes*, in *Kleine patristische Schriften* («Texte und Untersuchungen», 83), Berlin 1967, p. 242. Essa si trova già in Ambrogio, dove la dottrina riceve contaminazioni neoplatoniche, soprattutto nel *De Isaac*: per Ambrogio però tali contaminazioni sono legittime, perché la dottrina è di origine biblica, soprattutto paolina e genesiaca (l'interiorità è il vero luogo dell'*immagine* di Dio). La dottrina, anzi, ben si presta a sanare il dualismo platonico, vedendo un rapporto di omogeneità tra sensi fisici e spirituali: cf. MADEC, *L'homme intérieur...*, pp. 288-306. Giova anche ricordare che tale dottrina — che, ripetiamo, per Ambrogio è primariamente biblica e solo secondariamente passata al Neoplatonismo — permette ad Ambrogio di rendere icasticamente sensibili i moti dell'anima, rapportandoli a corrispondenti moti del corpo: e rappresenta quindi un fattore importante della sua esegesi «poetica».
[37] Sul tema della *bona* o *sobria ebrietas*, cf. 3, 33 e la nota 60.
[38] In questo passo si presenta un'altra coppia di nutrimenti: il latte e il vino. All'immagine del latte si connette il valore nutritivo che la Scrittura ha per la crescita del cristiano, e anche la sua chiarezza pedagogica (*sermo lucidior*). L'immagine del vino porta inevitabilmente Ambrogio al tema, a lui carissimo, della *sobria*

25.   Recte ergo sponsae dicitur: *Fauum distillant labia tua, sponsa; mel et lac sub lingua tua* [a]. Os enim iusti distillat sapientiam [b], de ore iusti suauitatis et misericordiae mella procedunt, in ore iusti nullus dolus, nulla fallacia, nulla est amaritudo peccati. Audit ecclesia uerba iusti, audit plebs dei praecepta sapientis, delectatur alloquii suauitate, moralis disputationis iucunditate mulcetur dicens: *Quam dulcia faucibus meis uerba tua, super mel et fauum ori meo* [c], quia mel apum ad horam delectat, sed cito sapor eius uanescit et plerumque uitiosa uiscera laeduntur, uerborum autem moralium etsi pungunt mella, non laedunt. Cognosce tamen cui illa credantur; scriptum est enim: *In aurem insipientis nihil dicas, ne quando inrideat prudentes sermones tuos* [d]. Euomet enim et reiciet sermonem tuum stultus, qui eius sentire non potest suauitatem.

26.   Sequitur uersus octauus: *A mandatis tuis intellexi; propterea odio habui omnem uiam iniquitatis* [a]. Consequens huic uersiculo est: *Concupiscens sapientiam serua mandata* [b]; sed nemo potest seruare nisi qui intellegit. Denique redduntur cotidie omnia uerba legis a quibusdam senioribus Iudaeorum et nemo eorum potest custodire mandatum. Neque enim arborem dixerim custodire fecunditatem naturae, quae luxuriat in foliis, uanescit in fructu, nec terram illam dixerim custodire fructus suos, quae quod filicem inuisam pascit agricolis, edere frumenta non soleat, nec pastor custodire uidetur pecus, qui eligere pabula profutura non nouerit, lupos cauere, canibus uallare ouilia sua, nesciat potum, cum opus sit, ministrare. Nam producere tantummodo sine ulla cura mutum pecus tantundem est quantum scripturas legere populum Iudaeorum. Vbi sint spiritalis pabula sacramenti, ubi littera occidat [c], ubi intellegibiles incursent lupi [d], ubi sit requies refectionis, ubi resurrectionis spes, qui sint canes qui pro gregis possint latrare custodia, populus et ipso grege magis mutus ignorat.

---

25. [a] * Cant 4, 11.
   [b] Cf. Ps 36, 30.
   [c] * Ps 118, 103.
   [d] * Prou 23, 9.
26. [a] * Ps 118, 104.
   [b] * Eccli 1, 26 (33).
   [c] Cf. 2 Cor 3, 6.
   [d] Cf. Io 10, 12.

25. È giusto allora dire a quella vergine promessa: *Le tue labbra, o mia promessa, stillano un favo; miele e latte sotto la tua lingua.* Infatti la bocca del giusto stilla sapienza; dalla bocca del giusto fuoriesce il miele della dolcezza e della misericordia; nella bocca del giusto non alligna l'inganno né la falsità né l'amaro sapore del peccato. La Chiesa ascolta le parole del giusto. Il Popolo di Dio ascolta ciò che prescrive il sapiente: si rallegra della soave dolcezza del suo dire, è invaghito dalla piacevolezza d'un ragionamento morale quando dice: *Come sono dolci per il mio palato le tue parole, piú d'un favo di miele per la mia bocca!* Perché il miele delle api è gradevole lí per lí, ma ben presto il suo gusto svanisce e uno stomaco debole ne viene spesso lesionato; mentre il miele delle parole morali, anche se pizzica, non produce lesioni. Sappi tuttavia a chi esse debbano essere affidate. Sta scritto: *Non parlare all'orecchio dello stolto, se non vuoi che egli si burli dei tuoi discorsi saggi.* Lo stolto vomiterà e rigetterà il tuo discorso, perché non ne può gustare la soave dolcezza.

26. Prosegue il versetto ottavo: *Dai tuoi comandamenti è venuto il mio capire; perciò ho avuto in odio ogni strada d'ingiustizia.* In consonanza con questo versetto sta: *Se brami la sapienza, mantieni fede ai comandamenti!* Ma non si può mantenerla se non la si conosce. Tant'è vero che ogni giorno qualche anziano dei Giudei recita tutte le parole della Legge, ma nessuno di essi è in grado di conservare fede ai comandamenti. Non potrei certo dire che sa conservare la sua naturale fecondità l'albero lussureggiante di foglie, ma sterile di frutti. Nemmeno potrei dire che sa conservare i suoi frutti la terra che non sa produrre frumento, perché fa crescere erbacce, detestate dagli agricoltori [39]. E non sa custodire il suo gregge il pastore che non sa scegliere i pascoli proficui, guardarsi dai lupi, mettere i cani a guardia dei propri ovili, che non sa abbeverare quando occorre. Infatti, portare al pascolo cosí, senza alcuna avvertenza, un bestiame senza voce, è quanto fa il popolo dei Giudei quando legge le Scritture. Dove si trovino i pascoli di quella sacra realtà spirituale, dove invece la lettera che uccide, dove le scorrerie dei lupi *ideali*, dove si trovi il riposo che rimette in sesto, dove la speranza della risurrezione, quali siano i cani capaci di abbaiare per custodire il gregge, questo popolo — che ha meno voce perfino del gregge — non lo sa.

---

*ebrietas*: cioè a vedere nella Parola di Dio (scritturistica ed eucaristica) l'agente d'una trasumanazione che arriva all'incontro mistico dell'uomo col divino, che dell'uomo si impossessa, donandoglisi ed esaltandolo. Il vino rappresenta quindi la valenza mistica della Scrittura: cioè la sua arcana capacità di superare il linguaggio-segno per addivenire al linguaggio-sostanza. L'*ebrietas* mistica deriva pertanto da una sovrabbondanza della Scrittura rispetto alle categorie semantiche (cf. *Expl. ps. XXXV*, 19: *est et alia ebrietas de redundantia scripturarum*), in quanto che la sua sovrabbondanza partecipa della pienezza dello *spiritus* e non solo di quella del linguaggio-segno (cf. *Expl. ps. XXXV*, 18). Non a caso per il vino si parla di *uerbum*, mentre per il latte si usa il termine *sermo*; uso che oltretutto pare in linea con la visione origeniana, che annette al latte il valore della lettura morale (cf. DE LUBAC, *Histoire et esprit...*, p. 146): il latte rappresenterebbe quindi l'aspetto morale pedagogico della Scrittura: cf. il mio, *La dottrina esegetica...*, pp. 30-32.

[39] Cf. VIRGILIO, *Georg.*, II, 189: *filicem curuis inuisam pascit aratris.*

27.   Itaque si dicat: «Mandata custodio», respondetur ei: *Tu uero odisti disciplinam et proiecisti sermones meos post te. Si uidebas furem, simul currebas cum eo et cum adulteris portionem tuam ponebas. Os tuum abundauit nequitia et lingua tua concinnabat dolos; sedens aduersus fratrem tuum detrahebas* [a]. Non est hoc custodire mandata, sed praeuaricari; statutis facere contraria non est intellegere, sed ignorare. Quomodo possunt uerba dei dulcia esse in faucibus tuis, in quibus est amaritudo nequitiae? Quomodo mel et lac sub lingua tua, cum dolum in lingua tua conponas, ut aliud pectore concipias, aliud forensi sermone praetendas, ut decipias incautum, cum tibi Petrus apostolus dicat, ut deponas omnem malitiam et fucum simulationis abicias [b], dicens: *Sicut dudum geniti infantes rationabile sine dolo lac concupiscite* [c]? Ostendit enim nobis quid sit mel et lac habere sub lingua, ut non maledicere maledicentibus [d], sed benedictionem referre nouerimus, nesciamus odisse nisi uiam iniquitatis, ut facere quod execramur reluctanti caueamus affectu. Ideo Paulus cauebat in carne sua malum, quia oderat [e]; ideo Iohannes monet in epistula sua, ne diligamus saeculum, *quia omne quod in saeculo est concupiscentia est carnis et concupiscentia oculorum et iactantia uitae* [f].

28.   Est ergo in nobis, ut et bene aliquid oderimus et bene aliquid diligamus. Sicut enim bene amare possumus seruos dei et bene diligere possumus inimicos nostros [a] secundum uerbum domini, ita bene odisse possumus inimicos dei, odisse iniquitatem, odisse perfidiam, odisse turpitudines, odisse mundi istius uanitates. Odio igitur debent esse quae saeculi sunt, ne securis affectibus et otiosis blanda conciliatricula uoluptatis inrepat inlecebra. Facile capit oculos petulantis forma meretricis, nisi eos odia premant iusta et inpuritatem indignatus auertat affectus. Inflat plerumque homines et tumido resupinat fastidio nobilitatis iactantia et rerum affluentia saecularium, nisi pudeat in te aliena magis, quam propria laudari. Christus cum diues esset, pauper factus est [b]; in paupere, non in diuite te redemit. Confitentibus dei filium imperabat tacere, ut operibus magis quam sermonibus deus agnosceretur [c]; et tu nobilem te dicis, qui es factus e terra? Dauid rex dicit:

27. [a] * Ps 49, 17-20.
   [b] * Cf. Pt 2, 1.
   [c] * 1 Pt 2, 2.
   [d] Cf. 1 Pt 2, 23.
   [e] Cf. Rom 7, 15.
   [f] * 1 Io 2, 16.
28. [a] Cf. Mt 5, 44.
   [b] Cf. 2 Cor 8, 9.
   [c] Cf. Mt 16, 16.20.

27. E così, qualora esso dica: «Conservo i comandamenti», gli si può rispondere: *Tu però hai odiato la disciplina e ti sei buttato dietro le spalle i miei discorsi. Ti bastava vedere un ladro, e subito gli correvi appresso e facevi parte con gli adúlteri. La tua bocca ha traboccato di cattiveria e la tua lingua ha ordito inganni; sedendo, mormoravi contro tuo fratello.* Non è questo un conservare i comandamenti, ma un trasgredirli. Tenere un comportamento contrario ai decreti non è capire, ma ignorare. Come possono le parole di Dio essere dolci al tuo palato, dove alligna l'amaro sapore della cattiveria? Come possono esserci miele e latte sotto la tua lingua, quando sulla tua lingua prende forma l'inganno? L'inganno che ti fa pensare nel cuore una cosa ed esprimerne un'altra all'esterno col linguaggio; che ti fa ingannare l'indifeso. Eppure l'apostolo Pietro ti dice di lasciar cadere ogni malignità e di buttar via la vernice della simulazione, quando dice: *Come bambini nati da poco, bramate il latte spirituale che non ha inganno!* Ci mostra che cosa significhi avere miele e latte sotto la lingua: cioè sapere non già maledire chi maledice, ma ripagarlo con benedizione; non conoscere alcun odio se non verso la strada della disonestà; stare in guardia con animo combattivo dalle azioni che detestiamo. Paolo nella sua carne stava in guardia dal male, proprio perché lo odiava. Giovanni, in una sua Lettera, ci ammonisce a non amare questo mondo, proprio *perché tutto quanto è in questo mondo è concupiscenza della carne, concupiscenza degli occhi e presunzione della vita.*

28. In noi dunque c'è la possibilità di nutrire sia un odio buono sia un amore buono. Come possiamo avere un buon amore per i servi di Dio e un buon amore per i nostri nemici, secondo la parola del Signore, così possiamo avere un buon odio verso i nemici di Dio, odio verso l'ingiustizia, odio verso l'infedeltà, odio verso le immoralità, odio verso le vanità di questo mondo. Dobbiamo allora sentire odio per le mondanità, se vogliamo che la lusinga del piacere non s'insinui strisciando, come carezzevole adescatrice [40], nei nostri sentimenti spensierati e ignari. Fa presto a rubarci gli occhi l'appariscente bellezza d'una meretrice sfacciata, se non li tiene ben serrati un odio santo e se non li distoglie uno stato d'animo risentito contro l'impudicizia. È abituata a gonfiare gli uomini e a farli inorgoglire di tronfia alterigia la presunzione ostentata della stirpe e l'abbondanza di beni mondani, se non si ha ritegno a far consistere il proprio vanto nell'avere piú che nell'essere. Cristo, da ricco che era, si è fatto povero. Nella povertà, non nella ricchezza, ti ha riscattato [41]. A quanti lo proclamavano Figlio di Dio ordinava di tacere, preferendo essere riconosciuto come Dio dalle opere piú che dai discorsi. E tu ti dichiari nobile, e sei fatto di terra? Davide, un re, dice: *Ricordati,*

---

[40] Cf. CICERONE, *Pro Sext.*, 9, 21. Vedansi anche *De Cain*, I, 13; *Exp. eu. Luc.*, IV, 31.

[41] Cf. 3, 8 e la nota 15. Qui pare che la povertà radicale di Cristo — che si fa uomo — fondi in qualche misura il precetto dell'amore del prossimo: cf. POIRIER, «*Christus pauper...*», p. 257.

*Memento, domine, quia puluis sumus* [d]; et tu in hoc caduco atque limoso genere gloriaris et diuitem te putas, qui cras potes esse mendicus, cum uita tua non in abundantia tua, sed in dei sit misericordia? Cui honor, gloria, laus, perpetuitas a saeculis et nunc et semper et in omnia saecula saeculorum. Amen [e].


# XIV

## Littera «Nun»


1. «Nun» littera Hebraea est quarta decima, cuius interpretatio est «unicus» uel in alia interpretatione «pascua eorum». Ecce ipsae Hebraeorum litterae testificantur dominum Iesum esse unicum patris filium, uerbum dei. Denique primo statim uersu Dauid de unico filio dei dicit: *Lucerna pedibus meis uerbum tuum, domine, et lumen semitis meis* [a]. Vnde intellegimus ideo per litteras Hebraeorum psalmum hunc esse digestum, ut homo noster tamquam paruulus et ab infantia per litterarum elementa formatus, quibus aetas puerilis adsueuit, usque ad maturitatem uirtutis excrescat. Litterae autem singulae uelut tituli sunt eorum uersuum, qui sub isdem litteris adscribuntur, seriem et continentiam declarantes, sicut hic «unicum» significat littera et de unigenito dei filio atque eius aeterni luminis claritate psalmi huius portio prophetatur.

2. Nec sane ab ista abhorret etiam illa in alio reperta codice litterae huius interpretatio. Quae sunt enim pascua nostra, hoc est fidelium, nisi Christus? In cuius pascuis se locatum propheta laetatus est dicens: *In loco pascuae, ibi me collocauit* [a]; ipse enim nos pascit et reficit. Bona pascua sacramenta diuina sunt. Carpis illic nouum florem, qui bonum odorem dedit resurrectionis; carpis lilium, id est splendorem aeternitatis; carpis rosam, hoc est dominici corporis sanguinem. Bona etiam pascua uerba sunt scripturarum caelestium, in quibus cotidiana lectione pascimur, in quibus recreamur ac reficimur, cum ea quae scripta sunt degustamus uel summo ore libata frequentius ruminamus. His pascuis grex domini saginatur.

---

[d] * Ps 102, 14.
[e] Cf. Rom 16, 27.

---

1. [a] * Ps 118, 105.
2. [a] Ps 22, 2.

---

1, 14 prophetatur *codd. praeter O*, prophetat *Petschenig*.

*Signore, che non siamo che polvere.* E tu ti vanti di appartenere a una stirpe cosí precaria e fangosa e ti ritieni ricco, tu che domani potresti essere un mendicante, dal momento che la tua vita non dipende dalla tua abbondanza, ma dalla misericordia di Dio? A lui onore, gloria, lode, eternità dai secoli ed ora e sempre e in tutti i secoli dei secoli. Amen.

# XIV
## Lettera «Nun»

1.   «Nun» è la quattordicesima lettera dell'alfabeto ebraico. Essa significa «unico» o, secondo un'altra interpretazione, «i loro pascoli». Ecco che perfino le lettere degli Ebrei attestano che il Signore Gesú è l'*unico* Figlio del Padre, la Parola di Dio. Appunto, subito — al primo versetto — Davide parla dell'unico Figlio di Dio: *Come lampada ai miei piedi la tua parola, o Signore, è luce ai miei sentieri.* Da ciò comprendiamo che lo svolgimento di questo Salmo passa attraverso le lettere dell'alfabeto ebraico, proprio perché l'uomo che è in noi come un bambino — istruito a partire dall'infanzia per mezzo dei primi elementi della scrittura, con cui prende maggior confidenza nella fanciullezza — possa crescere fino alla maturazione della virtú. Ma le singole lettere rappresentano, per cosí dire, i titoli delle serie di versetti che sotto le stesse lettere sono radunati. Esse ne rivelano lo svolgimento e il contenuto, come qui la lettera indica l'*unico*, e la parte di questo Salmo è profezia sull'unigenito Figlio di Dio e sulla luminosità della sua eterna luce.

2.   E non contrasta certo con tale interpretazione di questa lettera nemmeno l'altra interpretazione, trovata in un altro codice. Chi altri rappresenta *i pascoli nostri*, cioè dei fedeli, se non Cristo? In questi pascoli il profeta è contento di trovarsi e dice: *In un luogo pieno di pascoli, lí mi ha collocato,* perché è Lui che ci pasce e ristora. Buoni pascoli sono i sacri segni di Dio. Là puoi cogliere il fiore novello che ha effuso il buon profumo della Risurrezione. Puoi cogliere il giglio, cioè lo splendore dell'eternità. Puoi cogliere la rosa, cioè il sangue del corpo del Signore. Buoni pascoli sono anche le parole delle Scritture celesti, nelle quali pascoliamo con una lettura quotidiana, nelle quali troviamo nutrimento e ristoro quando ne assaggiamo il testo oppure quando lo ruminiamo [1] piú e piú volte, dopo averlo delibato col palato. Questi pascoli impinguano il gregge del Signore.

---

[1] Cf. 7, 25 e la nota 24.

3.   Bona etiam Christi pascua, qui pascit in liliis [a], in splendore sanctorum [b]; bona pascua etiam montes conuallium [c]; nam et in his pascitur Christus sicut capreolus aut hinnulus ceruorum. Montes sunt conuallium sicut luminaria istius mundi [d] sedula humilitate fulgentes, qui uirtutum diuersarum praestant cacumine et supra mundum meritis suis eminent. Isti sunt de quibus dicitur: *De hoc mundo non sunt sicut ego non sum de hoc mundo* [e], quia supra mundum sunt qui Christum secuntur. Conuallis autem mundus est, ideoque disposuit in ualle fletus [f], eo quod in hoc mundo fletus sint lacrimaeque. Et prouidens dominus disposuit in hoc mundo testamentum suum, ut magis hic fleamus peccata nostra quam flenda seruemus.

4.   Pascua nostra etiam isti uersiculi sunt, de quibus hodie tractaturi sumus, in quibus Dauid dicit: *Pascebam oues patris mei* [a], ostendens ueram lucernam, discens humilitatem. In talibus pascuis uerus Dauid, uerus humilis et manu fortis, qui non rapinam arbitratus est esse se aequalem deo [b], sed semet ipsum exinaniuit et homo natus per uirginis partum humiliauit se usque ad mortem, oues patris sui diuina praedicatione pascebat, cum secundum scripturas suum probaret aduentum [c], cum quinque panibus et duobus piscibus hominum milia multa satiaret [d].

5.   Haec ergo nostra sunt pascua, haec eorum qui possunt dicere: *Quam dulcia faucibus meis uerba tua!* [a]. Haec eorum pascua, qui dicunt: *Lucerna pedibus meis uerbum tuum, domine* [b]. Pascitur enim os nostrum uerbo, cum loquimur mandata dei uerbi. Pascitur et oculus noster interior lucernae spiritalis lumine, quae nobis in hac mundi nocte praelucet, ne sicut in tenebris ambulantes inccrtis titubemus uestigiis et uiam ueram inuenire nequeamus. Intellegibilis igitur pedum gressus, intellegibilis et lucerna, quia uerbum dei lucerna est. Nonne hoc in principio erat uerbum apud deum [c]? Quomodo ergo lucerna est? Nonne hoc *erat uerum lumen quod inluminat omnem hominem uenientem in hunc mundum* [d]? Quomodo ergo lucerna dicitur? Esaias clamat: *Populus,*

---

3.   [a] Cf. Cant 2, 16; 6, 2.
      [b] Cf. Ps 109, 3.
      [c] Cf. Cant 8, 14.
      [d] Cf. Phil 2, 15.
      [e] * Io 17, 14.
      [f] Cf. Ps 83, 7.
4.   [a] * 1 Reg 17, 34.
      [b] Cf. Phil 2, 6-8.
      [c] Cf. Lc 4, 18-21.
      [d] Cf. Io 6, 9-12.
5.   [a] * Ps 118, 103.
      [b] * Ps 118, 105.
      [c] Cf. Io 1, 2.
      [d] * Io 1, 9.

3. Buoni sono anche i pascoli di Cristo, che pascola tra i gigli, tra lo splendore dei santi. Buoni pascoli sono anche i monti che si alzano tra le valli: anche in essi pascola Cristo, come un capriolo o come un cerbiatto. I monti che si alzano tra le valli risplendono come gli astri di questo mondo grazie alla loro tenace umiltà: essi s'innalzano in cime di varie virtú e si elevano al di sopra del mondo con i loro meriti. Questi sono gli uomini dei quali si dice: *Non sono di questo mondo come io non sono di questo mondo,* perché al di sopra del mondo stanno i seguaci di Cristo [2]. Il mondo invece è il fondovalle e i pianti sono stati situati nella valle proprio perché in questo mondo ci sono pianti e lacrime. E la Provvidenza del Signore ha disposto in questo mondo la sua volontà: che noi piangiamo quaggiú i nostri peccati piuttosto che li abbiamo ancora da piangere poi.

4. Nostri pascoli sono anche questi versetti, che ci accingiamo oggi [3] a trattare. In questi Davide dice: *Pascolavo le pecore del padre mio,* mostrando la vera lampada, imparando l'umiltà. In pascoli di questo tipo il vero Davide, il vero umile dal forte braccio, che non ritenne un possesso indebito [4] la sua uguaglianza con Dio, ma che svuotò Se stesso e — nato come uomo da un parto verginale — umiliò Se stesso fino alla morte, in tali pascoli — con una predicazione divina — pascolava le pecore del Padre suo, quando dava le prove della sua venuta basandosi sulle Scritture, e quando sfamava migliaia e migliaia di persone con cinque pani e due pesci.

5. Questi sono dunque i nostri pascoli. Questi sono i pascoli di coloro che possono dire: *Come sono dolci le tue parole per il mio palato!* Questi sono i pascoli di coloro che dicono: *Come lampada ai miei piedi sia la tua parola, o Signore!* La nostra bocca si pasce della Parola quando noi pronunciamo i comandamenti della Parola di Dio. Anche l'occhio del nostro essere interiore si pasce: si pasce della luce della lampada spirituale. Essa getta luce davanti a noi in questa notte del mondo [5], perché il nostro passo non vacilli insicuro, come quando si cammina al buio, e perché non sia a noi impossibile trovare la vera strada. Si tratta allora d'un *passo* ideale e d'una *lampada* ideale, perché la lampada è la Parola di Dio. Non era forse questa Parola, all'inizio, presso Dio? Come mai dunque è una lampada? Non era forse questa *la vera luce che illumina ogni uomo che viene in questo mondo?* Come mai dunque è chiamato *lampada?* Isaia grida: *Il popolo*

[2] Cf. 6, 10-11.

[3] Si vede chiaramente che ogni *Sermo* rappresenta la predicazione di una giornata. Anche questo è un indice dell'origine omiletica dell'*Exp. ps. CXVIII.*

[4] Cf. 8, 37 e la nota 54.

[5] Cf. *De interp.,* IV, 14, dove si cita Sal CXVIII, 105, applicandolo alla luce di Cristo che sta nel corpo dell'uomo; che illumina tutti gli uomini (cf. Gv 1, 9) e che risplende *in umbra, id est in saeculo.* Non compare là invece la differenza tra *lux, lucerna, lanterna* che compare invece in 14, 6 e nell'*Expl. ps. XXXVII,* 41.

*qui sedebat in tenebris, lucem uiderunt magnam* ᵉ; quomodo hic
dicit «lucerna»?

6.   Sed uideamus, ne forte idem uerbum dei aliis magna lux
sit, aliis lucerna. Mihi lucernam angelis lux est. Petro lux erat,
quando adstitit ei angelus in carcere et lumen refulsit ei ᵃ. Paulo
lux erat, quando euntem ad persequendum populum christianum
circumfulsit eum lumen de caelo et audiuit dicentem sibi: *Saule
Saule, quid me persequeris?* ᵇ. Et magna quidem lux; denique lucernae Pauli lumen euanuit, ubi diuinae splendor lucis emicuit.

7.   Et uere lucerna est mihi Christus, quando isto nostro ore
recensetur. Lucet in limo, fulget in uase fictili thesaurus ille, quem
habemus in uasis fictilibus ᵃ. Mitte oleum, ne deficiat tibi ᵇ, quia
lumen lucernae est oleum, non oleum terrestre, sed illud oleum
misericordiae caelestis et gratiae quo ungebantur prophetae.
Oleum tuum humilitas est, quo ceruicis nostrae dura mollescunt.
Oleum tuum misericordia tua est, quo etiam conlisa scopulis
peccatorum fouentur corpora. Hoc oleum uulnerato illi a latronibus descendenti ex Hierusalem euangelicus ille Samaritanus infudit, qui uidens eum misericordia motus est et alligauit uulnera
eius, infundens oleum et uinum ᶜ. Hoc oleum sanat aegrotos —
misericordia enim a peccato liberat ᵈ —; hoc oleum lucet in
tenebris, si opera nostra luceant coram hominibus ᵉ; hoc oleum
lucet in ecclesiae sollemnitatibus. Denique quibus oleum non
defuit, nec lumen fidei defecit, sed cum lampadibus in locum
nuptiarum introire meruerunt ᶠ; quae autem in uasis suis oleum
non tulerunt, hoc est non habuerunt fidem, non prudentiam, non
misericordiam animae in hoc constitutae corpore, merito infideli-
tatis exclusae sunt. Ideo et tu habeto semper lucernam ardentem
uel lucentem facem. Si enim neque lucerna neque lampas tua
luceat, stulta uirgo diceris nec introibis in thalamum sponsi tui
superioris, sed remanebis in tenebris caecitatis, quasi qui oderis
lucem, ne opera tua flagitiosa prodantur; *omnis enim qui male*

    ᵉ * Is 9, 2.
6.   ᵃ Cf. Act 12, 7.
     ᵇ Act 9, 4.
7.   ᵃ Cf. 2 Cor 4, 7.
     ᵇ Cf. Mt 25, 4.
     ᶜ Cf. Lc 10, 33-34.
     ᵈ Cf. Tob 4, 11 (Vulg.); Prou 15, 27 (16, 6).
     ᵉ Cf. Mt 5, 16.
     ᶠ Cf. Mt 25, 1-12.

*che sedeva nelle tenebre ha visto una grande luce*: come mai qui si dice *lampada*?

6. Ma cerchiamo di vedere se magari la medesima Parola di Dio possa essere per alcuni una grande luce e per altri una lampada [6]. Per me è una lampada, per gli angeli è una luce. Per Pietro era una luce, quando, mentre era in prigione, ebbe accanto a sé la presenza dell'angelo e una luce sfolgorò su di lui. Per Paolo era una luce, quando, mentre si recava a perseguitare il popolo cristiano, fu circondato da una luce sfolgorante che veniva dal cielo e intese una voce che cosí gli parlava: *Saulo, Saulo, perché mi perseguiti?* Ed era una luce proprio grande: tant'è vero che impallidí la luce della lampada di Paolo non appena balenò lo splendore della luce di Dio.

7. E una vera lampada è per me Cristo, quando questa nostra bocca narra di Lui. Riluce nel fango, sfolgora nel vaso d'argilla quel tesoro che noi custodiamo in vasi d'argilla. Vèrsavi olio, che non ti si esaurisca, perché la luce della lampada è l'olio: non l'olio terreno, ma quell'olio della misericordia celeste e della grazia, con cui si ungevano i Profeti. Il tuo olio è l'umiltà, che rende tenere le durezze della nostra mente. Il tuo olio è la tua misericordia, che sa ridar calore anche ai corpi dei peccatori sbattuti sugli scogli. Di quest'olio, quell'uomo — ferito dai briganti mentre scendeva da Gerusalemme — fu cosparso ad opera del Samaritano del Vangelo, che, vedendolo, ne fu impietosito, ne fasciò le ferite cospargendole d'olio e di vino. Quest'olio risana gli ammalati (la misericordia infatti libera dal peccato). Quest'olio riluce nelle tenebre, qualora le nostre opere rilucano al cospetto degli uomini. Quest'olio riluce nelle solennità della Chiesa [7]. Tant'è vero che quelle vergini che non sono rimaste senza olio, non sono rimaste sprovviste nemmeno della luce della fede, ma sono potute entrare con la lampada nella stanza nuziale. Mentre quelle che non hanno portato con sé l'olio nei loro vasi, cioè non hanno avuto fede né avvedutezza né misericordia, ne sono state escluse per mancanza di fede. Perciò anche tu cerca di avere sempre la lampada accesa o la fiaccola illuminata [8]. Che se la tua lampada o la tua fiaccola non sono accese, sarai chiamato vergine stolta e non entrerai nella camera nuziale del tuo Sposo celeste, ma resterai nelle tenebre della cecità, come uno che odia la luce per timore di rivelare le sue vergognose azioni: *Infatti, chiunque fa*

---

[6] Lo stesso motivo, al quale si aggiunge anche l'elemento (piú negativo) della *lanterna*, sarà sviluppato in *Expl. ps. XXXVII*, 41, dove si cita testualmente Sal CXVIII, 105. Il motivo è comunque origeniano: cf., ad es., *Hom. Leu.*, XIII, 2 (GCS 29, p. 469); *Hom. Luc.*, XXI (GCS 49, p. 128); *Comm. Ioh.*, fr. 17 (GCS 10, p. 496, 23-27).

[7] Se è esatta la collocazione al 18 novembre per il *Sermo 12* (cf. Introduzione, I, p. 15), qui il tema cosí sviluppato della *luce* e delle feste cristiane potrebbe indicare la festa vicina del Natale, come festa della luce di Cristo. Gli storici della liturgia tendono a fissare tra il 380 e il 386 l'introduzione del Natale nella liturgia milanese, proprio per volontà di Ambrogio, che apprezzò l'utilità di questa celebrazione, già praticata nella Chiesa di Roma: cf. CATTANEO, *La religione a Milano...*, pp. 90-95.

[8] La distinzione tra *lucerna* e *lampas* e le citazioni di Gv 3, 20; 5, 35, sono presenti in ORIGENE, in HARL, SCh 189, pp. 360, 47 - 362, 56.

*agit odit lucem* [g]. Habeto fidem, habeto prudentiam, ut semper habeas in uasis tuis oleum misericordiae, deuotionis gratiam, quia prudentes acceperunt oleum in uasis suis cum lampadibus suis. Vngite, o homines, lampades uestras; cum ieiunatis, ungite caput uestrum. Infundamus mentibus nostris oleum, ut corpus nostrum lucidum sit. Luceat tibi semper lucerna uerbum dei, luceat et lucerna corporis tui oculus tuus. Conscientia tua lucens bene in hoc corpore lucernae lux est, ipsa est oculus tuus. Sit purus oculus tuus. Si conscientia tua munda sit, munda est caro tua; si autem in te tenebrosa est conscientia tua, etiam corpus tuum conscientiae tuae nocte tenebrosum est [h]. Lucernae ergo et nos sumus tot operti corpore, uix aliquid exiguum habentes unde lucere possimus.

8.    Denique et Iohannes lucerna erat, sicut dixit de eo dominus: *Ille erat lucerna ardens et inluminans* [a]. Bona lucerna quae lumen accipiebat a Christo, ut lucere posset in hoc saeculo, merito ardens, merito inluminans, quia erat nuntius Christi, inluminans praedicatione fidei pectora singulorum. Sed et istis lucernis dedit ut lux mundi essent, dicens ad apostolos: *Vos estis lux mundi* [b]. Ergo si gloria sanctorum nunc sicut lucerna, nunc sicut lux mundi fulgebat in hoc saeculo, quid dicimus de uerbo dei quod et lucerna est pedibus meis [c]?

9.    Et fortasse, ubi non sunt tenebrae, non est lucerna uerbum dei, sed supra lucernam, quia lux est. Tenebrae his non sunt qui uident lucem; denique *tunc iusti fulgebunt sicut sol in regno patris sui* [a]. Et fortasse secundum legem lucerna est uerbum dei, secundum euangelium lux magna est. Iudaeis lucerna est et lucerna sub modio [b]. Lucet lex, sed non uidetur, quia operta eorum doctrina est et cogitatione uitiorum et caecitate perfidiae; populo autem ex nationibus lux est. Denique populo qui sedebat in regione umbrae mortis lux orta est [c]. Aperi igitur fenestras tuas, ut splendor tibi magnae lucis introeat. Paratum fac candelabrum tuum, ut lux tua non operiatur integimento corporis tui et mensu-

---

[g] Io 3, 20.
[h] Cf. Mt 6, 22-23; Lc 11, 34.
8.    [a] * Io 5, 35.
[b] Mt 5, 14.
[c] Cf. Ps 118, 105.
9.    [a] * Mt 13, 43.
[b] Cf. Mt 5, 15.
[c] Cf. Is 9, 2.

---

9, 7    cogitatione *codd.*, contagione *Petschenig cum edd. vett. et Ballerinii.*

*il male, odia la luce*. Cerca di aver fede, d'aver preveggenza, in modo da tener sempre nei tuoi vasi l'olio della misericordia, la grazia del credere, dato che le previdenti hanno portato — assieme alle lampade — anche l'olio nei loro vasi. Date olio, o uomini, alle vostre lampade. Quando digiunate, cospargete d'olio il vostro capo. Cospargiamo d'olio il nostro spirito, perché il nostro corpo sia brillante! Risplenda sempre per te quella lampada che è la Parola di Dio e risplenda anche quella lampada del tuo corpo, che è il tuo occhio! La tua coscienza, che dà buona luce in questo corpo, è la luce della tua lampada: è essa il tuo occhio. Sia puro il tuo occhio! Se la tua coscienza è pulita, è pulita anche la tua carne. Se invece la tua coscienza dentro è tenebrosa, anche il tuo corpo assume l'aspetto tenebroso della notte della tua coscienza. Anche noi dunque, coperti da spesso strato di corporeità, siamo lampade che hanno a malapena qualche fessura per cui far filtrare la luce.

8.   Anche Giovanni [9], ad esempio, era una lampada, stando a quanto di lui ha detto il Signore: *Egli era una lampada che ardeva e gettava luce*. Buona è quella lampada che riceveva luce da Cristo, in modo da risplendere in questo tempo. È proprio così: ardeva e gettava luce, perché annunciava Cristo gettando fasci di luce nel cuore di ciascuno con l'aperta predicazione della fede. Ma anche a queste lampade qui [10] Egli ha concesso di essere luce del mondo, quando diceva agli Apostoli: *Voi siete la luce del mondo*. Orbene: se la gloria dei santi sfolgorava in questo tempo, ora come una lampada ora come luce del mondo, che cosa possiamo dire della Parola di Dio, che è *lampada ai miei piedi*?

9.   E forse là dove non ci sono tenebre la Parola di Dio non è lampada, ma piú d'una lampada: è luce. Non ci sono tenebre per gli uomini che vedono la luce: tant'è vero che *allora i giusti risplenderanno come il sole nel regno del Padre loro*. E forse la Parola di Dio è lampada nel suo aspetto di Legge, è una grande luce nel suo aspetto di Vangelo [11]. Per i Giudei è una lampada, e una lampada sotto il moggio. La Legge dà luce [12], ma non la si vede, perché la dottrina dei Giudei è coperta dai loro pensieri viziosi e dal loro cieco rifiuto di credere. Mentre è luce per il popolo uscito dalle altre razze [13]. Appunto: è spuntata una luce per il popolo che sedeva nella regione dell'ombra della morte. Apri allora le tue finestre per far entrare lo splendore della grande luce! Tieni efficiente il tuo candelabro, se vuoi che la tua luce non sia coperta dall'involucro della tua corporeità e dal limite

---

[9] Si tratta di Giovanni il Battista.

[10] Forse indica l'ambiente *ravvicinato (istis)* della *Basilica Apostolorum*?

[11] Stesso tema in ORIGENE, *Hom. Leu.*, XIII, 2 (GCS 29, pp. 468 s.) e in DIDIMO, in HARL, SCh 189, p. 362, 1-6. Cf. anche *De interp.*, IV, 14. Cf. DANIÉLOU, *L'unité des deux...*, p. 40.

[12] Ambrogio non misconosce il valore positivo della Legge, anche per chi non è giudeo.

[13] Cf. *Exp. eu. Luc.*, VII, 98.

ra terrenae huius fragilitatis, sed supra mensuram corporeae infirmitatis animae tuae uirtute praefulgeas. Aut si ad mensuram teneris, uide ne supereffciant ipsae mensurae, ne supereffluant, sed bonis seminibus sint contentae d. Non sit otiosus sermo tuus e, non ferietur et uacet uerbum tuum, ne fiat lucerna sub modio f. Potens est deus qui super candelabrum constituat lucernam tuam, *ut luceat omnibus qui in domo sunt* g, *ut qui ingrediuntur lumen uideant* h. Candelabrum principale nostrum est. Pone sermonem in principali tuo, et omnibus lucet qui ingrediuntur in ecclesiam. Accipe et aliud candelabrum. Considera os tuum, considera et sermonem tuum. Nonne os tuum candelabrum est et uerbum tuum lucerna est, cum de tuo ore profertur? Haec lucerna semper tibi luceat, hoc est: uerbum tuum luceat et numquam extinguatur.

10.   Quaeris ut doceam, quomodo non possit extingui? Scriptum est: *Lumen iusti semper inextinguibile est* a, *lumen autem impiorum extinguetur* b. Hoc lumen erat lucernae quae lucebat in tabernaculo testimonii c et hodie quae lucet in ecclesia, uir sapiens. Hic est oculus ecclesiae qui non dicit manibus, hoc est operantibus sed non acutis ad intellegendum: *Non estis mihi necessarii* d. Ergo super candelabrum lucebat qui dicebat: *Nostra autem conuersatio in caelis est* e. Nam et Dauid iam tota mente conuersabatur in caelo et adhuc tamen dicebat: *Lucerna pedibus meis uerbum tuum* f. Aut fortasse quasi bonus magister mihi praeire cupiebat, ut lumen sequi discerem et illius pedibus ambularem. Ostendit ergo mihi lucernam sequi discere in istius ignorantiae, in istius operimenti corporei tenebris constituto, ut Christum sequens nullum lapidem offensionis incurram g. Errabat Petrus in tenebris ignorantiae, negabat Christum esse moriturum, quia adhuc non uidebat moriturum et resurrecturum esse pro nobis. Conuersus ad eum dominus ait: *Vade retro post me* h. Ostendit illi lucernam quam deberet sequi, «post me» dicens. Secundum uerbum dei confirmatus est, postea coepit inhaerere Christo timens ne iterum aliquo laberetur errore. Nonne et ipse, sicut qui dicebat: *Lucerna pedibus meis uerbum tuum* i, ad hanc lucernam festinauit, cum

d Cf. Lc 6, 38.
e Cf. Mt 12, 36.
f Cf. Mt 5, 15.
g Mt 5, 15.
h Lc 11, 33.
10. a * Sap 7, 10.
   b * Iob 18, 5.
   c Cf. Ex 27, 20-21.
   d 1 Cor 12, 21; cf. Mt 5, 15.
   e Phil 3, 20.
   f Ps 118, 105.
   g Cf. Ps 90, 12.
   h * Mt 16, 23.
   i Ps 118, 105.

di questa fragilità terrena, e se vuoi invece sfolgorare, per virtú della tua anima, al di sopra del limite di questa fragilità corporea! Oppure, se vuoi tenerti dentro quel limite, sta' attento che quel limite non travalichi se stesso e non trabocchi, ma si accontenti delle buone sementi! [14]. Il tuo discorso non sia ozioso, non sia disimpegnata e senza senso la tua parola, se non vuoi che diventi una lampada sotto il moggio. Dio ha il potere di porre la tua lampada sopra il candelabro [15], *perché faccia luce a tutti quelli che stanno nella casa e perché quelli che vi entrano vedano la luce.* Il candelabro è la facoltà che dirige la nostra anima [16]. Colloca il discorso in questa tua facoltà, ed ecco che esso fa luce a tutti quelli che entrano a far parte della Chiesa. Eccoti anche un altro candelabro! Osserva bene la tua bocca e osserva il tuo discorso! Non è forse vero che la tua bocca è il candelabro e la tua parola è la lampada, quando dalla tua bocca si esterna? Ti faccia sempre luce questa lampada! Cioè: la tua parola faccia luce e non si spenga mai.

10.   Mi chiedi di insegnarti com'è possibile che non si spenga? Sta scritto: *La luce del giusto resta sempre inestinguibile, mentre si spegnerà la luce di chi non ha fede.* Questa era la luce della lampada che faceva luce nella tenda della Testimonianza e che oggi risplende nella Chiesa, cioè l'uomo saggio. Questo è l'occhio della Chiesa, che non dice alle sue mani — cioè a quelli che non si danno da fare, ma che non hanno l'acutezza dell'intelligenza —: *Non mi servite!* [17]. Sopra il candelabro dunque faceva luce colui che diceva: *La nostra vita però è nei cieli.* Anche Davide viveva già con tutto il suo spirito nel Cielo, eppure diceva ancora: *Una lampada per i miei piedi sia la tua parola!* O forse, da buon maestro, desiderava farmi strada, per insegnarmi a seguire la luce e a camminare dietro i suoi piedi. Mi indica dunque come imparare a seguire la lampada, mentre mi trovo nelle tenebre di questa ignoranza, di questo involucro corporale, perché mi metta alla sequela di Cristo e non inciampi in qualche pietra dura. Andava errando Pietro nelle tenebre dell'ignoranza, non ammetteva che Cristo dovesse morire, perché ancora non riusciva a vedere che doveva morire e risorgere per noi. E, voltatosi verso di lui, il Signore esclamò: *Vattene dietro di me!* [18]. Dicendo *dietro di me* gli mostrò quale lampada dovesse seguire. Seguendo la Parola di Dio egli fu rafforzato, poi cominciò a restare attaccato a Cristo per paura di cadere in qualche altro errore. Non fu proprio lui — come l'altro che diceva: *Una lampada per i miei piedi sia la tua*

---

[14] C'è forse un riferimento alla *tritici mensura* di Lc 12, 42.
[15] Tema e citazioni sono presenti in ORIGENE, in HARL, SCh 189, p. 360, 21-34 (soprattutto significativo l'accostamento del *candelabrum* al nostro *principale* e all'*os*).
[16] Cf. nota precedente.
[17] Dall'inizio del c. 10 fino a questa citazione, il passo è strettamente modellato su ORIGENE, in HARL, SCh 189, p. 360, 40-46 e SCh 190, p. 685.
[18] Questa interpretazione di Mt 16, 23 (o Mc 8, 33) è presente anche in *Expl. ps. XXXVIII,* 24; *XL,* 28; *LXI,* 19.

diceret in mari: *Domine, iube me uenire ad te super aquam* [1]? Sed quia non sequebatur lucernam, motus est atque titubauit, naturae uehementioris mole turbatus.

11.   Sequamur ergo lucernam hanc sicut lucernam et sicut in nocte ambulemus ad lumen. Multae foueae, multi scopuli in istius saeculi caligine non uidentur. Praefer tibi lucernam quam propheta monstrauit, uide quo debeas transferre uestigium, contuere ubi pedem ponere mentis internae. Per singulos cura sit gressus, nulli credas tuum nisi praeeunte lucernae istius luce processum. Et ubi putas quod luceat gurges est, uidetur lucere, sed polluit, et ubi putas solidum esse uel siccum, ibi lubricum est, si lucerna tibi longius sit. Sit ergo tibi fides itineris tui praeuia, sit tibi iter scriptura diuina; bonus est caelestis ductus eloquii. Ex hac lucerna accende et tu lucernam, ut luceat interior oculus tuus qui lucerna est tui corporis [a]. Multas habes lucernas; accende omnes, quia dictum est tibi: *Sint lumbi uestri praecincti et lucernae uestrae ardentes* [b]. Quia multae tenebrae, multae lucernae sunt necessariae, ut meritorum nostrorum in tantis tenebris lumen eluceat. Istas lucernas lex significauit semper lucere debere in tabernaculo testimonii [c], non illas quas Iudaei accendunt cotidie. Illae sub umbra lucent et extinguntur cotidie, quia quod faciunt non uident, quod legunt nesciunt, accipientes secundum litteram quod praecipitur secundum spiritum. Tabernaculum enim testimonii corpus hoc nostrum est, in quo Christus aduenit *per amplius et perfectius tabernaculum* [d], sicut scriptum est, ut per sanguinem suum intraret in sancta [e] et conscientiam nostram ab omni opere mortuorum et labe mundaret [f], quo in corporibus nostris, quae suorum testimonio et qualitate factorum cogitationum nostrarum abscondita et occulta testantur, lucernarum modo luceat nostrarum lux clara uirtutum. Istae sunt lucernae ardentes, quae die ac nocte in templo dei lucent. Si templum dei in corpore tuo [g] seruas, si membra tua membra sunt Christi [h], lucent uirtutes tuae, quas nullus extinguit, nisi eas tuum crimen extinxerit. Hoc lumine castae mentis et piae deuotionis sollemnitatis nostrae festa resplendeant.

[1] * Mt 14, 28.
11. [a] Cf. Mt. 6, 22.
   [b] * Lc 12, 35.
   [c] Cf. Ex 27, 20-21.
   [d] Hebr 9, 11.
   [e] Cf. Hebr 9, 12.
   [f] Cf. Hebr 9, 14.
   [g] Cf. 1 Cor 3, 16.
   [h] Cf. 1 Cor 6, 15.

*parola!* — a correre verso questa lampada, quando nel mare diceva: *Signore, fammi arrivare da te sopra l'acqua?* Ma, siccome non andava dietro alla lampada, prese paura e vacillò, terrorizzato dall'imponente violenza della natura.

11. Andiamo dunque dietro a quella lampada come si va dietro ad una lampada! Come se fosse notte, camminiamo facendoci luce! Ci sono molte buche, molti sassi che non si vedono sotto la coltre di nebbia di questo mondo. Porta avanti la lampada che ti ha indicato il profeta! Guarda dove allunghi il passo e osserva bene dove metti il piede dell'intelletto spirituale! Fa' attenzione lungo tutti i singoli passi, non fidarti di nessuno nel tuo procedere, se non c'è davanti la luce di questa lampada! Anche dove tu credi che ci sia luce può esserci una pozzanghera pantanosa: ti sembra che luccichi, ma in realtà ti sporca. Anche dove credi che il terreno sia solido e asciutto può esserci fango scivoloso, se la lampada ti sta troppo discosta. Sia dunque la fede a farti strada e la strada sia la Scrittura divina! È una buona guida quella della Parola del Cielo. Da questa lampada accenditi anche tu la lampada, di modo che faccia luce l'occhio del tuo uomo interiore, che è la lampada del tuo corpo. Ne hai molte di lampade. Accendile tutte, perché ti è stato detto: *Ci siano cinture ai vostri fianchi e siano accese le vostre lampade!* Dato che molte sono le zone tenebrose, molte devono essere le lampade, se vogliamo che in tenebre così fitte risplenda la luce dei nostri meriti. Queste sono le lampade che la Legge ha prescritto debbano essere sempre accese nella tenda della Testimonianza, ma non quelle che i Giudei accendono ogni giorno. Quelle fanno una luce velata d'ombra e si spengono ogni giorno: infatti, i Giudei, quel che fanno non lo vedono; quel che leggono non lo sanno, poiché accolgono secondo la lettera quello che è comandato secondo lo spirito. La tenda della Testimonianza è infatti questo nostro corpo, nel quale Cristo è venuto a noi *attraverso una tenda più spaziosa e più perfetta*, come sta scritto. Attraverso il proprio sangue volle entrare nel Santuario e purificare la nostra coscienza da ogni opera di morte e da ogni menda. Grazie ad esso, così, nei nostri corpi che, con la testimonianza e la qualità delle proprie azioni, rivelano i nascosti segreti dei nostri pensieri, risplende — come quella di tante lampade — la tersa luce delle nostre virtù. Queste sono le lampade ardenti che fanno luce giorno e notte nel Tempio di Dio. Se tu custodisci il Tempio di Dio nel tuo corpo, se le tue membra sono membra di Cristo, allora le tue virtù fanno luce e nessuno può spegnerle, se non le spegne la tua colpa. Questa luce — d'uno spirito puro e d'una fedele devozione — brilli nelle nostre solenni festività [19]!

---

[19] Cf. 14, 7 e nota 7.

12. Luceat ergo semper lucerna tua. Arguit Christus etiam eos qui utuntur lucerna, si non semper utantur, dicens: *Sint lumbi uestri praecincti et lucernae ardentes* [a]. Non ad horam exultemus in lumine [b]. Ad horam exultat qui audit uerbum in ecclesia et gaudet, egressus autem obliuiscitur quod audiuit aut neglegit. Iste est qui sine lucerna in domo sua ambulat ideoque in tenebris ambulat, qui opera tenebrarum facit in comesationibus et ebrietatibus, in cubilibus et inpudicitiis, in contentionibus et aemulationibus [c], indutus diaboli uestimenta, non Christum. Haec fiunt quando uerbi lucerna non lucet. Numquam ergo neglegamus uerbum domini, ex quo nobis omnium origo uirtutum est uniuersorumque operum quidam processus. Si membra corporis nostri sine luce operari recte non queunt — nam pedes uacillant sine lumine et manus errant —, quanto magis ad uerbi lumen dirigenda sunt animae nostrae uestigia, mentis incessus! Sunt et manus animae quae bene tangunt, ut tetigit Thomas dominicae resurrectionis indicia [d], si uerbi praesentis nobis lumen luceat. Haec lucerna accensa sit in omni uerbo, in omni opere, ad hanc lucernam gressus noster forensis internusque moueatur.

13. Sed progrediamur ad cetera et fiat pedibus meis lucerna uerbum dei [a] et semitis meis lux. Pedibus lucerna satis ad ambulandum, semitis non est satis ad inluminandum. Idem uerbum tamen et pedibus lucerna est et semitis lux est, quia idem unigenitus dei filius et delinquentibus aduocatus et remunerator est fortibus, peccatorum remissor, largitor praemiorum [b].

14. Itaque cui lucerna fuerit uerbum dei, huic, quocumque pergit, lucent semitae, sicut lucebant sancto Dauid; et ideo quasi in lumine ambulans dicit: *Iuraui et statui custodire iudicia iustitiae tuae. Humiliatus sum usque quaque* [a]. Vox ambulantis in lumine est cum auctoritate dicere: *Iuraui et statui* [b]. Qui enim statuit non mouetur, non metuit ne cadat, quia plus est statuere quam stare. Stat igitur Dauid mentis statione fundatus nec timet, ne in his mundi huius tenebris possit errare. Si enim metueret, non iuraret, si trepidaret, utrum diuina posset custodire iudicia, non cum iuris

---

12. [a] * Lc 12, 35.
   [b] Cf. Io 5, 35.
   [c] Cf. Rom 13, 13-14.
   [d] Cf. Io 20, 27.
13. [a] Cf. Ps 118, 105.
   [b] Cf. 1 Io 2, 1.
14. [a] Ps 118, 106 [107].
   [b] Ps 118, 106.

---

14, 4   *a* humiliatus *usque ad* quaque *Petschenig cum ed. Ballerinii spuria esse censuit.*

12.   Faccia dunque sempre luce la tua lampada! Cristo accusa
anche chi fa uso della lampada se non ne fa un uso continuo,
quando dice: *Ci siano cinture ai vostri fianchi e siano accese le
vostre lampade!* Non esaltiamoci se stiamo nella luce solo un
momento! Si esalta per un momento colui che in chiesa ascolta
la Parola di Dio e gli piace, ma, appena uscito, dimentica quanto
ha udito o non se ne cura piú. Questo è un uomo che cammina
per la sua casa senza lampada e perciò cammina al buio, perché
fa opere tenebrose nelle gozzoviglie e nelle ubriachezze, nelle
alcove e nelle dissolutezze, nelle liti e nelle gelosie: il suo vestito
è quello del diavolo e non di Cristo. Questo avviene quando la
lampada della Parola non fa luce. Non bisogna allora trascurare
mai la parola del Signore: è da essa che ci proviene e si sviluppa
ogni nostra virtú, ogni nostra azione. Se le membra del nostro
corpo non possono agire convenientemente senza luce (senza
luce, ad esempio, i piedi si muovono incerti e le mani brancolano),
quanto piú dobbiamo rivolgere verso la luce della Parola i passi
della nostra anima, il cammino del nostro spirito! Ci sono anche
le mani dell'anima [20], che sanno tastare bene, come ha tastato
Tommaso i segni della risurrezione del Signore: purché ci faccia
luce la luce della Parola a noi presente. Questa lampada resti
accesa in ogni parola, in ogni azione! Verso questa lampada si
diriga il nostro passo, quello del corpo e quello dell'anima!

13.   Ma andiamo avanti ancora un po' e la parola di Dio si
faccia lampada per i miei piedi e luce per i miei sentieri! La
lampada è sufficiente per vedere dove mettiamo i piedi, ma non
basta per illuminare i sentieri [21]. Tuttavia l'unica Parola è sia
lampada per i piedi che luce per i sentieri, dal momento che
l'unico unigenito Figlio di Dio è sia intercessione per gli erranti
sia retribuzione per i resistenti, remissione dei peccati e distribuzione delle ricompense.

14.   E cosí l'uomo che ha avuto la parola di Dio come lampada, ha anche i sentieri illuminati, dovunque si diriga. Come illuminati erano per Davide, uomo di Dio. E proprio per questo, come
se camminasse nella luce, egli dice: *Ho giurato ed ho stabilito di
conservare i giudizi della tua giustizia. Mi sono abbassato totalmente.*
È parola d'uno che cammina nella luce il dire con autorevolezza:
*Ho giurato ed ho stabilito.* Chi ha stabilito, non si smuove, non
ha paura di cadere, perché *stabilire* è piú forte di *star saldo.*
Orbene, sta saldo Davide, ancorato alla stabilità del suo spirito,
e non teme di poter errare in queste tenebre di quaggiú. Se lo
temesse, non giurerebbe. Se fosse insicuro di poter conservare i
giudizi di Dio, non lo stabilirebbe con il sacro segno del giuramen-

---

[20] Ambrogio si è impadronito del motivo origeniano dei «cinque sensi» dell'anima. Sul tema, cf. RAHNER, *Le début d'une doctrine...*, cit.
[21] Ancora la distinzione tra *lucerna* (λύχνος) e *lux* (φῶς) in ORIGENE, in HARL,
SCh 189, p. 362, 56-60.

iurandi statueret sacramento. Nemo bene iurat nisi qui potest scire quod iurat. Iurare igitur indicium scientiae, testimonium conscientiae est. Et bene iurat qui ad lucernam uerbi pedes suos dirigit, qui lucem in semitis suis cernit. Lux praeeat, si iurare disponis, id est cognitio ueritatis praecedat, ut uinculum sacramenti tibi non possit nocere. Vbi religio sanctior, ibi fides ueritatis est plenior. Denique ideo dominus, qui uenit docere paruulos, imbuere nouos, firmare perfectos, ait in euangelio: *Non iurandum omnino* [c], quia infirmibus loquebatur. Denique non ad solos apostolos loquebatur, sed ad turbas — uoluit enim te non iurare, ne periures — et addidit: *Non iurare neque per caelum neque per terram neque per Hierosolymam neque per caput tuum* [d], per haec uidelicet quae subiecta non sunt tuae potestati. *Iurauit dominus nec paenitebit eum* [e]. Iuret ergo ille quem sacramenti sui paenitere non poterit. Et quid iurauit deus? Quia Christus in aeternum sacerdos est [f]. Numquid incertum, numquid inpossibile erat quod iurauit deus? Numquid poterat esse mutabile? Noli ergo usurpare exemplum sacramenti qui implendi sacramenti non habes potestatem.

15.    Quid igitur iurauit Dauid? Custodire iudicia iustitiae domini [a]. In nullo uidelicet iam perfectum, iam instructum diuinae iustitiae mouebant iudicia. Quanti mouentur, cum uident iustum aliquem orbatum liberis dispendiisque frequentibus ad ultimae egestatis deductum necessitatem, ut ipsa alimentorum habere subsidia non possit, fractum aegritudine graui et perpetua debilitate uexatum, ut obire nequeat communis officia naturae! Sed qui firmus est non mouetur et is magis intellegit dei iustitiam praedicandam, quia corripit dominus quem diligit [b]. Numquid non frequentius corripitur filius quam seruulus? Iniusta ergo pietas patris magis quam domini seueritas? Asperioribus exercet pater filium quam dominus uernaculum, sed dura patris non aestimantur inpertita flagella, quia uult meliorem filium esse quam seruulum. Eruditio ergo plena iustitiae est.

16.    Orbatus est sanctus Iob liberis suis, in quos dominus potestatem diabolo dedit. Numquid iniquus deus? Absit, immo iustus, quia probaturus iustum suum per huiusmodi exercitia, in quibus eius est probata patientia, magis dignum qui probaretur effecit. Quo enim clarius meritum coronati, hoc uberior iustitia

[c] * Mt 5, 34.
[d] Mt 5, 34-36.
[e] * Ps 109, 4.
[f] Cf. Ps 109, 4.
15. [a] Cf. Ps 118, 106.
[b] Cf. Hebr 12, 6.

to. Non si fa un buon giuramento, se non si può conoscere quanto si giura. Giurare allora è segno di conoscenza, è prova di consapevolezza. Fa un buon giuramento colui che dirige i suoi piedi verso la lampada della Parola, colui che scorge la luce nei suoi sentieri. Cammini avanti a te la luce, se decidi di giurare! Cioè: ti preceda la conoscenza della verità, se vuoi che il vincolo d'un segno cosí sacro non ti abbia a nuocere. Dove c'è un atto religioso piú fortemente sancito, là c'è in modo piú pieno la fede della verità. Tant'è vero che il Signore, che è venuto ad insegnare ai piccoli, ad istruire i novizi, a confermare i perfetti, esclama nel Vangelo: *Non giurare affatto!*, proprio perché Egli parlava a persone fragili. Parlava, appunto, non solo agli Apostoli, ma alle folle — ed ha voluto che non si giurasse per non cadere nello spergiuro — ed ha soggiunto: *Non giurare né per il cielo né per la terra né per Gerusalemme né per la tua testa*, cioè per cose che non cadono sotto il tuo potere. *Il Signore ha giurato e non si pentirà.* Giuri dunque colui che non avrà a pentirsi del sacro segno cui ricorre! E qual è stato il giuramento di Dio? Che Cristo è Sacerdote in eterno. Forse che non ne è certo? È forse impossibile il giuramento di Dio? Forse che poteva essere soggetto a mutamento? Non far uso dunque della forma di quel sacro segno, tu che non hai il potere di mantenere fede a quel sacro segno!

15.   Qual è stato allora il giuramento di Davide? Conservare i giudizi della giustizia del Signore. È ovvio che nessun aspetto dei giudizi della giustizia divina turbava un uomo già perfetto, già formato. Quanti invece si turbano alla vista d'un uomo giusto privato dei figli, trascinato all'estrema indigenza per le troppe spese, cosí da non essere nemmeno in grado di garantirsi il necessario per mangiare; l'uomo fiaccato da una grave malattia e afflitto da una debolezza inguaribile, tanto da non essere in grado di far fronte ai doveri richiesti dalla natura umana! Ma l'uomo che è saldo non si turba e capisce che la giustizia di Dio è degna ancor piú di celebrazione, perché il Signore castiga l'uomo che ama. Non è forse vero che il figlio è castigato piú spesso del piccolo schiavo? L'affetto paterno è con ciò piú ingiusto della severità del padrone? Il padre educa il figlio in forma piú dura di quanto il padrone educhi lo schiavo di casa. Ma le frustate che il padre dispensa non sono giudicate crudeli, perché la sua intenzione è che il figlio diventi migliore del piccolo schiavo. L'educazione dunque rispetta pienamente la giustizia.

16.   Giobbe, quell'uomo di Dio, fu privato dei suoi figli, sui quali il Signore concesse potere al diavolo. Forse che Dio è ingiusto[22]? Guai a pensarlo! Anzi, è giusto perché, volendo mettere alla prova il suo giusto mediante quel genere di tentazioni nelle quali la sua pazienza è stata messa alla prova, l'ha reso ancor piú meritevole d'essere provato. Quanto piú evidente appare il merito di chi riceve il premio, tanto piú appare abbondante

---

[22] Simile la presentazione e la domanda in ILARIO, *Tract. ps. CXVIII*, 14, 7 (CSEL 22, p. 477).

coronantis. Nudatus est facultatibus, cum diues esset, et haec deo subiit permittente dispendia. Non erant pecuniae iam damna, sed uitae, cum deesset alimonia ademptis omnibus. Quis accuset iustitiam dei, cum, si non omnem Iob amisisset pecuniam, non tantam inuenisset gratiam? Athletam suum nudum ungere uoluit deus oleo patientiae, ut et subeundo faceret certamini fortiorem et merendo praemio digniorem. Perfusus totum corpus ulcere graui sedebat in stercore, radens saniem saeuis uulnerum uibicibus defluentem, et hoc permissu domini diabolus intulerat iusto uiro ᵃ; uideretur uicisse sibi diabolus, nisi accepta quam poposcerat potestate esset etiam ipse superatus. Quid igitur fuit illa temptatio, quid inopia facultatum, destitutio filiorum, tolerantia uulnerum nisi exercitium fidei, insigne patientiae, eruditio gloriosa uirtutis, confessio plena uictoriae, ut, qui ante contradicentem habebat diabolum, postea non haberet? Nemo ergo dura putet esse quae iusta sunt. Non uidebantur dura ei qui poterat dicere: *Nudus natus sum, nudus exibo. Dominus dedit, dominus abstulit; sit nomen domini benedictum* ᵇ. Benedicit enim dominum iustus cum laborat, peccator cum luxuriatur.

17.    Nonne ergo ex infirmitate nostra uisa sunt dura mandata iustitiae, qui durum putamus esse quidquid per inbecillitatem animi ferre non possumus? Tolle persecutiones, et martyres desunt. Sed et persecutores deus, id est potestates saeculi est passus adsurgere, ne deessent qui uincerent Christo. Quis tunc non dixit infirmus: «Domine, cur dedisti plebem tuam in potestatem persequentium?». Sed quis hodie neget beatiores illos esse, qui passi sunt, quam illos, quos nulla uexarunt supplicia persecutorum?

18.    Iustus ergo optat probari, temptari non timet; qui enim statuit custodire iudicia dei ᵃ, non timet temptationes. Vbi statuit nisi in corde? Illic enim radicati et fundati esse debemus ᵇ, non fluitantes neque mobiles omni uento doctrinae ᶜ. Intus ergo sta-

16. ᵃ Cf. Iob 2, 7-8.
   ᵇ * Iob 1, 21.
18. ᵃ Cf. Ps 118, 106.
   ᵇ Cf. Eph 3, 17.
   ᶜ Cf. Eph 4, 14.

16, 11 patientiae *Petschenig, sed fortasse melius* paenitentiae *sicut inuenitur in codd.*

la giustizia di chi lo conferisce. Fu spogliato dei beni, da ricco che era, e fu sottoposto a queste perdite grazie al permesso di Dio. Non si trattava piú di un danno finanziario ma vitale, perché gli veniva a mancare il cibo, dato che tutto gli era stato sottratto. Chi potrebbe accusare la giustizia di Dio, dal momento che, se Giobbe non avesse perso tutto il suo denaro, non avrebbe trovato una grazia cosí grande? Dio ha voluto ungere il corpo nudo del suo atleta con l'olio della pazienza [23], per renderlo piú forte per la gara che lo attendeva e piú meritevole del premio che doveva guadagnare. Il suo corpo era tutto una piaga fastidiosa ed egli stava seduto nello sterco, grattandosi il pus che usciva dalle piaghe insanguinate delle ferite [24]: anche questo il diavolo aveva inflitto a quell'uomo giusto con il permesso di Dio. Il diavolo si sarebbe illuso d'aver già vinto, se non fosse stato sconfitto egli stesso dal potere che aveva chiesto ed ottenuto. Che altro si rivelò quella tentazione, quella caduta in miseria, quella privazione dei figli, quella sopportazione delle ferite, se non un allenamento per la fede, una prova di pazienza, una gloriosa educazione alla virtú, una palese affermazione di vittoria [25]? Cosí egli, che prima doveva lottare col diavolo, non avrebbe poi piú avuto a che fare con lui. Nessuno dunque reputi crudeltà quello che invece è giustizia. Crudeltà non sembrava a quell'uomo che poteva affermare: *Nudo sono nato, nudo uscirò di scena. Il Signore ha dato, il Signore ha tolto: sia benedetto il nome del Signore.* Il giusto benedice il Signore quando soffre, il peccatore quando tutto gli va bene.

17.   Non è forse vero che è la nostra instabilità a farci sembrare crudeli i comandamenti della giustizia? Noi riteniamo crudeltà qualsiasi cosa che la nostra debolezza non ci permetta di tollerare. Elimina le persecuzioni e non avrai piú i martiri! Ma è stato Dio a permettere il sorgere anche dei persecutori, cioè delle potenze di questo tempo, perché non mancassero uomini che vincevano per Cristo. Chi allora, nella sua insicurezza, non ha detto: «O Signore, perché hai dato il tuo popolo in mano dei persecutori?». Eppure, chi oggi potrebbe negare che sono piú beati quelli che patirono di quelli che non furono tormentati dalle torture dei persecutori?

18.   Il giusto desidera dunque essere messo alla prova, non ha paura di essere tentato. Chi ha stabilito di conservare i giudizi di Dio, non ha paura delle tentazioni. Dove l'ha stabilito, se non nel cuore? È lí che dobbiamo avere radici e fondamento, e non essere ondeggianti e volubili ad ogni soffio di dottrina [26]. Stabilia-

---

[23] La preferenza per la lezione *paenitentiae* può essere confortata da *Expl. ps. XXXVIII*, 31: *ut remedium possit paenitentiae repperire.*

[24] Cf. *Expl. ps. XXXVII*, 30.

[25] La figura di Giobbe, cosí familiare ad Ambrogio, non viene mai da lui presentata come tipo del Cristo sofferente e risorto, ma come modello tropologico della pazienza. Queste almeno le conclusioni di J.R. BASKIN, *Job as moral exemplar in Ambrose*, in «Vigiliae Christianae», 35 (1981), pp. 222-231, che però produce una documentazione assai ridotta.

[26] Cf. ORIGENE, *Comm. Cant.*, III (IV) (GCS 33, p. 224).

tuamus in corde nostro, in pectore, in animo, ut fiat nobis illud propheticum: *Cogitationes iustorum semitae* [d]. In his semitis bene ambulat iustus; ideo dicit: *Proba me, domine, et tempta me* [e]. Denique hoc loco auctoritati respondens suae, qui iurauerat et statuerat custodire iudicia iustitiae dei [f], probari uoluisse se dicit, qui humilitatem subeundam credidit esse pro Christo.

19.  Ideoque ait: *Humiliatus sum nimis* [a]. Non solum humiliatum, sed etiam nimis humiliatum esse se gaudet. Beatus qui gloriatur humilitate magis quam potestate. Potestas decipit, humilitas non destituit. Bona humilitas quae etiam in Christo laudem uirtutis inuenit. Hanc in illo plus ueneror quam creationem, quia creati ad laborem sumus, redempti ad quietem. Denique ipse aduocans populos ad misericordiam suam de humilitate propria gloriatur dicens: *Palam factus sum non quaerentibus me, apparui his qui me non interrogabant* [b], et alibi: *Scapulas meas dedi in flagella, maxillas meas in palmas, faciem autem meam non auerti a confusione sputorum* [c]. Recte ergo Dauid humiliare se uoluit, ut tribulationum Christi in se ipso quod deesset impleret.

20.  Potest et ipse hoc ex sua persona per os Dauid locutus dixisse: *Humiliatus sum nimis* [a], qui dixit in euangelio: *Venite ad me omnes qui laboratis et onerati estis, et ego uos reficiam. Tollite iugum meum super uos et discite a me, quia mitis sum et humilis corde, et inuenietis requiem animabus uestris* [b]. Discamus ergo ab eo, qui docere nos uoluit quod proficeret ad salutem et nobis dicit: *Discite a me.* Non est mediocre quod dicit «discite» et addidit «a me discite». Non facile potest quisquam humilitatem docere inflatus; quemuis humana sapientia mens carnis extollet [c]. Et qui paupertate contentus est non est contentus iniuria et qui potest ferre uerberum poenas exagitatur uerborum contumeliis et qui potest administrationes contemnere dolet sibi aliquem honorificentia esse praelatum. Grande est in omnibus humilitatis tenere mensuram. Superbia hominem prima deiecit. Dum plus uolumus, etiam quod minus est solemus amittere. Bona humilitas, quae

---

    [d] * Prou 12, 5.
    [e] Ps 25, 2.
    [f] Cf. Ps 118, 106.
19. [a] * Ps 118, 107.
    [b] * Is 65, 1.
    [c] * Is 50, 6.
20. [a] * Ps 118, 107.
    [b] * Mt 11, 28-29.
    [c] Cf. Col 2, 18.

---

20, 9    quamuis humanam sapientiam *Petschenig*; quamuis humana sapientia *codd.*

molo dunque al nostro interno — nel nostro cuore, nel petto, nell'animo — che si avveri in noi quella parola del profeta: *I pensieri dei giusti sono sentieri* [27]. In questi sentieri cammina bene il giusto e perciò dice: *Mettimi alla prova, o Signore, e tentami!* Tant'è vero che in questo passo, in modo confacente alla sua posizione di prestigio, questo giusto (Davide) — che aveva giurato e stabilito di conservare i giudizi della giustizia di Dio — afferma di aver voluto essere messo alla prova. Ha creduto che per Cristo si dovesse affrontare l'umiliazione.

19. Per questo esclama: *Mi sono umiliato fino in fondo.* È lieto di essersi non solo umiliato, ma anche di essersi umiliato fino in fondo. Beato chi ripone il suo vanto nell'umiliazione piú che nella potenza! La potenza illude, l'umiliazione non defrauda. È buona, l'umiliazione: anche in Cristo ha trovato l'elogio riservato alla virtú. In Cristo l'adoro piú della creazione, perché la creazione ci destina alla sofferenza, la redenzione al riposo. Tant'è vero ch'Egli stesso, quando chiama i popoli presso alla sua misericordia, si vanta della propria umiliazione. Dice: *Mi sono manifestato a quelli che non indagavano su di me, mi sono mostrato a quelli che non mi interrogavano*; e altrove: *Ho piegato le mie spalle alle frustate, le mie guance alle percosse, non ho sottratto il mio volto all'umiliazione degli sputi* [28]. È giusto dunque che Davide abbia voluto umiliarsi, per realizzare in se stesso quanto mancava ai patimenti di Cristo.

20. Può essere stato Lui stesso a dire, parlando a nome suo per bocca di Davide: *Mi sono umiliato fino in fondo.* Egli che nel Vangelo ha detto: *Venite a me voi tutti, che siete travagliati ed oppressi, ed io vi ristorerò. Mettete sul vostro collo il mio giogo ed imparate da me che sono mite ed umile di cuore, e troverete riposo per le vostre anime.* Impariamo dunque da Colui che ha voluto insegnarci ciò che era utile alla nostra salvezza, e che ci dice: *Imparate da me!* Non è cosa da poco dire: *Imparate*, e aver soggiunto: *Imparate da me!* Non è facile che uno possa insegnare l'umiltà, se è gonfio d'orgoglio: l'intelletto carnale, mediante la sapienza umana, sarà capace di esaltare chiunque. Quello che riesce a stare contento nella povertà, non lo è nel patire un torto, e quello che riesce a sopportare la pena delle frustate, si rimescola per offese verbali; quello che è capace di disdegnare le cariche, si rattrista se una onorificenza tocca ad un altro e non a lui. È cosa eccezionale conservare la dimensione dell'umiltà in ogni circostanza. È la superbia che per prima ha degradato l'uomo: volere il molto porta di solito a perdere anche il poco. Buona è invece la capacità di umiliarsi, che a nulla aspira e per questo consegue

[27] Analoghi tema e citazione in ORIGENE, in HARL, SCh 189, p. 362, 8-11.
[28] Cf. 5, 4.

nihil adpetendo totum quod contemnit adipiscitur. Ipse dominus Iesus se humiliauit, ut nos eleuaret, et humiliauit usque ad crucem [d]. *Propter quod exaltauit,* inquit, *illum deus, ut in nomine eius omne genu flectatur* [e]. Quanta fecit dominus audeo dicere, et non flexi ei genu? Sed flexi ei postquam se humiliauit; sic enim, hoc est per humilitatem, per crucem sibi ecclesiam congregauit.

21.     Dauid rex erat, incerta et occulta sapientiae [a] sibi patefacta testatur, sed ideo se magis humiliabat. At uero Ezechias cecidit ab altitudine cordis sui [b]. Ille laudabilis rex, qui de obsidione, de aegritudine beneficiis domini et mirabilibus liberatur, cecidit per superbiam et gratiam meriti superioris inminuit. Quid fuisset Ioseph, si humilis non fuisset? Sciuit sibi obfuisse quod praelatus erat fratribus; etiam pius amor miseriam praelationis inuenerat. Praelatio armauit fratres, humilitas conciliauit extraneos; praelatio concitauit germanos, humilitas regem subditum fecit, ut uere quasi ex persona Ioseph dictum putemus quod hic ipse supra dixit: *Humiliatus sum, et saluum me fecit* [c], quamquam, si consideremus quae iste tolerauit, ex persona sua eum dixisse repperiemus.

22.     Golia superato occurrerant iuuenculae psallentes: *Saul in milibus, Dauid in decem milibus* [a]. Commotum est fel regis et quaerebat eum occidere. Et humiliauit se Dauid ante Ionathan filium regis et conuertit eius affectum, ut, quem successorem patrii regni potuerat habere suspectum, eundem aduersum studia paterna seruaret dicens patri: *Quid peccas in sanguinem innocentis?* [b] Et id uocem extorqueret inuito, quod non mereretur occidi Dauid. Recte ergo ait: *Humiliatus sum, et saluum me fecit* [c]. Et iterum, cum ad eum propheta uenisset et indignationem domini in causa Bethsabeae mulieris denuntiasset, humiliauit se et ait: *Peccaui domino, et dixit Nathan ad eum: Quoniam paenituit te, abstulit dominus peccatum tuum; non morte morieris* [d]. Bona igitur humilitas. Denique humiliatus est et saluus factus est. Et alio loco, cum propter numeratum populum dominus esset offensus

---

[d] Cf. Phil 2, 8.
[e] * Phil 2, 9-10.
21. [a] Cf. Ps 50, 8.
  [b] Cf. 4 Reg 19.
  [c] Ps 114, 6.
22. [a] * 1 Reg 18, 7.
  [b] * 1 Reg 19, 5.
  [c] *Ps 114, 6.
  [d] * 2 Reg 12, 13.

tutto ciò che disdegna. Anche il Signore Gesú si è abbassato per innalzare noi e si è abbassato fino alla croce. *Perciò* — si dice — *Dio lo ha esaltato, affinché nel suo nome si pieghi ogni ginocchio.* Io ho l'ardire di narrare le meraviglie fatte dal Signore e non ho piegato davanti a Lui il ginocchio? L'ho bensí piegato dopo che Egli si è abbassato [29]: fu cosí infatti, cioè per mezzo dell'umiliazione, che Egli radunò la sua Chiesa per mezzo della croce.

21.    Davide era re; attesta che gli erano stati rivelati gli arcani segreti della sapienza; eppure proprio per questo si umiliava maggiormente [30]. Mentre, al contrario, Ezechia precipitò dall'altezzosità del suo cuore [31]. Quel re encomiabile, che viene liberato dall'assedio, dalla malattia — grazie agli interventi miracolosi del Signore — precipitò a causa della superbia e rovinò il guadagno dei meriti precedenti. Che cosa sarebbe stato Giuseppe se non fosse stato umile? Seppe che gli era nuociuto il fatto di essere il preferito tra i fratelli: anche un amore fedele aveva sperimentato che la superiorità produce disgrazie. Fu la sua superiorità ad istigare i fratelli, mentre la sua umiltà gli cattivò gli estranei. Fu la superiorità ad istigare i fratelli di sangue, mentre l'umiltà gli rese suddito un re. Tanto che noi pensiamo proprio che quella espressione sopra pronunciata (mi sono umiliato e mi ha salvato) sia pronunciata quasi a nome di Giuseppe. Per quanto, se riflettessimo sui patimenti che questo profeta ha subito, scopriremmo che l'ha pronunciata a suo nome [32].

22.    Dopo il suo successo su Golia, gli si erano fatte incontro alcune giovani che cantavano cosí: *Saul ha vinto su mille, Davide su diecimila!* Il re Saul ebbe un travaso di bile e cercava di ucciderlo. Allora Davide si umiliò davanti a Gionata, figlio del re, e riuscí a modificarne l'atteggiamento. E mentre prima Gionata aveva potuto sospettarlo di aspirare al trono di suo padre, ora lo difendeva contro le mire del padre, al quale diceva: *Perché vuoi peccare contro il sangue di un innocente?* Quelle parole costrinsero Saul ad ammettere suo malgrado che Davide non meritava di essere ucciso. Giustamente dunque Davide ha esclamato: *Mi sono umiliato ed egli mi ha salvato.* E un'altra volta, quando gli si presentò il profeta ad annunciargli lo sdegno del Signore a motivo della sua relazione con Betsabea, egli si umiliò ed esclamò: *Ho peccato verso il Signore.* E Natan disse a lui: «*Dal momento che ti sei pentito, il Signore ha levato il tuo peccato: la morte non ti colpirà!*». Vuol dire che cosa buona è l'umiliarsi. Tant'è vero che si è umiliato e si è salvato. E, in un altro passo troviamo che il Signore — offeso a proposito del censimento del

---

[29] Accenno all'uso liturgico di genuflettersi, durante la professione del Simbolo o durante la lettura di Fil 2, come del resto è previsto nel *Missale Ambrosianum* (*Feria sexta in Albis*)?

[30] Cf. ORIGENE, in HARL, SCh 189, p. 364, 1-3.

[31] Il riferimento a Ezechia è già in ILARIO, *Tract. ps. CXVIII,* 14, 11 (CSEL 22, p. 481).

[32] Cioè, a nome di Davide, e non di Giuseppe.

et misisset prophetam Gad, qui regi Dauid diceret: *Elige tibi quid fieri uelis, triennio famem super terram aut tribus mensibus fugere te a facie inimicorum tuorum persequentium te aut fieri triduo mortem in terra* [e], respondit Dauid: *Angustiae mihi sunt haec tria; sed magis incidam in manum domini, quoniam magna est misericordia illius ualde, quam in manus hominum incidam* [f]. Et cum dedisset dominus mortem in Israel a mane usque ad horam prandii septuaginta milibus hominum mortuis, respexit Dauid ad dominum et, cum uidisset angelum ferientem populum, dixit: *Ecce ego peccaui et ego pastor male feci, et isti in hoc grege quid fecerunt? Fiat manus tua in me et in domo patris mei* [g]. Et propitius factus est dominus, cum sacrificium reconciliationis domino esset oblatum. Bona ergo humilitas quae regem plebemque seruauit. Itaque reconciliato domino ait Dauid: *Bonum mihi est quod humiliatus sum* [h].

23.    Bona ergo humilitas, praesertim si adiungatur ei deuotio uoluntaria. Ideoque se uiuificari secundum uerbum petit, ut secundum uerbum uiuat [a] et omnia cum ratione faciat, non secundum carnis uoluntatem. Vnde mysticum illud etiam moraliter accipi potest: *In principio erat uerbum et uerbum erat apud deum et deus erat uerbum. Hoc erat in principio apud deum. Omnia per ipsum facta sunt et sine ipso factum est nihil* [b]. Et tu imitator esto dei. Quomodo imitator? Numquid caelum potes facere aut terram aut mare? Non utique. Sed ut omnia per uerbum facias, nihil sine uerbo, omnia cum ratione, nihil sine ratione, quia non es inrationabilis, o homo, sed rationabilis.

24.    Sequitur uersus quartus: *Voluntaria oris mei conproba, domine, et iudicia tua doce me* [a]. Qui se humiliat, uiuificatur iuxta promissum dei [b], qui uiuificatur spiritu dei uoluntarius est minister. Plurimum enim refert, utrum ex uoluntate quid facias an ex necessitate, quod placeat deo. Denique uoluntarius minister habet praemium, coactus dispensat obsequium, sicut apostolo docente cognouimus. Scripsit enim: *Vae enim mihi est si non euangelizauero. Si enim uolens hoc ago, mercedem habeo; si autem inuitus, dispensatio mihi credita est* [c]. Vide uoluntarium executorem caele-

---

[e] * 2 Reg 24, 13.
[f] * 2 Reg 24, 14.
[g] * 2 Reg 24, 17.
[h] * Ps 118, 71.
23. [a] Cf. Ps 118, 107.
    [b] Io 1, 1-2.
24. [a] * Ps 118, 108.
    [b] Cf. Ps 118, 107.
    [c] 1 Cor 9, 16-17.

popolo — manda il profeta Gad a dire al re Davide [33]: *Scegli tu quello che vuoi: tre anni di carestia sulla terra oppure tre mesi da trascorrere fuggiasco davanti ai tuoi nemici che ti inseguono oppure tre giorni di morte sulla terra*. Davide rispose: *Mi angosciano tutte e tre le proposte. Ma preferisco cadere in mano del Signore, di cui assai grande è la misericordia, piuttosto che cadere nelle mani degli uomini*. Il Signore allora seminò morte su Israele dal mattino fino all'ora del pranzo, con settantamila morti. Davide volse lo sguardo al Signore, scorse l'angelo che colpiva il popolo e disse: *Eccomi, sono io che ho peccato! Io, il pastore, mi sono comportato male! Ma questo gregge che male ha fatto? Si rivolga la tua mano contro di me e contro la casa del padre mio!* E il Signore diventò clemente quando gli fu offerto un sacrificio di riconciliazione. Buona cosa è dunque l'umiliarsi, che ha preservato il re e il popolo. E così, dopo la riappacificazione con il Signore, Davide esclama: *È un bene per me l'essermi umiliato*.

23. È buona cosa dunque l'umiliarsi, soprattutto se gli si accompagna la volontà di essere devoti. Perciò Davide chiede di essere vivificato secondo la Parola, per vivere secondo la Parola e per compiere ogni azione con razionalità, non secondo il volere della carne. Così può essere interpretata anche in senso morale [34] quella espressione mistica: *In principio era la Parola e la Parola era presso Dio e la Parola era Dio. Essa era in principio presso Dio. Tutto fu fatto per mezzo suo e senza di essa nulla è stato fatto.* Anche tu fatti imitatore di Dio! In che senso imitatore? Forse che puoi fare il cielo o la terra o il mare? Certamente no. Ma per compiere ogni azione per mezzo della Parola, nulla senza la Parola. Per compiere tutto con razionalità, nulla senza razionalità, dato che tu — essere umano — non sei irrazionale, ma razionale [35].

24. Prosegue il versetto quarto: *Approva, o Signore, gli omaggi spontanei della mia bocca e insegnami i tuoi giudizi!* A chi si umilia viene infusa vita, come promette Dio, e chi ha infusa vita per opera dello Spirito di Dio è un servitore spontaneo. Fa moltissima differenza se si fa qualcosa di gradito a Dio spontaneamente o per costrizione [36]. Tant'è vero che il servitore spontaneo riceve il premio, mentre quello costretto non esprime che una forma di ossequio [37], come apprendiamo dall'insegnamento dell'Apostolo. Egli ha scritto: *Guai a me se non sarò evangelizzatore! Se agisco così, spontaneamente, ho la ricompensa. Se contro voglia, non si può non pensare ad un incarico impostomi*. Osserva come si com-

---

[33] Cf. *Expl. ps. XXXVII*, 14-15, ma si noti come qui Ambrogio corregga la svista dell'*Expl. ps. XXXVII*, dove il profeta risultava Natan e non Gad.

[34] L'interpretazione morale è quella lettura del testo sacro che tende ad «instaurare il regale dominio dell'intelletto sulle passioni» (*De Iac.*, I, 4): cf. il mio, *La dottrina esegetica...*, pp. 248 s.

[35] La distinzione tra uomo, essere razionale, e gli altri esseri irrazionali è già presente — a questo stesso proposito — in Origene, in Harl, SCh 189, p. 364, 5-12.

[36] Lo stesso motivo, ma «orchestrato» con citazioni bibliche diverse, si trova in Origene, in Harl, SCh 189, p. 366, 1-9.

[37] Cf. *Expl. ps. I*, 30: *Plurimum enim refert, quia in uoluntate mercedis est fructus, in necessitate dispensationis obsequium*.

stis arbitrii. Liber erat ex omnibus et omnium seruus est factus <sup>d</sup>
— uoluntate utique, non necessitate —, ut plurimos lucraretur <sup>e</sup>.
His quoque, qui legis uinculo tenerentur, quasi sub lege esset se
exhibuit, cum sub lege non esset, ut eos seruaret qui sub lege
uiuebant. Infirmis infirmus factus est, ut infirmos adsumptione
infirmitatis propriae sustineret, omnibus omnia factus est non
legitima necessitate, sed uoluntatis obsequio. Aperuit mihi huius
altitudinem consilii in epistula ad Philemonem scripta, quia quod
ipse esset alium esse uellet, ut uoluntate potius quam necessitate
detulisse domino uideretur. Itaque pro Onesimo interueniens sic
ait: *Tu autem illum ut mea uiscera suscipe; quem ego uolueram
mecum detinere, ut pro te mihi ministraret in uinculis euangelii,
sed sine consilio tuo nihil uolui facere, ne uelut ex necessitate bonum
tuum esset, sed uoluntarium* <sup>f</sup>. Quam sedulus suasor, qui cum esset
uas electionis diuinae <sup>g</sup>, consortium consilii non dedignabatur
alieni, ne alterum fructu uoluntatis propriae defraudaret! Recte
ergo Dauid ait quasi propheta: *Voluntaria oris mei conproba, domine* <sup>h</sup>, oris sui offerens domino sacrificium uoluntarium, eo quod
ut apis illa prophetica bonos flores colligere ore consueuerit,
fauos ore fingere, mella ore conponere et ex herbis suauibus ore
filios legere, quae, *cum sit,* inquit, *robore infirma, sapientiae praedicatione substantiae suae producit aetatem* <sup>i</sup>. Quod sit istud uoluntarium oris sacrificium, recognosce: *Immola deo sacrificium laudis* <sup>l</sup>.

25.   Expectat dominus uoluntarios ministros. Denique in libro Esaiae dicit dominus: *Quem mittam?* <sup>a</sup>. Vtique seruulo suo
poterat imperare, quem dignum qui mitteretur inuenerat, sed
maluit eum spontaneae oblationis non fraudare mercede, qui ut
ipse se offerret praestolatus est. Et quamuis eius sciret affectum,
expectauit tamen uocem, ut cumularet gratiam. Vnde se offerens
Esaias ait: *Ecce ego, mitte me* <sup>b</sup> et sic postea est missus ad populum.
Ideo de eo dictum est, quia *Esaias audet et dicit* <sup>c</sup>. Etenim quasi

<sup>d</sup> Cf. 1 Cor 9, 19.
<sup>e</sup> Cf. 1 Cor 9, 21-22.
<sup>f</sup> * Philem 12-14.
<sup>g</sup> Cf. Act 9, 15.
<sup>h</sup> * Ps 118, 108.
<sup>i</sup> * Prou 6, 8.
<sup>l</sup> Ps 49, 14.
25. <sup>a</sup> Is 6, 8.
  <sup>b</sup> Ibid.
  <sup>c</sup> Rom 10, 20.

porta uno spontaneo esecutore della decisione del Cielo! Era libero da tutti e si è fatto servo di tutti [38] — di sicuro spontaneamente e non per costrizione —, per guadagnare le moltitudini. Anche a costoro, che si trovavano vincolati dal legame della Legge, si è presentato come uno sottomesso alla Legge — mentre invece non lo era —, per salvare quelli che vivevano sottomessi alla Legge [39]. Si è fatto debole con i deboli, per sostenere i deboli, facendone propria la debolezza. Si è fatto tutto a tutti, non per una costrizione impostagli dalla Legge, ma per un'obbedienza spontanea. Ci ha spalancato la profondità del suo disegno nella sua Lettera a Filemone: voleva, cioè, che egli fosse diverso da quello che in realtà era, in modo da apparire devoto al Signore piú per spontanea volontà che per costrizione. E allora, nel suo intervento a favore di Onesimo, esclama: *Tu però accoglilo come carne della mia carne. Avrei voluto trattenerlo con me, perché mi servisse per te nelle catene che porto per il vangelo. Ma non ho voluto fare nulla senza interpellare te, perché un tuo gesto di bontà non fosse, per cosí dire, costretto, ma spontaneo.* Come sa convincere con premurosità! Pur essendo il Vaso dell'elezione del Signore, non disdegnava di ricorrere al parere di un altro, per non privarlo del frutto d'un suo atto spontaneo. Giustamente dunque Davide ha esclamato, come profeta: *Approva, o Signore, gli omaggi spontanei della mia bocca!* Egli offriva al Signore il sacrificio spontaneo della sua bocca, proprio perché — come quell'ape [40] del profeta — sapeva scegliere con la sua bocca i fiori succulenti, sapeva con la bocca dar forma ai favi, sapeva con la bocca plasmare il miele e raccogliere con la bocca i suoi piccoli da erbe zuccherine [41]. Ed essa, *pur avendo* — si dice — *piccole forze, manifestando una sua saggezza, prolunga la durata della propria razza.* Sappi riconoscere quale sia questo spontaneo sacrificio della bocca: *Dedica a Dio un sacrificio di lode!*

25. Il Signore aspetta i servitori spontanei. Tant'è vero che, nel Libro di Isaia, il Signore dice: *Chi manderò?* Certo, avrebbe potuto dare un ordine a quel suo servo [42], che aveva giudicato degno di quella missione. Ma preferí non privarlo della ricompensa dipendente da un offrirsi spontaneamente e ne attese l'offerta. E, quantunque ne conoscesse l'intenzione, ne aspettò tuttavia la voce per accrescerne il merito. Perciò Isaia, offrendosi, esclamò: *Eccomi, manda me!* E cosí fu poi inviato al popolo. È questo il motivo per cui è stato detto: *Isaia ardisce e dice.* E difatti, come

---

[38] Si tratta di Paolo.

[39] Cf. *Expl. ps. XLIII*, 62.

[40] Il riferimento all'*ape* e la citazione che segue figurano solo nella versione pregeronimiana di Prov 6, 8: cf. GEROLAMO, *In Hiezech.*, I, 3, 3: *et in prouerbiis de ape dicitur, quamquam hoc hebraea non habeant exemplaria:* «*Vade ad apem...*» (CChL 75, p. 32).

[41] Cf. *Exam.*, V, 67; VIRGILIO, *Georg.*, IV, 200 s.: *uerum ipsae e foliis natos et suauibus herbis / ore legunt.*

[42] Si tratta di Isaia.

uoluntarium organum uberiore spiritus sui gratia Christus impleuit.

26. Nec otiose hoc positum puto, quia uoluntaria oris sui placere desiderat domino [a]. Multi prophetae, sed non in omnibus oris uoluntaria placent. Excusabat Hieremias dicens: *Qui es dominator domine, ecce nescio loqui, quia iuuenior sum ego* [b], et dixit ei dominus: *Quocumque misero te abibis et secundum omnia quaecumque mandauero tibi loqueris* [c]. Verecunde propheta aetatem corporis praetendebat, ne exequendis caelestibus imperatis inpar esse adulescentia deprehenderetur. Sed deus, qui morum magis quam annorum considerandam iudicaret aetatem et in iuuenali corpore maturitatem robustae sapientiae in suo seruulo praeuideret, ait: *Noli dicere quia iuuenior sum ego* [d], hoc est: prohibuit eum iuuenalis aetatis contemplatione uires suas perpendere, cui fides canitiem sapientiae ministraret. Et iterum in posterioribus cum dixisset idem propheta: *Seduxisti me, domine, et seductus sum* [e]. *Et dixi: Non nominabo nomen eius et non loquar in nomine eius ultra* [f], addidit: *Et factus est in corde meo ut ignis ardens flammans in ossibus meis et dissolutus sum undique et ferre non possum* [g]. Aduertimus igitur quod his etiam, qui excusandum aut officium suum certa aliqua causa negandum putauerint, dominus tamen noster aut ratione persuadeat aut cupiditate propheticae reuelationis inspiret, ut ad subeundum officium uoluntate concurrant, non necessitate concedant, quo merces ad eos integrae deuotionis possit plenior peruenire. Prophetauit et Caiphas: *Quia expedit unum hominem mori pro populo* [h], sed hoc uoluntarium oris ministerium non erat, quia loquebatur inuitus. Denique quid diceret nesciebat.

27. Quae ergo uoluntaria oris sui domino Dauid placere desiderat? *Elegi abiectus esse in domo domini magis quam habitare in tabernaculis peccatorum* [a]. *Audiam quid loquetur in me dominus deus* [b]. *Aperiam in parabolis os meum, loquar propositiones ab initio*

---

26. [a] Cf. Ps 118, 108.
 [b] * Ier 1, 6.
 [c] * Ier 1, 7.
 [d] * Ibid.
 [e] Ier 20, 7.
 [f] * Ier 20, 9.
 [g] * Ibid.
 [h] * Io 11, 50.
27. [a] * Ps 83, 11.
 [b] * Ps 84, 9.

---

26, 20 ratione... cupiditate *codd. (praeter Pm2*: cupiditatem*)*, rationem... cupiditatem *Petschenig.*

uno spontaneo strumento, è stato da Cristo riempito con un supplemento di ispirazione [43].

26.   Non credo che sia senza significato il dire che egli desidera siano graditi al Signore gli omaggi spontanei della sua bocca. Molti sono i profeti, ma non in tutti si ha il piacere di trovare gli omaggi spontanei della bocca. Ad esempio, Geremia si schermiva dicendo: *Tu che sei il padrone, o Signore, ecco, io non son capace di parlare, perché sono troppo giovane.* Disse a lui il Signore: *Dovunque ti manderò, tu andrai e parlerai in tutto e per tutto come io ti prescriverò.* Era timido, il profeta, e avanzava come scusa la sua giovane età: non voleva che gli rinfacciassero la sua giovinezza impari di fronte al compito di eseguire gli ordini del Cielo [44]. Ma Dio sapeva che era da valutare l'età morale piú che quella fisica e sapeva indovinare nel suo povero servo, sotto un aspetto giovanile, la maturità d'una saggezza vigorosa. Ed esclamò: *Non dire che sei troppo giovane!* In altre parole, gli vietò di valutare le sue capacità sulla base della sua età giovanile, perché la fede lo forniva d'una saggezza già canuta. E ancora, piú avanti, sempre questo profeta ha detto: *Mi hai sedotto, Signore, ed io mi sono lasciato sedurre. Ed ho detto: «Non pronuncerò il suo nome e non parlerò piú nel suo nome»;* e poi soggiunse: *E avvampò nel mio cuore come un fuoco ardente che mi bruciava dentro le ossa, ed io mi sono completamente disfatto e non posso sopportarlo.* Ci rendiamo conto allora che il Signore sa persuadere mediante la razionalità o infiammare col gusto della rivelazione — concessa ai profeti — anche quegli uomini che avevano pensato di avanzare scuse o di rifiutare, per qualche preciso motivo, il proprio incarico. Egli vuole che essi accorrano spontaneamente ad assumersi l'incarico e non che concedano un assenso forzato. Solo cosí può derivare loro una piú piena ricompensa per un atto religioso integrale. Anche Caifa fece una profezia [45]: *È meglio che un uomo solo muoia per il popolo.* Ma non si trattava allora d'un servizio spontaneo della bocca, perché egli parlava suo malgrado. Tant'è vero che non sapeva quel che diceva.

27.   Quali sono dunque *gli omaggi spontanei della sua bocca,* che Davide desidera siano graditi al Signore? *Ho scelto di essere spregevole nella casa del Signore piuttosto che abitare nelle tende dei peccatori. Ascolterò la parola del mio Signore in me. Aprirò la mia bocca in parabole, esporrò i racconti dei tempi antichi.* Ho

---

[43] L'ispirazione divina si innesta sulla volontaria assunzione di responsabilità da parte dell'uomo e si configura come un potenziamento delle caratteristiche personali dell'autore sacro: cf. il mio, *La dottrina esegetica...,* pp. 88-96.

[44] Cf. 2, 17; 13, 13; *Expl. ps. XXXVI,* 59. Ambrogio sa fiduciosamente rompere l'impaccio della tradizione, al proposito del valore da attribuire all'età giovanile. I suoi parametri di giudizio sono quelli dei *mores* e della *sapientia,* e non quelli dell'*aetas.*

[45] L'episodio, narrato da Gv 11, 50-51, è introdotto da Ambrogio per dimostrare che ci può essere anche una profezia *non volontaria:* lo dimostrano il verbo *prophetauit,* con il quale Gv 11, 51 connota la decisione di Caifa di sacrificare Cristo, e la precedente espressione: *hoc autem a semetipso non dixit,* che rivela, agli occhi di Ambrogio, il carattere non volontario della profezia.

*saeculi* [c]. *Paraui lucernam christo meo* [d]. Corpus suum quod erat
ante limosum et caeno hereditariae conluuionis obstructum, ut
oleum spiritale recipere non posset, Christo parauit, ut luceat.
Christo lucet cuius opera in Christi lucent lumine; Christo lucebat
Petrus, cum diceret: *In nomine Iesu Christi Nazareni surge et
ambula* [e]; Christo lucebat ille qui dicebat: *Sanat te dominus Iesus* [f];
Christo lucebat martyrum lucerna, qui pro Christo subiere martyrium; Christo lucebat Dauid, qui poterat dicere: *Cor meum et caro
mea exultauerunt in deum uiuum* [g]. Christo parauerat mentem,
cum de eo, a quo frequenter ad mortem fuerat adpetitus, diceret:
*Non mihi contingat a domino, si fecero hoc uerbum, domino meo,
christo domini inicere manum meam* [h]. Cum maiorem haberet
causam tuendae salutis suae, ut occideret persequentem, etiam
alios qui suadebant inimico non esse parcendum, quem dominus
iuxta promissum suum in manus ipsius tradidisset [i], ab eius necan-
di cupiditate reuocabat. Christo lucebat propheta, cum de eo, qui
patris domum turpi maculabat incestu [l], qui patris salutem parricidalibus proeliis adpetebat, pius tamen pater diceret ad proelium
profecturis: *Parcite filio meo Abessalon* [m]. Tacebat inprobitatis scelus, pietatis autem gradum et nomen necessitudinis praeferebat,
ut pugnaturi non aduersarium regis, sed filium cogitantes dolorem laesae pietatis inhiberent. Et post mortem eius operuit faciem
suam et magna uoce clamabat dicens: *Filius meus Abessalon, filius
meus* [n]. Hanc uocem parricida non meruit, sed Christi prophetabat
gratiam. Didicerat propheta de Christo bonus esse pater, qui bona
filio seruiebat [o].

28.   Denique ideo dicebat: *Et iudicia tua doce me* [a], quia iudicia dei sicut abyssus multa [b] et *inscrutabilia* [c], ut apostolus dicit.
Ideo non poterat ea nĩsi Christo docente cognoscere, quia unus

[c] * Ps 77, 2.
[d] Ps 131, 17.
[e] Act 3, 6.
[f] Act 9, 34.
[g] Ps 83, 3.
[h] * 1 Reg 24, 7.
[i] Cf. 1 Reg 24, 5.
[l] Cf. 2 Reg 16, 22.
[m]* 2 Reg 18, 5.
[n] * 2 Reg 19, 1.
[o] Cf. Mt 7, 9-11.
28. [a] Ps 118, 108.
   [b] Cf. Ps 35, 7.
   [c] * Rom 11, 33.

27, 29-30 bona filio *posui*, bono filio *codd.*, bono filii *Petschenig*.

*preparato la lampada per il mio unto,* il mio Cristo. Il suo corpo prima non era altro che fango ed era incrostato dalla sporcizia d'un disordine ereditario, tanto che non vi faceva presa l'olio spirituale. Egli l'ha preparato, in modo da renderlo lucente, per Cristo [46]. Uno è lucente di Cristo se le sue opere risplendono della luce di Cristo. Di Cristo era lucente Pietro, quando diceva: *Nel nome di Gesú Cristo il Nazareno, alzati e cammina!* Era lucente di Cristo lui che diceva: *È il Signore Gesú che ti guarisce.* Era lucente di Cristo la lampada dei martiri, che andarono al martirio per Cristo. Era lucente di Cristo Davide che poteva dire: *Il mio cuore e tutta la mia carne hanno esultato per il Dio vivente.* Aveva preparato il suo spirito per Cristo, quando diceva, a proposito di colui [47] che spesso cercava di ucciderlo: *Il Signore non voglia che io operi secondo questa parola contro il mio signore; che io levi la mia mano contro l'unto del Signore!* Pur avendo nella difesa della propria incolumità un motivo in piú per uccidere il suo persecutore, Davide distoglieva dal desiderio di ammazzarlo anche gli altri, che cercavano di convincerlo a non risparmiare il nemico che il Signore gli aveva consegnato nelle mani, secondo la sua promessa. Era lucente di Cristo il profeta, quando riusciva a restare padre devoto del figlio che gli aveva macchiato la casa con la vergogna dell'incesto, che attentava alla sua vita con una lotta parricida. E a quanti si accingevano a combattere diceva: *Risparmiate mio figlio Abessalon!* Faceva calare il silenzio su quel crimine disonesto, faceva invece prevalere l'intensità dell'affetto e il titolo della parentela, affinché i combattenti lo vedessero non come l'avversario del re, ma come il figlio, e trattenessero il loro risentimento contro chi aveva violato il rispetto. E, dopo la sua morte, si coprí il volto e gridava a gran voce queste parole: *Figlio mio Abessalon, figlio mio!* Non meritava questo appellativo il parricida, ma Davide era profeta della grazia di Cristo [48]. Il profeta aveva imparato da Cristo che buono era il padre che serviva al figlio cose buone [49].

28. Diceva, appunto: *E insegnami i tuoi giudizi,* proprio perché i giudizi di Dio sono profondi come l'oceano e imperscrutabili, come dice l'Apostolo [50]. Perciò non poteva apprenderli se non per insegnamento di Cristo, poiché è Cristo l'unico Maestro uni-

---

[46] Si tratta del tema platonico del fango e della purificazione: cf. 10, 46 e la nota 71.

[47] Si tratta di Saul.

[48] Davide è tratteggiato come re e come profeta nelle sue vicende familiari anche presso ILARIO, *Tract. ps. CXVIII,* 14, 13 (CSEL 22, p. 438).

[49] La proposta di leggere *bona filio* si appoggia su Mt 7, 11.

[50] Citazioni e tema analoghi si trovano in ORIGENE, in HARL, SCh 189, p. 366, 19-33.

magister omnium Christus·est <sup>d</sup>. Haec autem Christi iudicia sunt, ut his qui nobis insidiati fuerint nouerimus non uicem iniuriae rependendam, sed pro iniuria magis deferendam gratiam <sup>e</sup>. Denique maledicentibus non remaledixit, percutientes non repercussit <sup>f</sup>, sed magis etiam crucifixus pro persequentibus se piae intercessionis apud patrem auxilium deferebat dicens: *Pater, dimitte illis; non enim sciunt quid faciunt* <sup>g</sup>. Haec igitur quisquis fecerit legis iudicia, remuneratione donatur a Christo.

29.   Sed quis iudicia dei doceri potest nisi qui animam suam intenderit semper ad dominum, qui potest dicere: *Anima mea in manibus tuis semper, et legem tuam non sum oblitus* <sup>a</sup>? Aliqui habent: *Anima mea in manibus meis semper* <sup>b</sup>, hoc est «in actibus meis», hoc est «in operibus meis». Quamuis in periculis positus dicit iustus ad dominum: «Propter te cotidie morior, cotidie periclitor. Periclitor ab insidiatore, periclitor ab obtrectatore, periclitor ab his quos arguo, quos reuinco, periclitor pro ueritate atque iustitia. Ego tamen nec periculis territus tuae legis oblitus sum. Propterea in manibus meis anima mea». Sed quia plerique habent: *Anima mea in manibus tuis semper* <sup>c</sup>, hoc latius explanandum arbitror.

30.   Scit propheta, scit ubi animae suae praesidium locet, unde opem speret. In manibus dei constituere uult animam suam, quia *cor regis in manu dei* <sup>a</sup>. Quicumque proprium corpus subegerit nec eius passionibus turbari animam suam rector sui congrua uiuacitate permiserit, is bene regia quadam potestate se cohibens rex dicitur, quod regere se nouerit et arbiter sui iuris sit, non captiuus trahatur in culpam nec praeceps feratur in uitium. Huius anima non perit in aeternum nec quisquam rapit eam de manu patris omnipotentis aut filii <sup>b</sup>. Manus enim dei, quae solidauit caelum <sup>c</sup>, quos tenuerit non amittit.

31.   Quae sint igitur istae manus, consideremus. In Canticis habes: *Laeua eius sub caput meum et dextera eius conplectetur me* <sup>a</sup>. Hoc loquitur sponsa de Christo, anima de uerbo dei; Christus

---

<sup>d</sup> Cf. Mt 23, 10.
<sup>e</sup> Cf. Mt 5, 44 ss.
<sup>f</sup> Cf. 1 Pt 2, 23.
<sup>g</sup> Lc 23, 34.
29. <sup>a</sup> * Ps 118, 109.
  <sup>b</sup> * Ibid.
  <sup>c</sup> * Ibid.
30. <sup>a</sup> * Prou 21, 1.
  <sup>b</sup> Cf. Io 10, 28.
  <sup>c</sup> Cf. Ps 101, 26.
31. <sup>a</sup> * Cant 2, 6.

versale. Ma i giudizi di Cristo sono questi: saper resistere alla tentazione di ricambiare con l'offesa l'insidia dei nostri nemici, ma ricambiare l'offesa con maggiore benevolenza. Tant'è vero che Egli non gettò la maledizione su quelli che lo maledicevano né restituí il colpo a quelli che lo colpivano, ma, per di piú, anche sulla croce, concedeva l'aiuto della sua misericordiosa intercessione presso il Padre a favore dei suoi persecutori. E diceva: *Padre, perdona loro, perché non sanno quello che fanno*. Orbene, chiunque avrà compiuto questi giudizi della Legge, riceve la ricompensa da Cristo.

29. Ma chi può insegnare i giudizi di Dio? Solo l'uòmo che tiene sempre rivolta la sua anima al Signore e può dire: *La mia anima sta sempre nelle tue mani e non mi sono dimenticato della tua legge*. Alcuni riportano: «La mia anima sta sempre nelle *mie* mani», cioè: «nelle mie azioni», «nelle mie opere» [51]. Anche se si trova nel pericolo, il giusto dice al Signore: «Per te muoio ogni giorno, ogni giorno è messa a repentaglio la mia vita. È messa a repentaglio da chi mi tende insidie; è messa a repentaglio da chi mi calunnia; è messa a repentaglio da chi io accuso, da chi smaschero; è messa a repentaglio per la verità e la giustizia. Io però non mi sono fatto spaventare da questi rischi e non ho dimenticato la tua legge. Per questo la mia anima sta nelle *mie* mani». Ma siccome la maggior parte dei codici porta: «La mia anima sta sempre nelle *tue* mani», penso di dover dilungarmi di piú nella spiegazione di questa lezione [52].

30. Sa bene il profeta — oh, se lo sa! — in chi gli convenga riporre la difesa della propria anima, da chi sperare aiuto. Egli vuole collocare la sua anima nelle mani di Dio, perché *il cuore del re sta nella mano di Dio*. Il titolo di re spetta a chiunque sappia, da reggitore provvisto dell'energia richiesta, tener assoggettato il proprio corpo e non lo lasci sconvolgere l'anima con le sue passioni [53]. Costui sa dominarsi con un potere da re, perché sa reggere se stesso ed essere arbitro del proprio destino; non si lascia trascinare prigioniero in mano alla colpa né si butta a capofitto nel vizio. La sua anima non va nell'eterna rovina, nessuno sa strapparla dalla mano del Padre onnipotente o del Figlio. La mano di Dio, che ha fissato il cielo, non lascia la sua presa.

31. Riflettiamo allora di che mani qui si tratti. Nel Cantico dei Cantici si trova scritto: *La sua sinistra sotto il mio capo e la sua destra mi abbraccerà*. Cosí la Sposa parla di Cristo, l'anima parla della Parola di Dio: ma Cristo è nello stesso tempo Parola

---

[51] Questa lezione del versetto, commentata da Ambrogio, è modellata su ORIGENE, in HARL, SCh 189, pp. 366-368, sulla cui incompletezza può gettare luce il testo ambrosiano (cf. HARL, SCh 190, pp. 697 s.).

[52] Ambrogio accorda la sua preferenza alla lezione *tuis* anche in *De bono mort.*, 43-44. L'oscillazione tra *meis* e *tuis* è documentata da GEROLAMO, *Epist.*, 106, 75 (Labourt, V, pp. 140 s.) e da AGOSTINO, *Enarr. ps. CXVIII*, 23, 5 (CChL 40, p. 1743).

[53] Sul significato di *rex* come colui che sa dominare prima di tutto se stesso, cf. CICERONE, *De fin.*, III, 75. Ma il motivo rimonta (secondo COURCELLE, *Connais-toi...*, I, p. 119, nota 21) a PLATONE, *Alcib.*, 130a. Cf. anche *De Is.*, 16.

autem idem est uerbum dei atque sapientia [b]. Beata ergo anima
quam complectitur sapientia. Magna est sapientiae manus, magna
dextera totam complectitur animam. Tota enim munita est quae
desponsata uerbo est dei; *plenitudo* enim *sapientiae timere deum* [c].
Quae ergo deum timet anima pleno se munit ipsa praesidio. Mittit
sapientia laeuam suam sub collum eius, dexteram autem in com-
plexum eius [d]. Vtrumque quidem brachium eius ad utilia extendi-
tur, habent tamen propria sua singulae manus sapientiae; in dextera eius longitudo uitae est, in sinistra autem diuitiae et gloria [e].
Bonis utique manus utraque dotata est dotibus, in eo tamen
habent uarietatem sui muneris, quod et praesentia et futura tempora conprehendunt, ut laeua praesentium remuneratrix, dextera
futurorum sit.

32.  Possumus hoc etiam de prophetia sancti patriarchae
Israel cognoscere. Nam cum dexteram suam posuisset super
Ephraim, sinistram autem super Manassen et conuertere eas
Ioseph aetatum consideratione uoluisset, ut dexteram patris, super caput Manasse senioris filii conlocaret, noluit et dixit: *Scio,
fili; et hic erit in populum et hic exaltabitur, sed frater iunior maior
illo erit* [a]. In quo maior? In eo utique, quia benedictione praelatus
est, dicentibus posteris, hoc est Ephraim: *Faciat uobis deus sicut
Ephraim et Manassen* [b]. Vel quia semen eius multitudo gentium
sit quae in hoc saeculo laborem elegit, credens in dominum Iesum,
ut consolationem habeat futurorum. Manasse autem semen est
populus obliuionis, qui proprium oblitus auctorem exaltatus ad
tempus in hoc saeculo est, daturus in reliquum poenas graues,
quia deum suum et dominum denegauit.


33.  Hoc ideo diximus, ut probaremus ea esse potiora quae
futura sunt. Denique laeua sapientiae sub capite sponsae est,
dextera autem superior, quae totam conplectitur sponsam. Itaque
illa quasi fulcrum est quietis praesentis, quo anima innixa requiescit. Habet ubi reclinet caput suum, quia laeua sapientiae diuitiae
sunt et gloria [a]. Ad tempus haec demulcent et ex parte solacio
sunt. Et ideo filius hominis non habebat ubi caput suum reclina-
ret [b], quia, cum diues esset, pauper factus est [c] nec gloriam ali-

[b] Cf. Apoc 19, 13; 1 Cor 1, 24.
[c] * Eccli 1, 16 (20).
[d] Cf. Cant 2, 6.
[e] Cf. Prou 3, 16.
32. [a] * Gen 48, 19.
    [b] * Gen 48, 20.
33. [a] Cf. Prou 3, 16.
    [b] Cf. Mt 8, 20.
    [c] Cf. 2 Cor 8, 9.

di Dio e Sapienza. Beata dunque l'anima che viene abbracciata dalla sapienza [54]. È una mano grande quella della sapienza! Una destra grande tanto da abbracciare tutta l'anima. È difesa da ogni lato l'anima che è sposa della Parola di Dio: *È pienezza di sapienza il temere Dio.* Dunque, l'anima che ha timor di Dio si difende da sé con una difesa totale. La sapienza le pone la sua sinistra sotto la nuca, mentre la destra l'abbraccia. Certo, entrambe le braccia si protendono per beneficare; eppure ciascuna mano della sapienza possiede caratteristiche proprie: la sua destra ha lunga vita, la sinistra ricchezza e gloria [55]. Tutt'e due le mani, certo, sono dotate di qualità efficaci; tuttavia hanno una differenziazione di funzioni, che consiste nell'abbracciare il presente e il futuro: la sinistra ripaga nel presente, la destra nel futuro.

32.    Questa idea la possiamo ricavare anche dalla profezia del santo patriarca Israele. Egli aveva posto la sua destra sul capo di Efraim, la sinistra su quello di Manasse, e Giuseppe voleva che le invertisse, in considerazione dell'età: cioè che la destra del padre si posasse sul capo di Manasse, che era il figlio maggiore. Ma Israele non volle e disse: *Lo so, figlio. Anche lui diventerà un popolo ed anche lui sarà innalzato; ma il fratello minore sarà maggiore di lui.* Maggiore in che? Ma in quanto su di lui cadde la preferenza della benedizione, e la parola dei posteri — cioè di quelli di Efraim — dice: *Dio faccia con voi come con Efraim e Manasse.* Oppure per il fatto che la sua discendenza è quella moltitudine che ha scelto di soffrire in questo mondo, per fede nel Signore Gesú, per avere consolazione nel futuro [56]. La discendenza di Manasse è invece un popolo che non ricorda [57], che si è dimenticato del suo Creatore e che è stato innalzato temporaneamente in questo mondo. Ma che sarà punito gravemente nell'altro, perché ha rinnegato il suo Dio e Signore.

33.    Abbiamo detto questo per dimostrare che sono migliori i beni futuri. Tant'è vero che la mano sinistra della sapienza sta sotto il capo della sposa, mentre la destra le sta sopra, ad abbracciare tutta la sposa. Allora la prima si presenta come il fulcro del riposo nel tempo presente, il sostegno dell'anima che vi trova riposo. Essa ha dove appoggiare il capo, dato che la sinistra della sapienza sono la ricchezza e la gloria. Ma non sono che dolcezze temporanee e consolazioni parziali. E· il Figlio dell'uomo non aveva dove appoggiare il capo, proprio perché, da ricco qual era,

---

[54] A 5, 19 c'era l'interpretazione ecclesiologica (ippolitiana) di Cant 2, 6, qui si trova quella psicologica (origeniana).

[55] Lo stesso accostamento tra Cant 2, 6 e Prov 3, 16 si trova in AGOSTINO, *En. ps. CXLIII*, 18 (CChL 40, p. 2086): cf. TAJO, *Un confronto tra...*, pp. 133 s.

[56] Il nome *Ephraim* è interpretato come παράϰλησις nell'etimologia del *Codex Vaticanus* (cf. WUTZ, *Onomastica sacra...*, p. 104). In *De patr.*, 4 è interpretato come *fecunditas fidei.*

[57] *Manasse* è interpretato come *obliuio* o *ex obliuione*, anche in *De patr.*, 4. Tale etimologia si connette all'uso di Filone (*De sobr.*, 28; *Leg. alleg.*, III, 93. C.W., II, p. 221; I, p. 133) e di Origene (*Comm. Ioh.*, XXVIII, 24, GCS 10, p. 420).

Sul significato del rapporto tra Efraim e Manasse in Ambrogio, cf. HAHN, *Das wahre Gesetz...*, pp. 169 s.

quam istius saeculi requirebat, quia uenerat non ut in portione, sed ut uniuerso humano generi subueniret, dicens: *Mihi irascimini quia totum hominem sanum feci sabbato?* [d], hoc est «totum», non ut facultatum conlatione ditaret, non ut honorum insignibus, non ut gloriae saecularis cumularet augmento — haec enim non habent beatitudinis et gratiae plenitudinem —, sed «totum» hoc est, quo longitudinem uitae conplecteretur aeternae. Neque enim communis uitae similis uita in dextera est sapientiae [e], sed longitudo uitae est, ut, qui accipit uitam a sapientia, non exiguitatem uitae, sed perpetuitatem et aeternitatis longitudinem adipiscatur.

34.    Bonus amictus aeternitas uitae. Hoc pallium sponsae custodes uoluerunt auferre murorum [a], quo primus homo fuerat exutus; sed anima deo deuota quaesitum diu tenendo et non dimittendo dilectum pretioso caritatis diuinae se uestituit inuolucro. Beati igitur qui tali pallio uestiuntur et amictum huiusmodi legis obseruatione meruerunt, quia non sunt legis obliti, sed quae erant legis operati sunt; nam qui praeter legem agit, legis oblitus est. Et ideo haec anima candida ascendit e terris, quia fulget amicta ueste sapientiae, et dicunt de ea uirtutes illae quae portas custodiunt caeli: *Quae est quae ascendit candida, innitens super fratrem suum?* [b], cum ea, quae posuit caput suum super laeuam sapientiae [c], ut aperiret manus pauperi [d], ad subueniendum inopi partis aut derelictis sibi, non inuasis atque direptis diuitiis uteretur, quae gloriae cupida bonis eam operibus adquisiuit, non inani saeculares iactantia dignitates ambiuit. Hoc est enim caput suum [e] et quoddam sensuum principale supra manum sapientiae constituere. Ea, inquam, anima meritis ascendit albentibus ex isto uitae huius, ut habent plerique, deserto [f] ad illum florentem semper locum iucunditatis aeternae. Istae sunt uirtutes, quae et in Esaiae

· d * Io 7, 23.
  e Cf. Prou 3, 16.
34. a Cf. Cant 5, 7.
   b * Cant 8, 5.
   c Cf. Cant 2, 6.
   d Cf. Eccli 7, 32 (36).
   e Cf. Cant. 2, 6.
   f Cf. Cant 8, 5.

si è fatto povero [58]. E non ricercava una gloria in questo mondo, perché Egli era venuto non per una parte, ma per soccorrere tutto il genere umano. Diceva: *Vi arrabbiate con me perché ho dato salute a tutto un uomo in giorno di sabato?* «Tutto un uomo»: non gli interessava di arricchirlo con dotazioni di beni o con attestazioni onorifiche, né di accrescerlo con tanta gloria mondana: non sta qui la pienezza della felicità e della grazia. «Tutto»: gli interessava abbracciare la durata della vita eterna. Non è simile alla vita comune la vita che sta nella destra della sapienza: essa è vita che dura. Tanto che chi riceve la vita dalla sapienza non guadagna un filo di vita, ma una perpetua eternità.

34.   L'eternità della vita è un bel manto. È questo il mantello che le sentinelle delle mura hanno voluto strappare alla sposa: esso era la veste di cui fu spogliato il primo uomo. Ma l'anima fedele a Dio ha saputo tenere stretto e non lasciare il bene a lungo cercato, e si è messa il prezioso velo della carità divina. Beati quelli che si mettono un mantello di questo genere e che hanno ottenuto un tale rivestimento grazie all'osservanza della Legge: essi infatti non si sono dimenticati della Legge, ma hanno compiuto le opere della Legge. Chi agisce prescindendo dalla Legge, è dimentico della Legge. E quest'anima candida si solleva da terra proprio perché è vestita splendidamente dalla sapienza che la cinge [59]. Le potenze che presidiano le porte del Cielo dicono di lei: *Chi è costei che sale candida, appoggiandosi al suo diletto?* Dicono cosí perché ella, che aveva posto il suo capo sopra la mano sinistra della sapienza, per aprire le sue mani al povero, per soccorrere il bisognoso, usava le ricchezze che si era guadagnate o che le erano state lasciate, non ricchezze saccheggiate o rapinate. Ella, che amava la gloria e che l'ottenne con il buon operare, non ha desiderato onori mondani con vacua presunzione [60]. Questo vuol dire collocare il proprio capo e l'indirizzo dei pensieri [61] sopra la mano della sapienza. Quell'anima — sto dicendo — si solleva con la luminosa chiarezza dei suoi meriti da questo deserto (cosí riporta la maggior parte degli interpreti) [62] che è la vita di quaggiú e va verso quel giardino sempre in fiore che è la letizia eterna. Queste sono le potenze che, anche nel

---

[58] Cf. 3, 8; 13, 28 e le note 15, 41.

[59] Qui, a differenza che a 7, 36 (cf. nota 46), il *pallium* è la vita eterna, che era stata tolta al primo uomo dopo il peccato, ma che l'anima non dimentica della legge è riuscita a conservare per mezzo di opere di *sapientia*. Analogo senso si trova in *De uirginit.*, 48, dove il *pallium* è *amictus prudentiae* e *insigne philosophiae tuae* e dove *philosophia* designa, in via eccezionale per Ambrogio, o lo stile di vita cristiana perfetta (la verginità consacrata) o la dottrina di Cristo: cf. MADEC, *Saint Ambroise et...*, pp. 41-43.

[60] Le buone opere dell'anima che rispetta la Legge, sono ispirate dalla *sapientia*.

[61] Sulla dottrina del *principale*, cf. 10, 18 e nota 36.

[62] Infatti, tra i traduttori greci, solo ai Settanta risale la lezione corrispondente a *dealbata*, che è la piú comune nei Padri latini. Nelle altre traduzioni degli *Exapla* origeniani, si trova documentata la lezione corrispondente a *ex deserto*. Ambrogio si rivela incerto tra *candida/dealbata* e *ex deserto*: la prima lezione accoglie qui e in *De myst.*, 35; *De ob. Val.*, 77; *Apol. Dau.*, 59; *De interp.*, II, 16; *De Iṣ.*, 72. La lezione *a deserto dealbata* compare in *De sacr.*, IV, 5.

libro dicunt: *Quis est iste qui aduenit ex Edom, rubor uestimentorum ex Bosor, sic pretiosus in stola?* g. Istae, inquam, sunt quae mirantur ex isto confragoso scopulosoque deserto aliquam ascendere animam posse sine magnorum labe uitiorum, et ideo gratulantur repertam, quae uestimenta innocentiae naturalis non polluerit atramento insipientiae saecularis, sed spiritalis gratiae candore mundarit.

35.   Dicit ergo ea anima iam secura, iam laeta: *Posuerunt peccatores laqueum mihi, et de mandatis tuis non erraui* a. Digna uox relinquentis hoc saeculum, eo quod retia persequentium et insidiatorum laqueos euaserit. Vox digna martyribus, quibus multa supplicia proponebantur, multa etiam offerebantur praemia, ut a martyrii studio uel terrore poenarum et saeuae mortis horrore uel praemiorum reuocarentur inlecebra. Grauis laqueus proscriptionis, qui saepe frangit sanctos inopiae deformitate, quos mortis formido non fregerit, laqueus alius incendii, laqueus carceris diuturnique supplicii. Grandis laqueus, cum diuitiae promittuntur, cum honores, cum amicitiae tyrannorum. Qui ergo haec euaserit et ad martyrium potuerit peruenire, recte dicit: «Posuerunt peccatores laqueum mihi, sed a tuorum mandatorum non declinaui semitis» b, cui despicienti praesentia, futura quaerenti regnum caeleste diuinitatis tuae promissione reseratum est.

36.   Qui sunt isti peccatores qui posuerunt laqueos? Aperuit tibi apostolus auctorem omnium peccatorum et demonstrauit dicens: *Qui uolunt diuites fieri incidunt in temptationem et laqueum diaboli* a. Aduertis laqueum diaboli esse diuitias, quem tetendit etiam saluatori b? Sed ille, qui nihil habuit quod posset princeps istius mundi ueniens suum dicere c, laqueorum eius uincla dissoluit. Ac ne mediocrem hunc laqueum putes, hic laqueus Iudam apostolum strangulauit. Qui miser eum esset inlaqueatus ut proderet dominum, ubi aduertit quantum sceleris esset admissum, laqueo se ipse suspendit d. Sed et ipse laqueus diaboli fuit, ut non ageret paenitentiam, sed laqueo se suffocaret. Deus enim etiam in ipsos pius est proditores, ut ad paenitentiam prouocentur atque a flagitioso proposito reflectantur et resipiscant a diaboli laqueis, a quo capti tenentur ad ipsius uoluntatem e. Iam non aerumna

g * Is 63, 1.
35. a Ps 118, 110.
    b Cf. Ps. 118, 110.
36. a * 1 Tim 6, 9.
    b Cf. Mt 4, 9.
    c Cf. Io 14, 30.
    d Cf. Mt 27, 5.
    e Cf. 2 Tim 2, 26.

---

34, 21 pretiosus *codd.*, speciosus *Petschenig cum ed. Amerbachiana.*

Libro di Isaia, dicono: *Chi è costui che giunge da Edom, questo, vestito di rosso, che viene da Bosor, con una veste cosí preziosa?* Queste — sto dicendo — sono le potenze che si meravigliano che un'anima possa sollevarsi, senza macchia di vizi gravi, da questo deserto scabro e sassoso. E si rallegrano di averne trovata una che non abbia sporcato i vestiti dell'innocenza naturale con la nera pece della stoltezza mondana, anzi li abbia puliti col bianco colore della grazia che viene dallo Spirito.

35. È quell'anima ormai tranquilla, ormai beata che dice: *I peccatori mi hanno teso un laccio, ma io non me ne sono andata errando lontano dai tuoi comandamenti.* Parole degne di chi ha abbandonato questo tempo ed ha ormai evitato le reti delle persecuzioni e i lacci delle insidie. Parole degne dei martiri, ai quali si prospettavano molte torture e si offrivano anche molte ricompense per distoglierli dalla loro sete di martirio o con la paura delle pene o con l'orrore di una morte straziante o con le lusinghe delle ricompense. Duro laccio è la proscrizione [63], che, facendo balenare lo spettro della miseria, spesso abbatte quegli uomini fedeli che non si lasciarono abbattere dalla paura della morte. Altri lacci sono il rogo, la prigionia e lo stillicidio delle punizioni. Estremamente pericoloso è il laccio della promessa di ricchezze, di onori, di amicizie di potenti. Dunque, l'uomo che li ha evitati e che è riuscito a raggiungere il martirio ha il diritto di dire: «I peccatori mi hanno teso un laccio, ma io non ho deviato dai sentieri dei tuoi comandamenti». A lui, che disprezza i beni del presente e cerca quelli del futuro, è stato spalancato — secondo la tua divina promessa — il Regno dei cieli.

36. Chi sono questi peccatori che hanno teso i lacci? L'Apostolo ti ha spiegato e mostrato chi sia l'artefice di tutti i peccati, con le parole: *Quelli che aspirano a diventare ricchi cadono nella tentazione e nel laccio del diavolo.* Ti rendi conto che il laccio del diavolo è la ricchezza [64]? L'ha teso anche al Salvatore. Ma egli non aveva nulla che il principe del mondo, quando venne, potesse dichiarare suo, e cosí poté vanificare i legami dei suoi lacci. Non credere che si tratti di un laccio di poco conto: è riuscito a strangolare un apostolo: Giuda. Questo sventurato fu preso al laccio perché tradisse il Signore. Ma non appena si rese conto della gravità del delitto commesso, si appese da sé al laccio. Ma diventò cosí anche personalmente un laccio del diavolo, che gli impedí di fare penitenza e lo spinse ad impiccarsi. Si sa che Dio è paterno perfino con quelli che tradiscono, perché vuole chiamarli al pentimento, distoglierli dal proposito vergognoso e farli ravvedere dai lacci del diavolo, da cui sono tenuti prigionieri e a disposizione della sua volontà. Ormai la caduta non è una

---

[63] Cioè, la messa al bando e la confisca dei beni.
[64] Stesso tema del «laccio del diavolo» in ORIGENE, in HARL, SCh 189, p. 368, 2-4.

est incidisse, sed crimen, quia non solum se dedere capiendos, sed etiam ad uoluntatem diaboli tenentur adstricti, cum possint dicere: *Disrumpamus uincula eorum* [f]. Dedit enim tibi scriptura diuina, ut non solum caueas diaboli laqueum, sed etiam per paenitentiam eius uincla disrumpas.

37.    Quid tibi, homo, cum deliciis ac uoluptatibus? Non capit laqueus, nisi ante esca te ceperit; dum praedam petis, laqueo ipse te nectis. Esca laquei auaritia est, esca diaboli luxuries est, quibus nos uult inescare, non pascere. Et ideo clamabat apostolus: *Ne adtaminaueritis, ne gustaueritis, quae sunt omnia ad corruptelam ipso usu* [a]. Noli ergo adtaminare luxuriam, et illa te contaminare non poterit; noli gustare auaritiae corruptelam, et eris inmunis a laqueo. Quid tibi postremo cum terris, qui cum Christo resurrexisti? *Quae sursum sunt quaerite, ubi Christus est, quae sursum sunt sapite, non quae super terram* [b]. Mortui sumus terris, uitam nostram cum Christo abscondimus in deo nostro [c]; non iam nos uiuimus, sed Christus uiuit in nobis [d]. Quid iterum ad terrena remeamus? *Ecce elongaui fugiens* [e], dicit sanctus, uidi laqueos iniquitatis et contradictionis in ciuitate [f]; laquei sunt enim ubi est usura et dolus. Elongauit ille fugiens terrena dedecora, ideo ad caelestia peruenit praemia.

38.    Quid, inquam, te reflectis in terram, si in Enoch raptus ad caelum es [a], in Helia leuatus es curru [b], in Paulo raptus ad paradisum [c], conuersatus in caelis, in Dauid exauditus, ut pennas columbae adsumeres et uolares [d], in Christo exaltatus [e], uolucris factus in spiritu? Quando sicut columba descendit [f], illas tibi alas dedit, ut tu disceres euolare de terris. Neque uero cunctandum putes quomodo tibi uolandum sit quibus alarum remigiis. Dixit quidem Dauid: *Quis dabit mihi pennas sicut columbae, et uolabo et requiescam?* [g]. Et quasi dubitasse uisus est, a quo pennas posset accipere, licet sic soleat diuina gratia declarari quae in terris non potest inueniri. Idem tamen in posterioribus quae sint istae pennae docuit euidenter dicens: *Si dormiatis inter cleros medii, pennae*

[f] Ps 2, 3.
37. [a] * Col 2, 21-22.
   [b] Col 3, 1-2.
   [c] Cf. Col 3, 3.
   [d] Cf. Gal 2, 20.
   [e] Ps 54, 8.
   [f] Cf. Ps 54, 10.
38. [a] Cf. Eccli 44, 16; Hebr 11, 5.
   [b] Cf. 4 Reg 2, 11.
   [c] Cf. 2 Cor 12, 4.
   [d] Cf. Ps 54, 7.
   [e] Cf. Phil 2, 9.
   [f] Cf. Mt 3, 16.
   [g] Ps 54, 7.

disgrazia, ma un delitto, perché non solo questi si sono consegnati prigionieri, ma anzi sono tenuti incatenati a disposizione della volontà del diavolo. Mentre invece potrebbero dire: *Spezziamo i loro* [65] *legami!* La Scrittura divina ti ha dato la possibilità non solo di stare in guardia dal laccio del diavolo, ma anche di spezzare i suoi legami mediante il pentimento.

37. Che rapporto c'è, o uomo, tra te e le voglie che ti attirano? Il laccio non ti cattura se prima non ti ha catturato l'esca. Mentre afferri l'offa, ecco che ti impigli nel laccio. Il laccio ha come esca l'avidità, il diavolo ha come esca la lussuria, e con esse non vuole darci da mangiare, ma farci abboccare [66]. E perciò l'Apostolo gridava: *Non toccate! Non gustate quelle cose che sono tutte, per il loro stesso uso, fatte per la corruzione!* Non toccare la lussuria ed essa non potrà contaminarti. Non gustare la corruzione dell'avidità e sarai libero dal laccio. Che rapporto c'è, infine, tra te — che sei risorto con Cristo — e la terra? *Cercate le cose di lassú, dove sta Cristo; i vostri pensieri siano tesi alle cose di lassú, non a quelle della terra!* Noi siamo morti alla terra; la nostra vita è nascosta con Cristo nel nostro Dio; non siamo piú noi a vivere, ma è Cristo che vive in noi. Perché vogliamo ripiombare di nuovo nella terrestrità? *Ecco, mi sono allontanato di corsa,* dice l'uomo di Dio. Ho visto il laccio dell'ingiustizia e dell'antagonismo nella città. Ci sono lacci anche là dove c'è l'usura e la frode. Quello si è allontanato di corsa dalle infamie della terra e perciò è arrivato ai premi del Cielo.

38. Perché — dico io — ti ripieghi verso la terra, se in Enoch sei stato rapito al cielo? Se in Elia sei stato innalzato col cocchio? Se in Paolo sei stato rapito al paradiso e posto a vivere nel Cielo? Se in Davide sei stato esaudito ed hai preso le ali della colomba ed hai volato [67]? Se in Cristo sei stato sollevato, fatto uccello nello Spirito? Quando lo Spirito è disceso sotto forma di colomba, ti ha dato le sue ali perché imparassi a volartene via dalla terra. Non dovresti avere esitazioni nemmeno sul modo di volare, o con quali battiti d'ala [68]. Te l'ha detto proprio Davide: *Chi mi darà ali come quelle della colomba? E volerò e troverò pace.* Sembrò sfiorarlo un dubbio: da chi potrebbe ricevere le ali? Ma in questo modo si viene di solito ad esprimere l'intervento della grazia divina, che non si può trovare sulla terra [69]. Tuttavia piú avanti, con chiarezza, ha indicato quali siano queste ali, dicendo: *Se dormiste in mezzo ai poderi paterni, le piume della colomba avrebbe-*

---

[65] La citazione di Sal II, 3 non si dimostra grammaticalmente calzante: infatti, subito dopo, Ambrogio — parafrasandola — corregge *eorum* in *eius*.

[66] Il tema dell'esca/laccio è platonico (cf. *Tim.*, 69d) e caro ad Ambrogio, che lo applica alle tentazioni umane. Cf. anche 8, 36; 16, 3: COURCELLE, *Connais-toi...*, II, pp. 431 s.

[67] Il tema platonico del «volo dell'anima» (cf. *Phaedr.*, 246 ss.) è spesso usato da Ambrogio: cf. COURCELLE, *ibid.*, III, pp. 596-602. Cf. anche 15, 34.

[68] Cf. VIRGILIO, *Aen.*, VI, 19: *remigium alarum*.

[69] L'impossibilità, che emerge dall'interrogativo, rinvia alla somma potenza di Dio, che è in grado di vincerla.

*columbae deargentatae, et posteriora eius in specie auri* [h]. Etsi dormias, exsurgunt tamen pennae tuae. Sunt enim qui uigilant dormientes, ut uigilabat illa quae dixit: *Ego dormio, et cor meum uigilat* [i]. Etsi nox est, uigilat spiritus, de quo scriptum est: *De nocte uigilat ad te spiritus meus* [l]. Tunc tibi pandentur alae ⟨et⟩ ex eloquiis spiritalibus pretiosaque auri prudentia uolatus adsurgit. Vbi ergo laqueos poteris pertimescere, cui remigium praesto est spiritale? Si sinceritas animi, si puritas mentis adfulgeat, columba es. Ideo tibi dictum est: *Estote simplices sicut columbae* [m]. Si maiora desunt remigia, uel minora ne spernas. Esto uel passer, ut laqueos sagaci indage praeuideas et paene captus inlecebris peccatorum tamen aliquando reuocatus possis dicere: *Anima nostra sicut passer erepta est de laqueo uenantium; laqueus contritus est et nos liberati sumus* [n]. De quo quoniam alibi putauimus esse tractandum, nunc alio transeundum uidetur.

39.   Satis est tibi ut auem esse te noueris adsumptum in naturam uolandi, dicente domino per prophetam: *Liberate uos ex laqueo uenatorum et a uerbo conturbationis* [a], non enim iniuste tenduntur retia auibus [b]. Auis es, o homo, qui sicut auis in quandam aquilae renouatus es iuuentutem [c], et ideo non iniuste tenduntur retia auibus. Quid enim te in terram deicis, qui iam caelum petebas? Non iniuste renouato tenduntur retia, qui iam Christi esse coepisti, uenantium esse desisti. Ante te laqueo uenator, ante quasi praedam suam diabolus suo iure capiebat: nunc dominicae crucis mercem cur alienus incursat? Potes tamen etiam hos laqueos euitare, ne dicas: «Venantes ceperunt me sicut passerem», si laqueum cordis euadas quem misit diabolus in cor Iudae [d] et ita eum in facinus proditionis armauit. Auertat a nobis dominus hos laqueos quos super peccatores pluit. Et ideo dicit propheta: *Dabis illis, domine, laqueum cordis eorum quem parasti illis* [e]. Nobis autem da, domine, auxilium, ut post te sequamur tuis

---

[h] * Ps 67, 14.
[i] Cant 5, 2.
[l] * Is 26, 9.
[m] Mt 10, 16.
[n] Ps 123, 7.
39. [a] * Ps 90, 3.
  [b] Prou 1, 17.
  [c] Cf. Ps 102, 5.
  [d] Cf. Io 13, 2.
  [e] Cf. Ps 10, 6 (7).

---

38, 17 et *addidit Petschenig.*
  18 adsurgit *codd.,* adsurget *Petschenig.*

*ro riflessi d'argento e il suo dorso l'aspetto dell'oro*. Anche se tu dormissi, ecco che le tue ali si alzano. C'è chi sta sveglio pur dormendo, come sveglia stava colei che ha detto: *Io dormo, ma il mio cuore è sveglio*. Anche se è notte, è sveglio lo spirito del quale sta scritto: *Durante la notte sta sveglio per te il mio spirito*. Allora ti si spiegheranno le ali ed ecco che dalle parole spirituali e dall'esperienza, che ha il pregio dell'oro, si libra un volo. Dove dunque avrai da temere lacci, se hai a disposizione le vibranti penne dello spirito? Se risplendesse in te un animo schietto, una mente pura, saresti una colomba [70]. Per questo ti è stato detto: *Siate semplici come colombe!* Se ti mancano penne alari piú lunghe, accontentati di quelle piú corte. Sii almeno un passero, capace di prevedere i lacci con scaltra attenzione [71]. Per poco non catturato dalle lusinghe dei peccatori, una volta ripresosi tuttavia, è capace di dire: *L'anima nostra, simile a un passero, è stata strappata dal laccio dei cacciatori; il laccio è stato spezzato e noi siamo stati liberati* [72]. Ma siccome abbiamo ritenuto opportuno commentare altrove questo passo [73], ora ci sembra giusto passare ad altro.

39.  Ti basti sapere di essere un uccello, ammesso alla capacità di volare. Infatti il Signore, per bocca del profeta, dice: *Liberatevi dal laccio dei cacciatori e dalla parola che confonde!* C'è una buona ragione per cui si tendono le reti agli uccelli. Tu, uomo, sei un uccello e, come un uccello, sei stato fatto nuovo nella giovinezza dell'aquila: e per questo c'è una buona ragione per cui si tendono le reti agli uccelli. Perché ti abbassi verso terra, tu che già tendevi al cielo? C'è una buona ragione per cui si tendono le reti a chi è stato fatto nuovo: ormai hai cominciato ad appartenere a Cristo, hai cessato di appartenere ai cacciatori. Prima il cacciatore ti catturava col laccio; prima il diavolo ti catturava, come una sua preda, con il suo diritto; ma ora, che gli sei estraneo, perché attacca chi fu comprato dalla croce del Signore? Eppure tu hai la possibilità di sfuggire anche a questi lacci e di non essere costretto a dire: «I cacciatori mi hanno catturato come un passero». Purché tu eviti il laccio del cuore, che il diavolo ha collocato nel cuore di Giuda, innescandovi cosí l'arma delittuosa del tradimento. Distolga da noi il Signore questi lacci che Egli fa piovere sui peccatori! E perciò il profeta dice: «A loro darai, o Signore, il laccio del loro cuore, che tu hai predisposto per loro». A noi invece concedi, o Signore, il tuo

---

[70] L'immagine del «volo» è ben presente in Ambrogio come immagine dell'ascesa mistica, nella quale confluiscono elementi veterotestamentari, platonici e cristiani: cf. J. DANIÉLOU, *Les symboles chrétiens primitifs*, Paris 1961, pp. 77 ss. Il tema delle *alae* e del volo, rapportato alla dottrina (neo)platonica, è stato ampiamente documentato lungo la produzione di Ambrogio da P. COURCELLE, *Quelques symboles funéraires du néo-platonisme latin*, in «Revue des Études Anciennes», 46 (1944), pp. 66-73; *Nouveaux aspects du platonisme chez saint Ambroise*, in «Revue des Études Latines», 34 (1956), pp. 226-239.

[71] Cf. 17, 6.

[72] Stessa citazione al proposito in ORIGENE, in HARL, SCh 189, p. 368, 6-8.

[73] Cf. *Exp. eu. Luc.*, IV, 11-12.

alligati uinculis. Nulla enim uehementiora, nulla sunt gratiora
quam uincula caritatis. Qui tibi ligatus est, solutus est mundo.

40.  *Hereditaui testimonia tua in aeternum, quoniam exultatio
cordis mei sunt* [a]. Etiam ista uox martyrum est dicentium quod
hereditatem acceperint caelestium testimoniorum. Dicit ergo propheta: «Heres sum mandatorum tuorum, successionem tuam fidei
pietatisque iure quaesiui». Non potest dicere istud nisi qui mandata custodit caelo et terra [b] testibus adquisita. Dixit enim dominus:
*Audi, caelum, et percipe auribus, terra* [c]. Testatur elementa dominus
ad redarguendos eos, qui noluerint praecepta diuina seruare, ut
refugia omnia excusationis obsaepiat. Testatur et in homines dicens: *Estote mihi testes, et ego testis, dicit dominus* [d]. Mandata ergo
domini plena sunt testimoniis et ipsa sunt testimonia, quorum
satis idoneus testis est qui non mentitur deus [e], apud quem et
conscientia tua testis est [f], cogitationibus accusantibus aut etiam
defendentibus, satis fidelis etiam in infido pectore, quoniam arbi-
trum omnium quaecumque commissa sunt latere non possunt.
Nam si in iudicio terrestri etiam is, qui ad mentiendum uenerit
subornatus, tamen, si testimonio fuerit conuictus alterius, solet
prodere ueritatem, quanto magis in iudicio caelesti apud dominum Iesum necesse habet quae uera sunt confiteri, quem nouit
scire quod factum est!

41.   Et bene ait: *Hereditate quaesiui testimonia tua* [a], quoniam,
sicut ante heredes fuimus peccatoris, ita nunc heredes sumus
Christi. Illa fuit criminum, haec est uirtutis hereditas; illa nos
obligauit, haec soluit; illa obaeratos faenore delictorum adiudica-
uit inimico, haec redemptos dominicae titulo passionis Christo
adquisiuit. Mala Euae successio totum hominem deuorabat, prae-
clara Christi hereditas totum hominem liberauit. Non ad unum
quidem, non ad paucos, sed ad omnes testamentum suum scripsit
Iesus. Omnes scripti heredes sumus non pro portione, sed pro
uniuersitate. Testamentum commune est eius omnium, hereditas
uniuersorum et soliditas singulorum. Nouum tamen testamentum
et singuli adeunt et omnes possident nec minuitur heredi quicquid a coheredibus uindicatur. Manet emolumentum integrum et

40. [a] * Ps 118, 111.
    [b] Cf. Deut 4, 26.
    [c] * Is 1, 2.
    [d] * Is 43, 10.
    [e] Cf. Tit 1, 2.
    [f] Cf. Rom 2, 15.
41. [a] * Ps 118, 111.

41, 10  eius *codd.*, et ius *Petschenig.*

aiuto, di modo che ci mettiamo alla tua sequela dietro di Te, in cordata. Non c'è cordata piú forte o piú gradita della cordata della carità. Chi è legato a Te è sciolto al mondo.

40. *Ho avuto in eredità perpetua i segni della tua volontà, poiché sono essi l'esultanza del mio cuore.* Anche queste sono parole di martiri: essi dicono che hanno avuto l'eredità dei segni della volontà celeste. Dunque dice il profeta: «Sono erede dei tuoi comandamenti. Ho cercato di essere tuo successore col diritto che proviene dalla fede e dalla fedeltà». Cosí non può parlare se non chi sa conservare i comandamenti ricevuti al cospetto del cielo e della terra [74]. Il Signore infatti ha detto: *Ascolta, o cielo, e porgi l'orecchio, o terra!* Il Signore chiama a testimoni gli elementi per confutare quelli che non hanno voluto mantenere fede alle prescrizioni divine e bloccare cosí ogni scappatoia pretestuosa. Li chiama a testimoni anche nei confronti degli uomini, quando dice: *Siate miei testimoni, ed io pure testimonio, dice il Signore.* Dunque, i comandamenti del Signore abbondano di testimoni e sono testimonianze essi stessi. Basta la tua testimonianza che ne dà il Dio che non mente. In Lui anche la tua coscienza resta un testimonio sufficientemente fidato anche in un animo infido, in mezzo alle accuse o alle stesse giustificazioni dei propri pensieri, dal momento che qualsiasi azione umana non può sottrarsi al giudizio di chi tutto giudica. Anche nei processi di questo mondo succede che qualcuno sia prima istigato a mentire, ma che poi — se viene smentito da un altro testimone — riveli la verità. Allora, quanto piú, nel processo che si celebra in Cielo, c'è per l'uomo la necessità di confessare il vero davanti al Signore Gesú, che si sa che conosce ciò che è realmente avvenuto.

41. E giustamente ha esclamato: *Ho cercato quale eredità i segni della tua volontà.* Come prima siamo stati gli eredi del peccatore, cosí ora siamo gli eredi di Cristo. Quella era eredità di colpa, questa di virtú; quella ci ha incatenati, questa ci ha sciolti; quella ci ha assegnati al nemico, schiacciati sotto i debiti delle mancanze, questa ci ha dato in possesso a Cristo, riscattati dal tributo della Passione del Signore. Il peccaminoso retaggio di Eva inghiottiva tutto l'uomo; la splendida eredità di Cristo ha liberato tutto l'uomo. Gesú ha fatto testamento non certo a favore di uno solo né di pochi, ma di tutti. Tutti siamo stati designati eredi, e non eredi parziali, ma universali. Il suo testamento investe tutti; è l'eredità di tutti e la sicurezza di ciascuno. Tuttavia il suo nuovo testamento è accessibile a ciascuno e tutti lo possiedono: un erede non è svantaggiato se un coerede ne rivendica una parte. Il suo capitale resta intatto: anzi, quanto piú sono quelli

---

[74] La definizione di *testimonia* come *mandata... caelo et terra testibus adquisita* è presa da ORIGENE, in HARL, SCh 189, p. 192, 23-25: cf. anche il commento della HARL, SCh 190, pp. 559 s.

eo magis singulis crescit, quo pluribus fuerit adquisitum. Alia condicio est hereditatis humanae. Si diuisa fuerit, emolumenta minuuntur et heredis est damnum adscriptio coheredis. Indiuisum regnum Christi est, indiuisa hereditas. Quomodo fieri poterat, ut diuisa esset hereditas, cum hereditatis fructus sit indiuisus, quod est regnum caelorum? Aurum argentum praedium ab homine pluribus derelictum distribuitur ac secatur, solida singulos Christi dona perueniunt; omnes habent et nemo fraudatur.

42.    Audiamus igitur commoda hereditaria. Remissio peccatorum hereditas Christi est. Certe solida per singulos et in commune est lucratiua; quibuscumque enim conlata fuerit, nulli decedit, accedit omnibus. Corpori adquiritur quicquid unicuique relaxatur. Nam si angeli super uno peccatore paenitentiam agente laetantur [a], quia lucrum suum putant hominis redemptionem, quanto magis lucrum est generis quod est lucrum naturae! Hereditas Christi est resurrectio. Hanc quisquam damnum suum dixerit, quae in uno communis gratiae nomen inuenit? Christus enim resurgens omnibus resurrexit, quoniam per hominem resurrectio mortuorum [b]. Quomodo igitur potest singulorum esse dispendium quae est totius corporis et humani generis reformatio? Recitetur itaque testamentum et institutiones eius consideremus: *Testis est autem nobis et spiritus sanctus; cum enim dixerit: Hoc autem testamentum quod testabor ad illos, dicit dominus, dando leges meas in cordibus eorum, et in sensibus eorum scribam eas et peccati et iniustitiae eorum non ero memor* [c]. O uere testator aeternus, qui nostris cordibus leges adfigit suas et scribit in sensibus, ut nihil aliud cogitare nisi diuina praecepta possimus, nihil aliud sentire nisi dei oracula debeamus! Dedit gratiam, reformauit naturam, sibi qui obliuisci nihil solet memoriam meorum abstulit peccatorum, mihi dedit praeceptorum suorum.

43.    Noli ergo tollere de corde tuo legem dei et adfigere legem peccati; noli scribere in sensibus tuis diaboli inlecebras et dei delere mandata. *Ecce ego,* inquit, *pinxi muros tuos* [a], dicit dominus ad Hierusalem, hoc est ad animam studiosam tranquillitatis et pacis quam fecit ad imaginem suam. Noli, inquam, auferre imaginem caelestem et imaginem mortis inponere. Recusasti he-

42. [a] Cf. Lc 15, 7.
   [b] Cf. 1 Cor 15, 21.
   [c] * Hebr 10, 15-17.
43. [a] * Is 49, 16.

che lo ottengono tanto di piú ciascuno ne ha a disposizione.
Succede altrimenti per una eredità umana: se viene divisa, il
capitale cala e l'aggiungersi di un coerede procura una perdita
all'erede [75]. Il regno di Cristo è indiviso, indivisa ne è l'eredità.
Come poteva accadere che fosse divisa l'eredità, se indivisa è la
rendita di quell'eredità, cioè il Regno dei cieli? Oro, argento, beni
immobili, se l'uomo li lascia in eredità a piú di uno, vengono
distribuiti e suddivisi, mentre i beni di Cristo giungono a ciascuno
nella loro intatta consistenza: tutti li possiedono e nessuno ne
viene privato.

42. Sentiamo allora quali siano i vantaggi di quell'eredità!
Eredità di Cristo è la remissione dei peccati. Essa resta sicuramente intatta per ciascuno nella sua consistenza e fruttifera per tutti [76]:
di quelli a cui sarà assegnata, non decresce per alcuno, ma si
accresce per tutti. È un acquisto per tutto il corpo quello che è
un sollievo per il singolo membro. Infatti se gli angeli fanno festa
per un solo peccatore che si pente, perché considerano un loro
guadagno il riscatto dell'uomo, quanto piú allora è guadagno per
il genere umano quello che è un guadagno per la natura dell'uomo! Eredità di Cristo è la risurrezione. Qualcuno potrebbe mai
chiamarla un danno per sé, se essa, in uno solo [77], è diventata
titolo d'un dono fornito a tutti? Cristo risorto è risorto per tutti,
poiché la risurrezione dai morti è avvenuta per mezzo di un
uomo. Allora, come può essere una perdita per le singole membra
ciò che è una ricostituzione di tutto il corpo e del genere umano?
Si dia pertanto lettura del testamento e prendiamo in esame le
sue istruzioni: *Ma ce lo testimonia anche lo Spirito Santo, quando
ha detto: «Questo è il testamento che stipulerò per loro, dice il
Signore, nel dare le mie leggi, le iscriverò dentro i loro cuori e nei
loro pensieri e non mi ricorderò più del loro peccato e della loro
iniquità»*. Che testamento veramente eterno ci ha lasciato! Impri-
me nel nostro cuore le sue leggi e le iscrive nei pensieri, tanto
che non possiamo meditare su nient'altro che sulle prescrizioni
divine; tanto che non dobbiamo pensare a nient'altro che ai detti
di Dio. Ha donato la grazia; ha creato di nuovo la natura; a Sé,
che nulla può dimenticare, ha sottratto il ricordo dei miei peccati,
a me ha dato quello delle sue prescrizioni.

43. Non sradicare dunque dal tuo cuore la legge di Dio e
non imprimervi la legge del peccato! Non iscrivere nei tuoi pensieri le lusinghe del diavolo e non cancellarvi i comandamenti di
Dio! *Ecco che io* — dice — *ho dipinto le tue mura*, dice il Signore
a Gerusalemme: cioè all'anima appassionata della tranquillità e
della pace, che egli ha fatto a sua immagine. Non sradicare —
sto dicendo — l'immagine celeste e non sovrapporvi l'immagine
della morte! Hai rinunciato all'eredità di questo tempo. Conserva

---

[75] È qui enucleata la differenza tra beni spirituali (di comunione) e beni
materiali (di spartizione).

[76] Due aspetti dell'universalità dell'azione salvifica di Cristo: universalità quanto a pienezza di beni e quanto a totalità di destinatari.

[77] Cioè, in Cristo.

reditatem saeculi; serua Christi testimonia, quoniam in his exultatio atque laetitia est [b], quandoquidem omnis fletus delebitur et
mors non erit amplius neque luctus neque fletus neque clamor [c].
Passio Christi regni fuit imago caelestis. Nemo audiuit in plateis
uocem eius [d], quia illo silentio passionis suae clamorem omnem
in posterum impiae uocis abolebat. Nolebat fleri qui dicebat ad
filias Hierusalem: *Filiae Hierusalem, nolite me flere, sed uos ipsas
flete* [e]. Ablaturus enim omnes lacrimas suae beneficio crucis in
passione propria futurae instar beatitudinis exhibebat, ut nemo
fleret nisi qui Christi beneficia non teneret.

44.    Merito ergo uir euangelicus dicit: *Hereditate quaesiui
testimonia tua in aeternum, quoniam exultatio cordis mei sunt* [a].
Quis non exultet, quia caelum et terram hereditate quaesiuit,
quae duo elementa contestatus est etiam deus [b], cum legem daret,
quia quaesiuit deum de quo dicit sanctus: *Portio mea dominus* [c],
quaesiuit dominum Iesum, quaesiuit spiritum sanctum et post
illa quaesiuit angelos et cum illis uiuit non hodie tantum et cras,
sed in aeternum nec ullis pro nomine domini contristatur iniuriis?
Denique gaudebant apostoli cum uerberarentur, cum in carcerem
truderentur.

45.    Exultans igitur in testimoniis domini iure dicebat: *Inclinaui cor meum ad faciendas iustitias tuas in aeternum propter
retributionem* [a]. Qui retributionem bonorum operum sperat a deo
et ad eum festinat, inclinat cor suum, ut faciat Christi iustitias.
Quae est Christi iustitia? *Sine nos*, inquit, *implere omnem
iustitiam* [b], qua peccatum minuitur, culpa laxatur. Et bene ait
«inclinaui», ut non sit tibi arduum atque difficile, cum mentem
tuam quasi ad humilia et plana conuertas. Aut certe, quoniam
sapientia carnis legi dei non est subdita [c], uidetur inclinare cor
suum [d], qui legi facit esse subiectum extollentem se corporis
sensum et contuitu religionis inflectit. Atque ille dudum extollens
se frustra et inflatus mente carnis suae [e], cum se humiliat, inclinat.

[b] Cf. Ps 118, 111.
[c] Cf. Apoc 21, 4.
[d] Cf. Mt 12, 19.
[e] * Lc 23, 28.
44. [a] * Ps 118, 111.
    [b] Cf. Deut 4, 26.
    [c] * Ps 72, 26.
45. [a] * Ps 118, 112.
    [b] Mt 3, 15.
    [c] Cf. Rom 8, 7.
    [d] Cf. 2 Cor 10, 5.
    [e] Cf. Col 2, 18.

i segni della volontà di Cristo, perché in essi c'è esultanza e letizia; dal momento che sarà cancellato ogni lamento, non ci sarà piú spazio per la morte né per il pianto né per il lamento né per lo strepito. La Passione di Cristo è stata immagine del Regno dei cieli. Nessuno ha udito per le piazze la sua voce, perché, nell'alto silenzio della sua Passione, Egli eliminava per sempre ogni strepito di parole infedeli. Non voleva pianto su di Sé, Lui che diceva alle figlie di Gerusalemme: *Figlie di Gerusalemme, non piangete su di me, ma piangete su voi stesse!* Egli, che stava per estirpare — nella propria Passione — tutte le lacrime grazie alla sua croce, anticipava gli effetti della felicità futura: che non ci fosse pianto, se non laddove non fosse tenuto saldo il possesso delle azioni salvifiche di Cristo.

44.　　Ben a proposito dunque quell'uomo, già evangelico, dice: *Ho cercato quale eredità i segni della tua volontà, per sempre, poiché essi sono l'esultanza del mio cuore.* Chi non esulterebbe nell'aver cercato quale eredità il cielo e la terra? Questi due elementi sono stati chiamati a testimoni [78] anche da Dio, quando emanava la Legge. Chi non esulterebbe nell'aver cercato Dio, di cui l'uomo che gli è fedele dice: *Mia parte d'eredità è il Signore?* D'aver cercato il Signore Gesú; d'aver cercato lo Spirito Santo e, dopo di essi, gli angeli? E di vivere con essi non solo oggi e domani, ma per sempre? E di non rattristarsi di fronte agli insulti subiti per il nome del Signore? Tant'è vero che gli Apostoli si rallegravano delle percosse, quando venivano trascinati in prigione [79].

45.　　Orbene, esultando nei segni della volontà del Signore, legittimamente egli diceva: *Ho piegato il mio cuore a compiere le tue opere di giustizia per sempre, per esserne ripagato.* L'uomo che spera di essere ripagato da Dio delle sue buone opere e verso di Lui si affretta, piega il proprio cuore a compiere le opere di giustizia di Cristo. Qual è la giustizia di Cristo? *Lasciaci* — sta scritto — *portare a compimento ogni giustizia*, che attenua il peccato, che allenta la colpa. Ed è esatto dire: *Ho piegato*: si vuole farti capire come non si tratti di cosa particolarmente difficile, basta che tu rivolga il tuo intelletto a realtà, per cosí dire, terra terra e semplici [80]. Oppure, si può anche interpretare cosí: la sapienza della carne, si sa, non è sottomessa alla legge di Dio; allora dà l'impressione di piegare il proprio cuore l'uomo che riesce a rendere sottomesso alla legge il sentire del corpo inorgoglito e che lo fa curvare, ricorrendo alla devozione. E quello che prima si esaltava vanamente ed era gonfio di pensieri carnali, ora, abbassandosi, si piega.

---

[78] Cf. 14, 40 e la nota 74.
[79] Stesso riferimento alle persecuzioni degli Apostoli in ORIGENE, in HARL, SCh 189, p. 370, 8-11.
[80] «Piegare» indica rivolgere verso terra.

46.   Humiliauit enim et ipse se Christus, ut nouum conderet testamentum. Cum lego euangelium, audio filium dei carnem sumpsisse de Maria [a], uideor mihi cum Christo ipse descendere. Lego enim eum, *qui cum esset in forma dei semet ipsum exinaniuit, exinaniuit autem, ut formam serui acciperet, et specie inuentus ut homo humiliauit se usque ad mortem* [b], lego dicentem: *Qui se exaltauerit humiliabitur* [c], lego dicentem: *Venite ad me omnes qui laboratis et onerati estis, et ego uos reficiam. Tollite iugum meum super uos et discite a me, quia mitis sum et humilis corde* [d]. Non dixit: «Discite a me quia potens sum», non dixit: «Discite a me quia gloriosus sum», sed: *Discite a me quia humilis sum* [e], quod potestis imitari. Nolite uos extollere, nolite exaltare cor uestrum. Docuit me ergo humiliari et inclinare cor meum ad faciendas iustitias [f], non ad iniquitatem, sed ad aequitatem inclinare propter retributionem. Retributio regnum caelorum et paradisi est incolatus.

# XV
## Littera «Samech»

1.   «Samech» incipit littera quinta decima, quae interpretationem habet «audi». Est et alia eius interpretatio quae dicitur «firmamentum». Quid est «audi»? Non otiose dicitur quod commune est omnibus et suppetit uniuersis ipso iure naturae. Et ideo non est otiosum, quod admoneris ut audias, cum etiam inuiti et aliud agentes sonum tamen aut uocem audire solemus. Sed quia non est solum audire hoc quod suppetit officio naturae, sed etiam illud quod maius est, ut audias non usu tantum corporis quantum intellectu mentis, ideo diligentius considera istius litterae interpretationem seriemque uersuum qui secuntur.

2.   Vt noueris autem mysticum esse audire, ut audias et intellegas mysteria, de Iudaeis scriptum est, quia mysteria legis audierunt, sed non intellexerunt [a]. Vnde ait dominus: *Audi, populus meus, et loquar* [b]. *Lex* utique *spiritalis est* [c]; audi ergo spiritaliter.

---

46. [a] Cf. Mt 1, 16.
   [b] * Phil 2, 6-7.
   [c] Mt 23, 12.
   [d] * Mt 11, 28-29.
   [e] Cf. Ps 130, 1.
   [f] Cf. Ps 118, 112.

2.   [a] Cf. Is 6, 9; Mt 13, 13.
   [b] Ps 49, 7.
   [c] Rom 7, 14.

46.  Si è umiliato da sé anche Cristo, per stabilire il nuovo
patto. Leggendo il Vangelo, sento che il Figlio di Dio ha preso
carne da Maria e mi pare di discendere io stesso con Cristo. Leggo
di Lui che, *sussistendo nella forma di Dio, ha svuotato se stesso*, e
s'è svuotato *per assumere la forma di servo e, trovato uomo all'aspetto, ha umiliato se stesso fino alla morte*. Leggo che dice: *Chi si
esalta sarà umiliato*. Leggo che dice: *Venite a me voi tutti, che siete
travagliati ed oppressi, ed io vi ristorerò. Mettete sul vostro collo il
mio giogo ed imparate da me, che sono mite ed umile di cuore!* Non
ha detto: «Imparate da me che sono potente»; non ha detto:
«Imparate da me che sono glorioso», ma: «Imparate da me che
sono *umile*». Questo è alla portata della vostra imitazione. Non
esaltatevi, non fate insuperbire il vostro cuore! Mi ha insegnato
dunque ad umiliarmi e a piegare il mio cuore a compiere opere
di giustizia. A piegarlo non alla disonestà, ma all'onestà, per
esserne ripagato. Si è ripagati col Regno dei cieli e con la dimora
del paradiso.


# XV

## Lettera «Samech»


1.  Comincia qui la lettera «Samech», la quindicesima. Essa
significa: «ascolta!». Ha anche un altro significato possibile: «fondamento». Perché, «ascolta»? Non si dice tanto per dire, ché sarebbe inutile in quanto legato ad una funzione comune a tutti e di
cui tutti sono provvisti per legge stessa di natura. Anzi, non è
inutile l'invito ad ascoltare, proprio perché siamo abituati ad ascoltare suoni e voci anche senza volerlo o mentre siamo intenti ad
altro. Ma non c'è un solo modo di ascoltare: cioè quello legato
alle funzioni della natura; ce n'è bensí anche uno piú alto: si
tratta di quell'ascolto che è legato non all'esperienza del corpo,
ma alla comprensione dello spirito [1]. Per questo devi prendere
in considerazione piú attenta il significato di questa lettera e
dello svolgimento dei versetti successivi.
2.  Per farti capire poi che c'è una capacità mistica di ascoltare, di ascoltare e di capire le realtà mistiche, sta scritto a proposito
dei Giudei, che essi hanno ascoltato, sí, le mistiche realtà della
Legge, ma non le hanno capite. Perciò il Signore esclama: *Ascolta,
popolo mio, ed io parlerò*. Certamente *la legge è spirituale*: il tuo
ascolto sia dunque spirituale! Tant'è vero che l'uomo che era in
grado di ascoltare ha esclamato: *Ascolterò le parole di Dio dentro*

---

[1] Ritorna il motivo dei sensi spirituali che duplicano quelli fisici: cf. K. RAHNER,
*Le début d'une doctrine...*, cit.

Denique qui sciuit audire, ait: *Audiam quid loquatur in me deus* [d],
id est: Cognoscam quid locutus in me fuerit deus. Ideoque alibi
ait: *Quanta audiuimus et cognouimus ea* [e], ut conprehenderet non
solum audisse se, sed etiam intellexisse; nemo enim cognoscit
nisi prius intellexerit. Audi ergo, ne, si te uideat neglegentem,
ueniat Petrus, arripiat gladium, abscidat auriculam tuam [f], quod
superfluo habeas aurem corporis, qui audire et examinare non
noueris. Et fortasse uirtutem animae, qua examinantur quaecumque audiuntur, habeant amputatam, qui ea altitudine qua scriptum est audire non possunt.

3.  Meritoque hanc litteram «firmamentum» alii interpretati
sunt, quod cum superiore interpretatione concurrit; nisi enim
unusquisque audierit quid sequi debeat, nemo firmatur. In officio
igitur audiendi omnium firmamentum est.

4.  Dicit igitur tibi in Threnis Hieremias propheta per hanc
litteram: «Audi». Et ut scias mysticum esse quod audire debeas,
subiecit huiusmodi seriem huic litterae: *Abstulit omnes fortes meos
dominus de medio mei, uocauit in me tempus, ut contereret in me
electos meos; lacum calcauit dominus uirgini filiae Iudae* [a]. Non
tunc abstulit omnes Iudaeae fortes dominus, quando in Babylo-
niam regionem captiuus ductus est populus Iudaeorum, sed quando Christus aduenit et libertatem animae suae captiua non uidit,
nesciens grauibus incuruata peccatis mentis suae erigere cerui-
cem et quaedam fidei colla ad lucem cognitionis adtollere. Ideo
lacus factus est Iudaeis passio saluatoris, quae gentibus portum
salutis ostendit, quia crux domini non credentibus praecipitium
est, uita credentibus. Hac ratione praemisit «audi», ut futura
cognosceret.

5.  Alio quoque loco litterae huic ista subiecit: *Tenuerunt
super te manus omnes transeuntes per uiam, sibilauerunt et mouerunt caput suum super filiam Hierusalem; haec est ciuitas, dicent,
corona gloriae et iucunditas uniuersae terrae* [a]. Passionem saluatoris prophetans reliquit deflere Hieremias excidium Iudaeorum.
Quod cum ex aliis tum ex illo intellegi potest, quia in posterioribus
habet: *Spiritus ante faciem nostram Christus dominus conprehensus
est in interitu nostro, sub cuius umbra diximus: Viuemus inter*

---

[d] Ps 84, 9.
[e] Ps 77, 3.
[f] Cf. Mt 26, 51.
4.  [a] * Thren 1, 15.
5.  [a] * Thren 2, 15.

---

4, 14 cognosceret *codd.*, cognosceres *emendauit Petschenig.*

*di me*, cioè: «Conoscerò le parole che Dio ha detto dentro di me».
E in un altro punto esclama: *Tutto quello che abbiamo ascoltato l'abbiamo anche conosciuto*. Questo, per esprimere nello stesso tempo, non solo il suo ascolto, ma anche la sua comprensione. Non c'è conoscenza se prima non c'è comprensione. Ascolta dunque, se non vuoi che — vedendoti sbadato — arrivi Pietro, afferri la spada e ti tagli l'orecchio, col motivo che sarebbe superfluo per te avere l'orecchio del corpo se non sei in grado di ascoltare e valutare. E può darsi che abbiano amputato la capacità dell'anima di valutare le cose ascoltate quelle persone che non sono capaci di ascoltare con quella profondità tipica del testo.

3.    Ed hanno ragione altri di dare a questa lettera il significato di «fondamento». Esso si accorda col significato precedente. Se non si ascolta quale sia l'obiettivo da perseguire, non si può avere un fondamento. Orbene, il fondamento d'ogni azione sta nell'esercizio dell'ascolto.

4.    Orbene, tramite questa lettera il profeta Geremia, nelle Lamentazioni, ti dice: *Ascolta!* E perché tu sappia che ciò che devi ascoltare ha valore mistico, ha posto sotto il titolo di questa lettera la seguente scansione di idee: *Il Signore mi ha tolto di mezzo tutti i miei prodi, ha fatto calare su di me il tempo del logoramento dei miei eletti; il Signore ha calcato fino a fare una fossa per la vergine figlia di Giuda.* Il Signore non ha tolto di mezzo tutti i prodi della Giudea allorquando il popolo dei Giudei fu tradotto in cattività nella terra di Babilonia, bensí quando è venuto Cristo. E quella, schiava, non ha visto la libertà che si spalancava per la sua anima. Sotto il peso opprimente dei peccati, non sapeva drizzare la testa del suo spirito e sollevare — se posso dire cosí — il collo della fede verso la luce della conoscenza. E la Passione del Salvatore — che ha indicato alle nazioni pagane il porto della salvezza — è diventata per i Giudei una fossa, proprio perché la croce del Signore è un precipizio per chi non crede, vita per chi crede. Per questo motivo ha posto come titolo: *Ascolta!*: un ascolto che le permettesse la conoscenza delle realtà future.

5.    Anche in un altro punto, sotto il titolo di questa lettera, ha posto queste parole: *Hanno tenuto le mani sopra di te tutti quelli che passavano per la strada; hanno fischiato e scosso il capo sopra la figlia di Gerusalemme; diranno: «Questa è la città che era una corona di gloria e la gioia di tutta la terra!»* [2]. Facendosi profeta della Passione del Salvatore, Geremia ha cessato di piangere sulla distruzione dei Giudei. Lo si può capire da questo e da altri passi, se è vero che, piú avanti dice: *Lo spirito che era al nostro cospetto, il Cristo Signore, è stato catturato in nostra rovina, lui, sotto la cui ombra abbiamo detto: «Vivremo tra le nazioni».* Piú chiaro di cosí!

---

[2] Questo testo riceve la stessa interpretazione cristologica in *Expl. ps. LXI*, 18.

*gentes* [b]. Quid hoc manifestius, quando et nomen expressum est et conprehensio inter manus persequentium perfidorum est declarata et umbra uiuificans et gratia gentibus conferenda descripta est?

6. Sed etiam ipsa uerba significant quae in euangelio de passione domini legimus, quia hoc loco mors eius adnuntiata est per prophetam. Sic enim Matthaeus scripsit: *Transeuntes autem blasphemabant eum mouentes capita sua et dicentes: Vah qui destruebat templum dei et in triduo illud reaedificabat! libera te, si filius dei es* [a]. Vulgus populi cum insultat alicui, sibilare consueuit. Simul quia uocem non habebant, qui uerbum negabant, sicut inrationabilia animalia sibilabant et ideo transibant uiam qui in uia stare debuerant. Non stabant ergo quasi constantes, sed transibant quasi mobiles. Iusti autem pedes stabant in atriis Hierusalem [b], in quibus perfidi stare non poterant et ideo praeteribant [c] sicut Marcus significauit. Praeterit umbra, non ueritas. Dies eius sicut umbra praeterit [d] qui obliuiscitur, qui derelinquit. Sed et transire infideles legimus, sicut est illud: *Et uindemiant eam omnes transeuntes uiam* [e]. Quis enim nisi perfidus despoliat uineam Christi? Sed et alibi scriptum est: *Et non dixerunt transeuntes uiam: Benedictio domini super uos* [f]; stantibus enim dicitur: *Ecce nunc benedicite dominum* [g]. Tamen et in bono legimus transire, ut est illud Moysi: *Transiens uidebo hoc uisum magnum* [h], et qui uidit impium exaltatum ultra cedros Libani: *Transiui*, inquit, *et ecce non erat* [i], et nemo dicit seruo: *Transi, recumbe* [l].

7. Quae ergo distinctio sit consideremus, nisi forte illa, quia, ubi in bono accipitur transire, absolute dictum est, non dixit «hoc» aut «illud transiens», sed tantummodo «transiens», ubi in malo: *Transeuntes*, inquit, *uiam* [a]. Via enim bona est quae a commeantibus frequentatur, non facile incursatur a latronibus, qui auersa uiarum obsidere consuerunt; iter regale munitum est.

---

[b] * Thren 4, 20.
6. [a] * Mt 27, 39-40.
 [b] Cf. Ps 121, 2.
 [c] Cf. Mc 15, 29.
 [d] Cf. Ps 143, 4.
 [e] * Ps 79, 13.
 [f] * Ps 128, 8.
 [g] Ps 133, 1.
 [h] * Ex 3, 3.
 [i] Ps 36, 36.
 [l] Lc 17, 7.
7. [a] * Ps 79, 13.

C'è perfino l'indicazione del nome. È espressa chiaramente la sua cattura nelle mani dei persecutori senza fede ed è descritta l'ombra che dà la vita [3] e la grazia che sarebbe stata assegnata alle nazioni pagane.

6. Ma anche le parole stesse che leggiamo nel Vangelo sulla Passione del Signore rivelano che in questo passo, per bocca del profeta, è stata annunciata la morte di Cristo [4]. Cosí infatti Matteo ha scritto: *Quelli che passavano di lí lanciavano bestemmie contro di lui, scuotendo il capo e dicendo: «Ecco l'uomo che distruggeva il tempio di Dio e in tre giorni lo ricostruiva! Libera te stesso, se sei figlio di Dio!».* La gente comune del popolo, quando vuole oltraggiare qualcuno, lo fischia. Ma nello stesso tempo, siccome quelli che rinnegavano la Parola erano senza voce, ecco che emettevano fischi — come animali senza ragione — e per lo stesso motivo *passavano* per la strada, mentre vi avrebbero dovuto *sostare*. Non stavano dunque fermi [5], come persone costanti, ma passavano via, come volubili. Invece i piedi del giusto stavano ritti e fermi negli atri di Gerusalemme, dove non potevano sostare gli uomini senza fede, i quali per questo passavano oltre, come ha indicato Marco. Passa e va l'ombra, non la verità [6]. Passa e va, come un'ombra, il giorno dell'uomo che dimentica, che abbandona il suo posto. Ma noi leggiamo che passano anche quelli che non credono, come in quel passo: *...e la vendemmiano tutti quelli che vanno passando per quella strada.* Chi altri, se non chi non ha fede, saccheggia la vigna di Cristo? Ma c'è anche un altro passo dove sta scritto: *...e quelli che passavano oltre per la strada non hanno detto: «La benedizione del Signore sia sopra di voi!».* A quelli che stanno ritti e fermi, sí, viene detto: *Ecco, ora benedite il Signore!* Tuttavia si legge che c'è anche un valore positivo del verbo «passar via», come si trova nell'espressione mosaica: *Passerò oltre e vedrò questo grande prodigio* [7]. E colui che ha visto l'empio esaltato al di sopra dei cedri del Libano, dice: *Sono passato oltre ed ecco che non c'era piú.* E nessuno osa dire ad un servo: *Passa oltre! Vieni a sederti!* [8]

7. Cerchiamo di vedere dunque quale sia la differenza. Forse essa consiste nel fatto che, dove si avverte il significato positivo dell'espressione «passare», troviamo un uso assoluto del verbo; non si dice: «passare oltre questo» o «oltre quello», ma soltanto «passare oltre». Dove c'è un significato negativo, si dice: *Quelli che passano oltre la strada.* Bella è la strada che è frequentata da una folla di viandanti ed è meno esposta alle scorrerie dei briganti, che hanno l'abitudine di appostarsi nei luoghi discosti dalle stra-

---

[3] Si tratta dell'ombra della croce. Cf. *Expl. ps. XXXVI*, 36, dove il testo di Lam 4, 20 riceve un'interpretazione cristologica.

[4] Stesso collegamento tra Mt e Lam è in *Expl. ps. LXI*, 18. Sul tema del *transire* e del *mouere capita*, cf. *Expl. ps. XLIII*, 60-61, dove si individua anche un significato positivo del *mouere.*

[5] Il tema dello *stare*, di derivazione origeniana (cf. *Hom. Num.*, III, 3. GCS 30, p. 16) è ampiamente svolto in *Expl. ps. I*, 26; *XXXVI*, 67; *XLIII*, 61.

[6] Cf. *Expl. ps. LXI*, 18.

[7] Cf. *Expl. ps. XXXVI*, 47.77.

[8] Cf. *Expl. ps. XLVII*, 7.

Moyses autem non transiuit uiam, sed in uia stetit, cui dictum est: *Tu autem hic sta mecum* [b]. Stetit cum illo qui ait: *Ego sum uia, ueritas et uita* [c]. Hanc qui uiam transit, labitur. Moyses autem non lapsus est, sed pertransiuit a saecularibus ad spiritalia, a temporalibus ad aeterna. Et qui uidit impium nec remansit [d], sed pertransiuit, euasit, quia non adhaesit impio, ne fieret unum corpus [e], sed se ab eodem separauit. Et cui dicitur: *Transi, recumbe* [f], euadit utique laboriosam praesentem seruitutem, ut habeat gloriosam futurorum quietem. Et sponsae dicitur: *Ades huc a Libano, sponsa, ades huc a Libano; transibis et pertransibis a principio fidei* [g]. Transit et pertransit quae festinat ad sponsum, pertransit saeculum, transit ad Christum.

8.   Nunc discutiamus quid sit mouere caput. Quis est populi caput nisi Christus? Caput enim mulieris uir, caput autem uiri Christus [a]. Sed etiam lex caput intellegibilis mulieris; denique mulier sub lege tamquam sub uiro fuit. Mortificato autem ritu Iudaico, qui erat secundum litteram legis, innupsit ei mulier quia a mortuis resurrexit. Vnde quidam mystice interpretati mortificato ritu Iudaico tamquam fratri defuncti ritus ueteris euangelio mulierem illam intellegibilem nubere ex lege uoluerunt [b], quia lex euangelium fraterna quadam praedicatione praecessit. Ergo synagogae caput mortuum est, hoc est caput eius lex mortua est, obseruatio uidelicet legis, euacuata est legis littera, spiritalis eius intellectus adstruitur. Huius commotionis meminit Dauid in quadragesimo tertio psalmo dicens: *Posuisti nos in parabolam gentibus, commotionem capitis in populis* [c], eo quod a lege in euange-

[b] Deut 5, 31.
[c] * Io 14, 6.
[d] Cf. Ps 36, 36.
[e] Cf. 1 Cor 6, 16.
[f] Lc 17, 7.
[g] * Cant 4, 8.
8.   [a] Cf. 1 Cor 11, 3.
[b] Cf. Deut 25, 5.
[c] * Ps 43, 15.

de. La strada regia [9] è anche presidiata. Mosè però non è passato oltre, per la strada, ma vi si è fermato [10], quando gli è stato detto: *Ma tu resta qui con me!* Ed è rimasto fermo con Colui che esclama: *Io sono la via, la verità e la vita.* Chi passa oltre questa via, vacilla. Mosè invece non ha vacillato, ma è passato dalle realtà di questo tempo a quelle spirituali, dalle caduche alle eterne. E colui che ha visto l'empio, ma non si è fermato — bensí l'ha oltrepassato — è uscito illeso, perché non è rimasto attaccato all'empio a diventare con lui un corpo solo, ma se ne è staccato [11]. E l'uomo al quale si dice: *Passa oltre! Vieni a sederti!*, è ovviamente uscito illeso da questa faticosa schiavitú presente e gode il riposo glorioso della condizione futura. E alla sposa si dice: *Vieni qui dal Libano, sposa! Vieni qui dal Libano! Passerai e oltrepasserai l'inizio della fede.* Colei che si affretta verso lo Sposo, passa e oltrepassa: oltrepassa questo tempo, passa per dirigersi verso Cristo.

8.   Analizziamo ora il senso di «scuotere il capo» [12]. Chi è il capo del popolo, se non Cristo? L'uomo è capo della donna, ma Cristo è capo dell'uomo. Ma anche la Legge è capo della donna *ideale* [13]: tant'è vero che la donna fu soggetta alla Legge come fu soggetta all'uomo. Ma, venute a morire le forme rituali giudaiche che seguivano la lettera della Legge, la donna divenne sposa di Colui che è risorto da morte. Perciò alcuni esegeti hanno dato questa interpretazione mistica: alla morte delle forme rituali giudaiche, quella donna *ideale* [14] ha dovuto legalmente sposare il Vangelo, che è, per cosí dire, il fratello di quella vecchia ritualità defunta, dato che la Legge ha preceduto il Vangelo nella sua proclamazione, per cosí dire, fraterna [15]. Dunque, il capo della Sinagoga è morto, cioè è morta colei che era quel capo, la Legge (naturalmente, l'osservanza legalistica della Legge); fu svuotata la lettera della Legge e sulle sue rovine si edifica la sua intelligenza spirituale. Questo scuotere è ricordato da Davide nel Salmo XLIII [16], dove dice: *Ci hai fatto diventare un enigma per le nazioni pagane, davanti a noi i popoli scuotono il capo.* Questo perché è

---

[9] Cf. 5, 19 e nota 40.

[10] Cf. *Expl. ps. I*, 26; *LXI*, 19.

[11] Cf. *Expl. ps. XXXVI*, 77.

[12] Cf., in particolare, *Expl. ps. LXI*, 18 e, quasi letteralmente uguale, *Expl. ps. XLIII*, 62.

[13] Il fatto che qui Ambrogio faccia della Legge lo sposo (capo) rivela la dipendenza da una fonte greca, dove legge-νόμος è maschile. Per salvare la verosimiglianza poi Ambrogio ricorre al termine *ritus*. Un esplicito riferimento al greco νόμος e al suo genere maschile Ambrogio farà nell'ultima sua opera, l'*Expl. ps. XLIII*, 62. Sul motivo cf. anche *De uid.*, 29-32.

[14] Si tratta della Sinagoga.

[15] Alla fratellanza tra Legge e Vangelo si applica la legge giudaica del levirato (cf. Deut 25, 5-6), secondo la quale una donna rimasta vedova, senza prole, diventa sposa del fratello del marito defunto. Cosí, alla morte della Legge (che, essendo maschile in greco, rappresenta il primo marito del Popolo di Dio), subentra come marito il Vangelo. Mi pare però che qui non si parli semplicemente di morte della Legge, ma di morte del legalismo, dell'interpretazione carnale della Legge, e che si sottolinei la continuità tra Sinagoga e Chiesa. Sul motivo, in Origene e in Ambrogio, cf. HAHN, *Das wahre Gesetz...*, pp. 56 s.

[16] Cf. *Expl. ps. XLIII*, 56.

lium sit facta commotio quasi transitus quidam. In uicesimo autem et primo psalmo, in quo totius prophetatur serie passionis, sic habet: *Omnes qui conspiciebant me aspernabantur me et locuti sunt labiis et mouerunt caput. Sperauit in domino, eripiat eum; saluum faciat eum, quoniam uult eum* [d]. Mouerunt ergo legem quae inmobilis uidebatur et finis legis Christus [e] intrauit.

9.   Qui mouerant capita Pharisaei fuerunt, id est a ueritate diuisi, unde et in ueritatem non crediderunt. Sed et sic potest accipi: mouerunt caput suum Christum qui in sua uenerat [a], sed mouerunt eum, quia sui eum non receperunt. Mouerunt autem dicentes: *Tolle tolle, crucifige eum* [b]. Et mouerunt caput suum qui onera sua mouere nolebant, cum ligarent onera grauia et aliis inponerent, *ipsi autem digito*, inquit, *ea mouere nolunt* [c]. Quod est mysticum, quia corporalis ritus obseruationem numquam mutare uoluerunt et introducere intellectum spiritalem. Digitum pro spiritu legimus, ut lex digito dei scripta est [d], et ideo lex spiritalis est [e]. Noluerunt ergo onera sua mouere, quae sunt grauia, et leue Christi iugum atque onus eius suaue [f] suscipere.

10.   Verum quia passio saluatoris omnes redemit, non absurdum est intellegere ita hos mouisse capita sua, sicut prophetabat princeps ille synagogae: *Expedit unum hominem mori pro populo* [a]. Aliud dicere uolebat, aliud significabat. Et isti aliter mouebant caput quasi insultantes et aliud adnuntiabant, quia ipse erat qui uenit, ut pigrum illud atque terrenum principale hominum commoueret, quo euacuata obseruatione litterae mysterium quaereremus in uerbis. Vnde ait: *Posuisti nos in parabolam gentibus, com-*

[d] * Ps 21, 8-9.
[e] Cf. Rom 10, 4.
9.  [a] Cf. Io 1, 11.
[b] Io 19, 15.
[c] * Mt 23, 4.
[d] Cf. Deut 9, 10.
[e] Cf. Rom 7, 14.
[f] Cf. Mt 11, 29.
10. [a] * Io 11, 50.

avvenuto uno scuotimento — come un passaggio — dalla Legge al Vangelo [17]. Ma nel Salmo XXI, che è una profezia dello svolgimento di tutte le fasi della Passione, cosí riporta [18]: *Tutti quelli che mi guardavano, mi disprezzavano e mi hanno lanciato parole ed hanno scosso il capo: «Ha riposto speranza nel Signore, lo liberi lui! Lo salvi lui, se gli sta a cuore!».* Hanno dunque scosso via la Legge — che pareva irremovibile — ed è subentrato Cristo, fine della Legge [19].

9. Quelli che avevano scosso il capo erano i farisei, cioè coloro che sono divisi dall'unità della verità [20], e che perciò non hanno creduto alla verità. Ma si può anche intendere cosí: hanno scosso il loro capo, Cristo [21]. Egli era venuto in casa sua, ma l'hanno scosso via perché i suoi non l'hanno accolto. L'hanno scosso via, dicendo: *Sia levato di mezzo! Sia levato! Crocifiggilo!* Ed hanno scosso il capo, loro che non volevano scuotersi i loro carichi: essi legano per bene un carico pesante e lo addossano agli altri, *loro però* — si dice — *non lo vogliono smuovere nemmeno con un dito.* C'è qui un significato mistico: essi non hanno mai voluto modificare la rigida obbedienza ad una ritualità carnale e dare spazio ad una intelligenza spirituale. Noi leggiamo «dito», ma sta al posto di «spirito», come la Legge che è stata scritta dal «dito» di Dio (e perciò la Legge è spirituale!) [22]. Non hanno voluto dunque scuotersi di dosso i loro carichi, che sono pesanti, e addossarsi il giogo di Cristo, che è leggero, e il suo carico, che è soave.

10. Ma siccome la Passione del Salvatore ha riscattato tutti, non è assurdo interpretare che il loro scuotimento del capo abbia lo stesso valore delle profetiche parole di quel capo della Sinagoga [23]: *È meglio che un uomo solo muoia per il popolo.* Voleva dire una cosa e ne esprimeva un'altra [24]. Cosí costoro scuotevano il capo in un senso, come per schernire, e ne annunciavano un altro: cioè che era proprio Lui quello che era venuto a scuotere quella impigrita e terrena facoltà-guida degli uomini, e a farci cercare sotto le parole la realtà mistica, dopo avere svuotato la rigida osservanza della lettera [25]. Perciò esclama: *Ci hai fatto diven-*

---

[17] Cf. il motivo della μετάστασις, o *transmutatio de loco ad locum* in *Expl. ps. XLIII*, 65.

[18] Cf. *Expl. ps. LXI*, 18.

[19] Se la Legge è *caput*, «scuotere il capo» è come scuotere via la Legge: cf. *Expl. ps. XLIII*, 65.

[20] Cf. *Expl. ps. XLIII*, 63.

[21] Sui vari significati della *commotio capitis*, cf. *Expl. ps. XLIII*, 61 e la mia nota 70 in SAEMO 8, p. 155: questa è l'interpretazione che colà figura al numero 4).

[22] Cf. *Expl. ps. XLIII*, 65-66, che esplicita il passaggio da *digitus* a *spiritus*, attraverso il collegamento tra Mt 23, 4, Lc 11, 20 e Mt 12, 28.

[23] Cf. 14, 26.

[24] Si tratta d'una definizione del concetto di *allegoria*, quale troviamo espresso in *De incarn. dom. sacr.*, 66.

[25] Cf. *Expl. ps. XLIII*, 61 e nota 70 in SAEMO 8, p. 155, dove questa interpretazione figura come l'interpretazione numero 2): *moueri oportet oculos, id est mentis tuae sensus, ne aliquo torpore pigrescant. Moue ergo prudentiam tuam, moue sapientiam, moue cogitationes tuas.*

*motionem capitis in populis* [b]. Quod in bono utique accipitur, quia praemisit: *Et in nationes dispersisti nos* [c]. Dispersi sunt enim Iudaei, ut reliquiae eorum saluae fierent [d] secundum electionem gratiae, in parabolam autem positi, ut ea quae per parabolam dicta sunt reuelata esse illorum exitu disceremus uel eorum exemplo admoneremur cauere perfidiam. Tunc enim magis cognouit Hieremias Iudaeam esse deflendam et ideo Hierusalem captam esse tunc temporis prophetauit, quando redemptorem proprium non recepit. Illi igitur insultatur, de qua *dicent*, inquit: *Haec est ciuitas uniuersae terrae* [e], eo quod, ubi erat ante fidei iucunditas, ibi nunc sit amaritudo perfidiae, uel certe mouendo caput suum et de corporalibus ad spiritalia transeundo mereatur audire, cum crediderit in Christum, quod corona sit gloriae [f].

11.    Quae est autem corona gloriae nisi ecclesia [a], quae caput suum Christum coronat? Quae iucunditas uniuersae terrae [b] nisi domus populi christiani, aula sanctorum, de quibus scriptum est: *In omnem terram exiuit sonus eorum et in fines orbis terrae uerba eorum* [c]? Ergo quia corona gloriae est ecclesia, ideo dicitur in Canticis: *Egredimini et uidete regem Salomonem in corona qua coronauit eum mater eius in die sponsalium eius et in die iucunditatis cordis eius* [d]. Ad animas dicitur, ut e gurgustiis et claustris exeant corporalibus, extra corporis cogitationes exeant, egrediantur a cupiditatibus et a curis et a ceteris carnis istius affectibus et lubricis passionibus, supra mundum ascendant, de hoc mundo exeant, Christo occurrant, paratae adsint facibus ardentibus relucentes [e]. Quasi angeli Christi haec loquuntur: «Non potestis uidere claritatem eius et gloriam eius [f], nisi egrediamini humanae fragilitatis curas, filiae Hierusalem», quasi dicant: «Quid uiuentem inter mortuos quaeritis?» [g]. Non intra hunc mundum quaeritur Christus, qui supra mundum suos uoluit esse discipulos. Quae est corona qua coronatur Christus nisi corona gloriae? Ioseph coro-

b * Ps 43, 15.
c * Ps 43, 12.
d Cf. Rom 11, 5.
e * Thren 2, 15.
f Cf. 1 Thess 2, 19.
11. a Cf. Thren 2, 15.
b Cf. ibid.
c Ps 18, 5.
d * Cant 3, 11.
e Cf. Lc 12, 35.
f Cf. Io 17, 24.
g Cf. Lc 24, 5.

*tare un enigma per le nazioni pagane, davanti a noi i popoli scuotono il capo.* Il senso della frase è senz'altro positivo, perché prima aveva detto: *...e ci hai disseminati tra le razze.* Sono stati disseminati i Giudei perché il loro «resto» venisse salvato, secondo l'elezione della grazia. Ma sono stati fatti diventare un enigma vivente, perché quanto era stato detto in enigma noi imparassimo a coglierlo svelato nella loro fine o perché il loro esempio ci mettesse in guardia contro il rifiuto della fede [26]. Allora Geremia avvertí con piú chiarezza che sulla Giudea bisognava piangere, e per questo profetò che Gerusalemme era stata presa nel tempo in cui non accolse il suo Redentore. Quello scherno è allora rivolto ad essa, della quale *diranno* — egli afferma — *: Questa è la città di tutta la terra!* Proprio perché, dove prima albergava la gioia della fede, ora ci sarebbe la mestizia del rifiuto. Oppure perché essa, scuotendo il suo capo e operando un passaggio da carnalità a spiritualità, possa sentirsi chiamare — grazie alla sua fede in Cristo — «corona di gloria».

11.  Ma chi è «corona di gloria» se non la Chiesa, che incorona Cristo, il suo capo? Chi è «gioia di tutta la terra», se non la casa del popolo cristiano, la reggia dei santi, dei quali sta scritto: *La loro fama si è diffusa su tutta la terra e le loro parole hanno raggiunto i confini di tutto il mondo* [27]? La corona di gloria è la Chiesa. Proprio per questo nel Cantico dei Cantici si dice: *Uscite a vedere il re Salomone incoronato con la corona postagli dalla madre nel giorno delle sue nozze, nel giorno della gioia del suo cuore!* Si rivolge alle anime: esse sono invitate a scappare dai tuguri e dai recinti della carnalità, a scappare fuori dai pensieri legati alla carne, ad uscire dai desideri smodati, dalle preoccupazioni e da tutti gli altri istinti di questa carne, dalle passioni pericolose, a innalzarsi al di sopra del mondo, a scappare da questo mondo [28], a correre incontro a Cristo, a tenersi pronte nella luce di fiaccole accese. Come angeli di Cristo parlano cosí: «Non potete vedere il suo splendore e la sua gloria, se non uscite dalle preoccupazioni legate all'umana debolezza, o figlie di Gerusalemmè». È come se dicessero: «Perché cercate un vivo tra i morti?». Cristo non va cercato quaggiú nel mondo, Lui che ha voluto che i suoi discepoli si elevassero dal mondo. Qual è la

[26] Cf. *Expl. ps. XLIII*, 56.
[27] Questa citazione, che qui sembra slegata dal tema della *commotio capitis*, è invece strettamente ad esso connessa in *Expl. ps. XLIII*, 65: là essa rappresenta la *commotio capitis* dei Gentili in segno di commiserazione nei confronti dei Giudei, che hanno scosso via la sapienza. E lo scuotimento di capo dei Gentili, che ha dato avvio all'interpretazione spirituale della Scrittura, ha contribuito a diffondere la dottrina di Cristo su tutta la terra. C'è qui forse — anche se espressa in modo assai involuto — l'idea che il superamento dell'interpretazione legalistica e l'emancipazione del messaggio di Cristo dalle pastoie del letteralismo e del ritualismo giudaici, abbia contribuito alla diffusione del Cristianesimo nel mondo.
[28] Si congiungono qui i temi platonici del corpo come *gabbia/prigione* dell'anima (*Phaedo*, 82e) e quello del *volo dell'anima* (*Phaedr.*, 246 ss.), già uniti a partire da CICERONE, *De rep.*, VI, 14; *Tusc.*, I, 118. In Ambrogio essi si incontrano ancora in *De uirginit.*, 83; *De exc. fr.*, I, 73. Cf. COURCELLE, *Connais-toi...*, II, pp. 386-387 e nota 315.

nam habuit castitatis, Paulus iustitiae, Petrus fidei — singularum uirtutum coronae sunt —: solus Christus habet coronam gloriae qua eum ecclesia coronauit. In hac corona omnes coronae sunt, quia gloria non portio unius coronae, sed praemium omnium coronarum est.

12.  Tertia traditione mouerunt caput suum, hoc est Christum qui est caput suae plebis: *Caput eius aurum cephaz* [a]. Vnde Aquila *petram aurum* dixit, Symmachus *lapidem aureum* [b], quod significat stabilem eminentemque sapientiam. Corpus Christi ecclesia est [c]. Huius «caput aurum» sapientia pretiosa sanctorum est, hoc est uiri iusti atque prudentes. *Crines eius abietes, nigrae sicut corax* [d], de quo alibi ait: *Capillamentum tuum ut grex tonsarum* [e]. Ideo capillamentum, quia uirtus omnium sensuum in capite est; *oculi* enim *sapientis in capite eius* [f]. Profunda igitur doctorum prudentia, quae potest ea quae obscura sunt reuelare et alta aperire sensuum. Et huiusmodi disputatores crines ecclesiae sunt, sicut pulli coruorum, quibus dominus escam dat [g], sicut dedit sancto Iacob a iuuentute eius et eum pauit [h]. Hos altos ac profundos ubertate doctrinae pascit dominus caelestibus sacramentis.

13.  *Oculi* quoque *eius sicut columbae* [a]. Oculi sunt uiri uidelicet spiritalibus ornati sensibus, qui ad uidenda mysteria sunt acuti et parati ad penetranda scripturae secreta diuinae, rationabili lacte fungentes, in quibus non sit aliqua doli maculosa confusio, sed simplicis affectus pura et inmaculata sinceritas [b]. Ideo in aquarum abundantia lotas has columbas in lacte memorauit.

14.  Iam cetera, dentes et genas et sicut coccineum resticulum labia sponsae [a] intellegimus animae esse uirtutes doctorumque diuersitates, qui uel spiritalem menti alimoniam dispensatione sedula subministrent uel praedicatione dominicae crucis sicut uerbi quadam linea alligent audientem uel modestia uerecundi et iuuentutis flore gratissimi etsi a tractatu pudore reuocentur, redoleat tamen in his odor Christi [b] et, sicut in genas quasi de capite sacerdotali descendit unguentum [c], eluceat pulchritudo

12. [a] * Cant 5, 11.
    [b] Aquila et Symmachus, Cant 5, 11.
    [c] Cf. Col 1, 24.
    [d] * Cant 5, 11.
    [e] * Cant 6, 4.
    [f] * Eccle 2, 14.
    [g] Cf. Iob 38, 41.
    [h] Cf. Gen 48, 15.
13. [a] Cant 5, 12.
    [b] Cf. Cant 5, 12.
14. [a] Cf. Cant 6, 5-6.
    [b] Cf. 2 Cor 2, 15.
    [c] Cf. Ps 132, 2.

corona che cinge il capo di Cristo, se non la corona della gloria? Giuseppe ebbe la corona della castità, Paolo della giustizia, Pietro della fede: si tratta di corone di singole virtú. Solo Cristo possiede la corona della gloria, che gli è stata attribuita dalla Chiesa. È una corona che comprende tutte le corone, perché la gloria non è l'esito di una sola corona ma è il premio di tutte le corone.

12.   Secondo una terza interpretazione, essi hanno scosso il loro capo, cioè Cristo, che è il capo del suo popolo [29]: *Il suo capo è cefa [30] d'oro*. Perciò Aquila ha detto: «pietra d'oro» e Simmaco: «sasso d'oro». Si esprime l'idea di una sapienza stabile e di spicco. Corpo di Cristo è la Chiesa. E «capo d'oro» di essa è la preziosa sapienza dei santi, che sono gli uomini giusti e saggi. *I suoi capelli sono abeti, neri come il corvo*. A questo proposito, in un altro punto esclama: *Le tue chiome sono come un gregge di caprette*. Si parla di chiome, appunto perché la forza di tutti i sensi sta nel capo: *Gli occhi del sapiente stanno nel suo capo*. È ben profonda la sagacia dei dotti, se può svelare ciò che è oscuro e portare alla luce i recessi del pensiero. E i pensatori di tale razza sono i capelli della Chiesa, simili ai piccoli del corvo, che il Signore imbecca, come ha fatto con il suo Giacobbe fin da quando era giovane: e l'ha fatto crescere. Questi uomini, acuti e profondi per ricchezza di dottrina, il Signore li fa crescere mediante i sacri segni del Cielo.

13.   Anche *i suoi occhi sono come quelli della colomba*. Gli occhi sono dell'uomo, dotato ovviamente di sensi spirituali: hanno un'acuta percezione dei misteri e sono capaci di penetrare nei segreti della Scrittura divina; emanano lo splendore del latte [31], ma non di quello materiale; non c'è in essi miscuglio alcuno di inganno che li contamini, ma una schiettezza pura e immacolata d'un sentimento semplice. Per questo ha ricordato come, in mezzo ad acque abbondanti, queste colombe si siano lavate nel latte.

14.   Già abbiamo capito che gli altri connotati, i denti e le guance e le labbra della sposa — quasi una fettuccia scarlatta —, sono le virtú dell'anima e le diverse qualità dei maestri. Essi o forniscono allo spirito un alimento spirituale, distribuendolo premurosamente o, con la proclamazione della croce del Signore, avvincono l'ascoltatore, come se la parola fosse una corda, o, per quanto siano restii per pudore alle dissertazioni — consapevoli e timorosi come sono della loro modestia e fiorenti della bellezza della loro gioventú —, promanano pur sempre il profumo di Cristo e risplendono della bellezza della dottrina, al modo in cui lungo le guance si diffonde l'unguento che scende da quel capo sacerdo-

---

[29] Cf. *Expl. ps. XLIII*, 61 e la mia nota 70 in SAEMO 8, p. 155, dove questa figura come l'interpretazione numero 3).

[30] La *Vetus Latina* conserva la traslitterazione dell'ebraico, per la familiarità della denominazione di Pietro nel Vangelo.

[31] L'immagine del *latte* serve qui ad esprimere la chiarezza pedagogica del testo della Scrittura: cf. *De Is.*, 49 e il mio, *La dottrina esegetica...*, pp. 30-33.

doctrinae. Et hoc caput mouit synagoga et ideo abstulit dominus *mirabilem consiliarium et prudentem architectum et sapientem auditorem* [d], caput, inquit, *et caudam* [e], quoniam qui caput non tenuerant nouissima habere non possunt [f]. Sed iam ea quae adnexa sunt consideremus.

15.   *Iniquos odio habui et legem tuam dilexi* [a]. Quanto erga dominum propendat affectu, sanctus propheta Dauid hoc uersiculo declarauit, quia, cum suos inimicos nequaquam sit persecutus — utpote qui et regis Saul, a cuius insidiis periculum salutis cauere uix poterat, nec uitam putauerit adpetendam et mortem aestimauerit uindicandam et parricidae filii ingemuerit interitum et multorum persequentium se flagitiis adpetitus ignouerit, ut ipse ait, quia uicem iniuriae laedentibus non rependerit [b] —, praeuaricatores tamen diuinae legis exosos horrescat. In quo utique et clementia morum eius mansuetudoque pietatis et uehemens deuotionis aperitur intentio euangelici praecepti conueniens disciplinae, quam prophetico spiritu praeuidebat. Etenim dominus Iesus et nostrorum inimicorum dilectionem nobis expetendam esse praecepit [c] et dei hostes, etiamsi nobis aut parentum aut filiorum aut coniugii germanitatisque necessitudine copulentur, odio persequendos. Sic enim scriptum est: *Si quis uenerit ad me et non oderit patrem et matrem et uxorem et filios et fratres et sorores, adhuc etiam et animam suam, non est me dignus* [d].

16.   Quod si quis otiosis accipiat auribus, fortasse dicat: «Tu, domine Iesu, legem dedisti dicens: *Dilige dominum deum tuum* [a], *dilige proximum tuum* [b], et ut impleres hanc legem uenisti. Dixisti per legem: *Honora patrem et matrem* [c], et in euangelio iubes ut parentes oderim? Quomodo sibi conueniunt ista praecepta? Sic mitis et humilis corde [d] uenisti? Non possum saluo pietatis iure odisse patrem, cui debeo quod creatus sum, matrem longo decem mensium fastidio pii fetus onera portantem, cui in absolutione plus periculi, in dilatione plus taedii est. Quid dulcissimi merentur

[d] * Is 3, 3.
[e] Is 9, 14.
[f] Cf. Col 2, 19.
15. [a] Ps 118, 113.
[b] Cf. Ps 7, 5.
[c] Cf. Mt 5, 39.
[d] * Lc 14, 26.
16. [a] * Deut 6, 5.
[b] Leu 19, 18.
[c] Ex 20, 12.
[d] Cf. Mt 11, 29.

---

15, 9   exosos *codd.*, exosus *Petschenig cum ed. Amerbachiana.*

tale [32]. La Sinagoga ha scosso questo capo e perciò il Signore le ha levato *il consigliere ammirevole, il costruttore esperto e l'ascoltatore sapiente; il capo* — come dice — *e la coda*, dato che quelli che non hanno tenuto saldo il capo (che è il principio) non possono avere quello che ne segue alla fine. Ma ormai è tempo di analizzare quanto è a questa lettera collegato.

15.  *Mi furono odiosi gli ingiusti ed ho amato la tua legge.* Quanto il suo animo sia orientato al Signore, il santo profeta Davide lo ha manifestato in questo versetto. Egli non ha mai perseguitato i suoi nemici personali (non ritenne di attentare alla vita nemmeno del re Saul, alle cui insidie era esposta la sua vita che a stento riusciva a preservare; anzi, ha creduto bene di vendicarne la morte; poi pianse la morte del figlio che si era macchiato d'un delitto contro il proprio sangue [33] e, pur subendo le infamanti accuse dei suoi persecutori, seppe perdonare perché, come egli stesso dichiara, non restituí offesa a quelli che lo danneggiavano), eppure ebbe in orrore fino all'odio [34] i trasgressori della legge divina. Qui si rivela certamente la clemenza del suo animo, la mitezza del suo affetto paterno e la forte tensione della sua spiritualità, in armonia con la regola proposta dai precetti evangelici che egli — nella sua ispirazione profetica — anticipava. Infatti il Signore Gesú ci ha prescritto di ricercare l'amore dei nostri nemici e di perseguire con odio i nemici di Dio, anche se sono congiunti a noi da legami di paternità, di figliolanza, di matrimonio o di fratellanza. Cosí infatti sta scritto: *Se qualcuno viene a me e non odia padre, madre, moglie, figli, fratelli e sorelle, e ancora la sua vita stessa, non è degno di me* [35].

16.  Potrebbe esserci qualcuno che, accogliendo queste parole senza sforzarsi di capirle, dica: «Sei stato tu, Signore Gesú, quando ci hai dato la Legge, a dirci: *Ama il Signore Dio tuo, ama il prossimo tuo*, e a venire a realizzare compiutamente questa Legge. Nella Legge hai detto: *Onora il padre e la madre*, ed ora nel Vangelo ci ordini di odiare i genitori? Come si accordano tra loro queste prescrizioni? È questa la tua mitezza e umiltà di cuore con cui sei venuto? Non posso salvaguardare il sacro rispetto di figlio, se odio mio padre a cui debbo la vita; se odio mia madre che ha portato con amore il peso del mio corpo per lunghi e penosi dieci mesi [36], che, se fossero piú corti, significherebbero piú rischio e, se piú lunghi, piú molestie. Quale colpa hanno quelle carissime creature, che sono i figli, per essere esclusi

---

[32] Si esprimono qui tre metodi di spiegazione della dottrina da parte dei *docti*: 1) un metodo sapienziale, che nutre gradualmente; 2) un metodo profetico, che fa volentieri riferimento al mistero di Cristo; 3) un metodo testimoniale, che si esprime nelle opere della fede.

[33] Le figure di Davide e del figlio Abessalon sono introdotte, a questo proposito, già in ORIGENE, in HARL, SCh 189, p. 372, 3-6.

[34] La lezione *exosos* può essere suffragata anche da ORIGENE, in HARL, SCh 189, p. 372, 7-8: ὅτι μισεῖ [*horrescat*] τὰ μίσους ἄξια [*exosos*], τοὺς λόγους τοὺς 'παρανόμους'.

[35] Tema e citazione analoghi in ORIGENE, in HARL, SCh 189, p. 372, 4-5.

[36] Cf. VIRGILIO, *Ecl.*, IV, 61: *matri longa decem tulerunt fastidia menses.*

liberi, ut a paterno excludantur amore, cum sit impium mori nolle pro liberis? Quid uxor carissima, quaedam uitae coheres et consortium commune naturae? Quid fratres isdem concreti uisceribus atque formati eodem naturae hospitio in hunc usum lucis emissi? Oderim ergo pignora caritatis? Ita euangelii lenitate rigorem praedurae legis inflectis, ut, quorum lex condemnat iniurias, eorum tu euangelio tuo condemnes gratiam?».

17.   Video istiusmodi adsertioni me respondere non posse. Sed tu, domine, responde; nec enim indiges ut excuseris, qui non eguisti ut uinceres. Respondebit igitur: Egone condemno pietatem qui odi iniquitatem [a]? Ego parentes praecipio, non amandos qui inimicos suadeo diligendos [b]? Sed non legisti: *Tempus amandi et tempus odio habendi, et tempus belli et tempus pacis* [c]? De quo hoc dicit Ecclesiastes? Nonne de eo quod ratione temporis fiat, ut aliquos pie et amare et odisse possimus, ut quos dilexeris odisse et quos oderis amare conueniat? Non ego parentum infudi odia pectoribus filiorum nec coniugum suasi fastidia mentibus maritorum. Naturam interroga quid exegerim, quae utique auctoris arbitrium genitali singularum necessitudinum testatur affectu. Amare patribus filios lex naturae est, maritis coniuges lex diuina est [d], quae coniugii caritatem in naturam uertit, ut fiat una caro et unus spiritus. Diligere fratribus fratres naturae praerogatiua est, quae eodem domicilio diu fotos adsuefecit ad gratiam caritatis.

18.   Non ergo necessitudinum intestina bella mandaui, sed inlecebram suspectam habui. An non iure suspectam, cum serpens ille callidus et astutus ad construendas nequitiae suae artes, quo incorruptae ac rudis naturae dote fundatum primogeniti Adam labefactaret affectum, femineis magis inlecebris quam suis commisit uenenis? Itaque femina uirum, quem serpens temptare non ausus est, cibo oris et ui amoris inflexum molli quadam et conciliatricula uxoriae sedulitatis affectione traduxit. Et adhuc Eua liberos non habebat, quorum gratia ut dulcis ad amorem, ita facilis

17. [a] Cf. Hebr 1, 9; Ps 44, 8.
    [b] Cf. Mt 5, 44 ss.
    [c] * Eccle 3, 8.
    [d] Cf. Gen 2, 24.

dall'amore dei genitori, se è un sacrilegio evitare di dare per essi la vita? E l'amatissima sposa, che ha ereditato la nostra vita e divide con noi la sorte dataci dalla natura? E i fratelli, concepiti dalle stesse viscere e formatisi nello stesso recettacolo naturale e di lí sospinti a godere di questa luce? Dovrò dunque odiare quelli che sono i pegni dell'amore? È cosí che, con la dolcezza del Vangelo, ammorbidisci la rigidità d'una Legge troppo crudele, sé, mentre la Legge condanna i torti nei loro confronti, tu nel Vangelo ne condanni invece l'amore?».

17.   Mi rendo conto che io non so rispondere a questa affermazione. Ma sii tu, Signore, a rispondere. Non mancano gli argomenti per giustificarti, a Te, a cui non mancarono quelli per vincere. Cosí allora risponderà: «Sono io — che odio l'ingiustizia — quello che condanna l'amore? Sono io che prescrivo di non amare i vostri cari? Io, che mi sforzo di farvi amare i nemici. Ma non hai letto: *C'è un tempo per l'amore e un tempo per l'odio, un tempo per la guerra e un tempo per la pace?* A che cosa si riferisce qui l'Ecclesiaste? Non forse al fatto che rientra nella logica del tempo il poter amare e odiare qualcuno, serbando l'affetto? L'opportunità di odiare quelli che abbiamo amato e di amare quelli che abbiamo odiato? Non sono stato io a istillare nel cuore dei figli l'odio per i padri né a sospingere l'animo dei mariti all'insofferenza per le loro spose! Chiedi alla natura quali sono state le mie regole; ad essa che, con l'istintivo attaccamento proprio di tutti i vari legami di sangue, è buon testimone della volontà del suo Creatore. L'amore dei padri per i figli è una legge di natura. L'amore dei mariti per le loro spose è una legge di Dio, che ha convertito in fatto di natura l'amore coniugale, per dar vita ad un solo corpo e ad un solo spirito. L'amore tra fratelli è una tendenza tipica della natura, che ha trasformato in capacità d'amore il lungo calore goduto nel medesimo recettacolo [37].

18.   Dunque non ho ordinato io guerre interne alle famiglie, ma ho giudicato pericoloso il rischio della seduzione. Non ho ragione nel vedervi un pericolo? Quel serpente, scaltro nell'inganno, per dar corpo ai suoi malefíci e far vacillare il carattere del primo uomo, Adamo, che trovava salda base nel dono d'una natura incorrotta ed ingenua, si affidò alle arti di seduzione muliebri piú che ai suoi venefíci. E cosí la donna, con la tenerezza e le moine tipiche della gentilezza femminile [38], ha saputo trarre dalla sua parte l'uomo — che il serpente non aveva osato tentare —, dopo averlo ammorbidito con il cibo e con la forza del suo amore. E sí che Eva non aveva ancora figli, la cui amabilità, che

[37] Il rispetto di Ambrogio per la *natura* emerge anche qui, dove, diremmo, l'istinto naturale è rivelatore della volontà del Creatore. Non c'è quindi contrasto tra *lex naturae* e *lex diuina*, perché, se la prima tende istintivamente a produrre la *gratia caritatis*, la seconda a questa *caritas* arriva, proprio passando attraverso la legge d'una nuova *natura*, che la *lex diuina* sa produrre. Se mediante la prima la natura umana tende all'amore, con la seconda l'amore umano tende a dar vita alla *uera natura*.

[38] Cf. 13, 28 e nota 41.

ad lapsum plurimos a martyrii consummatione saepe reuocauit. Denique saepe cognouimus, quoniam, quem formidolosa carnificum pompa non terruit nec diuisi lateris sulcus infregit nec ardentes laminae a triumphalis fortitudinis abducere rigore potuerunt, eum inter sacra iam praemia constitutum uxor tenerae subolis oblatione miserabilis unius lacrimae miseratione decepit. Samson captus est per uxorem [a]: numquid tu fortior? Salomon captus est in uxore [b]: numquid tu sapientior? Ille igitur, cuius sapientia totis celebratur saeculis, factus est insipiens, quia nimium amauit uxorem.

19. Quid de fratribus dicam? Experta est in liberis et prophetae domus detestabiliora oscula quam odia esse fraterna. Itaque fratricidium quidem pater fleuit, sed magis est indignatus incestum. Denique licet parricidam, percussorem tamen reuocabat incesti [a].

20. *Tempus* igitur *amandi tempus odio habendi*, hoc est tempus martyrii, quando ea quae diuina sunt omni caritati necessitudinum praeferenda sunt, *tempus belli*, quo etiam bellum pro Christi nomine perfidis pignoribus inferamus, *tempus pacis* [a], quia *in pace locus eius* [b]. Denique ipse in euangelio euidenter exposuit, qua ratione nostros debeamus odisse, dicens: *Qui diligit patrem et matrem plus quam me, non est me dignus* [c]. Non dixit indignos esse qui parentes suos diligunt, sed eos indignos ait, qui plus parentes quam Christum diligunt. Si enim ideo deferimus parentibus amorem, quia nostrae generationis auctores sunt, quanto magis Christum amare debemus, qui ipsorum est auctor parentum! Isti dederunt quod non potestatis est, sed ministerii sui; Christus donat salutem, qui parentum beneficia conseruat.

21. Pulchre autem dixit: *Iniquos odio habui, legem autem tuam dilexi* [a], quia, si legem amamus, odisse debemus aduersarios legis, qui operibus suis praecepta legis inpugnant. Graecus melius

---

18. [a] Cf. Iud 16.
   [b] Cf. 3 Reg 11.
19. [a] Cf. 2 Reg 13, 14.
20. [a] * Eccle 3, 8.
   [b] Ps 75, 3.
   [c] * Mt 10, 37.
21. [a] * Ps 118, 113.

invita all'amore ma anche inclina alla caduta, ha fatto spesso recedere moltissimi dalla consumazione del martirio [39]. È, certo, una storia nota: uomini che non si sono lasciati spaventare dal temibile apparato dei carnefici; che non si sono spezzati nemmeno quando avevano i fianchi squarciati; che non si sono lasciati smuovere dalla loro inflessibile forza trionfatrice nemmeno dalle piastre arroventate; questi uomini, che già si erano insediati tra i sacri premi, furono giocati dalle spose, che, mostrando loro i teneri figli, li mossero a commiserare la miseria d'una lacrima [40]. Sansone fu preso grazie alla sposa. Tu credi di essere piú forte? Salomone fu preso in fallo a causa delle spose. Tu credi di essere piú sapiente? Orbene: quell'uomo, che fu esempio celebrato di sapienza in tutti i secoli, perdette la sua sapienza a causa della sua passione per le donne».

19. E che dire dei legami di fratellanza? Nei propri figli la casa del profeta [41] sperimentò quanto piú detestabili siano i baci che l'odio tra fratelli. E cosí il padre ebbe a piangere un figlio fratricida, ma a provare un dispiacere maggiore per un figlio incestuoso. Tant'è vero che egli chiamava a sé il figlio che aveva colpito il fratello incestuoso, anche se quello attentava alla sua vita.

20. Orbene: *C'è un tempo per l'amore e un tempo per l'odio* [42]; ossia, c'è un tempo per il martirio, quando i valori divini devono avere la precedenza su qualsiasi amore parentale. *C'è un tempo per la guerra*, nel quale dobbiamo perfino saper muovere guerra, per il nome di Cristo, alle persone care che lo disprezzino. *C'è un tempo per la pace*, perché *il suo posto è la pace*. E, appunto, Egli stesso nel Vangelo ci ha spiegato chiaramente il motivo per cui dobbiamo odiare i nostri cari, dicendo: *Chi ama il padre e la madre piú di me, non è degno di me*. Non ha detto che non sono degni coloro che amano i loro genitori, ma che non lo sono quelli che amano piú i loro genitori che Cristo. Infatti, se noi tributiamo affetto ai genitori proprio perché sono gli artefici della nostra venuta al mondo, quanto di piú dobbiamo amare Cristo, che è artefice dei nostri stessi genitori! Quanto essi ci hanno dato, non è un loro potere, ma una loro funzione. È Cristo che ci dà la salute, che conserva i beni datici dai genitori.

21. Ma ha detto bene: *Mi sono stati odiosi gli ingiusti, ma ho amato la tua legge*. Se amiamo la legge, dobbiamo ovviamente odiare gli avversari della legge, che operano contro le prescrizioni

---

[39] Pur essendo un grande estimatore della dignità del matrimonio, Ambrogio non può fare a meno di vedere altresí l'ambiguità d'un rapporto che, se è ridotto ad un fatto di fruizione affettiva, rinchiude la coppia nell'egoismo. La stessa fecondità carnale contiene il potere di corrompere la gerarchia dei valori, che deve vedere al primo posto la testimonianza all'amore di Dio: cf. il mio, *La coppia umana...*, pp. 199 s.

[40] Stesso collegamento al martirio e alle resistenze opposte dagli affetti familiari, in ORIGENE, in HARL, SCh 189, p. 372, 6-11.

[41] Cioè di Davide.

[42] Ritorna il motivo del c. 17.

eos et proprie nuncupauit dicens: παρανόμους ἐμίσησα. Παράνομος exlex uocatur, qui extra legem est. Hos ergo odit qui in lege
Christi est, quia legis mandata non seruat. Non solum enim qui
legem nescit, sed etiam ille qui non agit secundum legem exsors
legis est, quia *non auditores legis, sed factores legis iustificabuntur* [b].
Redarguit me ipse Dauid, si aliter intellegam. Quomodo iniquos
homines oderat, qui parricidam filium commendabat proeliatori-
bus [c], ne eum aliquis occideret, qui Saul regis mortem etiam
uindicauit in eum qui a se nuntiauit occisum [d]?

22.   Ergo non iniquos homines, sed iniquos sermones oderat.
Denique *iniquos*, dixit, *odio habui* [a], non addidit «uiros». Deinde
cum dicat Iesus in euangelio: *Diligite inimicos uestros* [b], dicat
apostolus: *Benedicite eos qui persecuntur uos et nolite maledicere* [c],
quomodo excusaretur iste uir secundum euangelicam uiuens disciplinam, si iniquos homines odisset, nisi intellegas quod iniquitatem odio habuit, non eos qui, etsi operarentur iniquitatem, possent tamen euangelica praedicatione conuerti? Aut certe nisi ita
accipimus, accipiamus quia, sicut ille qui non honorat patrem
iniquus est, idem tamen secundum illud exosus patrem, quod
scriptum est: *Qui non odit patrem aut matrem aut fratres aut sorores
aut animam suam, non potest meus esse discipulus* [d], etiam laudabilis habetur, sic et iste iniquos odio habuit, eodem modo et eos
oderat quo patrem praeuaricantem aut animam suam, praeferens
uidelicet uitae huius suauitati gratiam Christi.

23.   Sequitur uersus secundus: *Adiutor et susceptor meus es
tu, et in uerbum tuum spero* [a]. Adiutor per legem, susceptor per
euangelium. Quos lege adiuuit, in carne suscepit, quia scriptum
est: *Hic peccata nostra portat* [b], et ideo in uerbum eius spero.
Graecus tamen ἐφήλπισα habet, quod est «supersperaui», quod
de eo dicitur qui semper addit ad sperandum et, cum sperauerit
aliquid, iterum sperat et spe proficit, extendens se semper ad
superiora et ea quae praeteriit obliuiscens [c].

---

  [b] Rom 2, 13.
    [c] Cf. 2 Reg 18, 5.
    [d] Cf. 2 Reg 1, 15.
22. [a] Ps 118, 113.
    [b] Mt 5, 44.
    [c] * Rom 12, 14.
    [d] * Lc 14, 26.
23. [a] * Ps 118, 114.
    [b] * Is 53, 4.
    [c] Cf. Phil 3, 13.

della legge. Il testo greco della Scrittura usa per essi un termine piú efficace ed appropriato, dicendo: παρανόμους ἐμίσησα (*paranomus emisèsa*). Παράνομος (*paranomos*) è *l'eslege*, il fuorilegge [43]. Questi dunque sono odiati, da chi sta dentro la legge di Cristo, perché non osservano i comandamenti della legge. Non solo chi non conosce la legge ma anche chi non opera secondo la legge è estraneo alla legge: infatti, *non quelli che ascoltano la legge, ma quelli che eseguiranno la legge saranno giustificati*. Avrei contro lo stesso Davide se intendessi in modo diverso. Ma come avrebbe odiato gli uomini ingiusti lui che raccomandava ai suoi combattenti di non uccidere il figlio parricida? Lui che vendicò la morte del re Saul, facendola pagare a colui che gli annunciava di averlo ammazzato?

22. Dunque, odiava non gli uomini ingiusti, ma i discorsi ingiusti. Tant'è vero che ha detto: *Mi sono stati odiosi gli ingiusti*, senza aggiungere «uomini» [44]. E poi, visto che Gesú nel Vangelo dice: *Amate i vostri nemici*; visto che l'Apostolo dice: *Benedite coloro che vi perseguitano e non li maledite*, quale giustificazione avrebbe quest'uomo — che vive già secondo la norma evangelica — se odiasse gli *uomini* ingiusti? Non resta che da intendere che gli sia stata odiosa l'ingiustizia, non gli uomini che, per quanto operatori di ingiustizia, avrebbero potuto tuttavia essere convertiti dalla proclamazione del Vangelo. Oppure, se non vogliamo intendere cosí, non resta che da intendere in quest'altro modo: come l'uomo che non onora il padre è un ingiusto, eppure colui che odia il padre seguendo le parole: *Chi non odia il padre o la madre o i fratelli o le sorelle o la sua anima, non può essere mio discepolo* è considerato perfino lodevole, cosí anche questi ha odiato gli ingiusti [45]. Li aveva odiati né piú né meno di come aveva odiato il padre che peccava o la sua anima, preferendo naturalmente la grazia di Cristo alla dolcezza di questa vita.

23. Prosegue il versetto secondo: *Mi aiuti e mi assumi in te, e nella tua parola io spero*. Ci ha aiutato mediante la Legge, ci ha assunto mediante il Vangelo [46]. Quelli che ha aiutato con la Legge, li ha assunti nella carne, poiché sta scritto: *Costui porta i nostri peccati*, e perciò *nella* sua *parola io spero*. Il testo greco porta però ἐφήλπισα («ephḗlpisa»), cioè «ho super-sperato»; e si usa il termine per chi ha sempre qualcosa in piú da sperare e a speranza aggiunge speranza e progredisce nella speranza [47], espandendosi sempre piú in alto e dimenticando i passaggi superati.

[43] Il passo segue da vicino — talora fino alla lettera — ILARIO, *Tract. ps. CXVIII*, 15, 4 (CSEL 22, p. 489).

[44] Cf. ORIGENE, in HARL, SCh 189, p. 372, 1-2.8.

[45] Li ha, cioè, odiati in funzione della sequela di Cristo, dato che Davide vive già in un'atmosfera evangelica.

[46] L'azione *ausiliatrice* dell'opera di Dio nell'Antico Testamento è portata a pienezza dall'opera *assuntrice* dell'Incarnazione, nel Nuovo Testamento. È come dire che alla preminenza dell'aspetto morale dell'Antico Testamento subentra quella della mistica presenza nel Nuovo: cf. il mio, *La dottrina esegetica...*, p. 54.

[47] Cf. 19, 20: *quod est ad sperandum semper crescere et spem spei adiungere*. Cf. ORIGENE, in HARL, SCh 189, p. 374, 6-10.

24.   Pulchre autem ait: *In uerbum tuum speraui*[a], hoc est: Non in prophetas speraui, non in legem, sed in uerbum tuum speraui, hoc est in aduentum tuum, ut uenias et suscipias peccatores, delicta condones, ouem lassam tuis in cruce humeris bonus pastor inponas[b]. Si quis sperat in Christum, separare se debet a consortio perfidorum.

25.   Ideoque dicit: *Discedite a me, maligni, et scrutabor mandata dei mei*[a]. Cuius uersiculi testimonio significatur, quia, ubi malignitas est, ibi custodia mandatorum caelestium esse non possit; *in maliuolam* enim *animam non intrat sapientia*[b], et alibi: *Quaerent me mali et non inuenient*[c]. Simplicem mentem, purum ac defaecatum animum diligit Christus nec potest inmaculatae uirtuti ullum cum maculosis contubernium esse flagitiis. Odit refugit aspernatur contagia, qui dicit: *Discite a me quia mitis sum*[d]. Malignos repellit, laborantes uocat. Dicit illis Iesus: *Discedite a me omnes qui operamini iniquitatem*[e], istis ait: *Venite ad me omnes qui laboratis et onerati estis*[f], non utique malignitate mentis, sed infirmitate carnis onerati, onerati, inquam, alieni hereditate peccati. Laborantibus subuenio, fraudulentis prodesse non debeo, ne pluribus noceant. Hos poena conpescat, illos emendet gratia. Malitia enim fons peccati est, culpa infirmitatis est lapsus. Illi debeo subuenire qui laborat, illum etiam odisse qui decipit. Malas igitur operationes repellit. Nam nisi ita accipias, uidetur dicere: «Discedite a me, quia mundus sum, quia purus sum». Hoc Pharisaeus dicebat et reprehensus a Christo est[g]. Non ergo propheta dicit «mundus sum», sed: *Cor mundum crea in me, deus*[h].

26.   Ideoque relegato consortio malignorum, quasi qui ante permixtus illis suscipi non possit a domino, dicit: *Suscipe me secundum eloquium tuum et uiuam, et non confundas me ab expectatione mea*[a]. Si uiuit qui in sinu est patriarchae Abrahae ut ille Lazarus pauper[b], quanto magis uiuit qui suscipitur a Christo! Quomodo enim potest non in aeternum uiuere quem sempiterna uita suscepit, quem totum sibi Christus adsumpsit, qui totus uerbi

24.[a] * Ps 118, 114.
   [b] Cf. Lc 15, 4-5.
25.[a] * Ps 118, 115.
   [b] * Sap. 1, 4.
   [c] * Prou 1, 28.
   [d] Mt 11, 29.
   [e] * Mt 7, 23.
   [f] Mt 11, 28.
   [g] Cf. Lc 18, 11.14.
   [h] Ps 50, 12.
26.[a] Ps 118, 116.
   [b] Cf. Lc 16, 23.

24.  Ma dice bene: ...*nella tua parola io ho sperato*. Ossia: non ho sperato nei Profeti né nella Legge, ma nella tua Parola ho sperato, cioè nella tua venuta [48]: che venissi ad accogliere in Te i peccatori, a rimettere le mancanze, a prenderti sulle spalle, da buon pastore, la pecorella stanca: nella croce. Chi spera in Cristo deve staccarsi dalla compagnia degli uomini senza fede.

25.  E per questo dice: *Andate lontano da me, malvagi, ed io indagherò i comandamenti del mio Dio*. La testimonianza di questo versetto indica che laddove c'è la malvagità non può esserci osservanza dei comandamenti celesti. Infatti, *nell'anima malvagia non entra la sapienza*; e ancora: *Mi cercheranno i malvagi e non mi troveranno*. Cristo ama lo spirito semplice, l'animo puro e limpido, e la virtú immacolata non può dividere la sua tenda con la sozza infamia. La odia, la evita, ne rifiuta il contatto colui che dice: *Imparate da me che sono mite*. Respinge i malvagi, ma chiama quelli che sono travagliati. A quelli Gesú dice: *Andate lontano da me voi tutti che operate l'ingiustizia*; a questi dice: *Venite a me voi tutti che siete travagliati ed oppressi*. Oppressi non certo da malvagità d'animo, ma da debolezza della carne; oppressi — dico — dall'eredità di un peccato non vostro. Io vengo in soccorso di chi è nel travaglio, ma non devo aiutare gli imbroglioni a nuocere ancora di piú. La punizione serva a questi da freno, la grazia a quelli da riscatto. La malvagità è la fonte del peccato, la colpa è il vacillare della debolezza [49]. Devo andare in soccorso di chi si dibatte nel travaglio, ma anche odiare chi invece vuole ingannare. Orbene, Egli respinge le azioni malvagie. Se non si intende cosí la frase, sarebbe come se dicesse: «Andate lontano da me, perché io sono incontaminato, perché io sono puro». Cosí parlava quel fariseo e fu biasimato da Cristo. Il profeta dunque non dice: «Io sono incontaminato», ma: *Crea in me, o Dio, un cuore incontaminato!*

26.  E cosí, accantonata la compagnia dei malvagi, quasi ad indicare che prima, confuso tra loro, non poteva essere accolto dal Signore, ora può dire: *Accoglimi secondo il tuo detto e vivrò, e non mettermi in crisi nella mia aspettativa!* Se vive chi sta nel seno di Abramo, come quel povero Lazzaro, quanto piú vive chi è accolto da Cristo in Sé! Come può non avere vita eterna colui che è stato accolto dalla vita eterna? Che è stato totalmente assunto da Cristo? Che è totalmente della Parola? Che ha la vita

---

[48] Stesso ricorso all'Incarnazione per spiegare Sal CXVIII, 114 è in ORIGENE, in HARL, SCh 189, p. 374, 11-13.

[49] Si distingue *malitia* da *culpa*, legando la prima ad una volontà attiva di produrre il peccato e la seconda all'effetto d'una condizione di debolezza che si subisce.

est, cuius uita abscondita est in Christo Iesu [c]? Sed et qui in sinu Abrahae sedet susceptus a Christo est. Intolerandae autem praesumptionis uideretur dicere deo: «Suscipe me», nisi promissum eius adiungeret, hoc est: «Vt auderemus ipse fecisti, tuo te chirographo conuenimus qui nostrum chirographum sustulisti. Nos fecimus chirographum mortis, tu scripsisti chirographum uitae» [d].

27.   Ergo non confundas ab expectatione sua seruulum tuum, quia in te spero; *spes* enim *non confundit* [a]. Et si tribulamur, patientiam subministra, ut ferre possimus, ut, quia te expecto, non obprimar infirmitatibus, non subcumbam temptationibus, non adfligar procellis in quibus est probanda patientia, ut probatio consequatur, quae spem confimat et roborat, quae non confundit; hoc est: frangimur frequenter laboribus, fatigamur; si spes desit, confundimur et tota mente turbamur. Sed esto, sint aliqui duri ad labores, firmi ad iniurias perferendas: si spem auferas, non potest perpetua esse patientia. Ipsa patientia non probatur, si fides desit, cuius radix spes est. Quae enim potest probatio esse, nisi pro Christi nomine uel incommoda uel pericula uniuersa sustineas? Ideo spes est sola quae nostrum non confundit affectum. Vbi est spes, apostolicum illud: *Foris pugnae, intus timores* [b] nocere non possunt.

28.   Alia interpretatio. Non erubescet qui sperat in Christum; ideo qui bene sperat dicit: *In te confido; non erubescam* [a]. Et bene ait «confido»; robur enim spei nostrae et quaedam sperantis auctoritas confidentia est. Spera igitur semper, et nemo te ab expectatione confundit. Expectatio nostra uita aeterna est, expectatio nostra regnum dei, angelorum consortium, benedictiones sunt spirituales. Spera cotidie; finem ista res non habet, nescit indutias. Spera etiam positus in aduersis. Si quis tibi dicat aliqua forte necessitudinum amissione percusso: «Quid tibi prodest iustitia tua?», tu tamen spera, non deficiat fides tua. Si quis tibi dicat: «Quid tibi cotidiana profuere ieiunia, quid castitas corporis, pudor mentis? Ecce sicut iniustus et impius uulneratus es», non deficiat fides tua. Nam etiamsi infirmus es, fidelis tamen sollicitus est pro te Christus; dicit ad discipulos: *Date illis uos manducare, ne deficiant in uia* [b]. Habes apostolicum cibum; manduca illum, et non

---

[c] Cf. Col 3, 3.
[d] Cf. Col 2, 14.
27. [a] Rom 5, 5.
   [b] 2 Cor 7, 5.
28. [a] Ps 24, 2.
   [b] Mt 14, 16; 15, 32.

---

28, 1   *post* interpretatio *Petschenig inseruit* ⟨habet: «non erubescere facias»⟩ *(Ps. CXVIII, 116). Cf. 21, 21*: Accipe aliter.

nascosta in Cristo Gesú? Ma anche colui che dimora nel seno di Abramo è stato accolto da Cristo. Sembrerebbe però un'insopportabile presunzione dire a Dio: *Accoglimi in te*, se non vi si aggiungesse il riferimento alla sua promessa. E cioè: «Tu stesso ci hai spinto ad osare; grazie al tuo contratto noi ci siamo uniti a Te, che ti sei accollato il nostro contratto. Noi abbiamo stipulato un contratto di morte, Tu hai steso un contratto di vita».

27.   Dunque, non mettere in crisi nella sua aspettativa il tuo povero servo, perché io spero in Te e *la speranza non mette in crisi*. E se siamo nella tribolazione, forniscici la forza di sopportazione. Fa' in modo che — siccome sei Tu quello che io aspetto — non ceda sotto il peso delle debolezze, non cada sotto le tentazioni, non sia oppresso dalle tempeste, che sono il banco di prova della pazienza. Fa' che cosí raggiunga il superamento della prova, il quale dà saldezza e forza alla speranza, che non va in crisi. Ossia: le fatiche spesso ci abbattono, ci sfiancano; se ci manca la speranza cadiamo in crisi e tutto il nostro spirito è sconvolto. Ma ammettiamo, ammettiamo pure che ci siano uomini induriti alle fatiche, saldi nel sopportare le offese: se togli loro la speranza, la pazienza non può durare all'infinito. La pazienza stessa non viene comprovata se manca la fede, di cui la speranza è la radice. Quale può mai essere l'approvazione, se non c'è la sopportazione di disagi o di ogni pericolo per il nome di Cristo? Perciò la speranza è la sola che non fa cadere in crisi il nostro sentire. Dove c'è la speranza, quelle realtà, espresse dall'Apostolo come *lotte all'esterno, paure all'interno*, non possono danneggiarci.

28.   C'è un'altra interpretazione: non arrossirà colui che spera in Cristo. Perciò, chi ha una retta speranza dice: *In te ripongo fiducia; non avrò da arrossire*. E giustamente dice: *ripongo fiducia*, se la forza della nostra speranza e — per cosí dire — il prestigio di colui che spera risiedono nella fiducia. Allora devi sperare continuamente, e vedrai che nessuno ti deluderà nella tua aspettativa. La nostra aspettativa è la vita eterna; la nostra aspettativa è il Regno di Dio [50], la vita comune con gli angeli, le benedizioni spirituali. Continua ogni giorno a sperare! Un fatto come la speranza non ha fine, non sa che cosa sia tregua. Spera anche se ti trovi nelle avversità! Anche se sei stato colpito dalla perdita di qualche persona cara e qualcuno ti dice: «A che ti serve la tua rettitudine?», tu continua a sperare lo stesso, non indebolire la tua fede! Se qualcuno ti dice: «A che ti sono valsi i digiuni quotidiani, il mantenere casto il corpo, la modestia dello spirito? Ecco che sei stato ferito né piú né meno dell'infedele», non indebolire la tua fede! Infatti, anche se sei debole, ci pensa Cristo, che è fedele, a prendersi cura di te. Egli dice ai discepoli: *Date loro da mangiare, che non vengano meno per strada!* Tu possiedi il cibo degli Apostoli. Mangialo, e non ti indebolirai! Mangia prima

---

[50] Il testo è pressoché tradotto da quello di ORIGENE, in HARL, SCh 189, 116, p. 376, 5-7. Ambrogio poi prosegue in conformità a quanto si legge in ILARIO, *Tract. ps. CXVIII*, 15, 7 (CSEL 22, p. 491), coi temi del digiuno e della castità.

deficies. Illum ante manduca, ut postea uenias ad cibum Christi, ad cibum corporis dominici, ad epulas sacramenti, ad illud poculum quo fidelium inebriatur affectus ᶜ, ut laetitiam induat de remissione peccati, curas huius saeculi, metum mortis sollicitudinesque deponat. Hac ergo ebrietate corpus non titubat, sed resurgit, animus non confunditur, sed consecratur.

29.  *Adiuua me*, inquit, *et saluus ero et meditabor iustificationes tuas semper* ᵃ. Qui sperat, praesumit iuuari; ubi autem adiumentum dei, ibi certum salutis auxilium. Supra dixit: *Adiutor meus et susceptor meus es tu* ᵇ, hic iterum iuuari petit, quasi dicat: «Sine cessatione me adiuua. Non mihi satis est quod poposci, iterum peto ut saluus fiam. Hic non magna, non uera est salus. Tunc saluus ero, cum fuero in paradiso, cum uiuere coepero inter electos tuos angelos, cum laqueos terrae huius euasero».

30.  Sed ne forte adiuti in necessitatibus postea in prosperis positi neglegamus, docet nos inmemores beneficiorum caelestium nequaquam esse debere, sed meditari iustificationes domini, ut et, cum boni operis aliquid fecerimus, semper tamen nostra ei peccata fateamur; haec enim est iustificatio domini. Denique Pharisaei non iustificauerunt deum, qui baptizari baptismo paenitentiae noluerunt ᵃ. Ergo ille iustificat, quem suorum paenitet delictorum; quem enim paenitet, confitetur, ut est illud: *Tibi soli peccaui et malum coram te feci, ut iustificeris in sermonibus tuis* ᵇ. Ideoque publicanus magis iustificatus exiuit e templo, quia Pharisaeus se iustificabat suas iustitias praedicando, publicanus autem iustifica-

---

ᶜ Cf. Ps 22, 5.
29. ᵃ * Ps 118, 117.
   ᵇ * Ps 118, 114.
30. ᵃ Cf. Lc 7, 30.
   ᵇ Ps 50, 6.

quel cibo, per poter poi passare al cibo di Cristo [51], al cibo del corpo del Signore, alle vivande sacramentali, a quel calice che fa inebriare [52] i sensi dei fedeli e li veste dell'allegrezza che nasce dalla remissione del peccato [53], che li spoglia delle preoccupazioni di questo mondo, della paura della morte e degli affanni. Questa è dunque un'ebbrezza che non fa barcollare il corpo, ma lo fa rialzare; non delude lo spirito ma lo rende cosa sacra [54].

29. *Aiutami — egli dice — e sarò salvo e rifletterò sempre sulle opere con cui tu giustifichi.* Chi spera presuppone di essere aiutato. Ma dove c'è l'assistenza di Dio, là c'è un aiuto che sicuramente salva. Prima aveva detto [55]: *Mi aiuti e mi assumi in te*; qui chiede un'altra volta di essere aiutato; è come se dicesse: «Aiutami senza tregua! Non mi basta avertelo chiesto; ti chiedo di nuovo di essere salvato. Quaggiú non c'è salvezza piena né vera. Sarò salvo solo quando sarò in paradiso, quando comincerò a vivere tra i tuoi angeli eletti, quando uscirò illeso dai lacci della terra» [56].

30. Ma ad evitare che, dopo avere ottenuto aiuto nelle avversità, ce ne scordiamo poi, quando le cose ci vanno bene, ci insegna che non dobbiamo dimenticarci mai dei beni ricevuti dal Cielo, e che dobbiamo riflettere invece sulle opere con cui il Signore ci ha giustificati. E cosí ci invita, anche quando abbiamo compiuto qualche cosa di buono, a confessare sempre a Lui i nostri peccati. Questo è il modo con cui rendiamo giustizia al Signore. E, appunto, non hanno reso giustizia al Signore i farisei, che non hanno accettato il battesimo di penitenza. Gli rende dunque giustizia l'uomo che si pente delle sue mancanze. Chi si pente, rende confessione, come nel caso del passo: *Contro te solo ho peccato e ho compiuto il male al tuo cospetto, e cosí tu sei giustificato nei tuoi discorsi.* E quel pubblicano uscí dal tempio piú giustificato, proprio perché, mentre il fariseo giustificava se stesso proclamando le sue opere giuste, il pubblicano rendeva giustizia a Dio

[51] Prima l'apostolo, poi Cristo: pare lo schema delle *lectiones* della Messa, a cui fa chiara allusione il riferimento alla mensa eucaristica, in quanto «cibo» culminante ed omogeneo alla Scrittura. Cf. R. JOHANNY, *L'Eucharistie, centre...*, pp. 40 s.

[52] Il riferimento al Salmo XXII è pertinente: infatti il canto di questo Salmo accompagnava la distribuzione dell'Eucaristia (cf. *De sacr.*, V, 13): CATTANEO, *La religione a Milano...*, p. 70.

[53] Cf. 8, 48 e nota 76.
Il Lazzati (*Motivi eucaristici...*, pp. 119 s.) nota il significativo collegamento tra l'Eucaristia come remissione dei peccati e il tema della *sobria ebrietas*, che percorre la catechesi (sacramentaria) ambrosiana (cf. anche 21, 20) e che di quella *remissio* è effetto. Si può anche osservare come il motivo dell'Eucaristia — *remissio peccatorum* — sia rivelatore d'una catechesi di periodi *normali*, successivi al tempo dell'iniziazione. Il tema potrebbe quindi indicare la presenza d'una catechesi *per annum*.

[54] *Animus* è la parte spirituale intellettiva dell'uomo, come l'*anima* è la parte vivificante.

[55] Cosí già ORIGENE, in HARL, SCh 189, pp. 376, 1 - 378, 7.

[56] La meditazione sulle *iustificationes* prosegue sul motivo del mondo futuro anche in ORIGENE, in HARL, SCh 189, p. 378, 117, 9-11; in ATANASIO, *Exp. ps. CXVIII*, 117 (PG 27, 500B) tocca il motivo della comunione con gli angeli. Vedasi anche ILARIO, *Tract. ps. CXVIII*, 15, 8 (CSEL 22, p. 492).

bat deum iniquitates proprias confitendo [c]. Ergo qui meditatur
iustificationes domini, semper humiliatur, non hodie humiliatur
et cras exaltatur, sed semper humilis corde et mitis [d] affectu est.
Plus est autem semper quam die ac nocte uel tota die; hoc enim
supra tempus est. Ergo uel inter angelos adnumeratus dicas oportet iustificationes dei semper et illam quam adeptus es gloriam
non tuis meritis adroges, sed diuinae miserationi semper adscri-
bas, ne tibi dicatur: *Quid autem habes quod non accepisti? Si autem
accepisti, quid gloriaris quasi non acceperis?* [e]. Omnis enim creatura
quaecumque bona habet accepit a Christo, qui totius auctor est
creaturae.

31.   *Spreuisti*, inquit, *omnes qui discedunt a iustificationibus
tuis, quia iniqua cogitatio eorum* [a]. Omnis superbus inmundus est
in conspectu domini, quia non potest per superbiam sua mundare
peccata, qui adroganti spiritu coaceruat errorem, ideoque sperni-
tur atque despicitur, quia despectui habet diuina mandata. Bene
autem caelestis seruatur praerogatiua clementiae, quia nullum
repellit, sed quicumque noluerint peccata propria confiteri, ipsi
discedunt a domino deo nostro. Denique ille discessit, qui peregre
profectus omne quod acceperat a patre fidei et gratiae patrimonium dissipauit [b]. Et quia eum discessisse paenituit, postea est
regressus ad patrem, quem reliquerat, cum peccatum proprium
nollet fateri. Non ergo interuallo locorum deus relinquitur, sed
prauitate morum et deformitate gestorum. Discedit a domino qui
se elongat ab eo, quemadmodum audita praesentia dei Adam
latere cupiebat [c]. Sed discedens a domino salutem habere non
poterat, quoniam scriptum est: *Ecce qui elongant se abs te peribunt* [d]. Vnusquisque igitur suis studiis sese aut iungit aut separat.
Denique quam plerosque nec locorum interualla secernant uel
finitima et uicina conectant, indicio est, quia sunt plerique in
corpore siti, qui peregrinantur a corpore et adsunt deo [e], ut ille,
qui dicente deo: *Quem mittam?* [f]. Respondit: *Ecce ego, mitte me.*
Audet et Paulus adesse deo, quia nihil in se praeter carnis materiam uidebat esse corporeum [g]. Exiuit et Cain a facie dei [h],

[c] Cf. Lc 18, 11-14.
[d] Cf. Mt 11, 29.
[e] 1 Cor 4, 7.
31. [a] * Ps 118, 118.
    [b] Cf. Lc 15, 12 ss.
    [c] Cf. Gen 3, 8.
    [d] Ps 72, 27.
    [e] Cf. 2 Cor 5, 8.
    [f] Is 6, 8.
    [g] Cf. 2 Cor 5, 8.
    [h] Cf. Gen 4, 14.

31, 4   coaceruat *codd.*, coacerbat *Petschenig. Cf. 4, 11; 12, 29; 22, 9.*

confessando le proprie iniquità. Dunque, l'uomo che riflette sulle opere con cui Dio giustifica è in costante atteggiamento d'umiltà; non è oggi umile, domani superbo, ma è sempre umile di cuore e mite di sentimento. *Sempre* poi indica qualcosa di piú che *di giorno e di notte* o di «tutto il giorno», perché *sempre* si situa al di sopra del tempo. Dunque, perfino se ti trovi a far parte della schiera degli angeli, è buona cosa dire *sempre* le opere con cui il Signore giustifica e non attribuire la gloria che hai raggiunto ai tuoi meriti, ma ascriverla *sempre* alla misericordia di Dio. Se non vuoi sentirti dire: *Che cosa hai di tuo che tu non abbia ricevuto? Ma se l'hai ricevuta, perché ti vanti come se non si trattasse di cosa ricevuta?* Ogni creatura, qualsiasi dote abbia, l'ha ricevuta da Cristo, che è artefice di tutto il creato.

31. Dice: *Hai disdegnato tutti quelli che vanno lontano dalle opere con cui tu giustifichi, perché ingiusto è il loro pensare.* Ogni superbo è impuro al cospetto del Signore, perché la sua superbia non può purificarlo dai suoi peccati, ed anzi ingrossa il suo errore con l'arroganza del suo spirito. E su lui cade il disdegno e il disprezzo, proprio perché egli ha disprezzato i comandamenti di Dio [57]. Ma resta opportunamente salva la caratteristica della clemenza celeste, perché essa non respinge nessuno, ma sono loro, quelli che non vogliono ammettere apertamente i propri peccati, che vanno lontano dal Signore Dio nostro. Ad esempio, fu lui ad allontanarsi, colui che se ne andò in giro per il mondo a dissipare tutto quel patrimonio di fede e di grazia che aveva ricevuto dal padre. E siccome si pentí di essersene andato via, poi ritornò dal padre, che aveva abbandonato non volendo ammettere il proprio peccato [58]. L'abbandonare Dio non avviene dunque per un allontanamento spaziale, ma per una perversità di vita e per una deformità di azione. Se ne va lontano dal Signore l'uomo che si scosta da Lui, come Adamo quando — avvertita la presenza di Dio — voleva nascondersi. Ma lontano dal Signore non poteva ricevere salvezza, perché sta scritto: *Ecco, quelli che si scostano da te, finiranno male.* Orbene, l'incontrarsi o il separarsi dipendono dalla volontà di ciascuno. Tant'è vero che c'è la prova che moltissimi, per quanto lontani nello spazio, non sono separati e che, contigui e vicini nello spazio, non sono a Lui congiunti: ci sono infatti moltissimi che, per quanto ancora inseriti nella corporeità, esulano dal loro corpo e si trovano già vicino a Dio. Cosí è per quell'uomo che, alla domanda di Dio: *Chi manderò?*, ha risposto: *Eccomi, manda me!* Anche Paolo ha l'ardire di stare vicino a Dio, dato che non trovava in sé nulla di corporeo tranne

---

[57] Cf. ATANASIO, *Exp. ps. CXVIII*, 118 (PG 27, 500B).
[58] La parabola del «figlio prodigo» sarà particolarmente cara ad Agostino e costituirà un filo conduttore delle *Confessioni*: essa serve ad esprimere l'impossibilità ontologica per l'uomo di uscire dall'orizzonte dell'Essere (e quindi del Bene) e la possibilità morale di allontanarsi da esso, affievolendo la partecipazione, sostanza della vita. Sicché non di assenza di Dio all'uomo si tratta, ma di mutato rapporto tra uomo e Dio.

postquam commisso parricidio gerendam peccatorum suorum paenitentiam non putauit.

32. Recte autem ait: *Ad nihilum deduxisti praeuaricatores* [a]. Non «peccatores» dixit, sed «praeuaricatores»; nam quae nobis spes foret, quando omnes sub peccato sumus [b]? Etiam illud pulchre: *Omnes ad nihilum deduxisti praeuaricatores* [c]. Siue ille diues sit, nihil illi diuitiae suae prosunt, siue honoratus, nihil dignitas, siue potens, nihil potentia. Sed aliud est praeuaricatorem esse discedentem a iustificationibus dei, aliud praeuaricatorem esse terrae; illud grauius, hoc leuius.

33. Ideoque subiecta ne te turbent, uide quae subiecit his: *Praeuaricatores aestimaui omnes peccatores terrae, propterea dilexi testimonia tua semper* [a]. Recte praeuaricator dicitur qui discedit a domino; denique Graece a discedendo apostata nominatur. Vnde et ille: *Vinum et mulieres faciunt*, inquit, *apostatare* [b]. Cauenda ergo incentiua et lenocinia delictorum, ne in scelus uergant. Praeuaricator autem Latine et transgressor uocatur, eo quod a domini lege transeat ad errorem et transgrediatur mandata caelestia, cui dictum est ut adhaereret domino deo suo [c]. Adhaereto igitur indiuiduo semper affectu, ne te ab eo uis ulla possit euellere. Si quid rarum, si quid intermissum aduersarius uiderit, statim se inmittit in pectus et cor tuum, ut te laqueo teneat suae fraudis et hostilis uinculo potestatis innexus a deuotione retraharis. Sed non solus ille praeuaricator est, qui posthabet ecclesiam et ad cultus transgreditur idolorum, sed etiam quicumque legis mandata non seruat. Omnis ergo peccator praeuaricator est; unde est illud: *Omnis praeuaricatio iustam accipit remunerationem* [d]. Nomen commune, sed diuersa merita delictorum; et pretia ergo diuersa culparum.

32. [a] * Ps 118, 118.
  [b] Cf. Rom 3, 9.
  [c] * Ps 118, 118.
33. [a] * Ps 118, 119.
  [b] * Eccli 19, 2.
  [c] Cf. Deut 10, 20.
  [d] * Hebr 2, 2.

la sua costituzione fisica. Invece Caino si ritirò dal cospetto di Dio, dopo che non ritenne di far penitenza dei suoi peccati quando ebbe consumato il fratricidio.

32. Ma con ragione esclama: *Hai ridotto al nulla i trasgressori.* Non ha detto «i peccatori», ma «i trasgressori» [59]. Altrimenti, quale speranza avremmo, dal momento che tutti siamo soggetti al peccato? Anche per il resto ha detto bene: *Hai ridotto al nulla tutti i trasgressori.* Anche se ce n'è uno ricco, a nulla possono servirgli le sue ricchezze; se ce n'è uno in vista, a nulla gli servono le cariche; se ce n'è uno potente, a nulla gli serve il potere. Ma altro è essere un trasgressore che si allontana dalle opere con le quali Dio ci giustifica, e altro è essere un trasgressore della terra [60]. Il primo caso è piú grave, il secondo lo è meno.

33. E perciò, se non vuoi che il seguito ti sconvolga le idee, osserva quale sia il seguito: *Ho ritenuto trasgressori tutti i peccatori della terra, e per questo ho sempre amato i segni della tua volontà.* In senso proprio si chiama «trasgressore» l'uomo che si allontana dal Signore: tant'è vero che, in greco, dal verbo «allontanarsi» deriva la parola «apostata». C'è infatti anche quel passo che dice: *Il vino e le donne fanno apostatare.* Bisogna dunque fare attenzione a ciò che costituisce stimolo e attrattiva alle mancanze, che non si trasformi in scelleratezza. Invece nella nostra lingua si usa «trasgressore» o «prevaricatore» per l'uomo che passa dalla legge del Signore al male e trasgredisce i comandamenti celesti, quando gli era stato detto di rimanere unito al Signore Dio suo. Restagli quindi sempre unito, con un sentimento indissolubile! Che nessuna forza ti possa strappare da Lui! Se l'Avversario avrà visto che quell'atteggiamento si affievolisce o si fa discontinuo, egli è pronto a introdursi nel tuo animo e nel tuo cuore per impossessarsi di te con il laccio del suo inganno e per staccarti dalla tua fedeltà, legandoti ben stretto nelle spire d'una potenza ostile. Ma trasgressore non è solo colui che lascia indietro la Chiesa e passa al culto degli idoli, ma altresí chiunque non osservi i comandamenti della Legge. Dunque, ogni peccatore è trasgressore. Da ciò deriva che *ogni trasgressione riceve la sua giusta paga.* Sotto un unico nome stanno diversi gradi di mancanza, e dunque diverse sono le punizioni per le colpe [61].

---

[59] Cf. ORIGENE, in HARL, SCh 189, p. 378, 1: οὐ ταὐτόν ἐστι τὸ ἁμαρτάνειν καὶ ἀποστατεῖν; ILARIO, *Tract. ps. CXVIII*, 15, 10 (CSEL 22, p. 493), che traduce con *discedentes* e non con *praeuaricatores*. La traduzione ilariana è però ripresa da Ambrogio piú avanti, al c. 33.

[60] Questo sembra sinonimo di *peccator* e, alla fin fine, dell'uomo nel tempo, in quanto erede d'una colpa originaria e soggetto alle tentazioni del mondo.

[61] Ambrogio, che a 15, 32 aveva distinto tra *praeuaricator discedens* e *praeuaricator terrae* (= *peccator*), deve ora fare i conti con Sal CXVIII, 119, che sembra porre i due concetti sullo stesso piano. Ne esce distinguendo un senso rigoroso di *praeuaricator* come *discedens*, vicino all'uso della lingua greca (donde *apostata*), e un senso piú largo, piú tipico del latino, dove *praeuaricator* è il «semplice» peccatore. Secondo quest'ultimo uso, si può dire che anche i *peccatores terrae* sono *praeuaricatores*.

34.   Quid sibi uult quod ait: *Peccatores terrae* [a]? Sunt ergo et
caeli peccatores, sicut ille qui ait: *Pater, peccaui in caelum et coram
te* [b]. Sunt qui dicunt, quia is, qui caelestia non seruat oracula,
praeuaricator est caeli. Sed siue hoc siue quia minuit gratiam
quam accepit e caelo, quam spiritus sanctus infudit, siue quia
auis caeli factus non debes in terram redire de caelo [c]. In caelum
ergo peccas, si caeli incola caelum relinquas. Diuersitas igitur est
eorum; alii peccatores caeli, alii peccatores terrae sunt.

35.   *In matutinis*, inquit, *interficiebam omnes peccatores terrae* [a]. Quomodo unus omnes interficere poterat peccatores terrae?
Sed si consideres iustum, cui *nox praecessit, dies adpropinquauit* [b],
potes uidere quomodo exoriente tibi sole iustitiae [c] de luce uigi-
lans [d] interficias fomenta omnia delictorum. Vtinam mihi adspiret
haec gratia, ut gladio spiritali [e], qui est uerbum dei, ab ecclesia
domini incentiua uniuersa possim abolere uitiorum et terrena
auferre delicta, quibus in foueam quandam lubrici praecipitamur
erroris, ut de ciuitate dei expellatur iniquitatis operator! Ciuitas
dei ecclesia est [f], ecclesia corpus est Christi [g]. Peccat in caelum,
qui caelestis ciuitatis iura contaminat et inmaculati corporis uio-
lat sanctitatem suorum conluuione uitiorum.

36.   Et uide, ne forte sint qui caeli et terrae peccatores sint.
Nam utique Adam, cum in paradiso esset, caelestis erat, post
lapsum autem terrenus est factus et de paradiso expulsus est et
eiectus. Vnde apostolus ait: *Primus homo de terra terrenus, secundus homo de caelo caelestis* [a]. Abiciatur ergo a nobis imago terreni,
suscipiatur imago caelestis non fuco expressa, non ceris, non
coloribus adumbrata sed moribus, in qua se Christus agnoscat.

37.   *Config clauis a timore tuo carnes meas; a iudiciis enim
tuis timui* [a]. Qui diligit domini testimonia, configit clauis carnes
suas, sciens quia uetus homo suus cum Christo confixus cruci [b]

34. [a] Ps 118, 119.
     [b] Lc 15, 21.
     [c] Cf. Ps 54, 7.
35. [a] * Ps 100, 8.
     [b] Rom 13, 12.
     [c] Cf. Mal 4, 2.
     [d] Cf. Ps 62, 2.
     [e] Cf. Hebr 4, 12.
     [f] Cf. Hebr 12, 22.
     [g] Col 1, 24.
36. [a] 1 Cor 15, 47.
37. [a] * Ps 118, 120.
     [b] Cf. Gal 2, 19.

34. Che cosa intende con le parole *peccatori della terra*? Vuol dire che ci sono anche peccatori del cielo, come colui che ha esclamato: *Padre, ho peccato contro il cielo e contro di te!* C'è chi dice che l'uomo che non osserva i detti celesti è trasgressore del cielo. Ma sia questo o sia che si tratti di chi sminuisce la grazia ricevuta dal Cielo — che ci ha infuso lo Spirito Santo — sia che si tratti del fatto che, quando si è diventati uccelli che volano alti nel cielo, non si deve ritornare sulla terra da lassú [62] (dunque è un peccato contro il cielo abbandonare il cielo, quando se ne è abitatori), comunque sia, c'è una diversità tra peccatori: ci sono i peccatori del cielo e i peccatori della terra.

35. *Nelle ore del mattino* — dice — *sterminerò tutti i peccatori della terra.* Come potrebbe uno solo sterminare tutti i peccatori della terra? Ma se si ponesse mente al giusto, per il quale *si è ritirata la notte, si è avvicinato il giorno*, ecco che si potrebbe vedere come, quando spunta il Sole della giustizia, chi all'alba è sveglio potrebbe sterminare ogni fomite di colpa. Oh, se questa grazia mi infondesse la capacità di eliminare, con quella spada spirituale che è la Parola di Dio, tutti gli stimoli dei vizi della Chiesa del Signore e di estirpare le mancanze terrene, che ci fanno precipitare in quella specie di fossato nel quale ci fa scivolare la colpa! Oh, se fossi cosí capace di cacciar fuori dalla città di Dio l'operatore di ingiustizia! La città di Dio è la Chiesa e la Chiesa è il Corpo di Cristo. Pecca contro il Cielo l'uomo che inquina le norme della città celeste e profana la santità di quel corpo senza macchia con il disordine impuro dei suoi vizi.

36. E sta' attento che non ci siano peccatori sia del cielo che della terra. Certo, Adamo, quando era nel paradiso, era celeste; mentre, dopo la caduta, divenne terreno e fu cacciato via dal paradiso. Perché l'Apostolo esclama: *Il primo uomo, tratto dalla terra, è terreno, il secondo uomo, che proviene dal cielo, è celeste.* Buttiamo via dunque l'immagine dell'uomo terreno e assumiamo l'immagine dell'uomo celeste! Un'immagine riprodotta non con artifici né con cere, non tracciata con i colori ma con le opere della vita, di modo che Cristo vi si riconosca [63].

37. *Con il tuo timore inchioda le mie carni; ché io ho avuto timore dei tuoi giudizi.* L'uomo che ama i segni della volontà del Signore inchioda le sue carni, ben sapendo che il suo uomo

---

[62] Penso che si possa vedere qui un'allusione alle defezioni dalla vita monastica, di cui quella dei monaci Sarmazione e Barbaziano era «attuale»: cf. *Expl. ps. XXXVI*, 49 ed *Epist.*, extr. coll., 14 (= Maur. 63), 7-10, alla Chiesa di Vercelli. Del resto, l'accostamento del tema platonico del volo dell'anima alla spiritualità della verginità cristiana è tipico di Ambrogio (*De uirginit.*, 96, 106-117): cf. COURCELLE, *Connais-toi...*, III, pp. 596-598. Cf. anche 14, 38.

[63] Cf. *Expl. ps. XXXVIII*, 24; *Exp. eu. Luc.*, prol., 1.

luxuriam destruat carnis, ne cupiditates eius indomito feruore lasciuiant, ne radix auaritiae serpentibus se fundat radicibus. Confige ergo clauis et destrue fomenta peccati, moriatur in carne tua omnis inlecebra delictorum, libertatem uagandi cupiditas uoluptatum cruci adfixa non habeat. Est quidam clauus spiritalis, qui patibulo dominicae crucis adfigat has carnes. Et fortasse sunt carnes quaedam animae, sicut corpus est animae. Carnes animae sunt carnales cogitationes; configat has carnes timor domini et iudiciorum eius et seruituti redigat. Quodsi carnes istae reiciunt clauos diuini timoris, haud dubie dicitur: *Non permanebit spiritus meus in his hominibus, quoniam carnes sunt* [c]. Nisi igitur adfigantur hae carnes cruci et configantur clauis a timore dei nostri, non permanebit in his spiritus dei.

38.  Sicut sunt aculei timoris quibus conpungimur, ita sunt claui timoris quibus configimur. Qui conpungitur excitatur, qui configitur mortificatur, ut peccato deficiat, deo uiuat. Vt sciamus autem clauos spiritales esse, etiam stimuli spiritales sunt, de quibus scriptum est: *Durum tibi est aduersus stimulum calcitrare* [a]. Hoc stimulo Paulus stimulatus surrexit e terra et se leuauit, ut conuersaretur in caelo. Confixus est clauis apostolus Thomas, ut diceret: *Nisi uidero in manibus eius fixuras clauorum et mittam digitum meum in locum clauorum* [b]. Claui erant bonae cupiditatis, claui erant, etsi non perfectae fidei, tamen fidei incrementa quaerentis.

39.  His configitur clauis qui pro Christo commoritur, ut cum Christo resurgat [a]; his configitur clauis qui mortificationem domini Iesu in corpore suo portat [b]; his clauis configitur qui meretur audire dicente Iesu: *Pone me ut signaculum in cor tuum, ut sigillum in brachium tuum, quia ualida est ut mors caritas, durus sicut inferi*

---

[c] * Gen 6, 3.
38. [a] * Act 9, 5.
   [b] * Io 20, 25.
39. [a] Cf. 2 Tim 2, 11.
   [b] Cf. 2 Cor 4, 10.

vecchio — inchiodato alla croce con Cristo — distrugge la lussuria della carne e non permette che le passioni di quella si scatenino con irrefrenato eccesso, né che la radice dell'avidità si dirami in un serpeggiare di radici. Inchioda dunque e distruggi qualsiasi esca del peccato! Muoia nella tua carne ogni seduzione di colpa! Il desiderio delle passioni, fissato alla croce, non abbia libertà di movimento! C'è un chiodo spirituale, capace di fissare al palo della croce del Signore queste nostre carni [64]. E forse anche l'anima ha le sue carni, come ha un suo corpo. Le carni dell'anima sono i pensieri carnali. Allora, inchiodi queste carni il timore del Signore [65] e dei suoi giudizi e le riduca in schiavitú! Che se queste carni respingono i chiodi del timor di Dio, certamente si deve dire: *Non rimarrà il mio spirito in uomini siffatti, perché non sono che carne*. Orbene, se queste carni non vengono fissate alla croce e non sono inchiodate con il timore del nostro Dio, non rimarrà in esse lo Spirito di Dio.

38. Come il timore ha pungiglioni che ci pungolano, cosí ha anche chiodi che ci inchiodano. I pungoli sono stimoli, le inchiodature sono mortificazioni che ci fanno morire al peccato e vivere per Dio. Per farci accettare la realtà dei chiodi spirituali, ecco anche gli sproni spirituali, di cui sta scritto: *È duro per te recalcitrare contro lo sprone*. È questo lo sprone che ha spronato Paolo ad alzarsi da terra e a sollevarsi da essa fino a vivere nel Cielo. I chiodi inchiodarono l'apostolo Tommaso e gli fecero dire: *Se non vedrò le trafitture dei chiodi nelle sue mani e non metterò il dito nel buco dei chiodi...* Si trattava di chiodi d'un santo desiderio; di chiodi, se non di una fede perfetta, almeno d'una fede che cerca di crescere.

39. Da questi chiodi [66] è inchiodato chi, per Cristo, muore con Lui per risorgere con Cristo. Da questi chiodi è inchiodato chi porta nel suo corpo la volontà di morire del Signore. Da questi chiodi è inchiodato chi ha il privilegio di sentirsi dire da Gesú: *Poni me a sigillo del tuo cuore, a sigillo del tuo braccio, perché forte come la morte è l'amore, tenace come gli inferi è la*

---

[64] Anche il tema dei *chiodi* (come quello della *colla*, per il quale cf. 4, 22 e la nota 36) è platonico, e significa l'azione delle passioni che tengono avvinto l'uomo alla carnalità. Qui, per contrasto, i chiodi spirituali servono invece a crocifiggere quelle passioni: cf. COURCELLE, *Connais-toi...*, II, p. 338.

[65] La croce vista come *timore* è motivo origeniano: in HARL, SCh 189, pp. 380-382. In Ambrogio però sono i chiodi il segno del timore: la differenza è segnalata da AUF DER MAUR, *Das Psalmenverständnis des Ambrosius...*, p. 288.

[66] L'immagine del *clauus animae* è platonica: cf. P. COURCELLE, *La colle et la clou de l'âme dans la tradition néoplatonicienne*, in «Revue Belge de Philologie et d'Histoire», 36 (1958), pp. 73-95. In Ambrogio essa, collegata a quella dei chiodi di Cristo, diventa simbolo di rinuncia in vista dell'ascesi sacramentale: infatti R.T. OTTEN, *Caritas and the Ascent Motif in the Exegetical Works of St. Ambrose*, in *Studia Patristica*, VIII («Texte und Untersuchungen», 93), Berlin 1966, pp. 447 s., vede attorno ad essa adunati parecchi riferimenti al battesimo. Ed è simbolo anche della partecipazione alla vita di Cristo e all'unione mistica. Anche se il collegamento tra *clauus animae* e i chiodi della croce risulta ben evidente in Ambrogio, mi pare che esso sia già predisposto da Origene (cf. 15, 37 e nota 64) e da ILARIO, *Tract. ps. CXVIII*, 15, 13 (CSEL 22, p. 495).

*zelus* [c]. Infige ergo pectori tuo et cordi tuo signaculum crucifixi, infige et brachio tuo, ut opera tua peccato mortua sint. Nihil in his criminis reuiuescat, nihil resurgat erroris. Fortasse hanc imaginem claui non solum timoris, sed etiam caritatis adfigunt, *quia ualida est ut mors caritas, durus sicut inferi zelus* [d]. Non te ergo offendat duritia clauorum, quia est duritia caritatis, nec ualidus clauorum rigor, quia ualida est etiam caritas sicut mors. Caritas enim culpam et omnia peccata mortificat, caritas, sicut mortis ictus interimit; denique morimur flagitiis atque peccato, dum domini mandata diligimus. *Caritas deus est* [e], caritas dei uerbum est, quod est ualidum et acutius omni gladio acutissimo usque ad diuisionem quidem animae et spiritus artusque et intima penetrans medullarum [f]. Est durus ergo zelus caritatis qui non cedat inferis, cum pro dei zelo unusquisque nec suis parcat. His clauis caritatis configatur anima nostra et caro nostra, ut et ipsa dicat: *Quia uulnerata caritate ego sum* [g]. Habet ergo clauum suum caritas, habet gladium suum quo anima uulneratur. Felix qui hoc gladio meruerit uulnerari. Haec sunt uulnera quae osculis praeferuntur: *Vtilia uulnera amici quam uoluntaria oscula inimici* [h].

40.  His nos uulneribus offeramus, quibus quicumque mortuus fuerit mortem gustare non poterit. Talis eorum mors qui dominum sequebantur, de quibus dictum est: *Sunt aliqui de istis adstantibus qui non gustabunt mortem, donec uideant filium hominis uenientem in regno suo* [a]. Merito Petrus non timebat hanc mortem; non timebat enim qui dicebat, quia, etsi oporteret eum pro Christo mori, non eum relinqueret aut negaret [b]. Tollamus ergo crucem domini quae configat carnes nostras, peccatum destruat. Est timor qui configit carnes: *Nisi quis tulerit crucem suam et secutus me fuerit, non est me dignus* [c]. Ille enim dignus qui habet Christi timorem, ut crucifigat carnale peccatum. Hunc timorem sequitur caritas, quae consepulta cum Christo non diuellatur a Christo, moriatur in Christo, adtumuletur Christo, ut cum Christo resurgat [d].

[c] * Cant 8, 6.
[d] * Ibid.
[e] * 1 Io 4, 8.
[f] Cf. Hebr 4, 12.
[g] * Cant 2, 5.
[h] * Prou 27, 6.
40. [a] * Mt 16, 28.
    [b] Cf. Mt 26, 35.
    [c] * Mt 10, 38.
    [d] Cf. Rom 6, 4.

*gelosia.* Conficca dunque nel tuo petto e nel tuo cuore il sigillo del Crocifisso! Confíccatelo anche nel braccio, di modo che diventino morte al peccato le tue azioni! Non rispunti in esse traccia di delitto, non rinasca traccia di colpa! Forse non sono solo i chiodi del timore, ma anche quelli dell'amore a conficcare una tale immagine, perché *forte come la morte è l'amore, tenace come gli inferi è la gelosia.* Non ti sia dunque sgradita la tenacia dei chiodi, perché è la tenacia dell'amore; né la forte rigidezza dei chiodi, perché forte come la morte è anche l'amore. L'amore fa morire la colpa e ogni peccato, l'amore uccide come una zampata della morte. Tant'è vero che, quando amiamo i comandamenti del Signore, noi moriamo anche al peccato piú infamante. *Dio è amore*; Amore è la Parola di Dio, che è forte e piú penetrante d'ogni piú penetrante spada che arriva fino a dividere in due l'anima, lo spirito e le membra, e penetra fin dentro le midolla. È dunque tanto tenace la gelosia d'amore da non essere da meno degli inferi, se è vero che, per lo zelo verso Dio, non si ha riguardo nemmeno ai propri affetti. Da questi chiodi d'amore sia inchiodata la nostra anima e la nostra carne, tanto che siano esse stesse a dire: *Io sono ferita d'amore.* Dunque, l'amore ha un suo chiodo ed ha anche una sua spada, con cui ferisce l'anima. Beato l'uomo che ha avuto il privilegio di essere ferito da questa spada! Queste sono ferite piú amabili dei baci: *Le ferite dell'amico sono piú utili dei baci intenzionali del nemico.*

40. Esponiamoci volontariamente a queste ferite, che non fanno assaporare la morte a chi di esse muore. Questa era la morte di quanti seguivano il Signore, a proposito dei quali è stato detto: *Ci sono alcuni tra questi presenti che non gusteranno la morte prima di vedere il Figlio dell'uomo venire con la sua regalità.* Aveva ragione Pietro a non temere questa morte: e non la temeva infatti quando diceva che, anche se fosse stato necessario morire per Cristo, non lo avrebbe né abbandonato né rinnegato. Prendiamo dunque la croce del Signore, che sappia inchiodare le nostre carni, distruggere il peccato! C'è un timore che inchioda le carni: *Se uno non prende la sua croce e non si mette alla mia sequela, non è degno di me.* È degno chi ha quel timore di Cristo che gli fa crocifiggere il peccato della carne. A questo timore succede l'amore, che, sepolto assieme a Cristo, possa non essere mai divelto da Cristo, ma possa morire con Cristo, entrare con Cristo nella tomba per risorgere con Cristo!

# XVI

## Littera «Ain»

1. Incipit littera sexta decima «Ain», cuius interpretatio est «oculus» siue «fons». Oculus utitur uidendi munere, sed saepe uidemus ea quae conplacent et saepe quae displicent, nec in eo oculi est uel culpa uel probitas pro eorum qualitate quae uiderit; oculi est enim officium nuntiare quod uiderit. Est sane uel offensa uel gratia, si aut delectetur suauibus aut offendatur aduersis. Ideo frequenter oculus suppliciorum dicitur, oculus temptationis, oculus haedi, oculus uitulae, oculus generationis aut fons generationis.

2. Legimus in euangelio, quia baptizabat Iohannes in Aenon [a]. Aenon oculum suppliciorum interpretati sunt. Itaque nemo uenit ad baptismum nisi qui desiderat sibi propria peccata dimitti, quorum supplicia corde prouido perhorrescat. Itaque licet oculus suppliciorum dicatur, praeuidentis est tamen supplicia, non sustinentis, licet baptismum paenitentiae [b] habeat aliquam de suppliciorum susceptione tolerantiam. Oculi est, ut intuendi officio fungatur, tuum est cauere quod uideris.

3. Denique et oculus temptationis dicitur, quia per oculum saepe temptamur. Oculus meretricis laqueus amatoris. Sed oculus nihil delinquit ideoque saluatoris sententia plena iustitiae est dicentis: *Qui uiderit mulierem ad concupiscendum eam, iam adulterauit eam in corde suo* [a]. Non dixit «qui uiderit mulierem», sed «ad concupiscendum uiderit». Oculum absoluit, mentem ligauit. Nec dixit «adulterauit eam in oculo», sed «in corde». In oculo uisus est, in corde peccatum.

4. Oculus haedi qui ad sinistram est, quod ea quae dextra sunt [a] peccator uidere non possit. Sanctus autem dicit: *Prouidebam dominum in conspectu meo semper, quoniam a dextris mihi est, ne commouear* [b]. Et Petro sancto apostolo, cum tota nocte nihil cepisset, ut legimus in euangelio, a saluatore dictum est: *Mitte in dexteram partem retia nauigii* [c]. Itaque fretus imperatis caelestibus misit retia et plurimum piscium congregauit. In sinistra nox erat, in dextera diuini sermonis diurna claritudo fulgebat.

---

2.   [a] Cf. Io 3, 23.
     [b] Cf. Mt 3, 11.
3.   [a] * Mt 5, 28.
4.   [a] Cf. Mt 25, 33.
     [b] * Ps 15, 8.
     [c] * Io 21, 6.

## XVI

## Lettera «Ain»

1. Comincia ora la lettera «Ain», la sedicesima. Essa significa «occhio» o «fonte». L'occhio fruisce della funzione visiva, ma spesso vediamo cose che ci rallegrano e spesso cose che ci rattristano: non c'è colpa o merito dell'occhio nella qualità delle cose che esso vede; suo compito è registrare ciò che vede. C'è per altro o un'offesa o un piacere per la vista, a seconda che cose dolci la rallegrino o cose sgradite l'offendano. Perciò si usa dire «occhio (cioè visione) delle pene», «di tentazione», «del capro», «della giovenca», «di generazione» o «fonte di generazione»[1].

2. Nel Vangelo leggiamo che Giovanni battezzava in Enon. Enon è stato interpretato come «occhio delle pene»[2]. Pertanto nessuno ricorre al battesimo, se non desidera che gli siano rimessi i suoi peccati, delle cui pene il suo animo preveggente prova terrore. E così anche se si dice «occhio delle pene»; ciò significa occhio di chi prevede le pene, non di chi le subisce, anche se il battesimo di penitenza comporta l'accettazione di qualche pena assunta. È compito dell'occhio svolgere la funzione visiva, compito tuo è fare attenzione a quello che vedi.

3. Tant'è vero che c'è anche l'espressione «occhio della tentazione», perché spesso siamo tentati tramite la vista. L'occhio della meretrice è un laccio per il donnaiolo[3]. Ma l'occhio non ha colpa alcuna, e perciò ha una pienezza di giustizia l'affermazione del Salvatore: *Chi guarda una donna con concupiscenza, ha già commesso adulterio con lei nel suo cuore.* Non ha detto: «Chi guarda una donna», ma chi guarda «con concupiscenza». È assolto l'occhio e condannata l'intenzione. E non ha nemmeno detto: «Ha commesso l'adulterio con lei nell'occhio», ma «nel cuore». Nell'occhio sta la vista, il peccato sta nel cuore.

4. «Occhio del capro» è colui che sta alla sinistra, perché il peccatore non può vedere ciò che sta alla destra. Mentre l'uomo di Dio dice: *Tenevo in vista davanti a me il Signore, sempre al mio cospetto, perché egli sta alla mia destra per evitarmi ogni turbamento.* E l'apostolo Pietro, che non aveva preso niente per tutta la notte, si sente dire dal Salvatore, come leggiamo nel Vangelo: *Getta le reti a destra della barca.* E allora, confidando in quel comando celeste, gettò le reti e fece abbondante raccolta di pesci. A sinistra era la notte, a destra risplendeva la luminosa luce del giorno della parola divina.

---

[1] Per questo strano collegamento, che serve a connettere le due etimologie della lettera *ain*, cf., più avanti, l'etimo di Enon e il battesimo di Giovanni (c. 2 ss.). Per «occhio delle pene», cf. 16, 2; per «occhio di tentazione», cf. 16, 3; per «occhio del capro», cf. 16, 4; per «occhio della giovenca», cf. 16, 5; per «occhio (o "fonte") della generazione», cf. 16, 6.
[2] Cf. *Expl. ps. XXXVII*, 3.
[3] Cf. *De paen.*, I, 73: *Oculus meretricis laqueus amatoris est*; *De bono mort.*, 24.

5. Est et oculus uitulae, quod aeque ad peccatores refertur, quia sicut iugi loro uitulae adtrahunt iniquitates ᵃ, non disrumpentes neque abscidentes proprium, sed longo trahentes fune peccatum. Indomita enim uitula sero mansuescit et trahit lora, non suscipit, quia inpatiens est tenendi; quo diutius traxerit, eo amplius inpeditur.

6. Oculus quoque generationis aut fons generationis dicitur, quia ex oculi conspectu aut bona aut aduersa generantur. Vidisti mulieris pulchritudinem, laudasti artificis opus, uenustatem naturae: generatio fidei, deuotionis est partus. Contentus fuisti formae decore, non census ambitione sumpsisti in uxorem, genuit filios liberalioris gratiae: oculus tibi fuit generatio prosperorum. Contemplatus es sacram puellam, pressit oculos tuos augustae reuerentia castitatis, praedicasti dominum Iesum, qui senilem dedisset in adulescentula aetate grauitatem inmaculatamque uitam ᵃ inter infirmas tam lubricae huius carnis inlecebras humanis infudisset affectibus: oculus tibi factus fons bonorum est. Vidisti possessiones pupillorum non ad inuadendum, sed ad tuendum et paternis ingemuisti uisceribus, si quid aduertisti de minoris commodis esse neglectum, reppulisti eum qui fines eius uolebat inuadere ᵇ, iudicasti pupillo ᶜ: oculus tuus fons tibi fuit et origo iustitiae. Iudicasti uiduae — sicut enim mala dragma non dragma, sic malum iudicium non utique iudicium —, iudicasti ergo sicut iustus et bonus iudex, uidisti usurpatorem inprobum, qui maritali auxilio destitutam suam praedam putaret ᵈ, iniquitatem non passus es, tulisti indefensae opem, quo adiuta praesidio inoffensa opera castitatis exercuit nec auxilium quaerere maritale conpulsa est, dicit tibi dominus: «Venite, disputemus ᵉ, quia iustificasti uiduam ᶠ»: oculus tuus fons gratiae tibi factus est. Vidisti nudum corpus inopis iacere defuncti, non praeteristi ut ille qui exponitur in euangelio sacerdos atque leuita ᵍ, sed continuo miseratus sepulturae solaciis tradidisti: generauit tibi oculus materiam redemptionis.

5　ᵃ Cf. Is 5, 18.
6.　ᵃ Cf. Sap 4, 9.
　　ᵇ Cf. Ps 9, 39 (10, 18).
　　ᶜ Is 1, 17.
　　ᵈ Cf. Is 10, 2.
　　ᵉ * Is 1, 18.
　　ᶠ Cf. Is 1, 17.
　　ᵍ Cf. Lc 10, 31-32.

5. C'è anche l'occhio «della giovenca». Esso pure si riferisce ai peccatori perché — come le giovenche con le corregge del giogo — essi tirano il carico di ingiustizie: incapaci di spezzare o di troncare il proprio peccato, lo trascinano con lunghe corde. La vitella non doma, si fa presto ad addomesticarla e trascina le corregge senza farsele mettere addosso, perché non sopporta legami: ma quanto piú le trascina tanto piú vi si intrica.

6. C'è anche l'espressione «occhio della generazione» o «fonte della generazione», perché dalla vista che l'occhio offre sono «generate» cose buone e non buone. La vista ti ha presentato una bellezza femminile e tu hai lodato l'opera di quell'Artefice, una bellezza della natura: l'occhio ha generato la fede, ha partorito un sentimento religioso. Ti sei appagato di quella forma armoniosa, l'hai scelta come sposa, non per interesse venale; ti ha generato figli di una grazia piú nobile: l'occhio è stato per te una generazione di felicità. Hai rimirato una giovane consacrata e ti si è stampata negli occhi la reverenza di una maestosa castità; hai proclamato la grandezza del Signore Gesú che in una ragazza cosí giovane ha posto una serietà da vegliardi e che ha infuso nell'animo umano — in mezzo alle seduzioni inconsistenti di questa carne cosí infida — la possibilità d'una vita immacolata: ecco che l'occhio è diventato per te una fonte di bene. Hai gettato sulle proprietà di orfani minorenni uno sguardo non di avidità, ma di tutela, ed hai levato un profondo e sentito grido di sdegno, quando hai visto calpestato qualche interesse di minorenni; hai rintuzzato la persona che voleva occupare i loro terreni; hai reso giustizia all'orfano minorenne: ecco che l'occhio per te è stato fonte e scaturigine di giustizia. Hai reso giustizia alla vedova: come una moneta falsa non è una moneta, cosí un cattivo giudizio non è un giudizio [4]. L'hai giudicata dunque da giudice giusto e buono. Hai visto un disonesto profittatore che pensava di fare bottino d'una donna priva del sostegno d'un marito, non hai tollerato l'abuso, hai portato soccorso all'indifesa, ed ella — con l'aiuto della tua protezione — ha potuto continuare senza danno la sua casta vedovanza, senza vedersi costretta a ricercare sostegno in un nuovo marito. Il Signore dice per te: *Venite e discutiamo*, perché tu hai trattato con giustizia la vedova. Ecco che il tuo occhio è diventato per te fonte di grazia! Hai visto nudo per terra il corpo morto di un miserabile; non sei passato oltre, come quel sacerdote e quel levita di cui si narra nel Vangelo, ma subito ne hai avuto compassione e l'hai affidato al conforto della sepoltura: ecco che l'occhio ti ha generato un motivo di redenzione.

---

[4] Nel verþo *iudicare* è già implicita per Ambrogio l'idea di un giudizio giusto, altrimenti non si dà nemmeno giudizio, perché l'essenza del giudizio è la giustizia.

7.  Contra si aspiciens agrum pupilli uineis consitum, laetum segetibus, nemoribus umbrosis aut fluuiis decurrentibus aut fontibus scaturrientibus aut riparum herbosis amoenum toris, et auaritiae facibus accensus transtulisti patrum limites atque in possessionem indefensam inprobus inruisti, oculus tuus tibi mortis perpetuae acerba generauit. Vicinae uiduae iura temerasti, coegisti eam, quae aut dolorem suum aut pudorem secretis clausa parietibus fouere deberet, prosilire in publicum, inuerecundius quam iniustius litigare: oculus tuus partus iniquitatis est factus. Vidisti inopem superbo oculo et insatiabili corde, despexisti precem pauperis et, quem miserari debueras, cum fastidio praeteristi: oculus tuus fons tibi fuit et origo peccati.

8.  Ideoque oculi tui non lupi oculi sint et insidiantes ad praedam, sed, sicut sponsae dicitur: *Oculi tui stagna in Esebon, in portis filiae multorum, nares tuae sicut turris Libani* [a]. Stagna in Esebon quid est nisi in cogitationibus rationabilibus abundantia, quae est in portis ecclesiae, cui merito defertur multitudo doctrinae? Filia enim multorum, plurimarum doctrinarum posteritas et fetus est, cuius nares odor est sacrificiorum floribus omnibus praestans. Quid enim Christi odore sublimius, qui adolebat terris fragrantiam? Oculus ergo iste prouideat quae futura sunt et, si aduersa inminere praeuiderit, fletu lacrimisque emollire ac mitigare non desinat.

9.  Ideo Hieremias in captiuitate gentis Iudaeae positus futuram praeuidens perpetuae captiuitatis aerumnam, quam perfidiae pretio Iudaeorum populus habebat exsoluere, dicebat in Threnis sub hac eadem littera: *In hoc ego fleo. Oculi mei caligauerunt a fletu, quia elongauit a me qui me consolabatur* [a]. Non igitur abductum se esse de terris suis dolebat, sed a Christo populum relinquendum consolationemque futurae uitae cernebat amissam.

8.  [a] * Cant 7, 4.
9.  [a] * Thren 1, 16.

7.   Se invece tu hai gettato lo sguardo [5] sul campo dell'orfano minorenne — tenuto a viti, ricco di messi, ridente di boschi ombrosi o di acque correnti o di sorgenti zampillanti o di erbose prode [6] — e, infiammato dal fuoco dell'avidità, hai spostato i confini aviti e sei penetrato con prepotenza in quella proprietà indifesa, ecco che il tuo occhio ti ha generato quella sciagura che è la morte eterna. Hai violato i diritti della vedova tua vicina; hai costretto lei, che avrebbe dovuto tutelare il suo dolore o il suo pudore nell'intimità della sua casa, a una pubblica esibizione, ad una vertenza piú impudica che ingiusta: ecco che il tuo occhio è diventato un parto della disonestà. Hai guardato il bisognoso con occhio altezzoso e con animo ingordo; hai guardato dall'alto in basso la supplica del povero e gli sei passato oltre infastidito, mentre avresti dovuto provarne compassione: ecco che il tuo occhio per te è stato fonte e scaturigine di peccato.

8.   E allora bada che i tuoi occhi non siano occhi «di lupo», infidi e predatori, ma che siano invece come gli occhi di quella sposa, alla quale si dice: *I tuoi occhi sono come gli stagni di Esebon, alle porte della figlia di molti. Le tue narici sono come la torre del Libano*. Gli stagni di Esebon: che cosa sono se non quella abbondanza, insita nella razionalità [7], che si situa alle porte della Chiesa, alla quale si riconosce giustamente una gran quantità di sapere? Infatti essa è *figlia di molti* ed erede e frutto di un cumulo di dottrina, e le sue narici hanno il profumo dei sacrifici, che è piú intenso d'ogni fiore. Quale profumo è piú raffinato di quello di Cristo, che nel suo sacrificio bruciava fragranza per il mondo? Dunque quest'occhio sappia penetrare nelle realtà future e, se ha visto in anticipo l'incombere delle disgrazie, non cessi di lenirle e di addolcirle con pianto e lacrime.

9.   Per questo Geremia, quando si trovava in schiavitú con la nazione della Giudea, prevedeva l'avvenire sventurato della schiavitú perpetua, che il popolo dei Giudei avrebbe dovuto scontare come prezzo del suo rifiuto a credere, e diceva nelle Lamentazioni, sotto questa stessa lettera «Ain»: *Su questo io piango. I miei occhi si sono appannati per il pianto, perché si è allontanato da me il mio consolatore*. Non lo affliggeva la deportazione dalla sua terra, ma la vista dell'inevitabile abbandono del popolo da parte di Cristo e della perdita della consolante realtà

---

[5] È lo stesso paesaggio, che troviamo tratteggiato anche in *Exam.*, I, 28: *toris herbosa riparum, opaca nemoribus, laeta segetibus, umbrosa superciliis montium, odorata floribus, grata uinetis.* Cf. anche *Exam.*, III, 52; *De uirginib.*, I, 45; *Exh. uirg.*, 29; *De Is.*, 60. Sono le colture tipiche dell'Italia «annonaria» ed esprimono la predilezione ambrosiana per un tipo di coltura *mista*: cf. L. CRACCO RUGGINI, *Economia e società...*, p. 179.

[6] Cf. VIRGILIO, *Aen.*, VI, 674: *riparumque toros.* Ambrogio lo cita ancora in *Exam.*, I, 28; III, 65; *De off.*, II, 82: cf. COURCELLE, *Connais-toi...*, II, nota 143, p. 464.

[7] Il significato di *Esebon* è, in alcune liste etimologiche, indicato come λογισμός (*cogitatio*) o αὔξησις (λύπης) λογισμοῦ (cf. WUTZ, *Onomastica sacra...*, pp. 105 s.; 466). È interpretato come λογισμοί anche in FILONE, *Leg. alleg.*, III, 226 (C. W., I, p. 163) e in ORIGENE, *Hom. Num.*, XIII, 1 (GCS 30, p. 108) (cf. WUTZ, *ibid.*, p. 743).

Haec est dolenda captiuitas, quae aeternae spe libertatis priuata uidebatur. Alio quoque loco sub hac eadem littera repetiuit in Threnis dicens: *Dominus quae cogitauit consummauit, uerbum suum quod mandauit a diebus antiquis; destruxit et non pepercit et laetificauit super te inimicum et exaltauit cornu tribulantis te* [b]. Nonne euidenter futurum iudicium Christi adnuntiatur, sicut in psalmo quoque praesenti declarari certum est? Oculus ergo praeuideat quae uentura sunt et ea aut profusione lacrimarum aut erroris correctione detorqueat. Denique Hieremias flebat, quia malam causam impiae plebis suspiceret, quae perfidiae pertinacia proprium negabat auctorem.

10.   Dauid autem prophetico spiritu iudicium praeuidens Christi, in quo nemo innocens periclitabitur, nemo sceleratus eludet, bona fretus conscientia dicit: *Feci iudicium et iustitiam, ne tradas me nocentibus me* [a]. Non quasi gloriosus insolens ipse se laudat [b], cum utique peritus legis alterius potius quam proprio ore unumquemque laudandum esse non ignoraret. Non, inquam, praedicatarum iactantia est hic ulla uirtutum, sed uitae innocentis adsertio iure praesumpta, ne dignus aestimaretur qui propter grauia peccata relinqueretur a domino et traderetur nocentium potestati. Defensio est igitur, non adrogantia, quando non excellentia aliqua honoris adsumitur, sed formidabilis propulsatur aerumna. Denique Petrus hoc genere defensionis utitur dicens: *Ecce nos reliquimus omnia et secuti sumus te; quid ergo erit nobis?* [c] In quo si dicti adrogantis decolor aliqui usus fuisset, non tantum gratiae de domini saluatoris sententia retulisset, ut non solum minime subdendus ipse iudicio, sed etiam iudicaturus de aliorum meritis ipse nuntiaretur [d]. Neque enim in iudicio, si quis innocentiae suae tuendae gratia quid fecisset aperiret, ad iactantiam potius quam ad defensionem causae dictum aestimaretur. Aliud est dignum se praemio dicere, aliud indignum iniuria.

11.   Et tamen ille ipse philosophiae summus, ut aiunt, magister cum accusaretur, interrogatus qua tandem poena se dignum

[b] * Thren 2, 17.
10.[a] * Ps 118, 121.
    [b] Cf. Prou 27, 2.
    [c] Mt 19, 27.
    [d] Cf. Mt 19, 28.

---

10, 14 aliqui usus *posui*, aliqui ausus *Petschenig*, aliquid usus *A O P R*, aliquis naeuus *G M N edd.*

della vita futura. Questa è la schiavitú che merita la sua afflizione: quella che a lui sembrava ormai per sempre senza la speranza di una liberazione. Anche in un altro punto, sempre sotto questa lettera, l'ha ripetuto nelle Lamentazioni, dicendo: *Il Signore ha portato a compimento ciò che ha pensato, la sua Parola, che ha disposto fin dai giorni antichi. Ti ha distrutto spietatamente e ha fatto rallegrare il nemico su di te ed ha esaltato la baldanza del tuo oppressore.* Non è forse un chiaro annuncio del futuro giudizio di Cristo, quale viene sicuramente manifestato anche in questo nostro Salmo? Dunque, l'occhio sappia prevedere le realtà che verranno e sappia stornarle o spargendo lacrime o correggendo l'errore. Geremia appunto piangeva, perché sospettava la cattiva disposizione del popolo che, con una ostinata incredulità, misconosceva il suo Creatore.

10.   Davide però, grazie alla sua ispirazione profetica, sapeva prevedere il giudizio di Cristo, nel quale nessun innocente correrà pericolo e nessuno scellerato potrà scherzare impunemente. Contando su questa buona coscienza dice: *Ho operato il giudizio e la giustizia. Non consegnarmi a chi vuol farmi del male!* Non intesseva le proprie lodi come un vanaglorioso arrogante, perché certamente non ignorava, da esperto nella Legge, che sono gli altri che devono casomai lodarci, e non noi stessi. Non si tratta qui — sto dicendo — di una presuntuosa proclamazione di virtú, ma di una dichiarazione di incolpevolezza, fatta in legittima buona fede: egli non voleva essere abbandonato dal Signore in quanto colpevole di gravi peccati, né essere consegnato nelle mani di chi voleva fargli del male. Si tratta quindi qui di difesa, non di arroganza, perché non ci si appropria qui di un qualche titolo di superiorità, ma si vuole allontanare una terribile disgrazia. Tant'è vero che Pietro fa uso di questo tipo di difesa, quando dice: *Ecco, noi abbiamo lasciato ogni cosa per seguire te. Che ci sarà dunque per noi?* Se in lui ci fosse stato uno scorretto impiego [8] di parole arroganti, non avrebbe ricevuto una risposta cosí benevola dal Signore Salvatore, che gli annunciava non solo che non sarebbe stato sottoposto per nulla al giudizio, ma che anzi sarebbe stato egli stesso giudice delle azioni altrui. E se uno, in un processo, rivelasse la propria condotta per tutelare la propria innocenza, questo fatto non sarebbe giudicato come prova di arroganza, ma piuttosto di difesa della propria posizione. Altro è dichiararsi meritevole di un premio e altro non essere meritevole di condanna.

11.   Eppure a colui che è ritenuto il piú grande maestro di filosofia [9], durante il suo processo, fu chiesto quale pena ritenesse

---

[8] La lezione *decolor aliqui usus* è corroborata anche da PRUDENZIO, *C. Symm.*, I, 504 s.: *nec decolor usus/...coinquinet* (CChL 126, p. 203).
[9] Si tratta di Socrate. Su Ambrogio e Socrate, cf. MADEC, *Saint Ambroise et...*, p. 109.

putaret, respondisse fertur, ut in prytaneo publico cotidie conuiuio susciperetur. Ille honorem usurpauit, hic praecauit aerumnam; ille adrogauit gloriam, hic seruauit humilitatem. Nam quae
maior esse humilitas potest quam ut conscius sibi iudicii et iustitiae reseruatae tradi potestati diaboli uereretur? Hominem se
esse cognouit, inpar sibi bellum aduersum spiritalia nequitiae in
caelestibus ᵃ, raptum esse ᵇ. Enoch nouit, ne malitia mutaret cor
eius, Noe inebriatum ᶜ, Loth incestatum ᵈ, sacerdotum primum
ipsum Aaron cum Maria sorore temptatum, leprae maculis asper-
sam Mariam primum ᵉ, post absolutam, Moysen paene interneca-
tum, nisi circumcisione filii et eiusmodi sanguinis fusione Sephora
mulier eius omne ab eo periculum depulisset ᶠ. His igitur commo-
nitus exemplis nequaquam se fortitudini suae credit, sed cauta
humilitas diuinum sibi precando adsciscit auxilium, petens ne
tradatur nocentibus.

12.   Scit enim auctorem esse principem mundi omnium delictorum ᵃ. Ipse indiuiduos proximorum irarum stimulis excitatos
scindit affectus, ipse flammam accendit libidinis, ipse adolet auaritiae cupiditates, ut quo plus rapuerimus amplius requiramus, ipse
suggerit et ministrat fomenta luxuriae, ipse odio exasperat et
inmodicae studio ambitionis inflammat. Quod uitium blandum
in exordio, saeuum in processu nec fraternae potuit germanitatis
contemplatione reuocari ᵇ: dum dolet sibi gratiae caelestis ambi-
tor fratrem esse praelatum, de sacrificio processit ad parricidium.
Auctorem igitur incontinentiae diabolum esse apostolus docet:
*Ne temptet uos satanas propter incontinentiam uestram* ᶜ. Incento-
rem quoque auaritiae ipsum esse legimus dicente Paulo: *Qui
uolunt diuites fieri incidunt in temptationem et laqueum diaboli* ᵈ,
et alibi: *Mortificate ergo membra uestra quae sunt super terram,
fornicationem, inmunditiam, libidinem, concupiscentiam malam et
auaritiam quae est idolatria* ᵉ. In his enim diaboli uoluntatem facimus et exsequimur potestatem, qui per carnis istius desideria
incentiuum suae fraudis operatur.

11. ᵃ Cf. Eph 6, 12.
    ᵇ Cf. Sap 4, 11.
    ᶜ Cf. Gen 9, 21.
    ᵈ Cf. Gen 19, 33.35.
    ᵉ Cf. Num 12.
    ᶠ Cf. Ex 4, 24-25.
12. ᵃ Cf. Io 12, 31; Eph 2, 2.
    ᵇ Cf. Gen 4, 3 ss.
    ᶜ 1 Cor 7, 5.
    ᵈ * 1 Tim 6, 9.
    ᵉ * Col 3, 5.

di meritare. E si dice che abbia risposto: «Di usufruire ogni giorno di un banchetto a spese pubbliche del pritaneo »[10]. Quello ha rivendicato un'onorificenza, il nostro ha voluto prevenire un danno; quello ha preteso la gloria, il nostro ha mantenuto l'umiltà. Quale umiltà è piú grande del temere di essere consegnati in potere del diavolo, pur essendo consapevoli di aver rispettato il giudizio e la giustizia? Ha riconosciuto di non essere che un uomo [11] e che impari era per lui la guerra contro gli spiriti del male che stanno nei cieli; ha saputo che Enoch era stato rapito al cielo perché il male non lo guastasse; che Noè era caduto nell'ubriachezza, Loth nell'incesto; che lo stesso primo sacerdote, Aronne, era stato tentato assieme alla sorella Maria; che Maria fu prima cosparsa delle macchie della lebbra e poi liberata; che Mosè per poco non sarebbe stato trucidato, se sua moglie, Sefora, non gli avesse stornato il pericolo, circoncidendo il figlio e spargendone il sangue. Questi esempi lo ammonivano a non affidarsi mai alle proprie forze. Anzi, una prudente umiltà gli fece ricercare con la preghiera l'aiuto divino, quando chiedeva di non essere consegnato a chi gli voleva far del male.

12.    Egli sa che il principe di questo mondo è l'artefice di ogni peccato. È lui che spezza gli affetti indissolubili, esasperandoli con le sollecitazioni d'una rissosità tra parenti ed intimi. È lui che accende la fiamma della concupiscenza. È lui che brucia grani d'incenso alla bramosia dell'avidità, facendoci accrescere il desiderio con il crescere del possesso. È lui che propone e somministra alimento alla nostra lussuria. È lui che ci esaspera con l'odio e ci infiamma con uno smodato desiderio di successo. È questo un vizio che all'inizio è blando, ma che poi diventa, col passar del tempo, feroce e non ha saputo arretrare nemmeno di fronte al legame fraterno. Colui che aspirava al favore celeste e si vedeva preferito il fratello, è passato dal sacrificio al fratricidio. Quindi l'Apostolo insegna che il diavolo è artefice di passionalità: *Non vi tenti Satana, a causa della vostra passionalità!* Noi leggiamo che egli è anche istigatore di avidità, laddove Paolo dice: *Quelli che vogliono diventare ricchi cadono nella tentazione e nel laccio del diavolo*; e ancora: *Mortificate dunque le vostre membra che stanno sulla terra: fornicazione, impurità, passionalità, desideri cattivi e avidità, che è un'idolatria!* In esse noi facciamo il volere del diavolo e ne subiamo il potere; ed egli, attraverso le voglie di questa carne, mette in atto le attrattive del suo inganno.

---

[10] Cf. PLATONE, *Apol.*, 36de; CICERONE, *De orat.*, I, 232.

[11] Anche qui, come a 13, 20, il motivo del «conosci te stesso» (cf. 2, 13 e nota 30) è declinato come umile consapevolezza dell'insufficienza umana, che invoca il soccorso divino, a differenza del suo corifeo pagano, Socrate, che ne deduceva un'orgogliosa coscienza di sé: cf. COURCELLE, *Connais-toi...*, I, p. 119.

13. Quemcumque ergo in uitiorum suorum possessione reppererit, tamquam obnoxium suo iuri uindicabit. Adulterium quis facit, luxuriam exercet, aliena diripit: portio diaboli est. Pudicus autem et continens et misericors Christi portio est. Christi ergo seruum sibi non potest uindicare, nisi forte lapsum in uitia deprehenderit. Ne tum quidem uindicat, sed tamquam suum sibi tradi postulat. Ideo ergo dicit Dauid: *Feci iudicium et iustitiam* [a], non ut adroget, sed excuset, ne quasi peccator deseratur a Christo. Exemplo sit nobis apostolica lectio, quam ob rem unusquisque tradatur. Illum enim qui uxorem patris habuit, quia sic operatus est, tradidit satanae [b], ut dicit, apostolus. Non ergo esset traditus, nisi diaboli opera fecisset. Vnde non inmerito recusat propheta nocentibus tradi, qui allegat non diaboli opera se fecisse, sed Christi. Christus enim dicit: *Iudicate pupillo et iustificate uiduam* [c]. Hoc est ergo: *Feci iudicium et iustitiam* [d]: in iudicio non contempsi pauperem, non oppressi uiduam, personam diuitis non recepi, in omnibus operibus iustitiam reseruaui.

14. Iudicii finis iustitia est; in altero ueritatis custodia, in altero fructus est aequitatis, utraque tamen non priuata uirtus, sed publica. Nam inmaculatum corpus a uirili permixtione seruare et palmam castimoniae limoso in corpore usque ad angelorum conuersationem custodia integritatis euehere utilitas priuata, laus publica est. Frugi esse ac modestum et sobriae parcitatis tenere mensuram probatur a pluribus, sed sibi soli proficit. Fortitudo in proeliis eminet, in otio friget, cuius opus in tempore necessarium, in uoto aduersum; malunt enim homines non pugnare quam uincere. Sola iustitia est, quae omnibus temporibus aliis potius nata quam sibi cotidiano usu et fructu publico, suo damno alienas custodit utilitates, quae nihil habeat utilitatis et plurimum laudis. Hanc igitur propheta praetendit ad sui meriti commendationem dicens: *Feci iudicium et iustitiam, ne tradas me nocentibus me* [a]. Vbi iustitia, ibi misericordia; misericordia a peccato liberat [b]: quo-

---

13. [a] Ps 118, 121.
  [b] Cf. 1 Cor 5, 4-5.
  [c] * Is 1, 17.
  [d] Ps 118, 121.
14. [a] Ibid.
  [b] Cf. Tob 12, 9.

13.    Chiunque egli troverà posseduto dai suoi vizi, lo rivendicherà come un suddito della sua legge. Chi commette adulterio, chi vive nella lussuria, chi deruba il prossimo, è possesso ereditario del diavolo. Mentre l'uomo costumato, il sobrio e il caritatevole, sono possesso ereditario di Cristo. Dunque, il diavolo non può rivendicare per sé chi è servo di Cristo, a meno che non l'abbia colto in fallo in qualche suo vizio. E nemmeno allora lo rivendica, ma si limita a richiedere che gli sia consegnato come cosa sua. Dunque, Davide dice: *Ho operato il giudizio e la giustizia,* non come affermazione di arroganza, ma di giustificazione, proprio per non essere abbandonato da Cristo in quanto peccatore. La Lettera dell'Apostolo ci serva da esemplificazione sulle cause per cui si può essere consegnati al diavolo. Un uomo che ha posseduto la moglie del padre, per questa sua azione è stato dall'Apostolo — come questi dice — consegnato a Satana [12]. Non gli sarebbe stato consegnato, se non avesse compiuto le opere del diavolo. Perciò non è senza motivo che il profeta si ribelli ad essere consegnato a chi gli vuol fare del male. Egli infatti adduce il fatto che non ha compiuto le opere del diavolo, ma di Cristo. Cristo infatti dice: *Rendete giustizia all'orfano minorenne e trattate con giustizia la vedova!* In altre parole, dunque: *Ho operato il giudizio e la giustizia:* nel giudizio non ho trattato male il povero, non ho conculcato la vedova, non ho preso le parti del ricco; in ogni atto ho salvaguardato la giustizia.

14.    La giustizia rappresenta il fine del giudizio. Nell'uno c'è la salvaguardia della verità, nell'altra l'effetto della rettitudine. Né l'uno né l'altra però rappresentano virtú private, ma pubbliche. Custodire il corpo incontaminato da rapporti con uomo e innalzare la palma della castità fino a raggiungere la vita degli angeli in un corpo fatto di fango mediante la custodia della verginità, è un vantaggio privato e un merito pubblico. Essere onesto, semplice, misurato nella sobrietà, è fonte di comune approvazione, ma di vantaggio esclusivo di chi è tale [13]. La forza risalta nelle battaglie e si raffredda nell'inattività; il suo esercizio è richiesto dalle circostanze, ma non è auspicato a prescindere da esse: infatti si preferisce non far la guerra piuttosto che vincerla. Solo la giustizia è quella virtú che in ogni circostanza, proprio perché la sua natura è di aprirsi agli altri piú che di rinchiudersi in sé, ha utilità quotidiana e vantaggio comune; salvaguarda l'utilità degli altri anche a costo di un personale svantaggio. È la sola che non ricavi il minimo vantaggio e che abbia invece il massimo merito [14]. Orbene, è proprio questa che il profeta accampa per segnalare il suo merito, quando dice: *Ho operato il giudizio e la giustizia. Non consegnarmi a chi mi vuol fare del male!* Dove c'è la giustizia, là c'è la misericordia. La misericordia è liberazione dal peccato:

---

[12] Stesso rinvio a 1 Cor 5, 5 in ORIGENE, in HARL, SCh 189, p. 384, 17-18.
[13] Il carattere privato o pubblico della virtú non è determinato dal carattere privato o pubblico dell'*atto* virtuoso, ma dal carattere privato o pubblico del suo *effetto salvifico.*
[14] Cf. 10, 7 e nota 10.

modo ergo peccatoribus trador? Simile illud in Canticis: *Exui tunicam meam, quomodo induam eam? Laui pedes meos, quomodo inquinabo eos?* [c]. Exui tunicam peccatoris uelamenque terreni, cur quasi peccator atque terrenus adiudicor? Laui pedes meos, ne qua delicti sors posset adhaerere uestigio, cur das in me delinquentibus potestatem?

15.   Sequitur uersus secundus: *Suscipe seruum tuum in bono, non calumnientur me superbi* [a]. Quasi iudicii et iustitiae conscius auctoritate prophetica progreditur, ut seruum domini se dicere non reformidet; seruus enim domini nihil debet alienis. Pretiosa haec seruitus quae uirtutum constat expensis. Cur autem timet nocentibus tradi, aperit euidenter: quia calumniatores sunt qui oderint ueritatem, inpugnent innocentiam, quia superbi sunt. Qualis enim aduersum seruulos dei potest superbus esse, qui aduersus deum se exaltat et dicit: *In caelum ascendam, super sidera caeli ponam sedem meam, sedebo in monte excelso super montes altos qui sunt ab aquilone, ascendam super nubes et ero similis altissimo* [b]? Quid mirum igitur, si grauare homines possit, qui peruicaci spiritu nec deo cedit? Quomodo mensuram ueritatis et fidem in hominem reseruabit, qui sacrilego inpudentique mendacio omnipotenti se domino adaequandum esse promittit? Quomodo calumniatur singulis, *qui totam inritauit terram, concussit reges, posuit uniuersum orbem desertum et ciuitates destruxit, eos qui in abductione erant non soluit* [c]?

16.   Caueamus ergo, ne muros animae nostrae destruat, ne propugnacula nostrae mentis diruat, ne super sidera thronum suum ponat. Ponit super sidera, quando electum decipit, quando iustum circumuenit, cuius opera lucent sicut stellae in caelo. Nonne et Iudas proditor inter ceteros audiebat: *Vos estis lux huius mundi* [a]? Nonne diabolus lumen eius extinxit? Quin etiam quos non potuerit circumuenire calumniatur, inuidens regni caelestis gloriam, ut, quos inlecebris suis a Christo non potuit separare, eos calumniis suis debiti honoris fructu fraudare conetur. Fugiamus ergo malos calumniatores, qui peccatum operantur in nobis et ipsi nobis calumnias infestissima accusatione conponunt, id quod ipsi fecerint arguentes. Ecce manus domini parata est, quae te fugientem ab aduersariis tueatur ac protegat. Pharao te in patribus tenebat superbus inmitis. Fugisti ab eo, suscepit te manus domini et de periculis liberauit. Non dimisisset te Pharao,

---

  c * Cant 5, 3.
15. a * Ps 118, 122.
  b * Is 14, 13-14.
  c * Is 14, 16-17.
16. a * Mt 5, 14.

come dunque posso essere consegnato ai peccatori? Simile è anche quel passo del Cantico dei Cantici: *Ho smesso la mia tunica; come me la rimetterò? Ho lavato i miei piedi; come me li sporcherò?* Ho smesso la tunica da peccatore, il rivestimento dell'uomo terreno: perché mai sono bollato come un uomo peccatore e terreno? Ho lavato i miei piedi, ché qualche traccia di colpa non possa restare appicciata al mio passo: perché mai dài potere su di me ad uomini che vivono nella colpa?

15. Il versetto secondo prosegue: *Accogli il tuo servo nel bene, non mi calunnino i superbi!* Come chi è consapevole del giudizio e della giustizia grazie alla sua autorità profetica, procede oltre, fino a non esitare a proclamarsi servo del Signore. Il servo del Signore non deve nulla agli altri. È preziosa questa servitú che consiste nel profondere virtú. Ma qual è il motivo del suo timore di essere consegnato a chi gli vuol far del male? Lo esprime qui con chiarezza: perché questa gente ama tanto la calunnia da odiare la verità, da essere ostile all'onestà; perché questa è gente superba. Che razza di superbia può esercitare contro i poveri servi di Dio l'uomo che si solleva contro Dio e dice: *Scalerò il cielo, mi stabilirò sopra le stelle del cielo, mi assiderò sul monte piú alto di tutti i monti alti che stanno dalla parte dell'aquilone; scalerò le nubi e sarò simile all'Altissimo?* Che c'è di strano allora se possa opprimere gli uomini colui che con ostinazione non cede nemmeno a Dio? Come potrà salvaguardare i confini della verità e la fedeltà nei confronti dell'uomo colui che, mentendo in maniera sacrilega e spudorata, preannuncia che lo si deve ritenere uguale al Signore onnipotente? Come potrà calunniare questo o quell'uomo colui *che ha ridotto in rovina tutta la terra; che ha sconvolto i regni; che ha reso un deserto tutta la terra ed ha distrutto città; che non ha liberato quelli che erano in prigionia?*

16. Stiamo attenti dunque che non distrugga i muri della nostra anima; che non dirocchi i bastioni del nostro spirito; che non collochi il suo trono sopra le stelle! Ve lo pone quando inganna l'eletto, quando raggira il giusto, le azioni del quale risplendono come le stelle nel cielo. Non è forse vero che anche Giuda, il traditore, ascoltava insieme con tutti gli altri le parole: *Voi siete la luce del mondo?* Non è forse vero che il diavolo spense la sua luce? Dirò di piú: egli calunnia quelli che non ha potuto raggirare. Nella sua invidia verso la gloria del Regno dei cieli, egli tenta cosí con le sue calunnie di defraudare della ricompensa del meritato onore gli uomini che non ha saputo staccare da Cristo con le sue lusinghe. Evitiamo dunque i perversi calunniatori, che esercitano la loro attività peccaminosa su di noi e che inventano calunnie sul nostro conto con le accuse piú malefiche, che non sono che lo specchio di quanto essi hanno operato! Ecco che la mano del Signore è pronta a stendere la sua protezione sulla tua fuga dagli avversari. La superbia del Faraone teneva con durezza schiavo te nei tuoi padri. Tu sei fuggito via da lui; ti ha accolto la mano del Signore e ti ha liberato dai pericoli. Il Faraone non ti avrebbe lasciato andare, se tu non ti fossi rifugiato

nisi tu ad dominum refugisses. Dicebat Pharao: *Dominum nescio et Israel non dimitto* [b]. Vides quam superbus. Merito ergo susceptus in bono est qui malum fugit. Non patitur ergo deus in malo nos esse, suscipit in bono nec patitur suos calumniis subiacere.

17.  *Oculi mei defecerunt in salutare tuum et in eloquium iustitiae tuae* [a]. Qui sint isti oculi considera, qui in Christum deficiunt, dum eius praestolantur aduentum: animae uidelicet oculi, non corporis, tota fidei intentione defixi; in eo enim quem diligimus totis oculis occupamur nec quicquam aliud uidere delectat. Non potest hoc dicere nisi qui a mundanis sollicitudinibus et saecularibus uoluptatibus intentionem omnem suae mentis auertit. Nam quomodo hoc dicit qui theatralibus ludibriis occupatur? Sed ille hoc dicit, qui supra dixit: *Auerte oculos meos, ne uideant uanitatem* [b]. Qui autem sunt oculi, qui deficiunt in eloquium dei, nisi oculi hominis interioris obtutusque animae, qui tenduntur, ut uideant dei uerbum, et nimia intentione et expectatione deficiunt in salutare dei, defectum sui patientes, ut adsumant quod uerbi est?

18.  Et quia «eloquium dei» plerosque mouere potest, ideo addidit: *Eloquium iustitiae* [a], ut mouere non debeat. Mouere autem poterat, quia scriptum est: *Maior seruiet minori* [b] — nam nisi ad mysterium accipias, naturae iniuria est — et: *Dedi uobis praecepta non bona* [c] — ergo deus mala dat praecepta? — et: *Ego dominus creans mala* [d]. Sed et de praeceptis sic soluitur, quia infirmibus non debuit dare perfecta praecepta quae sustinere non possent. Quando audiret Iudaeus: *Dimitte omnia tua et sequere me* [e]? Quando audiret Iudaeus: *Qui non tulerit crucem suam et secutus me fuerit, non est me dignus* [f]? Sed haec perfectiora praecepta euangelio reseruata sunt. Et mala non creauit deus, sed haec quae nobis uidentur austera, uerbera, mors et huiusmodi alia, quae propter

---

[b] *Ex 5, 2.
17. [a] Ps 118, 123.
   [b] Ps 118, 37.
18. [a] Ps 118, 123.
   [b] Gen 25, 23.
   [c] * Ez 20, 25.
   [d] * Is 45, 7.
   [e] * Mt 19, 21.
   [f] * Mt 10, 38.

presso il Signore. Diceva il Faraone: *Non conosco il Signore e non lascio andare via Israele.* Vedi bene che superbia! Giustamente dunque è stato accolto nel bene colui che è fuggito via dal male. Dio dunque non sopporta che noi restiamo nel male; ci accoglie nel bene e non sopporta che i suoi restino in balia delle calunnie.

17. *I miei occhi si sono consumati nell'attesa della tua salvezza e del detto della tua giustizia.* Rifletti quali siano questi occhi[15] che si consumano per Cristo, nell'attesa della sua venuta. Sono, naturalmente, non gli occhi del corpo ma quelli dell'anima, che fissano con tutta la loro intensità di fede: tutta la nostra vita è infatti presa dalla persona amata e non ci aggrada vedere nient'altro. Cosí può parlare solo chi ha distolto ogni tensione del suo spirito dalle preoccupazioni e dalle voglie di questo mondo. Come potrebbe parlare cosí chi è preso dai trastulli del teatro? Lo può invece fare l'uomo che prima ha detto: *Distogli i miei occhi da spettacoli di vanità!* Quali sono poi gli occhi che si consumano per il detto del Signore, se non gli occhi dell'uomo interiore e la vista dell'anima? Essi stanno tesi per scorgere la Parola di Dio e nell'esasperata tensione della loro attesa si consumano, aspettando la salvezza di Dio, disposti a consumare se stessi pur di appropriarsi di quanto è della Parola.

18. E siccome l'espressione *detto di Dio* può creare difficoltà a parecchi, ecco che ha soggiunto: *detto della giustizia,* e cosí non c'è piú difficoltà. Avrebbero però creato delle difficoltà anche le espressioni: *Il maggiore sarà servo del minore* (se non la si interpretasse in senso mistico, suonerebbe come un affronto alla natura[16]); *vi ho dato prescrizioni non buone* (dunque, Dio darebbe prescrizioni cattive?); *io sono il Signore che crea i mali.* Ma, a proposito di queste prescrizioni, il fatto si spiega cosí: Dio non avrebbe dovuto dare prescrizioni perfette a uomini deboli, che non le avrebbero potute sostenere. Quando il giudeo sarebbe stato capace di sentir dire: *abbandona tutti i tuoi averi e seguimi?* Quando il giudeo sarebbe stato capace di sentire: *Chi non prenderà la sua croce e non si mette alla mia sequela, non è degno di me?* Ma queste prescrizioni, che sono perfette, sono state riservate al Vangelo[17]. Ancora: Dio non ha creato i mali, bensí alcune cose che a noi sembrano dure: le frustate, la morte e altri malanni

---

[15] Le immagini degli occhi del corpo e degli occhi dell'anima ampliano il motivo di ILARIO, *Tract. ps.* CXVIII, 16, 8 (CSEL 22, pp. 499 s.), assumendone però la terminologia.

[16] L'interpretazione mistica interviene obbligatoriamente là dove la lettura «fisicistica» presenta conclusioni irrazionali. Sul motivo, cf. J. PÉPIN, *A propos de l'histoire de l'exégèse allégorique: l'absurdité, signe de l'allégorie,* in *Studia Patristica,* I («Texte und Untersuchungen», 63), Berlin 1957, pp. 395-413. Cf., di Ambrogio, anche *Exp. eu. Luc.,* III, 38 (a proposito dell'episodio di Davide e della moglie di Uria): *mysterium igitur in figura, peccatum in historia, culpa per hominem, sacramenta per uerbum.* Il concetto ritorna in AGOSTINO, *C. mendac.,* 10, 24: *non est mendacium, sed mysterium:* cf. HAHN, *Das wahre Gesetz...,* p. 153 e nota 84.

[17] La sensibilità morale di Ambrogio sa trovarsi in consonanza con la gradualità della dottrina morale della Scrittura: non si tratta di contraddizioni, ma d'una pedagogia progressiva. Cf. anche *Epist.,* (Maur.) 74, 1-3.

emendationem praescripta sunt noxiorum; iustis enim lex non
est posita, sed iniustis ᵍ. Nam si noxii nihil timerent, innocentes
semper timerent.

19.  Qui sunt igitur oculi isti qui deficiunt in salutare dei?
Diximus oculum suppliciorum esse, qui praeuidens futura supplicia peccatorum gerendam adnuntiet paenitentiam. Demonstrauit
hunc oculum Baptista Iohannes dicens: *Generatio uiperarum, quis
ostendit uobis fugere ab ira uentura? Facite ergo fructus dignos
paenitentiae* ᵃ. Ad Iohannis baptismum ueniebat qui habebat oculum suppliciorum, ad Christi autem baptismum uenit qui uidet
gratiam; hic enim oculus est, quem dominicae passionis umbra
tuetur et protegit. Aliud ergo Aenon, aliud Ain: in Aenon baptizatur ᵇ conscius grauium delictorum, qui autem purum oculum
habet gratiam suscipit spiritalem. Et inperfectae fortasse animae
oculus suppliciorum est, perfectae autem oculus gratiarum est
purior atque sincerior, qui significatur hac littera, ad quam iusti
forma dirigitur, quia inperfecta peccati tantummodo iudicium
declinare desiderat, perfecta uero meritum regni caelestis adqui-
rere. Praesumimus tamen, eo quod utrumque oculum una anima
habeat, et oculum suppliciorum et oculum gratiae, laeuum oculum suppliciorum, dextrum gratiae, quia non a primo homines
possunt esse perfecti, sed per processum uirtutis ascendunt. Ante
igitur unaquaeque anima quasi ad baptismum Iohannis uenit, ut
praemittat paenitentiam delictorum, et in processu paulatim, ubi
sua peccata defleuerit, spiritali abluta baptismate Christi accipit
sacramentum. Vnde uidetur et in Canticis canticorum ecclesia
praedicari, cui dicitur: *Cor nostrum cepisti, soror mea sponsa, cor
nostrum cepisti uno ab oculis tuis* ᶜ, ut iste oculus gratiae sit, qui
Christi sibi pleniorem adquisiuerit caritatem.

---

ᵍ Cf. 1 Tim 1, 9.
19. ᵃ * Lc 3, 7-8.
    ᵇ Cf. Io 3, 23.
    ᶜ * Cant 4, 9.

simili, che ci sono stati prescritti per la correzione dei peccati [18].
Non per i giusti infatti è stata stabilita la legge, ma per gli ingiusti.
Che se i malviventi non avessero nulla da temere, sarebbero gli
innocenti a dover sempre temere.

   19.   Quali sono allora questi *occhi* che si consumano nell'attesa della salvezza di Dio? Abbiamo detto che è l'*occhio delle pene* [19],
che vede in anticipo le pene future e proclama la necessità di
far penitenza dei peccati. Ha illustrato la natura di questo occhio
Giovanni il Battista, dicendo: *Razza di vipere, chi vi ha insegnato
a sottrarvi all'ira futura? Fate dunque frutti degni di penitenza!* A
farsi battezzare da Giovanni si accostava chi aveva l'*occhio delle
pene* [20]. Mentre al battesimo di Cristo si accosta chi vede la grazia:
questo è l'occhio che è difeso e protetto dall'ombra della Passione
del Signore. Dunque, un conto è Enon e un altro è «Ain». In Enon
riceve il battesimo l'uomo che è consapevole di avere gravi colpe,
mentre colui che ha l'occhio puro riceve la grazia spirituale [21]. E
forse si può dire che l'*occhio delle pene* è tipico di un'anima
imperfetta, mentre di quella perfetta è tipico l'*occhio delle grazie*
— piú puro e piú limpido — che è indicato da quella lettera
alfabetica. Verso questa direzione si muove lo stile di vita dell'uomo giusto, perché uno stile di vita imperfetto aspira semplicemente a sottrarsi al giudizio sul suo peccato, mentre quello perfetto
aspira a guadagnarsi il Regno dei cieli. Tuttavia si può azzardare
a dire che, proprio perché un'unica anima possiede entrambi
quegli occhi — cioè l'*occhio delle pene* e l'*occhio della grazia* —,
l'occhio sinistro sia quello delle pene e il destro della grazia: gli
uomini possono ottenere la perfezione non all'inizio, ma possono
raggiungere quella vetta attraverso un graduale sviluppo della
virtú. Prima, quindi, ecco che ciascuna anima si accosta, per cosí
dire, al battesimo di Giovanni (manda cioè avanti il pentimento
dei peccati) e poi, in un graduale, lento sviluppo — dopo aver
versato lacrime sui propri peccati —, ecco che riceve il sacro
segno di Cristo nel battesimo spirituale. Cosí sembra che nel
Cantico dei Cantici ci sia una proclamazione della Chiesa, alla
quale si dice: *Tu ci hai preso il cuore, sorella mia sposa; ci hai
preso il cuore con uno solo dei tuoi occhi.* Sarebbe questo l'*occhio
della grazia*, che ha guadagnato l'amore di Cristo, che è amore
piú pieno.

---

   [18] La *medicinalità* delle punizioni — anche di quelle previste dalla legge umana
— opera nei confronti del male, visto nella sua radice ultima di *peccato*. Sarà
anche il pensiero di Agostino, per il quale cf., ad es., *Conf.*, I, 15, 24 (CChL 27, p.
13); il mio, *Il primo libro delle «Confessiones» di Agostino: ai primordi della «confessio»*, in «*Le Confessioni*» di Agostino d'Ippona («Lectio Augustini»), Palermo 1984,
pp. 48, 62-64 e L. VERHEIJEN, *La Règle de saint Augustin. II. Recherches historiques*,
Paris 1967, p. 148.
   [19] Cf. 16, 1.2.8.9.
   [20] Cf. 16, 2.
   [21] Cf. *Expl. ps. XXXVII*, 3: *Et forte supplicia praeuidet qui baptizatur baptismo
paenitentiae* (cioè, col battesimo di Giovanni a Enon); *at uero ille gratiam spectat
qui baptizatur in Christo. Baptismum ergo Iohannis oculus suppliciorum est, baptismum Christi oculus gratiarum.*

20. Plerique tamen hoc loco accipiunt duos oculos ecclesiae, unum qui mystica uideat, alterum qui moralia, eo quod sancta ecclesia non solum moralium teneat disciplinam, sed etiam caelestis doceat secreta mysterii. Vnde dictum est de ea: *Oculi tui sicut columbae extra taciturnitatem tuam* ᵃ, quod et spiritaliter uideat et nouerit tempus tacendi esse et tempus loquendi ᵇ, ut in tempore sermonem suum proferat, ne inportunitate loquendi peccatum possit incurrere.

21. Habe ergo oculos columbae ad similitudinem Christi, quia de ipso lectum est: *Oculi tui sicut columbae super abundantiam aquarum lotae in lacte, sedentes super plenitudinem* ᵃ. Baptizat in lacte dominus, id est in sinceritate, et isti sunt qui uere baptizantur in lacte, qui sine dolo credunt et puram fidem deferunt, inmaculatam induunt gratiam. Ideo candida sponsa ascendit ad Christum, quia in lacte baptizata est. Ideo mirantur eam uirtutes dicentes: *Quae est haec quae ascendit dealbata?* ᵇ. Ante paululum dicebat: *Nigra sum* ᶜ, nunc dealbata cernitur et ascendit ad caelum et innixa dei uerbo alta iam penetrat. Nec inmerito illic aquarum abundantia, ubi Christus, ut mens humana repleri cupiat. Has sitit aquas ceruus, quas cum biberit sitire non possit ᵈ. Has aquas sitit propheta, cum dicit: *Sitiuit in te anima mea* ᵉ. Sedet ergo Christus super abundantiam aquarum et super plenitudinem, et ideo qui baptizatur in lacte dicit: *Et nos omnes de plenitudine eius accepimus* ᶠ. Vnde et oculus suppliciorum non alienus est ab ecclesia, quia, etsi baptizabat Iohannes in Aenon ᵍ, baptizabat iuxta Salim, ubi erat aquarum abundantia et duodecim fontes et septuaginta palmarum arbores ʰ.

22. Hos fontes habet ecclesia, hoc est in ueteri testamento duodecim patriarchas, in nouo duodecim apostolos. Ideoque dictum est: *In ecclesia benedicamus dominum deum de fontibus Israel* ᵃ. His fontibus ante perfunditur quicumque mysteria sacrosancta

---

20. ᵃ * Cant 4, 1.
 ᵇ Cf. Eccle 3, 7.
21. ᵃ * Cant 5, 12.
 ᵇ * Cant 8, 5.
 ᶜ Cant 1, 5 (4).
 ᵈ Cf. Ps 41, 2.
 ᵉ * Ps 41, 3.
 ᶠ * Io 1, 16.
 ᵍ Cf. Io 3, 23.
 ʰ Cf. Ex 15, 27; Num 33, 9.
22. ᵃ * Ps 67, 27.

20.   Per lo piú però si scorgono, in questo passo, i due occhi
della Chiesa, uno che le permette di vedere le realtà mistiche e
uno quelle morali [22]. Questo, perché la santa Chiesa non solo è
in possesso della disciplina della morale, ma insegna anche i
segreti del mistero celeste. Perciò ad essa si riferisce l'espressione:
*I tuoi occhi come quelli della colomba* [23] *al di là del tuo silenzio.*
Infatti essa ha uno sguardo spirituale e sa che c'è un tempo per
tacere e un tempo per parlare, ed è capace di far sentire la sua
voce al momento giusto, evitando cosí di cadere nel peccato a
causa di un discorrere inopportuno.

21.   Cerca dunque di avere occhi di colomba a somiglianza
di Cristo, se di Lui si è letto: *I tuoi occhi sono come colombe sopra
una ricchezza d'acque, lavate nel latte, assise sopra quella pienezza.*
Il Signore battezza nel latte, cioè nella genuinità. E coloro che
ricevono veramente il battesimo nel latte, sono questi uomini
che credono senza infingimento e che offrono un tributo di vera
fede e si ammantano di grazia senza macchia. Proprio per questo
la Sposa biancovestita sale a Cristo: perché è stata battezzata nel
latte [24]. Proprio per questo l'ammirano le virtú, esclamando: *Chi
è costei che sale tutta bianca?* Poco sopra ella diceva: *Sono bruna,*
ed ora appare tutta bianca e sale al cielo e, con l'appoggio della
Parola di Dio, penetra ormai negli alti recessi. E non si sbaglia
a dire che c'è ricchezza d'acque là dove c'è Cristo, affinché l'intelletto umano sia stimolato a riempirsene. Ha sete il cervo di queste
acque e le beve per non avere piú sete. Di queste acque ha sete
il profeta, quando dice: *Ebbe sete di te l'anima mia.* Dunque, sta
assiso Cristo sopra queste ricchezze d'acque e sopra quella pienezza: ed è per questo che chi è battezzato nel latte dice: *E noi tutti
abbiamo ricevuto parte della sua pienezza.* Perciò anche il cosiddetto *occhio delle pene* non è lontano dalla Chiesa, perché, anche se
Giovanni battezzava in Enon, battezzava pur sempre vicino a
Salim, dove c'erano ricchezza d'acque, dodici fonti e settanta
alberi di palme [25].

22.   Queste fonti le ha ora la Chiesa, ha cioè i dodici Patriarchi nell'Antico Testamento e i dodici Apostoli nel Nuovo [26]. E per
questo è detto: *Nella Chiesa benediciamo il Signore Dio, noi che
veniamo dalle fonti di Israele.* Da queste fonti viene prima intriso

---

[22] Lo stesso motivo (l'unico occhio mistico e i due occhi: morale e mistico) è
già comparso a 11, 7: cf. il mio, *La dottrina esegetica...*, pp. 244, 255.

[23] Che si tratti d'un genitivo, si può dedurre da *De myst.*, 37 (*in cuius specie*).

[24] Secondo il Daniélou (*Eucharistie et Cantique...*, p. 267), c'è qui un esempio
di concezione teologica «primitiva», secondo la quale l'Ascensione in senso teologi-
co, come esaltazione del Verbo incarnato alla destra del Padre, fa tutt'uno con la
Risurrezione, e qui specificamente con l'iniziazione cristiana.

[25] In *Expl. ps. XXXVII*, 3, *Salim* è interpretato come *ipse ascendens*: il motivo
dell'ascesa è peraltro presente qui, a 16, 22. Mentre *Salim*, in Gv 3, 23, è qualificato
solo come abbondante di acque, qui esso sembra subire la contaminazione di
*Elim*, che, secondo Es 15, 27 e Num 33, 9, è luogo di 12 fonti e 70 palme. Su questi
spunti, cf. ORIGENE, *Comm. Ioh.*, fr. 76 (GCS 10, p. 543).

[26] Cf. anche *De Spir. Sanct.*, I, prol., 7-9. Sul valore di «pienezza» (e quindi
«evangelico») del numero 12, cf. HAHN, *Das wahre Gesetz...*, pp. 95 s.

consequitur; isti enim fontes ex aeterno fonte manantes toto orbe fluxerunt. Vbi isti fontes, ibi ascensio animarum. Denique Salim interpretati sunt «ipsum ascendentem»; ille enim uere ascendit qui propria peccata deponit. Hoc igitur uerbo purificatoriae sanctificationis usus exprimitur. Vnde bene etiam in Canticis Christus dicit ad ecclesiam: *Dentes tui sicut grex tonsarum quae ascenderunt a lauacro, quae omnes geminos creant et infecunda non est in eis* [b]. Quod specie tenus de capris dicitur, mystice autem de ecclesiae grege.

23. Nec uilia tibi ista uideantur animalia. Denique audi, quae de his sanctus loquatur spiritus: *Capillamentum tuum ut grex tonsarum quae reuelatae sunt a monte Galaad. Dentes tui ut grex tonsarum quae ascenderunt de lauacro* [a]. Vides quod in altis grex iste pascitur, audis in monte. Itaque ubi aliis praecipitia, ibi capris nullum periculum, ubi aliis periculum, ibi gregis huius alimentum, ibi cibus dulcior, ibi fructus electior. Spectantur a pastoribus suis dumosa de rupe pendentes, ubi luporum incursus esse non possunt, ubi fecundae arbores fructum integrum subministrant. Cernere licet uberi lacte distentas super teneram subolem materna pietate sollicitas. Ideo elegit eas sanctus spiritus quibus coetum uenerabilis ecclesiae conpararet.

24. Et ut mystice audias, capillamentum uerbi est altitudo et eminentia quaedam iustarum animarum, quoniam sensus sapientis in capite eius [a]; in altitudine enim cogitationis humanae certum est esse sapientiam. Et quemadmodum tondentur caprae, ut superflua deponant, ita etiam tonsarum animarum gregem, hoc est multarum animarum uirtutes habet sancta ecclesia, in quo grege nihil possis insensibile repperire, nihil superfluum, quoniam fides sapientes fecit, spiritalis autem gratia ab omni superfluorum labe mundauit.

25. Merito igitur reuelatae sunt animae iustorum et reuelatae a monte Galaad, hoc est a transmigratione testimonii, eo quod a synagoga ad ecclesiam testimonium caeleste migrauit. In hoc itaque monte nascitur thymiam [a], resina et ceteri odores [b], quos negotiatores illi Ismahelitae, ut habes in primo libro testamenti ueteris, deferebant. Hos odores habet ecclesia, quos mercatores ex gentibus congregati fide et deuotione uexerunt. Itaque sicut

[b] * Cant 4, 2.
23. [a] * Cant 4, 1-2.
24. [a] Cf. Eccle 2, 14.
25. [a] Cf. Ier 8, 22.
[b] Cf. Gen 37, 25.

chiunque raggiunga le santissime realtà mistiche: queste fonti, che scaturiscono dalla fonte eterna, si sono riversate su tutto il mondo. Dove si trovano queste fonti, là c'è la salita delle anime. Tant'è vero che Salim è stato interpretato come «è lui che sale», e sale veramente colui che si libera dei propri peccati [27]. Con questa parola allora si esprime la pratica d'una consacrazione purificatrice. Per questo, anche nel Cantico dei Cantici appropriatamente si rivolge alla Chiesa: *I tuoi denti sono come un gregge di capre che sono salite dall'abbeverata, che procreano, tutte, coppie di capretti e tra le quali non ce n'è una sterile.* Ciò soltanto in apparenza è detto delle capre, perché nel suo senso mistico è riferito al gregge della Chiesa.

23.   E non considerare, questi, animali insignificanti. Ascolta, appunto, come a loro riguardo parli lo Spirito Santo: *La tua chioma è come un gregge di capre che si sono stagliate dal monte Galaad. I tuoi denti sono come un gregge di capre che sono salite dall'abbeverata.* Si nota che questo gregge pascola in altura; si sente parlare di un monte. E così, dove altri vedono precipizi, là invece non trovano alcun pericolo le capre; dove altri trovano pericolo, là trova il suo cibo questo gregge: un cibo piú dolce, un frutto piú scelto. I loro pastori le guardano abbarbicate a un dirupo cespuglioso [28], dove i lupi non le possono assalire e dove arbusti fecondi offrono loro frutti ancora intatti. Le puoi trovare sopra la tenera prole, preoccupate del loro ruolo materno, gonfie di latte copioso [29]. Per questo lo Spirito Santo le ha scelte quali immagine del sacro radunarsi della Chiesa.

24.   E se si vuole intendere in senso mistico, la chioma è l'altezza della Parola e — per cosí dire — lo spicco delle anime giuste, dato che la capacità di pensiero del sapiente sta nel suo capo: è sicuro infatti che la sapienza sta nella cima del pensiero umano. E come le capre si tosano per liberarle dal pelo superfluo, cosí anche la santa Chiesa possiede un gregge di anime tosate, cioè possiede le virtú di tante anime. In questo gregge non si può trovare alcunché di irrazionale, alcunché di superfluo, perché la fede l'ha reso sapiente, mentre la grazia spirituale l'ha purificato da ogni tara superflua.

25.   È vero, allora: le anime dei giusti si sono stagliate e si sono stagliate dal monte Galaad, cioè dal passaggio del testimone [30], proprio perché il testimone del Cielo è passato dalla Sinagoga alla Chiesa. E cosí in questo monte nascono l'incenso, il balsamo e tanti altri aromi, che portavano quei mercanti ismaeliti, come si può trovare narrato nel primo libro dell'Antico Testamento. Questi aromi li possiede la Chiesa: ve li hanno trasportati,

---

[27] Cf. *Expl. ps. XXXVII*, 3: *terrena deponentes.*
[28] Cf. VIRGILIO, *Ecl.*, I, 76: *dumosa pendere procul de rupe uidebo.*
[29] Cf. VIRGILIO, *Ecl.*, IV, 21 s.: *ipsae domum referent distenta capellae/ubera.*
[30] L'etimo di *Galaad* come *transmigratio testimonii* risale a FILONE, *Leg. alleg.*, III, 19 (C.W., I, p. 117). Altrove Ambrogio fornisce un'altra etimologia: *possessio uel incolatus testimonii* (*De Ios.*, 17), che si trova pure attestata in qualche lista etimologica (nel cosiddetto *Gruppo Vaticano* del WUTZ, *Onomastica sacra...*, p. 102).

caprae bonis refectae cibis et solis calore uernantes lauantur in
flumine et exultantes mundae surgunt de flumine, ita animae
iustorum ascendunt ab spiritali lauacro.

26.   Istae sunt uere quae geminos creant, in quibus non est
infecunditas aliqua uirtutum, sterilitas ulla meritorum. Bene geminos creant, quia congeminant sensus suos. Vnde habes in Prouerbiis scriptum: *Et tu scribe haec tibi tripliciter in consilio et cognitione* ᵃ. Triplicem praemisit scriptionem et duo subdidit, consilium
et cognitionem; sed cognitio gemina est, una incorporalium, altera
corporalium.

27.   Diximus de fecunditate, dicamus de dentibus. Nam et
nauigantes plerique et properantes itinere terreno ubi uiderint
speciosum aliquem locum, delectationis gratia demorantur, pa-
scunt oculos animumque ableuant nec mora ulla commeandi
putatur, sed gratia; ita et nobis pulcherrimos dentes iustarum
animarum considerare cordi est. Docuit enim scriptura pulcherrimos dentes esse iustorum, dicens secundum litteram quidem de
patriarcha Iuda, spiritaliter autem de Christo: *Hilares oculi eius
a uino et dentes sicut lac* ᵃ. In quo non utique carnis humanae
officia, sed diuinae gratiae munera praedicauit. Docet igitur exemplum dentes non esse praetereundos, ubi de oculis dixerimus.

28.   Qui sunt igitur iustarum dentes animarum nisi qui infor-
mem ac durum accipientes cibum uel frigidum plerumque uel
supra modum calentem nunc comminuunt, nunc fouent, nunc
temperant, prout qualitas fuerit alimentorum? Dura comminuunt,
ne asperitas litterae in ueteri testamento et saecularis intellectus
rigor, nisi fuerit spiritali dente resolutus, uitalia ipsa interclusis
ciborum salutarium meatibus et gulam quandam animae incurio-
sa edacitate suffocet. Par est igitur ut diuidas primum, si solida
tibi uidetur esca quae sumitur, et distinguas eam atque emollitam
sine noxa aliqua animae in omnia eius membra naturali diuisione
transfundas, ut uitalem sucum omne eius corpus epuletur. Nihil
cadauerosum, nihil mortuum ore tuo sumas, ne dicatur: *Sepul-*

---

26. ᵃ * Prou 22, 20.
27. ᵃ * Gen 49, 12.

con la fede e la pietà, mercanti radunati dai Gentili. E allora, come le capre che — ristorate da buoni pascoli e lustre del calore del sole — vanno a bagnarsi nel fiume e dal fiume escono pulite e saltellanti, cosí le anime dei giusti salgono dal bagno spirituale [31].

26. Sono proprio esse che procreano coppie di nati; sono esse.in cui non alligna sterilità di virtú, sterilità alcuna di meriti. E giustamente procreano coppie di nati, perché sanno accoppiare i loro pensieri. Perciò nei Proverbi si trova scritto: *E tu imprimiti bene queste cose per tre volte nel tuo giudizio e nella conoscenza!* La prima parte parla di imprimere per tre volte e la seconda di due realtà: il giudizio e la conoscenza. Ma la conoscenza è duplice: di realtà incorporee e di realtà corporee.

27. Abbiamo parlato di fecondità; ora parliamo dei *denti*. Sia i naviganti — quasi tutti — sia quelli che viaggiano per terra, quando scorgono un luogo pittoresco si fermano a gustarne la bellezza, se ne pascono gli occhi e se ne ricreano l'animo, e quella sosta non la considerano un ritardo nel cammino, ma un regalo. Anche noi, come loro, desideriamo con tutto il cuore di prendere in considerazione gli splendidi *denti* delle anime giuste. La Scrittura ha insegnato che splendidi sono i denti dei giusti, quando, parlando del patriarca Giuda — secondo il senso letterale, ma di Cristo secondo quello spirituale —, dice: *Giocondi ha gli occhi simili al vino e i denti come il latte.* Qui non sono certo decantate funzioni della carne dell'uomo, ma doni della grazia di Dio. La citazione ci insegna allora che non bisogna tralasciare di parlare un po' sui denti, dopo che l'abbiamo fatto per gli occhi.

28. Orbene, quali sono i denti delle anime giuste, se non quei denti che, ricevendo un cibo grossolano e duro, o spesso freddo o troppo caldo, ora lo sbriciolano ora lo riscaldano ora lo raffreddano, a seconda della qualità degli alimenti? Sbriciolano le parti dure, affinché l'asprezza della lettera nell'Antico Testamento e la rigidità dell'intelligenza umana, non ancora sciolta dal dente spirituale, precludendo il passaggio ai cibi salutari non soffochino gli organi vitali stessi e, per cosí dire, la gola dell'anima in una voracità dissennata. Conviene allora, per prima cosa, spezzare il cibo che prendi, se ti sembra solido, e spezzettarlo bene. Poi, reso molle, immetterlo, senza piú pericolo alcuno per l'anima, in tutte le sue membra con una ripartizione naturale, affinché tutto il suo complesso si cibi del succo vitale [32]. Non toccare cibo

---

[31] L'interpretazione di Cant 4, 2 in riferimento al battesimo comparirà anche in AGOSTINO, *De doctr. christ.*, II, 6, 7 (CChL 32, pp. 35 s.): cf. TAJO, *Un confronto tra...*, pp. 134 s.

[32] I passi biblici piú duri e difficili non devono essere semplicemente tralasciati dal *debole*. C'è bisogno in tali casi d'una attività *molitoria*, che li riduca in dimensioni assimilabili. Questo sembra essere il compito dell'esegeta, soprattutto nei confronti dei testi dell'Antico Testamento, in cui la difficoltà letterale del dettato e la rigidezza razionalistica dell'intelletto dell'uomo che li accosta concorrono a rendere inassimilabili, anzi nocivi, quei passi stessi. Il lavoro dell'esegeta, di fronte alla durezza della lettera, è allora quello di scomporla — per cosí dire — nei suoi fattori, con un processo di distinzione accurata e di interpretazione *per parti*. È forse anche adombrata qui la necessità di rompere con l'interpretazione spirituale

*chrum patens est guttur eorum*[a], sed uiuum haurias uerbum, ut in tuae mentis uisceribus possit operari.

29.   Hi dentes super lac candidiores, quia dentes iustorum sunt. Denique cum omnes in Moyse baptizati in nube et in mari patres nostri fuerint[a], non otiose tamen scriptum est, quia *omnes eandem escam spiritalem manducauerunt et omnes eundem potum spiritalem biberunt*[b], ut istis sanctorum dentibus maior quidam fulgor accederet, quos post transitum Maris Rubri Myrrae fontis amaritudine per ligni gratiam temperata cognoscimus esse mundatos[c], deinde duodecim fontium potu[d], postremo petrae spiritalem undam uomentis inriguo[e]; *petra* enim *erat Christus*[f]. Ideo et manna manducauerunt, ut totiens abluti manducarent panem, ut scriptum est, angelorum[g]. Nunc quoque in euangelii mysteriis recognoscis, quia baptizatus licet toto corpore postea tamen esca spiritali potuque mundaris.

30.   Merito ergo Dauid, et oculos interiores purificatus et dentes, tamquam inluminatos spiritalium dentium candore sermones profert dicens: *Feci iudicium et iustitiam*[a]. Ille est enim uerus dentium fulgor, ubi bene consciae mentis resonat canora confessio, ille mundus oculus, quem peccatorum grauium trabes nulla depresserit, quem purgamentorum leuium festuca nulla turbauerit[b]. Iste oculus iustitiae defecit; qui enim Christo adhaeret unus est spiritus[c]. Et Balaam petebat, ut anima sua deficeret in animis iustorum[d], id est ut proprii obliuisceretur erroris, quod

28.[a] Ps 13, 3.
29.[a] Cf. 1 Cor 10, 2.
  [b] 1 Cor 10, 3-4.
  [c] Cf. Ex 15, 23.25.
  [d] Cf. Ex 15, 27; Num 33, 9.
  [e] Cf. Ex 17, 5-6; Num 20, 11.
  [f] 1 Cor 10, 4.
  [g] Cf. Ps 77, 25.
30.[a] Ps 118, 121.
  [b] Cf. Mt 7, 3.
  [c] Cf. 1 Cor 6, 17.
  [d] Cf. Num 23, 10.

cadaverico né cibo morto, se non vuoi che ti si dica: *Sepolcro spalancato è la loro gola*. Inghiotti invece la Parola vivente, che possa agire dentro le viscere del tuo intelletto.

29. Questi denti sono piú bianchi del latte, perché sono i denti dei giusti. Ad esempio, anche se i nostri padri sono stati tutti battezzati in Mosè nella nube e nel mare, tuttavia non per nulla sta scritto: *Tutti hanno mangiato lo stesso cibo spirituale e tutti hanno bevuto la stessa bevanda spirituale*, perché questi denti degli uomini di Dio risplendessero d'un candore ancor piú vivo. Di essi sappiamo che, dopo il passaggio del Mar Rosso, si sono purificati nelle acque amare della fonte Mirra — addolcite dalla virtú del legno [33] — e poi bevendo a dodici fonti e infine nella corrente d'acqua [34] della pietra, che emetteva una vena spirituale; e *la pietra era Cristo*, infatti. Ed hanno mangiato la manna proprio per mangiare, dopo tanti lavacri, quello che risulta essere il pane degli angeli. Anche ora, nelle mistiche realtà evangeliche, si può constatare come — pur essendo stati battezzati in tutto il corpo [35] — ci sia anche una successiva purificazione, mediante il cibo e la bevanda spirituali [36].

30. A ragione dunque Davide, fatto puro negli occhi interiori e nei denti, proferisce discorsi illuminati dalla luce abbagliante dei denti spirituali, e dice: *Ho operato il giudizio e la giustizia*. Il vero splendore dei denti si trova là dove risuona la canora professione [37] d'uno spirito pienamente consapevole. Ed occhio puro è quello che non è schiacciato dal peso di alcuna trave di peccati gravi e che non è irritato da alcuna pagliuzza di leggere scorie. Questo è l'occhio della giustizia che si è consumato. Chi sta unito a Cristo forma con Lui un unico spirito. Anche Balaam chiedeva che la sua anima si consumasse nelle anime dei giusti: che abban-

---

(*spiritalis dens*) la monoliticità della lettera in una *varietà di sensi esegetici*, capaci di nutrire differenziate zone dello spirito, perché questo cresca armoniosamente nel suo insieme. Con questo passo sembra consonare AGOSTINO, *De doctr. christ.*, II, 6, 7: *emollita duritia quasi demorsos mansosque transferre* (CChL 32, p. 36): cf. TAJO, *Un confronto tra...*, pp. 135 s.

[33] Segno della croce di Cristo.

[34] *Fontis inriguum* è di solito il nesso ambrosiano, che risale forse a VIRGILIO, *Georg.*, IV, 32 (*inriguumque... fontem*). Per le testimonianze ambrosiane al proposito, cf. MADEC, *Saint Ambroise et...*, p. 302.

[35] Riferimento al battesimo *per immersione*.

[36] È facile vedere, anche qui, il rapporto di successione e di omogeneità che Ambrogio stabilisce tra battesimo ed Eucaristia. Si tratta di due forme di purificazione disposte in linea ascendente. Il battesimo, come purificazione del corpo, permette al corpo di assumere un cibo, che opera una purificazione piú interiore: Ambrogio quindi da un lato sottolinea l'imprescindibilità della purificazione battesimale e dall'altro la perfezione della purificazione eucaristica. Si noti che, per esprimere questo rapporto tra battesimo ed Eucaristia, anche qui Ambrogio si serve d'una immagine (quella dei *denti*) tratta dal Cantico: cf. DANIÉLOU, *Eucharistie et Cantique...*, pp. 263 s.

Si osservi anche l'accenno alla comunione sotto le due specie (cf. anche *De Hel.*, 34).

[37] L'espressione *canora confessio* si trova anche in *De Iac.*, II, 9, dove è segno del Popolo nuovo, della Chiesa.

suum erat, deponeret, quod iustitiae et aequitatis, adsumeret. Sed progrediamur ad cetera.

31.  Sequitur: *Fac cum seruo tuo secundum misericordiam tuam et iustitias tuas doce me* [a]. Praestruxit uiam et commendationis suae incrementa praesumpsit. Supra poposcit ne nocentibus traderetur [b], iterum petiit ut susciperetur in bono, ne calumniarentur ei superbi [c]; hoc est: «Non declino iudicium, sed calumniam perfidorum; illi enim iudicare nesciunt, calumniari sciunt. Ad te confugio, qui nosti repraesentare iudicium». Et bene non uult calumniatoribus tradi; multa enim Iob passus est iustus, postquam traditus est nocenti [d]. Sed difficile fuit illud et grande certamen, quod nisi Iob nimia patientia haud facile quisquam superare potuisset; et tamen ille non totus est traditus, sed meliore exceptus est portione. Qui dicit: *Non tradas me* [e], quae maiora sunt conprehendit. Plus autem in anima quam in carne sumus; iustis enim dicitur: *Vos autem non estis in carne sed in spiritu* [f]. Tradi ergo animam suam recusat qui corpore sicut aranea tabescebat [g].

32.  Hoc igitur loco maiore quodam familiaritatis usu potiora praesumens ait: *Fac cum seruo tuo secundum misericordiam tuam et iustitias tuas doce me* [a]. Misericordiam deferri sibi poscit, iustitias doceri. Alibi quoque, id est in posterioribus, habes hunc sensum: *Et ne intres in iudicium cum seruo tuo* [b]. Etenim nostrorum conscii peccatorum misericordiam magis petere dei nostri quam iustitiam inplorare debemus; alia ueniam largitur, alia examen inpertit. Quae spes hominibus certandi apud eum, quem occulta non fallunt, quem latere peccata non possunt? Ideoque sciens eius potentiam, qui hominem non timeret, ait: *Tibi soli peccaui* [c]. Non potest hoc iustus negare, quia nemo sine peccato, non potest rex, quia, etsi leges in potestate habet, ut inpune delinquat, deo tamen subditus est, immo plus ipse debet, cui plus commissum est.

31. [a] * Ps 118, 124.
   [b] Cf. Ps 118, 121.
   [c] Ps 118, 122.
   [d] Cf. Iob 2, 6.
   [e] Ps 118, 121.
   [f] * Rom 8, 9.
   [g] Cf. Ps 38, 12.
32. [a] * Ps 118, 124.
   [b] * Ps 142, 2.
   [c] Ps 50, 6.

---

32, 4    id est in posterioribus *delevit Petschenig.*

donasse cioè quello che era suo e che prendesse su di sé quello che era della giustizia e dell'onestà, per dimenticare il proprio errore. Ma dobbiamo andare avanti.

31.   Cosí prosegue: *Agisci col tuo servo secondo la tua misericordia e insegnami le tue opere di giustizia!* Prima ha predisposto la strada ed ha dato come presupposto ulteriore le proprie credenziali. Prima ha chiesto di non essere consegnato a quelli che gli volevano far del male. La seconda richiesta fu di essere accolto nel bene, perché non lo calunniassero i superbi (cioè: «Non voglio evitare il giudizio, bensí la calunnia dei perfidi: infatti quelli non sanno giudicare, ma sanno solo calunniare. Io cerco rifugio in Te, che sai come impostare un processo»). E giustamente non vuole essere consegnato ai suoi calunniatori: molte sofferenze provò Giobbe il giusto, dopo che fu consegnato a chi gli voleva far del male. Ma difficile ed ardua fu quella contesa che difficilmente qualcun altro, tranne Giobbe con la sua straordinaria pazienza, avrebbe potuto superare. Eppure, nemmeno lui fu consegnato totalmente all'Avversario, anzi fu preservato nella parte migliore di sé. Colui che dice: *Non consegnarmi!*, intende di non essere consegnato nei suoi lati piú importanti. Ma la nostra vita sta piú nell'anima che nel corpo, tant'è che ai giusti si dice: *Voi però non vivete nella carne, ma nello spirito.* Dunque qui egli rifiuta di dare la sua anima, lui che nel corpo si assottigliava come un ragno.

32.   Quindi, in questo passo, facendo leva su una familiarità piú grande e intendendo riferirsi a realtà piú importanti, esclama: *Agisci col tuo servo secondo la tua misericordia e insegnami le tue opere di giustizia!* Chiede che gli sia usata misericordia e che gli vengano insegnate le opere di giustizia. Anche in un altro punto, cioè piú avanti [38], si trova questo pensiero: *E non entrare in giudizio col tuo servo!* E difatti, se abbiamo consapevolezza dei nostri peccati, dobbiamo chiedere la misericordia del nostro Dio piuttosto che implorarne la giustizia: la prima regala il perdono, la seconda istruisce un esame. Quale speranza hanno gli uomini nel contendere con Lui, al quale non sfuggono i segreti e non possono restar nascosti i peccati? Perciò, ben conoscendo che Egli è cosí potente da non temere alcun uomo, Davide ha esclamato: *Contro te solo ho peccato.* Nessuno è senza peccato: questa realtà non la può negare il giusto e nemmeno un re, perché, anche se egli ha potere sulle leggi — tanto da poter trasgredirle impunemente — resta pur sempre suddito di Dio [39]. Anzi, a lui è richiesto di piú, perché di piú gli è stato concesso.

---

[38] Cf. 16, 44: *in inferioribus.*
[39] Anche in *Apol. Dau.*, 51 c'è la figura del *re* che non è tenuto all'obbedienza delle leggi, ma che è sottomesso a Dio. Il Madec (*Saint Ambroise et...*, p. 297, nota 128) ha rilevato al proposito un'analogia con Atanasio, mentre P. HADOT, *Une source de l'«Apologia David» d'Ambroise: les Commentaires de Didyme et d'Origène sur le Psaume 50*, in «Revue des Sciences Philosophiques et Théologiques», 60 (1976), p. 214, ha notato un'affinità con Didimo di Alessandria. Molto probabilmente l'accordo tra Atanasio e Didimo è dovuto ad una comune dipendenza da Origene.

33.  Hoc ergo dicit: «*Fac cum seruo tuo secundum misericor-diam tuam* ᵃ, quia etsi quid boni feci, plura debeo quasi seruus». Non uno facto seruus absoluitur, quia nemo seruum habens aran-tem aut oues pascentem dicit illi: *Transi, recumbe*, sed dicit illi: *Para quod cenem et praecinge te et ministra mihi* ᵇ. *Numquid gra-tiam habet seruus, si fecit quod imperatum est ei?* ᶜ. Ergo et cum fecerimus quod nobis imperatum est, non statim nos exaltare debemus, sed magis humiliare, quia non statim, si aliquid fecimus, impleuimus omnia seruitutis obsequia. Quis tanta naturae mune-ra, uitae salutisque seruatae diuina beneficia digno possit aequare seruitio? Quis potest soluere quod accepit? Ideoque sciens omnia misericordiam petit potius quam audientiam, *quoniam non iustifi-cabitur*, inquit, *in conspectu tuo omnis homo uiuens* ᵈ.

34.  Quintus uersiculus sequitur: *Seruus tuus sum ego; da mihi intellectum, et scibo testimonia tua* ᵃ. Intellectus spiritale mu-nus est et ideo quod dei est a domino postulatur. Nec quasi extraneus poscit qui seruum se confitetur; bene ait: *Seruus tuus sum*. Seruus enim uoluntatem domini sui facit, seruus quaerit seruitutis stipendia, remunerationem sperat. Seruus domini non potest idem seruus esse peccati ᵇ et ideo intellectum dari sibi poscit, ut possit cauere peccatum. Habebat quidem intellectum, sed non ut redundare sibi crederet; uberiorem requirit.

35.  Est autem et intellectus naturae et est intellectus non bonus. Ideo Salomon ait: *Intellectus autem bonus dat gratiam* ᵃ. Nam si omnis intellectus bonus esset, non opus fuisset additamen-to. Iure ergo gratiam domini sui quaerit; aliter enim scire non potest secreta domini, nisi intellectus spiritalis munus acceperit. Habes hoc in Hieremia: *Notum mihi fac, domine, et scibo* ᵇ, quia, nisi deus notum fecerit hominibus mysterium suum, scire non possumus.

36.  Sequitur uersiculus sextus: *Tempus est faciendi, domine; dissipauerunt legem tuam iniqui* ᵃ. Bene ait tempus faciendi esse;

33. ᵃ Ps 118, 124.
    ᵇ * Lc 17, 7-8.
    ᶜ * Lc 17, 9.
    ᵈ * Ps 142, 2.
34. ᵃ * Ps 118, 125.
    ᵇ Cf. Io 8, 34.
35. ᵃ * Prou 13, 15.
    ᵇ * Ier 11, 18.
36. ᵃ * Ps 118, 126.

33. *Cosí dunque egli parla: Agisci col tuo servo secondo la tua misericordia*, perché, «anche se ho fatto del bene, resto di gran lunga in debito come un servo». Non basta una sola opera per assolvere un servo, perché nessuno, che abbia un servo che sta arando oppure pascolando le pecore, gli dice: *Passa qui, vieni a sedere!* Gli dice piuttosto: *Preparami la cena, rimboccati le maniche e servimi! Forse che riceve gratitudine il servo per avere fatto ciò che gli era stato comandato?* Dunque anche noi, se abbiamo fatto quanto ci era stato comandato, non dobbiamo esaltarci subito, ma piuttosto umiliarci, perché, anche se abbiamo fatto qualcosa, non abbiamo subito adempiuto a tutti gli obblighi della nostra condizione di servi. Chi potrebbe ripagare con un adeguato servizio i doni cosí grandi della natura, i benefici divini della vita e della sua conservazione? Chi può sdebitarsi di quel prestito? E allora, proprio perché sa tutto questo, Davide chiede misericordia piuttosto che un processo, *perché nessun uomo che vive* — cosí dice — *potrà essere giustificato al tuo cospetto* [40].

34. Il quinto versetto prosegue: *Servo tuo sono io. Dammi la capacità di comprendere, e apprenderò i segni della tua volontà.* La capacità di comprendere è un dono spirituale e, proprio perché appartiene a Dio, la si domanda al Signore. E non la chiede da estraneo, dato che si professa «servo». Opportunamente esclama: *Servo tuo sono.* Il servo fa la volontà del suo signore. Il servo cerca un profitto dal suo servizio, spera in una ricompensa. Il servo del Signore non può essere nello' stesso tempo servo del peccato, ed è per questo che chiede di ottenere la capacità di comprendere: per poter stare alla larga dal peccato. Aveva, sí, la capacità di comprendere, ma non in misura tale da ritenersene troppo fornito: ne ricerca ancora di piú.

35. C'è però una capacità naturale di comprendere e una comprensione che non è positiva. Perciò Salomone esclama: *È la buona comprensione che procura la grazia.* Se ogni capacità di comprendere fosse di per sé positiva, non ci sarebbe stato bisogno di aggiungere altro [41]. È dunque legittima la sua ricerca della grazia del Signore: non si possono conoscere i segreti del Signore in altro modo se non ricevendo il dono dell'intelligenza spirituale. Si trova scritto anche in Geremia: *Rendimelo noto, o Signore, e allora lo conoscerò.* Che se Dio non renderà noto agli uomini il suo arcano disegno, noi non possiamo conoscerlo [42].

36. Il sesto versetto prosegue: *È tempo di agire, o Signore; gli ingiusti hanno rovinato la tua legge.* Ben detto: *È tempo di agire.* C'è *un tempo per tacere e un tempo per parlare.* Ma ora è venuto il tempo di parlare e con esso qui ci ricorda che ormai

---

[40] Il rapporto tra giudizio e misericordia, e l'eccellenza di questa, sono temi assai sviluppati nel corso dell'*Expl. ps. XII*: cf. ad es., *Expl. ps. I*, 49-56; *XXXV*, 23; *XXXVI*, 72.

[41] Non ci sarebbe stato bisogno di aggiungere *bonus*. Tema e citazione sono presenti in ORIGENE, in HARL, SCh 189, p. 390, 8-12; ATANASIO, *Exp. ps. CXVIII*, 125 (PG 27, 501 A).

[42] Nel processo della fede, l'*initium* spetta all'atto rivelativo.

est enim *tempus tacendi et tempus loquendi* [b]. Sed loquendi tempus
aduenit ac per hoc dominici aduentus tempus iam esse commemorat, ut, quia legis facta est praeuaricatio, ueniat finis legis et
consummatio eius et plenitudo dominus Iesus [c], qui donet hominibus uniuersa delicta et abolito chirographo debitorum [d] absoluat
omnes et liberet peccatores. *Tempus est faciendi* [e], ut si ingraue-
scente aegritudine alicuius incommodi curras ad medicum, ut
citius ueniat, ne postea subuenire non possit. Medicus enim tunc
amplius desideratur, cum grauis incubuerit aegritudo languenti.
Ergo cum uideat in spiritu sanctu propheta praeuaricationes
populi, luxuriam delicias dolos fraudes auaritiam temulentiam,
quasi pro nobis interueniat, currit ad Christum, quem solum
tantis sciebat subuenire posse peccatis, urget ut ueniat nec patitur
fieri moras. *Tempus*, inquit, *faciendi, domine* [f], hoc est: ut pro nobis
crucem ascendas, mortem subeas. Totus in periculum ultimum
mundus urgetur: ueni ut tollas peccatum mundi [g]. Veniat uita
morientibus, ueniat resurrectio iam sepultis. Factum tuum subue-
niat, quoniam nec tua praecepta prodesse potuerunt. In lege
praeceptum est, in euangelio ministerium.


37.   Caecus omnis populus proprium non uidebat auctorem,
claudus erat mundus et titubante uestigio fidei fluctuabat. Non
erat qui malagma inponeret neque oleum neque alligaturam [a].
Omne patrimonium suum in medicos erogauerat mulier illa euangelica [b], speciem habens congregationis humanae quae coibat ex
gentibus, nec fluentem sanguinem et inueteratae passionis letale
profluuium poterant saeculi huius medici restringere. Principis
populi posteritas interierat et omnis occiderat eius hereditas.
Videns haec propheta dicit ad Christum: *Tempus faciendi, domine* [c]; non «iubendi» inquit, sed «faciendi», quia non legatus neque
nuntius, sed dominus saluaturus erat populum suum. Et ille quidem tempus sciebat et non differebat, sed nos nesciebamus quo
melius tempore subueniret.


[b] Eccle 3, 7.
[c] Cf. Rom 10, 4.
[d] Cf. Col 2, 13-14.
[e] * Ps 118, 126.
[f] Ps 118, 126.
[g] Cf. Io 1, 29.
37. [a] * Is 1, 6.
[b] Cf. Lc 8, 43.
[c] Ps 118, 126.

è il tempo della venuta del Signore; ed è tempo che giunga, dopo l'avvenuta trasgressione della Legge, il Signore Gesú, fine della Legge, suo perfezionamento e sua pienezza: Egli è in grado di condonare agli uomini tutte le loro colpe, di assolvere tutti cancellando il contratto dei loro debiti e di liberare i peccatori [43]. *È tempo di agire*: è come se si corresse dal medico quando si aggrava una malattia, e lo si pregasse di far presto, se non si vuole che il soccorso sia vano. Si acuisce il bisogno del medico nel momento in cui l'aggravarsi della malattia tende ad opprimere un corpo già indebolito. Il santo profeta dunque, vedendo con gli occhi dello spirito le trasgressioni del popolo — il lusso sfrenato, i divertimenti, le doppiezze, le frodi, le avidità, le sbornie —, come se intervenisse in suo aiuto, corre da Cristo, che per lui era l'unico in grado di soccorrere tanti peccati; gli fa premura di venire senza frapporre indugio. *È tempo di agire, o Signore*, gli dice. Cioè: «È tempo di salire per noi sulla croce, di affrontare la morte. Il mondo intero è sospinto verso il suo estremo pericolo: vieni a togliere il peccato dal mondo! Venga la vita ai morenti; venga la risurrezione a chi è già nel sepolcro! Soccorra la tua azione là dove non hanno potuto servire nemmeno le tue prescrizioni! Nella Legge c'è il tuo precetto, nel Vangelo la tua opera di servizio» [44].

37. Ogni popolo era cieco e non vedeva il suo Creatore. Zoppo era il mondo e andava barcollando in un incerto cammino di fede. Non c'era nessuno che gli applicasse qualche impacco, né olio né qualche fasciatura [45]. Quella donna del Vangelo aveva speso tutto il suo patrimonio in medici (era cosí immagine d'una moltitudine d'uomini che si radunava provenendo dalle genti pagane), ed i medici di questo mondo non erano stati capaci di stagnarle la perdita di sangue e un'emorragia mortale, che era un male ormai cronico. Era andata estinta la discendenza del primo popolo ed ogni eredità era perduta. Vedendo questa situazione, il profeta dice a Cristo [46]: *È tempo di agire, o Signore*. Non dice: «di ordinare», ma: «di agire», perché non un delegato o un messo, ma il Signore in persona avrebbe salvato il suo popolo [47]. Egli, certo, sapeva quale era il tempo e non stava indugiando. Ma noi non sapevamo quale fosse il tempo piú opportuno per il suo soccorso.

[43] Già ORIGENE, in HARL, SCh 189, pp. 390, 1 - 392, 10, accosta questo versetto alla venuta del Signore.
[44] Compaiono ancora, distinte, la valenza precettistica (morale) dell'antica economia e quella unitiva (mistica) della nuova.
[45] Cf. 21, 1; *De off.*, I, 12.
[46] Davide può parlare o a nome suo o a nome di Cristo o, come qui, rivolgendosi a Cristo.
[47] Il motivo della *salvezza direttamente operata da Cristo* (cf. anche *Expl. ps. LXI*, 11) si inserisce nel processo di recezione cristiana d'un tema, proprio della *Haggadah di Pasqua* ebraica, su Deut 26, 8, del quale i Cristiani danno una lettura *cristologica*. Sul senso e sulla storia del motivo nel mondo ebraico, fino alle soglie del mondo cristiano, cf. M. PESCE, *Dio senza mediatori. Una tradizione teologica dal giudaismo al cristianesimo*, Brescia 1979 (sullo *status quaestionis* le pp. 9-27; le

38. Aut fortasse uult a nobis admoneri, uult rogari, immo si rogatus fuerit, et ante tempus uenit. Venit ad ficulneam et ante horam uenit, ut dicit ad matrem ª. Illa rogabat pro nobis, illa festinabat dicens: *Vinum non habent, fili. Respondit Iesus: Quid mihi et tibi est, mulier? Nondum uenit hora mea* ᵇ. Et mater, quae sciebat eius affectum, dicit ministris: *Quodcumque dixerit uobis facite* ᶜ. Iesus quoque, qui horam suam uenisse negauerat, fecit quod ante differebat; nam omnia deus tempore fecit. Quicquid facit, non est extra tempus ᵈ, sed totum oportunum est quod fecerit. Et mihi tempore suo aduenit; omne enim tempus oportunum saluti, nihil praeposterum pro salute periclitantium. Sed uolebat expectare adhuc synagogae correctionem. Ideo ante tempus ad ficulneam uenit, hoc est Iudaeis cito uenit, oportune gentibus; cito uenit perituris, commode credituris.

39. Sequitur uersus septimus: *Propter hoc dilexi mandata tua super aurum et topazion* ª. Lex adnuntiatrix Christi est. Praecepta ergo legis spem futurorum bonorum deferunt; mandatum est enim domini: *Adtende tibi, ne derelinquas leuiten per omne tempus quo uixeris super terram* ᵇ. Quis est iste leuites? Intellegis, si consideres, qui sit ille qui uenit ministrare ᶜ, qui sacerdos est in aeternum ᵈ. Aliud mandatum ait: *Custodi mensem nouorum et facies pascha domino deo tuo* ᵉ, et infra: *In loco quem elegerit dominus deus tuus inuocari nomen suum ibi, occides pascha uespere ad occasum solis in tempore quo existi de Aegypto* ᶠ. Ergo mandata dei habent redemptionis futurae indicia, resurrectionis insignia; ideo

38. ª Cf. Mt 21, 19; Io 2, 4.
   ᵇ * Io 2, 3-4.
   ᶜ Io 2, 5.
   ᵈ Cf. Eccle 3, 11.
39. ª * Ps 118, 127.
   ᵇ * Deut 12, 19.
   ᶜ Cf. Mt 20, 28.
   ᵈ Cf. Hebr 5, 6.
   ᵉ * Deut 16, 1.
   ᶠ * Deut 16, 6.

38. O forse vuole farsi esortare da noi, farsi pregare. Anzi, se lo si prega, viene anche prima del tempo [48]. Viene sotto quell'albero di fico e viene prima del tempo, come dice alla Madre. Ella supplicava per noi; Ella gli faceva fretta, dicendo: *Figlio, non hanno piú vino.* Le rispose Gesú: *Che possiamo farci io e te, donna? Non è ancora venuta la mia ora.* E la Madre, che conosceva il suo animo, dice ai servitori: *Fate tutto quanto egli vi dirà!* Anche Gesú, che aveva detto che non era venuta la sua ora, ha fatto ciò che prima rimandava: infatti Dio ha fatto tutto al tempo giusto. Qualunque cosa abbia fatto non l'ha fatta fuori tempo, ma quel che ha fatto l'ha fatto tutto al momento giusto. Anche per me è venuto al momento buono: ogni tempo è quello giusto per la salvezza; non c'è un tempo sbagliato per la salvezza di chi sta rischiando la vita. Ma Egli voleva attendere ancora il ravvedimento della Sinagoga. Perciò viene prima del tempo sotto l'albero di fico, cioè viene in fretta per i Giudei, e viene al tempo giusto per i Gentili. Viene in fretta per quelli che sarebbero periti, viene al momento giusto per quelli che avrebbero creduto [49].

39. Il settimo versetto prosegue: *Per questo ho amato i tuoi comandamenti piú dell'oro e del topazio.* La Legge annuncia Cristo. Dunque le prescrizioni della Legge sono portatrici della speranza dei beni futuri. È comandamento [50] del Signore, questo: *Fa' bene attenzione a non abbandonare il levita, per tutto il tempo in cui vivrai sulla terra.* Chi è questo levita? Se rifletti puoi capire chi sia colui che viene ad esercitare il servizio: Colui che è sacerdote per sempre. Un altro comandamento recita: *Osserva il mese delle nuove messi e celebrerai la Pasqua per il Signore Dio tuo;* e piú sotto: *Nel luogo che il Signore Dio tuo ha scelto perché vi fosse invocato il suo nome, là tu immolerai la pasqua, di sera, al tramonto del sole, nell'ora in cui sei uscito dall'Egitto.* Dunque, i comandamenti di Dio portano tracce della redenzione futura, portano

---

conclusioni a pp. 201-208). In particolare, per la tradizione cristiana, cf. R. CANTALA-MESSA, *Les Homélies pascales de Méliton de Sardes et du Pseudo-Hippolyte et les extraits de Théodote,* in *Epektasis. Mélanges patristiques offerts au Card. J. Daniélou,* Paris 1977, pp. 266 s.
La *cristologizzazione* del motivo, per il Pesce (p. 208), impone la conclusiva domanda: «Quale dignità va attribuita a Gesú Cristo in una concezione che vede la salvezza come frutto dell'intervento del solo Dio?». Ma la risposta, per Ambrogio impegnato sul fronte antiariano, è ovvia: il Signore Gesú è della stessa natura divina del Padre, e quindi non c'è contrasto tra mediazione di Cristo e intervento divino «senza mediatori».

[48] Dal «ritardo» della venuta, come frutto dell'onnisciente sapienza di Dio, si passa all'ammissione d'una possibilità per l'uomo di interferire nel disegno dell'economia divina, tramite *la preghiera,* ipotizzando cosí un canale «libero» di rapporto tra uomo e Dio.

[49] Il tempo della venuta sembra rapido al giudeo, tardo al gentile. In realtà esso è in ogni caso giusto, perché Dio lo commisura alla situazione e alla recettività del destinatario. Questo motivo non investe solo la venuta *storica* del Verbo, ma anche la venuta *personale,* mistica, di Cristo nell'anima di ciascuno. Le due prospettive non si escludono, anzi in Ambrogio interagiscono.

[50] Si passano in rassegna alcuni *mandata* dell'Antico Testamento, per scorgerne la sporgenza cristica, cioè le «tracce della redenzione futura».

super aurum et topazion memorat sibi esse dilecta. Quid enim salute gratius, resurrectione pretiosius?

40. Vel quia quae stulta sunt mundi Christus elegit [a], ut, quoniam per sapientiam mundus non cognouit deum, per stultitiam praedicationis salutem adferret credentibus [b], ideo ait: «Super sapientiam operationis caelestis et mundanae constitutionis et super ornamenta solis et lunae stellarumque pretiosa monilia dilexi obaudientiam dominicae passionis. Plus enim redimendo mihi contulit quam creando; tunc enim sine sensu natus sum, nunc cum uoluntate seruatus». Sed non quicumque dicit: *Dilexi mandata tua super aurum et topazion* [c]. Non dicit auarus qui auro incubat, diuitiis inhiat, ornamenta desiderat, sed ille dicit qui potest dicere: *Argentum et aurum non habeo* [d], quoniam non requiro, quoniam nihil mihi aurum prodest; praeceptum autem et mandatum caeleste me redemit.

41. Diximus continentiam sensus, nunc de topazio lapide exprimamus historiam. De quo inuenimus scriptum in historia Xenocratis, qui scripsit quasi Lithognomonem, nasci eum uel inueniri circa Thebaidis ciuitatem Alabastrum uel Topazion, ut aliqui putant, unde et nominatus est ab eo loco in quo gigneretur. Sunt autem qui putauerunt insulam nuncupari Topazion, ad quam adpulsos Trogodytas orta subito commotione maritima, quod nauium usum non haberent, regredi nequiuisse. Deinde plurimo inmorantes tempore in insula inuenisse lapidem et delectatos colore eius repetisse domum et Arabis negotiatoribus aduenientibus uendidisse. Ab illis emisse Philonem et ad matrem Ptolomaei secundi, cui nomen erat Beronice, ab ipso esse perlatum. Illam autem, quamuis regalibus ornamentis abundaret, supra modum tamen colore eius stupefactam elaborasse, ut diutius species tam pretiosi lapidis non lateret, ideoquo studio eius quaesitum lapidem in usus frequentiores uenisse.

---

40. [a] Cf. 1 Cor 1, 27.
   [b] Cf. 1 Cor 1, 21.
   [c] Ps 118, 127.
   [d] * Act 3, 6.

segnali della risurrezione. Per questo Davide ricorda di averli amati piú dell'oro e del topazio. Che c'è infatti di piú bello della salvezza, di piú prezioso della risurrezione?

40. Oppure si intenda cosí: Cristo ha scelto la stoltezza del mondo per portare la salvezza ai credenti attraverso la stoltezza di un annuncio, visto che il mondo non ha saputo conoscere Dio attraverso la sapienza. Ed è per questo che Davide esclama: «Piú ancora della sapienza dell'opera divina e della creazione del mondo, piú ancora di quelle gemme che sono il sole e la luna e di quei preziosi gioielli che sono le stelle, io ho amato l'obbediente patire del Signore [51]. Mi ha dato di piú salvandomi che creandomi: perché allora sono nato senza saperlo, ora vengo salvato in consapevolezza». Ma non è da tutti dire: *Ho amato i tuoi comandamenti piú dell'oro e del topazio*. Non lo dice l'avaro, che cova il suo oro, che è ingordo di ricchezze [52], che brama gemme. Lo dice bensí chi può dire: *Non possiedo né oro né argento*, perché non li ricerco, perché non mi serve a niente l'oro. È invece il precetto e il comandamento del Cielo che mi ha riscattato.

41. Abbiamo esposto il contenuto generale del pensiero; delineiamo ora la storia della pietra *topazio*. Da quanto troviamo scritto [53] nella storia di Senocrate, che scrisse una specie di «Manuale delle pietre», esso ha origine e localizzazione presso la città della Tebaide, Alabastro — o Topazio, secondo altri —, e dal luogo d'origine esso trae perciò il nome. C'è però chi ha ritenuto che si chiami Topazio l'isola sulla quale furono sospinti i Trogloditi da un improvviso maremoto e dalla quale non si sono piú potuti allontanare, non conoscendo l'uso della navigazione. Poi — dopo moltissimo tempo che vivevano nell'isola — essi vi avrebbero scoperto quella pietra, il cui colore piacque loro; avrebbero riguadagnato la loro sede e l'avrebbero venduta ai mercanti arabi che li visitavano. Da questi l'avrebbe comprata Filone, che l'avrebbe infine personalmente recata alla madre di Tolomeo II, che si chiamava Beronice. Questa poi, benché avesse gioielli regali a bizzeffe, sarebbe stata straordinariamente impressionata dalla colorazione di quella e si sarebbe adoperata per rivelare la bellezza di una pietra tanto preziosa. E cosí, grazie alla predilezione di Beronice, sarebbe diventata una pietra ricercata e sempre piú di moda.

[51] Il senso, un po' forzato, pare questo: l'oro e il topazio di Sal CXVIII, 127 sono accorpati alla bellezza della creazione, segno della potenza di Dio. Eppure, piú che per questa potenza, Davide esprime la sua ammirazione per la stoltezza dell'annuncio portato da Cristo, che è quindi da collegare (e questa pare la maggiore forzatura) con i *mandata tua* di Sal CXVIII, 127.

[52] Cf. SENECA, *De ira*, I, 21, 2: *auaritia... aceruis auri argentique incubat*.

[53] Per la storia del topazio, Ambrogio ricalca il testo di ORIGENE, in HARL, SCh 189, p. 392, 20-28, e piú ancora la parafrasi presente nel *Cod. Vatic. 754*, dove si fa espresso rimando a Senocrate. Senocrate è quindi la fonte di Origene e già di Plinio il Vecchio (cf. *Nat. hist.*, XXXVII, 107 ss. e 143), come ha dimostrato F. BUECHELER, *Zwei Gewährsmänner der Plinius*, in «Rheinisches Museum», 40 (1885), pp. 304-307. Su essi modellerà il suo riferimento anche ILARIO, *Tract. ps. CXVIII*, 16, 16 (CSEL 22, pp. 504 s.). Per una precisa informazione sul motivo, cf. anche R. CADIOU, *L'île Topaze. Le fragment du «Lithognomon» de Xénocrate d'Ephèse*, in *Mélanges offerts à A.-M. Desrousseaux*, Paris 1937, pp. 27-33; HARL, SCh 190, pp. 712 s.

42. Diximus quomodo innotuerit topazion lapis; nunc expressius de eius qualitate dicamus. Duorum colorum est in hoc lapide κρᾶσις, hoc est quaedam temperata permixtio, πρασοειδὴς et χρυσωπός, similis chrysoprasso, secundum utrumque uelut quasdam extendens colorum figuras, et plenius quidem a peritis fertur extendere. Est autem parygrus et satis purus et chrysochrus et pinguis, resplendenti similis, maxime cum solis splendore percutitur. Est etiam pulcherrimus et mirabilis super omnes chrysoprassos magnitudine et, ut dixi, uisu pinguior. Natura huiusmodi, ut, si polire et leuigare eum uelis, asperetur magis, et usu minuitur. Est autem quodam genitali opere naturae euglyphus, hoc est bene insignitus atque mirabilis et, ut summo studio dignus haberetur, difficile inuenitur et repertus raro tamen in usu hominum est, quasi is quem diues regina mirata sit.

43.   Sed iam, sicut Trogodytae illi quasi pretio suae remansionis inuento repetierunt domum, ita et nos emolumento morae huius recepto redeamus eo, unde deuertimus. Nec par est nos ornamentis regiis diutius sermonis nostri quaedam admouere brachia, cum habeamus in manibus crucem Christi, quam admonet propheta super aurum et topazion praeferendam, quae ab omni errore culpaque reuocat et corrigit. Quis enim iustorum non ambiat Christi in morte solacium, in resurrectione consortium? Quis non reflectat gradum, quando audiat sibi superiora omnia peccata donari? Hoc enim plerique a conuersionis studio reuocari solebant, quod delictorum suorum conscii nullam spem ueniae praesumerent et ecclesiae quanto sanctiora praecepta, tanto sine uenia putarent esse peccata.

44.   Ideoque ait octauo uersiculo: *Propterea ad omnia mandata tua corrigebar, omnem uiam iniustam* [a] *odio habui.* Merito corrigebatur, quoniam diligebat; *caritas* enim *multitudinem operit peccatorum* [b]. Vide quanta operiat, quanta corrigat: *Caritas patiens est, benigna est, caritas non aemulatur, non agit perperam, non*

---

44. [a] * Ps 118, 128.
   [b] * 1 Pt 4, 8.

42. Questa è la storia della scoperta del topazio. Ora passiamo a parlare piú precisamente delle sue qualità [54]. C'è in questa pietra una *krasis*, cioè un amalgama, di due colori: il *prasoeidḗs* (verdastro) e il *chrysṓpos* (color oro), simile al crisoprasio. Si hanno, per cosí dire, due tipi di forme — colorate secondo quei due colori — e c'è una gamma ancor piú vasta, stando al parere degli esperti. C'è poi il topazio umido, quello quasi limpido, quello color oro, quello opaco, quello simile al brillante, soprattutto quando il sole lo colpisce [55]. C'è anche — piú bello di tutti e di straordinaria grossezza — il crisoprasio e, come ho già detto, quello piú opaco. La sua struttura è tale che, se lo si vuole pulire e levigare, esso diventa ancor piú scabro e perde di valore. Ma c'è anche il tipo euglifo, che è cioè già mirabilmente intagliato ad opera originaria della natura. Esso — quasi per farsi ammirare e desiderare assai — difficilmente si lascia trovare e, quando lo si trova, raramente viene smerciato: doveva essere di questo tipo quello che suscitò l'ammirazione di quella ricca regina.

43. Ma ormai, come quei Trogloditi che hanno riguadagnato la loro sede dopo aver trovato qualcosa che li ripagava della loro permanenza, cosí anche noi dobbiamo tornare là donde ci siamo scostati, una volta trovato quel che di buono questa digressione poteva darci. E non è giusto per noi continuare a protendere le mani del nostro discorso verso regali monili, ora che nelle nostre mani sta la croce di Cristo, che il profeta ci esorta a preferire all'oro e al topazio, la quale ci distoglie e corregge da ogni errore e colpa. Chi dei giusti infatti non aspirerebbe ad avere, in morte, il conforto di Cristo e, nella risurrezione, la sua compagnia? Chi non invertirebbe il suo cammino, al sentire che gli sono stati condonati tutti i peccati del passato? Succedeva che moltissimi erano distolti dall'aspirazione a convertirsi, dal fatto che non osavano sperare perdono per le proprie colpe — che essi ben riconoscevano — e dal fatto che ritenevano che quanto piú sacri erano i precetti della Chiesa tanto piú imperdonabili diventavano i peccati [56].

44. E perciò nell'ottavo versetto esclama: *Per questo venivo rettamente indirizzato verso i tuoi comandamenti; ho odiato ogni via ingiusta.* Giustamente veniva indirizzato, perché egli amava: *la carità,* infatti, *copre una moltitudine di peccati.* Ecco quanti ne copre: *La carità è paziente, è benevola. La carità non è invidiosa,*

---

[54] Cf. PLINIO IL VECCHIO, *Nat. hist.*, XXXVII, 109.

[55] Anche questo passo è modellato su ORIGENE, in HARL, SCh 189, pp. 392, 30 - 394, 36, di cui Ambrogio permette di intravedere piú perspicuamente il senso.

[56] C'è forse un accenno alla dottrina rigorista di Novaziano (sec. III) e dei Novaziani, che non ammettevano un perdono dei peccati successivo al battesimo. I Novaziani del tempo di Ambrogio, a dire il vero, avevano ammorbidito la rigida posizione del loro caposcuola, perché non escludevano la possibilità d'un perdono da parte di Dio; solo negavano tale potere alla Chiesa. Contro questa posizione Ambrogio scrisse il *De paenitentia.* Sulla Chiesa novaziana cf. H.J. VOGT, *Coetus Sanctorum. Der Kirchenbegriff des Novatian und die Geschichte seiner Sonderkirche* («Theophaneia», 20), Bonn 1968.

*inflatur, non est ambitiosa, non quaerit quae sua sunt, non inritatur,*
*non cogitat malum, non gaudet super iniquitate, congaudet autem*
*ueritati; omnia suffert, omnia credit, omnia sperat, omnia sustinet.*
*Caritas numquam excidit* [c]. In inferioribus tria perfecta posuit,
spem fidem caritatem, maiorem autem dixit caritatem [d], et recte;
caritas enim omnia sperat, omnia credit [e]. Cum igitur spes et fides
in caritate sint, non est dubium quod maior caritas sit [f]. Et bene
sibi respondit propheta. Supra enim dixit: *Lex domini inreprehen-*
*sibilis, conuertens animam* [g]; si lex animam conuertit, utique qui
diligit legis dilector est. Deinde in hoc ipso centesimo decimo
octauo psalmo primum posuit: *Beati inmaculati in uia, qui ambu-*
*lant in lege domini* [h]. Si inmaculatus est qui in lege dei ambulat,
utique conuertitur qui diligit dei legem. Ergo si lex inmaculatum
facit, recte caritas multitudinem operit peccatorum, quia plenitudo legis caritas est [i].

45. *Omnem,* inquit, *uiam iniustam odio habui* [a]. Si is, qui
praecepta iustitiae diligit, facit illa quae diligit, utique is, qui odit
iniquitatem, non facit quod exosus est. Nec inmerito ad omnia
domini praecepta corrigitur, qui omnem uiam odit iniquitatis;
nam nisi omnem uiam iniquitatis oderis, non potes in omnibus
praeceptis dei corrigi. Potest enim fieri ut aliquis temperet a
crudelitatis horrore. Lubrico tamen deceptus amore meretricis
et semitas incontinentiae iuuenilis ingressus inpressum semel
non queat reuocare uestigium; multos enim uitia blandiora deci-
piunt et contra auertit a se plurimos tristis et nimium seuera
crudelitas. Sed iuuentus ad amorem liberior, ad lapsum incautior,
ad infirmitatem fragilior, ad correctionem durior est. Alius se
restringit a luxu, sed auaritiae cupiditate raptatur. Plerumque
enim peccata huiusmodi sunt, ut, si alterum declines, incurras
alterum, et naturae usus adiuuat infirmitatem. Odisti luxuriam
quasi frugi, sed frugalitatis studio habendi cupiditas frequenter
inrepit, auaritiae ipsi rapina est subdita. Et quanto tolerabilius
propria profundere quam aliena diripere! Sunt qui metuentes
aliquid proprio minuere de censu etiam inopi sumptum negent
et misericordiam detrimentum putent, sunt qui degenerem uitan-
tes ignobilitatem flabro saecularis ambitionis agitentur et sicut
quassatae harundines [b] huc atque illuc ferantur incerti. Sunt etiam
qui, dum maiorum suorum statum secuntur, ueluti digna conuer-
satione contenti ne errores quidem patrios existiment declinan-

---

[c] 1 Cor 13, 4-8.
[d] Cf. 1 Cor 13, 13.
[e] Cf. 1 Cor 13, 7.
[f] Cf. 1 Cor 13, 13.
[g] * Ps 18, 8.
[h] Ps 118, 1.
[i] Cf. Rom 13, 10.
45. [a] * Ps 118, 128.
[b] Cf. Mt 12, 20.

*non agisce sconsideratamente, non si gonfia, non è ambiziosa, non*
*cerca il proprio tornaconto, non si arrabbia, non pensa il male, non*
*gode della disonestà, ma sa partecipare alla gioia per la verità. Tutto*
*sopporta, tutto crede, tutto spera, tutto tollera. La carità non ha mai*
*fine.* Piú avanti ha collocato le tre virtú perfette: la speranza, la
fede, la carità. Ma piú grande per lui è la carità, e giustamente:
la carità infatti tutto spera, tutto crede. Allora, siccome la carità
comprende in sé la speranza e la fede, non c'è dubbio che la
carità sia piú grande. Ed il profeta è d'accordo con se stesso:
prima infatti ha detto: *La legge del Signore è irreprensibile e*
*converte l'anima.* Se la legge converte l'anima, l'uomo che ama è
amante della legge. Infine, in questo stesso Salmo CXVIII, all'inizio ha collocato l'espressione: *Beati quelli che sono senza macchia*
*nella loro via, quelli che camminano nella legge del Signore.* Se è
senza macchia l'uomo che cammina nella legge di Dio, certo è
convertito l'uomo che ama la legge di Dio. Dunque se la legge
rende senza macchia, giustamente la carità copre una moltitudine
di peccati, perché la carità è pienezza della legge.

45.   *Ho odiato* — egli dice — *ogni via ingiusta.* Se l'uomo che
ama le prescrizioni della giustizia compie ciò che ama, ovviamente
l'uomo che odia l'ingiustizia non compie ciò che detesta. E non
è sbagliato pensare che è rettamente indirizzato verso tutte le
prescrizioni del Signore l'uomo che odia ogni via di ingiustizia.
Che se non si odierà ogni via di ingiustizia, non si potrà essere
rettamente indirizzati in tutte le prescrizioni di Dio. Può succedere
che qualcuno si trattenga da quell'orrenda cosa che è la crudeltà,
ma che sia adescato da un amore pericoloso per una meretrice
e non sia piú capace di distogliere il suo passo da dove l'ha ben
calcato, dai sentieri di una scostumatezza giovanilistica in cui s'è
ficcato. Vizi piú blandi adescano molti e, d'altra parte, una triste
e troppo arcigna crudeltà è per moltissimi scostante. Ma l'età
giovanile è troppo corriva all'amore, troppo imprudente nel ri-
schiare, troppo fragile a cedere, troppo restia a correggersi. C'è
chi si sa limitare nel lusso, ma è afferrato dalla passione dell'avidità. Di solito i peccati hanno carattere tale che, se ne eviti uno,
cadi nell'altro, e seguire l'inclinazione naturale favorisce la debolezza. Da persona frugale odii il lusso, ma ecco che sull'amore
della frugalità spesso si insinua il desiderio di possesso, e la stessa
avidità ha come suddita la ruberia. E allora, non è piú accettabile
essere prodighi del proprio piuttosto che ladri dell'altrui? Ci sono
persone che hanno il terrore di veder calare di un'oncia il proprio
patrimonio e che rifiutano di spendere alcunché, sia pur per
beneficare chi è sprovvisto di tutto; che ritengono la misericordia
una perdita. Ci sono persone che, nella voglia di sottrarsi a una
oscurità plebea, sono scosse da folate di ambizione mondana e,
come canne sbattute dal vento, sono sballottate di qua e di là
allo sbando. Ci sono anche persone che, nel volere fermamente
attenersi alle tradizioni dei loro antenati — come se quella condizione di vita rappresentasse per loro il culmine della dignità —,
ritengono di non dover evitare nemmeno gli errori dei loro padri,

dos, ut fide mutandam perfidiam non arbitrentur, cum in melius
mutare propositum non leuitas, sed uirtus, neque culpa, sed gratia
sit. Alius circensibus ludis aut theatralibus sollicitatus uoluptatibus aut ceteris uanitatibus occupatus ecclesiam non frequentat;
alium ruris queta delectant eaque causa ad ecclesiam rarus acces-
sus est. Itaque diuerso usu in eundem indeuotionis errorem uterque concurrit. Sed qui omnem uiam iniquitatis odit, ad uniuersa
corrigitur et emendatur. Et bene posuit «uiam iniquitatis»; ille
enim facilius iniquitatem declinat [c], qui uias eius non fuerit ingressus.

# XVII
## Littera «Phe»

1.   «Phe» littera septima decima, quae Latine significat «erraui» siue «os aperui». Merito ergo lacrimabilis series psalmi
subiecta est huic litterae: *Respice in me et miserere mei et non
dominetur mihi omnis iniquitas* [a]. *Faciem tuam inlumina super
seruum tuum* [b], ut ei qui erat in umbra mortis [c] populo caelestis
misericordiae lumen oriretur, adueniret Christus remissio peccatorum, captiuorum redemptio, subsidium laborantium, sed quia
uenire tardius desiderantibus uidebatur: *Exitus*, inquit, *aquarum
traxerunt oculi mei* [d].

2.   In Hieremiae quoque Threnis lacrimabilior series sub hac
littera est: *Expandit Sion manus suas, non est qui consoletur eam* [a].
Dignam remunerationem recepit, ut quae expandentem manus [b]
audire neglexit et sub alas eius succedere [c], ipsa postea expande-

---

[c] Cf. Ps 118, 128.

---

1.   [a] * Ps 118, 132-133.
     [b] Ps 118, 135.
     [c] Cf. Ps 22, 4.
     [d] * Ps 118, 136.
2.   [a] Thren 1, 17.
     [b] Cf. Is 65, 2.
     [c] Cf. Mt 23, 37.

tanto da non pensare che l'incredulità debba trasformarsi in fede. Non sanno che cambiare idea in meglio non è leggerezza, ma virtú; non è una colpa, ma un pregio [57]. C'è chi è tutto preso dai giochi del circo o dagli spettacoli teatrali oppure è impegnato in altre simili futilità, e perciò non frequenta la chiesa. Un altro trova piacere nella quiete della campagna e per questo motivo fa rare comparse in chiesa. E cosí, a partire da diverse abitudini, l'uno e l'altro arrivano allo stesso risultato: il peccato di irreligiosità. Ma l'uomo che odia ogni via di ingiustizia viene rettamente indirizzato in tutto e migliorato. E bene ha fatto ad usare l'espressione *via d'ingiustizia*, perché evita piú facilmente l'ingiustizia chi non s'incammina sulle sue vie.

# XVII

## Lettera «Pe»

1.   La diciassettesima lettera è la «Pe», che nella nostra lingua significa «ho errato», o anche «ho aperto la bocca». E ben al suo posto dunque si trova sotto questa lettera del Salmo una sequenza lacrimevole: *Volgi il tuo sguardo su di me ed abbi pietà di me e non avrà potere su di me qualsiasi ingiustizia. Fa' risplendere il tuo volto sopra il tuo servo*, affinché per quel popolo che viveva nell'ombra della morte spuntasse la luce della misericordia celeste; giungesse Cristo, perdono dei peccatori, riscatto dei prigionieri, sostegno dei travagliati. Ma siccome la sua venuta sembrava tardare troppo a quelli che la bramavano, disse: *I miei occhi hanno spremuto fiumi di lacrime* [1].

2.   Anche le Lamentazioni di Geremia, sotto questa lettera, riportano una sequenza accentuatamente lacrimevole: *Sion allarga le sue mani e non c'è chi la consoli*. Ha avuto la ricompensa che si meritava. Essa, che non si è curata di ascoltare chi allargava le mani e di correre sotto le sue ali, poi allargava le sue mani

---

[57] Il concetto del *mutamento in meglio* fa parte del «programma apologetico» di Ambrogio nei confronti del mondo pagano romano, riottoso a convertirsi perché esitante a rifiutare il *mos maiorum*. Già nella famosa *Epist.*, 73 (= Maur. 18), a Valentiniano II, Ambrogio cercò di dimostrare che Roma fin dai suoi tempi antichi non ebbe timore del *mutamento*, purché *in meglio* (*Nullus pudor est ad meliora transire*: ibid., 7), e che quindi la conversione al Cristianesimo non significava ripudio del *mos maiorum*, ma una coerente esplicitazione di esso. Cf. M. SORDI, *Ambrogio di fronte a Roma e al paganesimo*, in *Ambrosius Episcopus...*, I, pp. 206, 228.

[1] Il testo di Sal CXVIII, 136 varia all'interno della stessa produzione di Ambrogio. Si ha *decursus aquarum descenderunt oculi mei* a 17, 31 e a *Expl. ps. I*, 38. Si ha invece *per exitus aquarum descenderunt oculi mei* in *De paen.*, II, 93; *Apol. Dau.*, 25. E qui si ha *exitus aquarum traxerunt oculi mei*. Una spiegazione di queste differenze è data piú avanti al c. 36.

ret manus et consolantem inuenire non posset. Nam etsi ante
aduentum domini Hieremias captiuitatem Iudaeorum inlatam eis
a Babyloniis deflere uideatur, tamen prophetico spiritu istam
magis captiuitatem praeuidens, qua eos intellegibilis Babylonius
in perpetui erroris uincla subiecit et domesticae uirtutis extorres
de statu paternae deuotionis eliminans longinquae adfecit pere-
grinationis exilio, miserabili dolore deplorat. Nulla enim patria
uerior quam fides, quae eos qui longe erant prope esse fecit et
aduenas atque peregrinos ciuitatis supernae iure conexuit, sicut
scriptum est: *Ergo iam non estis aduenae atque peregrini, sed estis
ciues sanctorum et domestici dei* [d].

3.    Alibi quoque Hieremias dicit sub hac littera: *Aperuerunt
in te os omnes inimici tui, sibilauerunt et fremuerunt dentibus,
dixerunt: deglutiuimus eam; tamen haec est dies quam sperabamus,
inuenimus eam, uidimus* [a]. Et hic sicut Iudaeorum populus os
aperuit in Christum. Quemadmodum in uicesimo primo psalmo
de eius passione legisti, quod aperuerunt os suum maledicentes [b].
Digne sortem remunerationis agnoscis, ut ipsi ab inimicis suis
talia sustinerent et fremeret in eos dentibus [c] intellegibilis ille
peccator diabolus, sicut leo rugiens et requirens quem deuoret [d].
Isti igitur non dixerunt: *Benedictus dominus qui non dedit nos in
capturam dentibus eorum* [e], quia sperandum de domino non puta-
runt. Ergo excidium eorum diabolus quod praesumebat inuenit.
Deglutiuit eos, quoniam deerat pastor offensus qui extraheret de
ore leonis crura ouis aut cartillaginem [f].

4.    Sequi noluerunt, audire noluerunt. Ideo decedente pastore uestigia eorum atque aures suis faucibus occupauit, quia *faciem
sanctorum non receperunt et nobilibus misericordiam non dederunt* [a], ut tertio Hieremias sub hac littera dicit in Threnis. Qui
erant nobiles nisi qui non obscuram hanc uitam, sed in lumine

---

[d] * Eph 2, 19.
3.   [a] * Thren 2, 16.
      [b] Cf. Ps 21, 14.
      [c] Cf. Ps 111, 10.
      [d] Cf. 1 Pt 5, 8.
      [e] * Ps 123, 6.
      [f] Cf. Am 3, 12.
4.   [a] * Thren 4, 16.

---

3, 4   sicut *codd.*, sic *Petschenig.*

senza trovare alcuno che la consolasse. È vero. Geremia, prima
della venuta di Cristo, sembra qui piangere sulla schiavitú dei
Giudei, patita ad opera dei Babilonesi. Tuttavia, grazie alla sua
ispirazione profetica, egli prevedeva piuttosto quest'altra schiavitú, che quell'*ideale* re babilonese inferse loro, assoggettandoli alle
catene di un errore perpetuo e durante la quale li afflisse con
l'esilio d'una migrazione in terre lontane [2], estromettendoli dalla
fedeltà alla religione paterna nel momento in cui erano privi
della potenza che deriva da una patria. Ed è questa schiavitú che
egli compiange con un dolore che ispira compassione. Non c'è
patria piú vera della fede che ha trasformato i lontani in vicini
e che ha integrato forestieri e pellegrini, mediante il diritto della
città che sta in alto [3], come sta scritto: *Dunque voi non siete piú
forestieri e pellegrini, ma siete concittadini dei santi e in familiarità
con Dio.*

3.   Anche in un altro punto, sotto questa lettera, Geremia
dice: *Hanno spalancato la bocca contro di te tutti i tuoi nemici,
hanno fischiato e digrignato i denti, hanno detto: «L'abbiamo inghiot-
tita!* [4]. *Eppure questo è il giorno che speravamo, l'abbiamo raggiunto,
l'abbiamo visto».* Anche questi, come il popolo dei Giudei, ha
spalancato la sua bocca contro Cristo, come nel Salmo XXI — a
proposito della sua Passione — si può leggere che hanno spalancato la bocca contro di Lui quelli che lo maledicevano. Si può qui
ravvisare la situazione di una adeguata ricompensa [5]: sono loro,
qui, a dover subire quegli attacchi dai loro nemici e contro di
loro digrigna qui i denti quell'*ideale* peccatore, che è il diavolo,
il quale, come un leone, ruggisce e va a caccia di prede da
divorare. Costoro quindi non hanno detto: *Benedetto è il Signore
che non ci ha dato in preda ai loro denti,* poiché non hanno ritenuto
necessario sperare nel Signore. Dunque, il diavolo ha trovato il
loro annientamento, come pregustava. Li ha inghiottiti, perché
mancava la resistenza di un pastore che strappasse dalle fauci
del leone le loro zampe e le loro orecchie.

4.   Non hanno voluto seguirlo né ascoltarlo. E perciò, in
assenza del pastore, il leone ha afferrato con le fauci i loro piedi
e le loro orecchie, perché *non hanno accolto il volto dei santi e
non hanno prestato misericordia ai nobili.* Cosí dice, in una terza
parte, Geremia nelle Lamentazioni, sotto questa lettera. Chi erano
i nobili, se non coloro che hanno trascorso questa vita in modo

---

[2] Anche qui c'è un velato, ma avvertibile, riferimento alla parabola del «figlio
prodigo».

[3] Sono considerazioni sulle capacità coesive universali di quella «famiglia
spirituale» che è il Cristianesimo.

[4] *Eam* è riferito alla «figlia di Gerusalemme».

[5] Mi pare che il senso del passo, abbastanza involuto, sia questo: il popolo
dei Giudei ha maledetto Cristo durante la sua Passione (Sal XXI, 14) ed ora, in
Lam 2, 16, quel popolo si vede ripagato ad opera di un altro popolo peccatore
— quello babilonese — che inghiotte la «figlia di Gerusalemme»; e, tramite il
popolo babilonese, si vede ripagato in realtà dal diavolo, che è il *peccator intelligibilis* per eccellenza, il quale inghiotte il popolo giudaico che non ha creduto nel
Cristo.

sanctitatis egerunt? Et omnibus quidem misericordia inopibus iure debetur, sed maior quidam, cum ex diuitibus atque nobilibus in ultimum statum atque egestatis necessitatem aliquos aerumna deiecit, miserationis pulsat affectus.

5.   Hieremias ergo flebiliter satis, utpote qui perpetuae aculeo mortis deploraret amissos; Dauid uero moderate, quasi qui obreptionem doleret erroris, remedium non desperaret correctionis, ut contristaretur, non absorberetur [a].

6.   Denique confirmatus sobrietate paenitentiae et spe ueniae prouocatus sic coepit: *Mirabilia testimonia tua, propterea scrutata est ea anima mea* [a]. Moralis oratio, ut, quoniam eum puderet erroris, deum tamen propriae miserationis testimoniis conueniret. Hoc est dicere: «Ego in exordio sermonis loqui mea peccata non audeo, leuare oculos meos ad te deum uiuum. Sed tu, domine, me ad sperandam ueniam tantarum indulgentiarum titulis prouocasti. *Mirabilia testimonia tua* [b], cum in Abraham non lapsu incuriae iuuenalis offensus es, sed eum permouisti, ut Chaldaeorum errores, patrum cognationem relinqueret, et euocatum uirtutis exercitiis erudisti [c], cum Hebraeorum populum a paternae studio nobilitatis, auersum et uiles escas Aegypti super diuina munera praeferentem [d] non solum solidatis Rubri Maris fluctibus liberasti, uerum etiam triumphis plurimis euexisti ad gloriam et uberis terrae possessione donasti ad quietem. Te fotus securitate deseruit, te bellorum acerbitate depressus inuocauit et ut iniurias tuas obliuiscereris emeruit. Te Iesus Naue ducem sibi caelestis militiae uenisse cognouit [e]. Te populus triumphator, ut Madian sibi dominaretur, offenderat, te, ut Madian uinceretur, orauit [f]. Tibi in Saul rege non obtemperauit, ut de eo alienigenae triumpharent, tibi Dauid praeeunte seruiuit, ut de alienigenis uictoriam reportaret. Ego quoque pastor malignum feci [g] et confessione peccati ueniam reportaui». Pulcherrimus itaque uersiculus ad martyrum cohortationem. Denique prophetica anima sic proficit in melius, dum mirabile credit dei testimonium et, quia credidit,

5.  [a] Cf. 2 Cor 2, 7.
6.  [a] * Ps 118, 129.
    [b] Ps 118, 129.
    [c] Cf. Gen 12.
    [d] Cf. Num 11.
    [e] Cf. Ios 1.
    [f] Cf. Iud 6.
    [g] Cf. 2 Reg 24, 17.

non oscuro, ma nella luce della santità? E, certo, la misericordia è dovuta di diritto a tutti i bisognosi. Ma c'è un sentimento di compassione piú forte che vibra, quando la mala sorte ha gettato qualcuno nell'infima condizione e nelle ristrettezze dell'indigenza da una condizione di agiatezza e di celebrità.

5. Dunque, Geremia usa toni piuttosto lamentosi, come uno che compiange persone ormai perdute sotto la trafittura della morte eterna. Davide invece usa toni moderati, come se si addolorasse per l'infiltrarsi della colpa, ma non avesse perso la speranza d'un ravvedimento risanatore; come se fosse reso triste — ma non divorato — dal dolore.

6. Tant'è vero che, rassicurato dalla moderazione della penitenza e stimolato dalla speranza del perdono, cosí ha cominciato a dire: *Meravigliosi sono i segni della tua volontà e per questo li ha indagati l'anima mia.* È questa una preghiera che rivela un comportamento: siccome si vergogna del suo peccato, ciononostante si avvicina a Dio in virtú dei segni della sua volontà di misericordia. È come dire: «Io, all'inizio del mio discorso, non ho coraggio di parlare dei miei peccati, di sollevare gli occhi verso di Te, Dio vivente. Ma Tu, o Signore, mi hai stimolato a sperare nel perdono, con le ragioni che derivano da atti cosí grandi della tua compiacenza. *Meravigliosi sono stati i segni della tua volontà* [6], quando in Abramo non ti sei sentito offeso dal fallo di una trascuratezza giovanile, ma l'hai spinto ad abbandonare l'errore dei Caldei e i legami parentali e — chiamatolo fuori di là — l'hai educato con duri allenamenti alla virtú. Quando hai liberato dai flutti del Mar Rosso, trasformati in solida terra, il popolo degli Ebrei, anche se esso aveva voltato le spalle allo zelo verso le sue nobili tradizioni e preferiva volgari cibi d'Egitto ai doni di Dio; e non ti è bastato, ma di trionfo in trionfo l'hai elevato alla gloria e gli hai fatto dono del possesso d'una terra ricca, perché vi riposasse. Imbaldanzito dalla sicurezza, ti ha abbandonato; ma, prostrato dalla durezza delle guerre, ti ha invocato e ha ottenuto che Tu fossi dimentico delle offese ricevute: Gesú di Nave (Giosuè) ha capito che Tu eri venuto a lui quale capo dell'esercito celeste. Il popolo, esultante nel trionfo, ti aveva offeso, tanto da diventare schiavo di Madian; ti ha pregato, tanto da diventare vincitore su Madian. Nel re Saul non ha obbedito a Te, tanto che gli stranieri hanno ottenuto trionfo su di lui; Davide — in testa — ha servito Te, tanto da riportare vittoria sugli stranieri. Anch'io, suo pastore, ho fatto il male e ho riportato il perdono grazie alla confessione del peccato». Questo è allora un versetto bellissimo di esortazione al martirio. Tant'è vero che quest'anima profetica cosí progredisce nel bene, nel momento in cui reputa meraviglioso un segno della volontà di Dio e, per il

---

[6] Ha qui inizio un compendio dei *mirabilia Dei* nel corso della storia di Israele. Si tratta di fatti che tradizionalmente erano ripercorsi in maniera sistematica nella catechesi battesimale, che in essi leggeva prefigurazioni della nuova economia.

diligenti indage quaesiuit. Profectum quaeris? Agnosce ex his uersiculis qui secuntur.

7. *Manifestatio sermonum tuorum inluminat me et intellectum dat paruulis* [a]. In euangelio cum mitteret discipulos suos Iohannes ad dominum Iesum, dicebat: *Tu es qui uenturus es, an alium expectamus?* [b]. Respondit Iesus caecos uidere, claudos ambulare, audire surdos [c]; hoc enim aduentus sui testimonium fore per Esaiam prophetam significauerat [d]. Haec ergo quae adnuntiauit per prophetas in euangelio manifestauit et quod ipse locutus est per prophetas in euangelio ipse conpleuit. Ipsius ergo sermo erat propheticus sermo, sicut habes scriptum: *Audi, caelum, et percipe auribus, terra, quoniam dominus locutus est* [e].

8. Intellectus ergo datus est etiam his qui perfectam sapientiam non haberent, dum muti locuntur, mortui resuscitantur. His enim signis intellectum est ab his qui rudes erant et adhuc quasi in cunabulis fidei constituti, ut erat populus nationum, ipsum uenisse qui expectabatur. Inluminat igitur fidei claritatem resurrectionis suae gloria, diuinorum operum potestate, *et intellectum dat paruulis* [a]. Quibus utique nisi de quibus in euangelio gratias agit patri in eo quod ipse operabatur filius, quod mysteria sua deus abscondisset a sapientibus et paruulis reuelasset [b], ostendens citius plebem ex gentibus uel status inferioris uiros quam scribas et principes Iudaeorum et diuites huius saeculi credituros? Ideo *diuites eguerunt et esurierunt* [c], pauper autem clamauit et exauditus est.

9. Sequitur tertius uersiculus: *Os meum aperui et duxi spiritum; quoniam praecepta tua concupiscebam* [a]. Habemus in euangelio quod dominus Iesus aperuit os suum, cum benedictiones ediceret [b]. Sed ille os aperuit, ut daret aliis spiritum, Dauid aperuit, ut acciperet. Denique Iesus dicit: *Accipite spiritum sanctum* [c], Iesus dicit: *Dilata os tuum et adimplebo illud* [d]. Hoc homini dicit;

7. [a] * Ps 118, 130.
   [b] Mt 11, 3.
   [c] Cf. Mt 11, 5.
   [d] Cf. Is 35, 5; 61, 1.
   [e] * Is 1, 2.
8. [a] Ps 118, 130.
   [b] Cf. Mt 11, 25.
   [c] Ps 33, 11.
9. [a] * Ps 118, 131.
   [b] Cf. Mt 5, 2.
   [c] Io 20, 22.
   [d] * Ps 80, 11.

fatto d'averlo creduto meraviglioso, l'ha ricercato con scaltra osservazione [7]. Vuoi vederlo, questo progresso? Coglilo nei versetti che seguono!

7. *La rivelazione dei tuoi discorsi getta luce su di me e dà capacità di capire ai piccoli.* Nel Vangelo, Giovanni — nell'inviare i suoi discepoli dal Signore Gesú — diceva: *Sei tu quello che deve venire oppure dobbiamo aspettare un altro?* La risposta di Gesú fu che i ciechi vedevano, gli storpi camminavano, i sordi udivano. Aveva indicato, tramite il profeta Isaia, che questa sarebbe stata la testimonianza della sua venuta. Dunque, quanto aveva annunciato per mezzo dei Profeti ha reso evidente nel Vangelo e quanto Egli stesso aveva detto per mezzo dei Profeti ha personalmente adempiuto nel Vangelo. La parola dei Profeti era la sua stessa parola, secondo quanto si può trovare scritto: *Ascolta, o cielo, e porgi l'orecchio, o terra: il Signore ha parlato.*

8. Nel momento in cui i muti parlano, i morti sono risuscitati, vuol dire che la capacità di comprendere è stata accordata anche a coloro che non avevano una perfetta sapienza. Questi erano i segnali che fecero comprendere a quelli che erano solo dei principianti e si trovavano ancora quasi all'abbiccí della fede [8] (come era il popolo dei Gentili) che era giunto proprio Colui che era aspettato [9]. Orbene, con la gloria della sua Risurrezione, con la potenza delle sue azioni divine, Egli getta luce sul chiarore della fede e *dà capacità di capire ai piccoli.* A chi altri, se no? Certo a loro, a proposito dei quali nel Vangelo Egli rende grazie al Padre, nell'opera stessa che compiva come Figlio: grazie a Dio di aver tenuto nascosti i suoi arcani disegni ai sapienti e di averli rivelati ai piccoli. Con ciò rendeva noto che avrebbero creduto prima il popolo venuto dai pagani o le persone di condizione piú umile che non gli scribi, i capi dei Giudei e i ricchi di questo mondo. Per questo *i ricchi sono diventati poveri e affamati* [10], mentre il povero ha gridato ed è stato esaudito.

9. Il terzo versetto prosegue: *Ho aperto la bocca ed ho aspirato, poiché io sentivo desiderio delle tue prescrizioni.* Troviamo nel Vangelo che il Signore Gesú «ha aperto la sua bocca» quando pronunciava benedizioni. Ma Egli ha aperto la bocca per donare agli altri il suo Spirito, mentre Davide l'ha aperta per riceverlo. Tant'è vero che Gesú dice: *Ricevete lo Spirito Santo,* Gesú dice: *Allarga la tua bocca e io la riempirò!* [11]. Lo dice rivolto all'uomo:

[7] Cf. 14, 38.
[8] Il motivo dei *cunabula fidei* sarà caro ad Agostino: cf. *Conf.*, V, 5, 9 (CChL 27, p. 61); *De doctr. christ.*, II, 12, 17 (CChL 32, p. 43).
[9] Questa interpretazione del versetto si trova in DIDIMO, in HARL, SCh 189, pp. 398, 1 - 400, 8, e presumibilmente risale ad Origene.
[10] Stesso riferimento ai Giudei in *Expl. ps. XXXVI*, 44; *XLVIII*, 12.
[11] Cf. *Expl. ps. XXXVI*, 65.

plenitudo enim Christus est [e]: qui implet omnia [f], implet os tuum. Scribe ergo quae dicit in latitudine cordis tui [g], hoc est: os tuum clamet ad dominum [h]. Clamat os tuum et cum tacet, sicut et Moyses, cum taceret uoce, clamabat spiritu [i]. Ab hominibus non audiebatur, apud deum personabat; est enim interioris clamor affectus qui auditur e caelo. Anna quoque, cum oraret, tacita clamabat, labia non mouebat [l] et interioris uoce pia mentis excitabat Iesum. Denique cum effectu rediit quae cum silentio precabatur, quia clamabat in ea spiritus dei, qui etiam tacentibus nobis clamat: *Abba pater* [m].

10.    Intellege ergo quid os sit, utrum cor an interioris hominis habitus. Habet os anima quae habet membra. Hoc os aperi non solum Christo, sed etiam Christi discipulo, qui os suum Christo inplendum praebuit et ideo dicit: *Os nostrum patet ad uos, o Corinthii, cor nostrum dilatatum est* [a]. Ideo imitatores nos sui esse debere admonet, sicut ipse Christi est [b]. Qui sanctior est, Christo aperiat os suum, qui inferior, apostolo. Prius propheta legatur et apostolus et sic euangelium, in quo uerba lucida, sed ualidiora praecepta. Lex dicit: *Diliges proximum tuum* [c], et euangelium dicit tibi: *Diliges inimicum tuum* [d].

11.    Dauid ergo quasi perfectus propheta os suum Christo aperuit et ideo in parabolis aperuit os suum [a]. Aperuit os, duxit spiritum. Merito ait: *Quam dulcia faucibus meis uerba tua, super mel et fauum ori meo* [b]. Sponsa Christi os suum sponso aperuit, percepit omni melle dulciora praecepta et ideo testata est dicens: *Fauces eius dulcedinis et totus desiderium* [c]. Delectata igitur tenuit eum et non dimisit eum [d]. *Et introduxi*, inquit, *eum in domum matris meae et in secretum eius quae me concepit* [e]. Fortasse domus est in qua praefulget moralium disciplina, secretum autem illud

[e] Cf. Col 1, 19.
[f] Cf. Eph 4, 10.
[g] Cf. Prou 7, 3.
[h] Cf. Ps 65, 17.
[i] Cf. Ex 14, 15.
[l] Cf. 1 Reg 1, 13.
[m] Rom 8, 15.
10. [a] 2 Cor 6, 11.
    [b] Cf. 1 Cor 11, 1.
    [c] * Leu 19, 18.
    [d] * Mt 5, 44.
11. [a] Cf. Ps 77, 2.
    [b] * Ps 118, 103.
    [c] * Cant 5, 16.
    [d] Cf. Cant 3, 4.
    [e] * Cant 3, 4.

infatti la pienezza è Cristo. Colui che riempie ogni cosa, riempie
la tua bocca. Scrivi dunque ciò che Egli dice nel dilatarsi del tuo
cuore! Cioè: la tua bocca levi un grido al Signore. La tua bocca
leva questo grido anche quando tace, come Mosè, che, pur tacendo
con la bocca, gridava con lo spirito [12]. Non lo udivano gli uomini,
ma la sua voce risuonava potente presso Dio: il sentimento interiore ha un grido che è udito dal Cielo. Anche Anna, quando
pregava, gridava in silenzio, non muoveva le labbra e, con la voce
devota della sua interiorità, provocava Gesú. Tant'è vero che
ritornò esaudita ella che chiedeva in silenziosa preghiera, poiché
in lei levava il suo grido lo Spirito di Dio, che, anche se noi
stiamo in silenzio, grida: *Abba, padre*.

10. Cerca di capire che cosa sia questa «bocca». È il cuore,
oppure è l'attitudine dell'uomo interiore [13]? L'anima, che ha sue
membra, ha la bocca. Apri questa bocca non solo a Cristo, ma
anche al discepolo di Cristo! Questi ha offerto la sua bocca a
Cristo perché la riempisse, e perciò dice: *La nostra bocca è aperta
per voi, Corinzi; per voi il nostro cuore è dilatato*. E cosí ci esorta
al dovere di essere suoi imitatori, come lui lo è di Cristo. Chi è
piú perfetto, apra la sua bocca al cibo di Cristo; chi sta in un
gradino inferiore, l'apra all'Apostolo. Si leggano nell'ordine il
profeta e l'Apostolo e poi il Vangelo, nel quale le parole sono
chiare ma i comandi piú impegnativi [14]. La Legge dice: *Amerai il
tuo prossimo*; ma il Vangelo ti dice: *Amerai il tuo nemico*.

11. Dunque, Davide — da perfetto profeta — ha aperto la
bocca a Cristo, e perciò ha aperto la bocca in parabole [15]. Ha
aperto la bocca, ha inspirato. Ha ragione di esclamare: *Come sono
dolci per il mio palato le tue parole: piú di un favo di miele per la
mia bocca!* La Sposa di Cristo ha aperto la bocca verso lo Sposo,
ha ricevuto comandi piú dolci di qualsiasi miele, e perciò ne ha
dato testimonianza con le parole: *Il suo palato è dolcezza* [16] *ed egli
è tutto desiderabile*. Allora tanto le piacque, che se lo tenne stretto
e non lo lasciò andare. *E* — lei dice — *l'ho fatto entrare nella casa
di mia madre e nella stanza nascosta di colei che mi ha concepita*.
Forse la casa indica il luogo in cui risplende la regola della
condotta morale, mentre la stanza segreta è il luogo in cui si

---

[12] Cf. *Expl. ps. XXXVIII*, 7; *XL*, 41.

[13] Cosí anche ILARIO, *Tract. ps. CXVIII*, 17, 5 (CSEL 22, p. 509).

[14] L'ordine di lettura della Scrittura rispecchia quello delle *lectiones* dell'assemblea eucaristica. Sotto quell'ordine, Ambrogio non coglie l'esigenza di affrontare
per primo il testo letterariamente piú facile per risalire al piú oscuro, ma quella
di muovere dal testo meno esigente dal punto di vista della attuazione morale:
egli, cioè, gradua le difficoltà morali prima che quelle letterali. Ancora una volta,
l'essenza del testo sacro — che è espressione dell'economia di salvezza — condizio-
na la lettura e l'esegesi di esso. Cf. il mio, *La dottrina esegetica...*, pp. 113 s., 308.

[15] Le *parabolae* sono essenzialmente *figurae egentes solutione* (*Expl. ps. XLIII*,
56), cioè espressioni che non trovano possibilità di spiegazione nella loro letteralità,
ma che la trovano quando sono accostate all'archetipo, che ne rende ragione.
Questo il significato che il termine assume in Ambrogio, quando esprime una
realtà veterotestamentaria; cf. anche 15, 10.

[16] Altrove Ambrogio legge *dulcedines*: cf. *De ob. Val.*, 63; *De Is.*, 61.

in quo sunt altiora mysteria. Merito ergo concupiscebat praecepta domini, in quibus diuinae gratiae mella redolebant. An non omni melle dulcior peccatorum remissio, non omni flore gratior resurrectio mortuorum?

12.    Quartus uersiculus: *Respice in me et miserere mei secundum iudicium diligentium nomen tuum* [a]. Pulchre addidit: *Respice in me et miserere mei* [b], quia respicit et iratus, ut respexit super castra Aegyptiorum et ligatis axibus curruum omnes eos deiecit in fluctus [c]. Respexit super Sodomam et Gomorram, quarum utraque peccatorum suorum luitura supplicium diuinae pretium soluit offensae [d]. Scriptum est etiam: *Aspicies super terram et facies eam tremere* [e], et contra: *Respexit super munera Abel, super Cain autem munera non respexit* [f]. Quo exasperatus Cain parricidali crimine cruorem fratris effudit.

13.    Quid sit autem respicere deum euidentissime illo testimonio declaratur: *Quia respexit super filios pauperum et non despexit preces eorum* [a]; oculus enim domini non aspernatur iustorum munera. Denique oculos nostros, cum in aliquem mouemur, auertimus, quasi indignum eum aspectu iudicemus quem oderimus affectu.

14.    Sequitur: *Gressus meos dirige secundum uerbum tuum, et non dominetur mihi omnis iniquitas* [a]. Gressus pro profectibus animae accipiendos frequentibus scripturarum testimoniis admonemur. Nam quis tam stolido ingenio est, qui putet Dauid de pedum suorum corporali gressu esse sollicitum et his diuinae directionis auxilium postulare? Ille uero ut sanctus uitae suae cursum dirigi gestiebat, sicut et alibi scriptura testatur dicens: *A domino diriguntur gressus uiri* [b]. Denique ipsius utamur testimonio, qui ait in superioribus: *Paulo minus effusi sunt gressus mei, quia zelaui in peccatoribus pacem* [c]. Animi itaque sui ostendit claudicasse uestigium, dum pacem peccatorum putat esse mirandam. Videntur quidem habere tranquillitatem, uidentur quiete frui, sed non est quies ubi animus inquietus est, non est tranquillitas mentis ubi animus exagitatur obnoxiae stimulis conscientiae. Quomodo securitas, ubi diuersarum pugna est passionum, ubi

---

12. [a] * Ps 118, 132.
    [b] * Ibid.
    [c] Cf. Ex 14, 24-25.
    [d] Cf. Gen 18, 21.
    [e] * Ps 103, 32.
    [f] * Gen 4, 4-5.
13. [a] * Ps 101, 18.
14. [a] * Ps 118, 133.
    [b] Prou 20, 18 (24).
    [c] * Ps 72, 2-3.

celano le realtà mistiche, che sono piú alte. Aveva ragione dunque
di desiderare quelle prescrizioni del Signore, dentro le quali c'era
l'aroma del miele della grazia divina. Forse che non è piú dolce
di qualsiasi miele il perdono dei peccati? Non è piú bella di
qualsiasi fiore la risurrezione dei morti?

12.   Versetto quarto: *Volgi il tuo sguardo su di me e abbi
misericordia di me, secondo il giudizio destinato a quanti amano il
tuo nome.* Dopo avere detto: «Volgi il tuo sguardo», ha fatto bene
ad aggiungere: «e abbi misericordia di me», perché egli può
volgere anche uno sguardo d'ira, come — ad esempio — sugli
accampamenti degli Egiziani, quando legò gli assi dei loro carri
e li precipitò tutti nei flutti. Come — ad esempio — su Sodoma
e Gomorra, entrambe le quali destinate a scontare il fio dei loro
peccati, hanno pagato lo scotto delle loro offese a Dio. Sta scritto
anche: *Riguarderai la terra e la farai tremare*; e invece: *Ha volto
il suo sguardo sui doni di Abele, ma non su quelli di Caino.* Per
questo fu crucciato Caino e versò il sangue del fratello con delitto
sacrilego [17].

13.   Che cosa poi sia questo sguardo di Dio, lo dimostra con
tutta evidenza quella citazione:   *Ha volto il suo sguardo sui figli
dei poveri e non ha disdegnato le loro preghiere.* L'occhio del
Signore non disprezza i doni dei giusti; tant'è vero che noi, quando
siamo irritati contro qualcuno, volgiamo altrove i nostri occhi,
come se giudicassimo indegno del nostro sguardo chi è oggetto
dell'odio del nostro animo.

14.   Il testo cosí prosegue: *Indirizza rettamente i miei passi
secondo la tua parola e non abbia potere su di me alcuna ingiustizia.*
Diverse citazioni della Scrittura ci invitano a interpretare quel
«passi» come i progressi dell'anima [18]. Chi mai sarebbe cosí scioc-
co di natura da pensare che a Davide stessero tanto a cuore i
passi del suo corpo, dei suoi piedi, e che per questi invocasse
l'aiuto di Dio ad orientarli? Invece lui, da uomo devoto qual era,
desiderava che fosse rettamente indirizzato il corso della sua vita.
La Scrittura lo attesta anche in un altro punto, dicendo: *Dal
Signore sono indirizzati i passi dell'uomo.* Tant'è vero che noi
possiamo riferici ad una sua stessa citazione, quando Davide
esclama, in un punto precedente: *È mancato poco che i miei passi
non sbandassero, perché ho invidiato la pace dei peccatori.* E cosí
egli mostra come abbia zoppicato il passo della sua anima, nel
momento in cui pensava di dover ammirare la pace dei peccatori [19].
Certo, sembra che i peccatori possiedano la tranquillità; sembra
che godano di una condizione di riposo, ma non c'è riposo dove
c'è inquietudine dell'anima; non c'è tranquillità interiore dove
una coscienza succube del male eccita l'animo con le sue provoca-
zioni. Come può esserci serenità dove c'è un combattimento tra

---

[17] Cf. *Expl. ps. XLV*, 15.
[18] Il tema è presumibilmente origeniano, come si deduce dalla sua presenza
in EUSEBIO (?), in HARL, SCh 189, p. 404, 1-5; SCh 190, pp. 718 s.
[19] Analoghi spunti in *Expl. ps. XXXVI*, 48-49; *XXXVII*, 49.

conflictus grauium cogitationum? Vnde dominus definiens quid sit pacem habere ait: *Pacem relinquo uobis, pacem meam do uobis; non sicut mundus dat ego do uobis* [d], ostendens pacem quam mundus dat uerae pacis gratiam non habere. Ideoque non in homine esse pacem uolens docere addidit: *Pacem relinquo uobis* [e], et iterum: *pacem meam do uobis*. Dènique propheta dicebat: *Pax pax; et ubi est pax?* [f]. Manifestum est igitur eum de titubatione suae dixisse sententiae, in qua animi, non corporis titubauerat gressus.

15. Et Moyses ait: *Transiens uidebo hoc uisum magnum* [a]. Etenim ut deum uideret, progressione quadam uirtutis ad altiora processit. Pastor erat ouium et dux factus est ciuium. Et ad sponsam dicitur in Canticis: *Speciosi facti sunt gressus tui in calciamentis, filia Aminadab. Moduli femorum tuorum similes torquibus opere artificis* [b]. Non est dubium gressus hic quoque ecclesiae uel animae profectus significari: *Quam speciosi sunt pedes euangelizantium pacem, euangelizantium bona!* [c]. Vtique speciosos dicit euangelicae praedicationis et disputationis progressus, ut alibi dicitur: *Transgredere flumina* [d], hoc est: Fluentia et lubrica istius mundi transcurre stabili mentis incessu. Quod de animae gressu dici in posterioribus hic ipse Dauid euidenter ostendit, adserens quod torrentem iniquitatum sua anima transisset [e].

16. Sed reuertamur ad sponsae gressus. Quid sibi uult quod addidit in calciamentis speciosos gressus esse ecclesiae? Legimus itaque dictum ad Moysen: *Solue calciamentum pedum tuorum* [a], quo uidetur admonitus, ne corporalibus uinculis teneretur adstrictus. Ergo speciosam significat in Canticis animae pulchritudinem, quae carne tamquam calciamento utitur et in ipso calciamento inpedimentum non patitur, sed incessus decore praecellit. Calciat se ergo carne anima ecclesiastica gratia, ut cursum uitae huius et transitum cum decore praetereat, quod fit, si calciamentum suum non inquinet luto corporali nec in uitiorum merset

---

d * Io 14, 27.
e * Ibid.
f * Ier 6, 14.
15. a * Ex 3, 3.
  b * Cant 7, 1.
  c * Is 52, 7.
  d * Is 47, 2.
  e Cf. Ps 123, 5.
16. a * Ex 3, 5.

---

14, 16 cogitationum *codd.*, concitationum *Petschenig.*
16, 8 ecclesiastica gratia *delevit Petschenig.*

passioni disparate; dove regna un conflitto di pensieri [20] molesti?
È per questo che il Signore, definendo che cosa significhi possedere la pace, esclama [21]: *Vi lascio la pace, vi do la mia pace; non
come ve la dà il mondo io ve la do.* Mostrava cosí che la pace che
il mondo dà non ha la bellezza della vera pace. E allora, volendo
insegnarci che la pace non è dote umana, ha soggiunto: *Vi lascio
la pace,* e ancora: *vi do la mia pace.* E difatti il profeta diceva:
*Pace, pace! Ma dov'è la pace?* È chiaro quindi che egli ha qui
espresso l'incertezza del suo pensiero e che l'incertezza riguardava
i «passi» dell'anima, non quelli del corpo.

15. E Mosè esclama: *Passerò oltre e vedrò questo grande
prodigio* [22]. E difatti — per vedere Dio — avanzò verso l'alto,
progredendo nella virtú. Era un pastore di pecore e divenne capo
d'un popolo. E alla sposa, nel Cantico dei Cantici, si dice: *Belli
si sono fatti i tuoi passi con quei sandali, o figlia di Aminadab. La
modulazione dei tuoi fianchi è come quella delle collane fatte da
un artista.* Non c'è dubbio che, anche qui, «passi» sta ad indicare
il progredire della Chiesa o dell'anima [23]: *Come sono belli i piedi
di coloro che danno la buona novella della pace, la buona novella
del bene!* Qui chiama, ovviamente, «bello» quel progresso operato
dalla proclamazione del Vangelo e dal dibattito su di esso, come
in un altro passo dice: *Passa oltre le correnti!* Cioè: Supera le
acque correnti e i terreni scivolosi di questo mondo, mantenendo
un'andatura stabile per il tuo spirito! Il medesimo pensiero, qui
piú avanti, Davide stesso dimostra essere riferito al «passo» del-
l'anima, quando afferma che la sua anima era passata al di là del
torrente dell'ingiustizia.

16. Ma ritorniamo ai «passi» della Sposa! Che cosa s'intende
dire, quando si aggiunge che i passi della Chiesa sono belli *con
quei sandali*? Noi leggiamo che a Mosè è stato detto: *Slacciati i
sandali dai piedi!* Sembra un'esortazione a non restar impigliati
ai legami del corpo. Dunque, nel Cantico dei Cantici si indica in
tal modo l'appariscente bellezza dell'anima, che indossa la carne
come un sandalo, senza peraltro trovare in quel sandalo alcun
impaccio, anzi spiccando per l'eleganza dell'incedere. Dunque,
l'anima indossa quel sandalo — che è la carne — con la stessa
bellezza della Chiesa [24], per compiere con eleganza il corso di
questa vita e per passare oltre. Questo si verifica purché essa
non sporchi il suo sandalo con un fango materiale e non lo

---

[20] La lezione *cogitationum* si raccomanda anche per la successiva espressione
*de titubatione suae... sententiae,* che risponde bene alla presente *conflictus* (= *tituba-
tionem)... cogitationum* (= *sententiae*).

[21] Cf. *Expl. ps. XXXVI,* 22.

[22] Cf. *Expl. ps. XXXVI,* 47-48.77.

[23] Si ripresentano i due possibili riferimenti della lettura del Cantico: Chiesa
e anima.

[24] Il testo non è sicuro. I Maurini annotano che molti mss. portano la lezione
*ecclesiasticam gratiam,* ma alcuni anche *uel ecclesia gratiam,* lezione questa che
essi accettano (cf. PL 15, 1520 C e n. 88). Un senso buono potrebbe dare la
congettura *uel ecclesia gratia* («dunque l'anima indossa come sandalo la carne o
la Chiesa indossa come sandalo la grazia»).

uoraginem, si castiget carnem suam, ne moretur ad cursum et aruinae pinguis pondere degrauetur. Bonum calciamentum animae pudicitia est, bonus gressus est in uestigio castitatis. Sapientia autem amictus est animae, unde scriptum est: *Honora eam, et amplectetur te* ᵇ. Vtamur igitur corpore tamquam calciamento ad inferioris opera uirtutis, ad ministerium, non ad praeceptum, ad obsequium, non ad delectationem, ad oboedientiam, non ad dissensionem et in uia sapientiae uestigium conlocemus, ne gressus nostros uis torrentis aliqua concludat.

17.　Ideo ad Moysen dictum est: *Solue calciamentum* ᵃ, dictum est et ad Iesum Naue, ad Christum autem non est dictum, sed magis scriptum est dicente Baptista: *Post me uenit uir cuius non sum dignus calciamenta portare* ᵇ, quia illi bene admonentur ut soluant calciamentum suum, qui sine peccato esse non poterant. Hic autem non solum calciamentum non soluit, sed etiam calciamenta aliorum absoluit, quia non solum corpus suum peccatis inmune seruauit, sed etiam omnium dedit indulgentiam peccatorum. Ergo ecclesia ad imitationem Christi speciosa est et in calciamentis omni abluta delicto.

18.　Et fortasse, quando sapientiam inter perfectos loquitur ᵃ, speciosa est in superioribus membris; quando autem etiam inferioris status aut doctrinae homines uerbum secuntur, fidei seriem non obliuiscuntur, sacerdotis praecepta custodiunt, speciosa est in calciamentis. Plerumque clerus errauit, sacerdos mutauit sententiam, diuites cum saeculi istius terreno rege senserunt: populus fidem propriam reseruauit. Vnde etiam de domino Iesu bene possumus dicere, quia et in his quae corporalia sunt speciosos gressus uerbum habeat, cum de moralibus disputatur. Et apostoli ideo fortasse nudis mittuntur pedibus ᵇ, ne obumbraretur eorum disputatio, sed eluceret. Itaque ecclesia, filia Aminadab, hoc est

ᵇ * Prou 4, 8.
17. ᵃ Ex 3, 5; Ios 5, 16.
　ᵇ * Mt 3, 11.
18. ᵃ Cf. 1 Cor 2, 6.
　ᵇ Cf. Mt 10, 10.

sprofondi nella voragine dei vizi; purché essa castighi la sua carnalità, onde non l'impacci nella corsa e non l'appesantisca con la sua pinguedine [25]. Un bel sandalo per l'anima è il pudore; belli sono quei passi che calcano le orme della castità [26]. La sapienza invece è per l'anima come un mantello, tanto che sta scritto: *Onorala, ed essa ti avvolgerà!* Usiamo allora del corpo nostro come di un sandalo, che è utile per produrre le opere di una virtú sottomessa; che è utile per il servizio e non per il comando, per assecondare e non per godere, per l'obbedienza e non per il dissenso. E collochiamo quel piede sulla strada della sapienza, perché i nostri passi non trovino la via sbarrata da qualche impetuoso torrente.

17.   A Mosè è stato detto: *Slacciati i sandali!* La stessa cosa è stata detta a Gesú di Nave (Giosuè), ma non a Cristo. È stato invece scritto qualcosa di piú con le parole del Battista: *Dopo di me viene un uomo, di cui non son degno di portare i sandali.* Questo perché i primi sono giustamente invitati a slacciare i loro sandali in quanto non potevano essere senza peccato. Costui invece, non solo non si è slacciato i sandali suoi, ma ha anzi slacciato quelli degli altri; non solo ha conservato immune da peccati il corpo suo, ma ha anche donato a tutti il perdono dei peccati. Dunque, la Chiesa — ad imitazione di Cristo — è bella anche con quei sandali perché è purificata da ogni colpa

18.   E forse, nel momento in cui parla sapientemente tra i perfetti, essa è bella nella parte superiore del corpo. Quando invece a seguire la Parola, a non dimenticare lo sviluppo della fede, ad osservare le prescrizioni del vescovo sono uomini di condizione o di cultura inferiore, allora essa è bella nei suoi sandali. Moltissime volte cadde in errore il clero; il vescovo ha mutato idea; i ricchi si sono trovati sulle posizioni del re terreno di questo mondo: invece il popolo ha mantenuto la fede [27]. Perciò, anche a proposito del Signore Gesú possiamo ben dire che perfino nei suoi aspetti corporei, quando affronta problemi morali, la sua parola ha *passi belli.* Ed anche gli Apostoli sono mandati in missione a piedi nudi, forse perché la loro trattazione non risultasse coperta ma apparisse in piena luce. E cosí la Chiesa, figlia di

---

[25] Cf. VIRGILIO, *Aen.*, VII, 627: *aruina pingui.*

[26] La visibilità (la carne per l'anima e la struttura visibile per la Chiesa) è mezzo e strumento per l'anima e per la Chiesa, onde possano attraversare con eleganza lo spazio e il tempo del mondo, come mediante un calzare. L'aspetto visibile permette di misurare il progresso; di valutare l'intensità di imperio che la parte «spirituale» esercita e di manifestare esternamente la propria bellezza. Sulla sicurezza d'incedere, che la *castitas* garantisce, cf. 11, 18 e la nota 40.

[27] I *sandali* qui indicano quella parte visibile della Chiesa, che è la piú bassa, il *populus*, che però con il suo *sensus fidei* ha colto talvolta nel segno laddove anche certi vescovi erravano. Il pensiero corre alla contrapposizione tra pastori ariani e popolo cattolico, che si verificava in molte Chiese dell'Italia cisalpina (tra le quali la Milano preambrosiana) e della Gallia. Si risente qui l'eco della famosa espressione di Ilario: «Sono piú sante le orecchie del laicato che lo spirito dei suoi sacerdoti» (*Contra Aux.*, 6, PL 10, 613).

uoluntarii uel beneplaciti, quia uoluntarius eam et beneplacitus congregauit, et in calciamentis speciosa est.

19.  Meritoque additum est in Canticis: *Moduli femorum tuorum similes torquibus opere manuum artificis* [a], ut posteritatis ecclesia ornamenta canerentur. Per femur enim insigne generationis agnoscimus iuxta illud: *Accingere gladium tuum circum femur, potentissime* [b], quo significatur, quod filius dei, cum semet ipsum exinanisset [c], uerbi accinctus diuinitatem et generationem calciatus humanam prodiret ex uirgine, omnibus daturus salutem. Moduli autem dicuntur ornamenta pretiosa quae suspendi matronarum ceruicibus solent. Tantus ergo processus ecclesiae significatur, ut ornamentis pretiosissimis conparatus sit et torquibus triumphantium; haec enim ornamenta sunt bellatorum. Vnde et Symmachus περιτραχήλια dixit [d], hoc est quae sunt circa collum. Siue ergo generatio Christi ex uirgine siue ecclesiae propagatio specie quidem tamquam manu artificis torquibus adornatis, uere autem uirtutis insignibus spiritalibus ceruices fidelium coronauit.

20.  Denique tota ista descriptio membrorum ecclesiae plena decoris et laudis est. Nam et umbilicus eius tamquam crater tornatilis [a] praedicatur mixto non deficiens, eo quod in omni doctrina tornatus plenitudine cognitionis et potu non deficiat spiritali et uenter eius non solum aceruo tritici [b], id est cibis fortioribus caelestis mysterii saginetur, uerum etiam tamquam liliis quibusdam moralium suauitate repleatur.

21.  Vnde et ipsa tamquam bene merita regina Christi sanguine coronatur, sicut scriptum est: *Et ornatus capitis tui sicut purpura* [a]. Sanguis Christi purpura est, qui inficit sanctorum animas, non solum colore resplendens, sed etiam potestate, quia reges facit et meliores reges, quibus regnum donet aeternum.

22.  Meritoque ad tantum ecclesiae decorem, cui Christi anguis inrutilat, spiritus sanctus inclamat: *Quam pulchra et suauis facta es, caritas, in deliciis tuis!* [a]. Pulchra decore uirtutis, suauis iucunditate gratiae, remissione uitiorum, quam nulla uexat amari-

19. [a] * Cant 7, 1.
    [b] * Ps 44, 4.
    [c] Cf. Phil 2, 7.
    [d] Symmachus, Cant 7, 2.
20. [a] Cf. Cant 7, 2.
    [b] Cf. Cant 7, 3.
21. [a] * Cant 7, 5.
22. [a] * Cant 7, 6.

Aminadab (cioè di chi sceglie liberamente o di chi è ben gradito [28], in quanto l'ha radunata Uno che l'ha liberamente scelta ed era ben gradito), è bella anche nei sandali.

19.   E ben a proposito nel Cantico dei Cantici è stato soggiunto: *La modulazione dei tuoi fianchi è come quella delle collane fatte da mani d'artista.* Si volevano cosí celebrare poeticamente le bellezze della Chiesa nella sua discendenza. Nel fianco è riconoscibile la generazione, secondo quel passo: *Cingiti la spada attorno al fianco, tu che sei il piú potente![29]* Vi si indica che il Figlio di Dio, quando svuotò Se stesso, si cinse la divinità del Verbo, si mise ai piedi la generazione umana e nacque da una vergine, Lui che avrebbe dato a tutti la salvezza. «Modulazioni» si chiamano invece quei monili preziosi che le signore usano mettersi al collo. Essi stanno ad indicare dunque uno sviluppo della Chiesa cosí grande da essere paragonabile ai monili piú preziosi e alle collane dei trionfatori: si tratta qui infatti di monili di guerrieri. Perciò anche Simmaco ha parlato di περιτραχήλια [30] (*peritrachēlia*), cioè di cose che stanno «attorno al collo». Dunque, sia la generazione di Cristo dalla Vergine sia la diffusione della Chiesa hanno avvolto il collo dei fedeli, con quelle che in una immagine sono collane ben modellate, come da mano d'artista, ma che nella realtà sono manifestazioni spirituali della virtú.

20.   Tant'è vero che tutta questa descrizione delle membra della Chiesa è piena di armonia e di elogi. Infatti anche il suo ombelico viene decantato, come una coppa ben tornita che non manca di vino, proprio perché è ben tornita in ogni parte della dottrina, senza avere nessuna deficienza di nozioni o di bevanda spirituale. E il suo ventre non è solo reso florido da un covone di grano, cioè dai cibi piú sostanziosi — tipici della mistica realtà celeste —, ma è anche arricchito come da fiori di giglio, dalla dolcezza delle conoscenze morali.

21.   Cosí anch'essa, come una regina che ben governa, è incoronata dal sangue di Cristo, secondo quanto sta scritto: *E l'abbigliamento del tuo capo è come la porpora.* Porpora è il sangue di Cristo, che intride le anime dei santi. Esso brilla non solo per il suo colore, ma anche per la sua potenza: perché esso produce i re, e quei re ancora piú grandi ai quali dona il Regno eterno.

22.   E giustamente, ad una cosí grande ed armoniosa bellezza della Chiesa, fatta rutilante dal sangue di Cristo, lo Spirito Santo grida: *Come sei diventata bella e dolce, amore mio, con quei tuoi vezzi deliziosi!* Bella dell'armonia delle virtú; dolce per il piacere che dà la grazia, per la cancellazione dei difetti. Non ti guasta l'amaro sapore del peccato e tu stessa ormai sei *amore*: tu che

---

[28] Cf. 2, 34 e la nota 69.

[29] Anche qui — e forse piú chiaramente ancora che a 8, 53 (cf. nota 82) — Ambrogio interpreta il Salmo XLIV come una profezia che riguarda Cristo e la Chiesa.

[30] Tale lezione di Simmaco non risulta documentata nell'edizione degli *Exapla* di Origene del Field (II, Oxford, p. 421).

tudo peccati, et ipsa iam caritas, quae diligendo dominum ipsius et nomen acceperit, quia *deus caritas est* [b].

23.  Recte ergo Dauid petit gressus suos dirigi secundum uerbum dei [a], ut fiant et ipsi speciosi et non dominetur ei iniquitas, quam iure praecauit. Sciebat enim et Abraham gressus suos secundum praecepta domini dirigentem et adpetito speciosae uxoris pudore temptatum [b], sed non confusum et in unici immolatione filii postulata patriae mentis pietate luctatum [c], sed coronatum, se quoque in furore Saul, incestu Amnon, Abessalon parricidio iniquitatis inprobae feralibus temptationibus adpetitum hoc solo euasisse, quod dirigens gressus suos secundum pietatem domini a paterno non recessit affectu [d], intra se gemens crimen incesti, a se relegans odia parricidae. *Filius meus Abessalon, filius meus,* inquit, *Abessalon, quis dabit mihi mortem pro te?* [e]. Memor naturae pietas, offensae inmemor, de quo ante quaesiuit: *Puer ne uiuit?* [f].

24.  Et fortasse quaerendum sit, qua ratione ante puerum dixit, postea filium nominauit, cur non in utroque aut puerum dixit aut filium. Si uiueret, puer erat, quia parricidio petebat patrem; non ergo pietatis nomen accipere debebat, sed infirmitatis, ideoque uir iustus, quod religionis fuit, tacuit, quod infirmitatis, aspersit. Vbi uero est mortuus, apud pium patrem personae crimen defecit, naturae nomen remansit.

25.  Sequitur: *Libera me a calumnia hominum, et custodiam mandata tua* [a]. Non unum genus est nostrae adflictionis. Est et temptatio, est et calumnia, sed temptatio leuior, calumnia grauior, siquidem temptatio potest esse calumnia, calumnia in se et temptationem habet. Est et humana temptatio quam ferre possumus [b], calumnia autem grauis est. Et ideo dominus quae sunt grauiora suscepit et calumniis adpetitus silentium detulit triumphale [c]. Calumnia autem eo grauior est, quia non solum falsa conponit,

[b] 1 Io 4, 16.
23. [a] Cf. Ps 118, 133.
      [b] Cf. Gen 12, 15.
      [c] Cf. Gen 22.
      [d] Cf. 2 Reg 13.
      [e] * 2 Reg 19, 1.
      [f] * 2 Reg 18, 29.
25. [a] * Ps 118, 134.
      [b] Cf. 1 Cor 10, 13.
      [c] Cf. Mt 26, 59-63.

— amando il Signore — ne hai ricevuto il nome, se è vero che *Dio è amore*.

23. È dunque esatta la richiesta di Davide: che i suoi passi siano rettamente indirizzati secondo la parola di Dio, perché diventino anch'essi belli e non abbia potere su di lui l'ingiustizia, dalla quale si è messo in guardia. Sapeva che anche Abramo indirizzava bene i suoi passi secondo le prescrizioni del Signore: fu tentato quando venne insidiato il pudore della sua bella moglie, ma non si smarrí; e quando gli fu richiesto di sacrificare il suo unico figlio, fu combattuto dall'affetto paterno, ma ne riuscí incoronato. Sapeva Davide che anch'egli personalmente — al tempo dell'ira feroce di Saul, al tempo dell'incesto di Ammon, al tempo del fratricidio di Abessalon — aveva subito l'attacco di tentazioni mortali da parte di una violenta ingiustizia e ne era uscito illeso, solo perché aveva saputo indirizzare bene i suoi passi secondo il rispetto dovuto al Signore e non aveva abdicato al suo sentimento paterno. Con il pianto nel cuore per quel delitto d'incesto, seppe bandire da sé l'odio verso il fratricida. *Figlio mio Abessalon, figlio mio Abessalon* — diceva —, *chi darà a me la morte al posto tuo?* Parlava un affetto memore della natura, immemore dell'oltraggio subito. Di Abessalon prima aveva chiesto notizie: *È vivo il ragazzo?*

24. E forse c'è da chiedersi perché prima l'abbia chiamato *ragazzo* e poi *figlio*, e perché non l'abbia chiamato sempre «ragazzo» o sempre «figlio». Se fosse stato vivo sarebbe stato «ragazzo», perché egli cercava di uccidere il padre; e allora non avrebbe dovuto avere un appellativo (figlio) legato all'affetto parentale, ma quello di una situazione di insicurezza (ragazzo). Per questo quell'uomo giusto non usò un nome che avrebbe richiamato un vincolo sacro e buttò là un nome che ne avrebbe sottolineato l'insicurezza. Ma quando lo seppe morto, ecco che presso un padre cosí amorevole sparí il nome che ne bollava il carattere peccaminoso e restò quello che ne sottolineava la natura.

25. Il testo prosegue: *Liberami dalla calunnia degli uomini e fa' che io osservi*[31] *i tuoi comandamenti*. Le tribolazioni non sono di un solo tipo. C'è la provocazione e c'è la calunnia. Ma la provocazione è piú leggera, piú grave è la calunnia[32], se è vero che la provocazione *può* essere anche calunnia, mentre la calunnia ha sempre in sé anche la provocazione. C'è poi una provocazione che viene da uomo, che possiamo vincere, mentre la calunnia è insopportabile. Ed è per questo che il Signore ha preso su di Sé le condizioni meno sopportabili e, pur aggredito dalle calunnie, riservò ad esse un silenzio trionfatore. Ma la calunnia ha questo di piú grave: che non solo inventa falsità, ma anche altera i colori

---

[31] Si tratta di congiuntivo e non di futuro: cf. 17, 26. E forse al posto di *et custodiam* dovrebbe essere letto *ut custodiam*, secondo M N Rm2 e le edizioni del Ballerini e dei Maurini.

[32] Cf. il vicinissimo testo di ILARIO, *Tract. ps. CXVIII*, 17, 10 (CSEL 22, p. 512).

uerum etiam quae pie gesta sunt decolorat, ut Ioseph non solum adulterii oblatione temptatus est et inuitamento erilis inlecebrae, uerum etiam temptatus calumniis, conposito, quod ipsum adulterium dominae suae inferre uoluisset conprehensusque exuerit uestem, ne fraudis indicium atque insigne criminis teneretur, cum utique amictum ideo fugiens dereliquerit, ut laqueos conferentis et nexus inlecebrosae artis euaderet [d]. Ipse Dauid senserat quod timebat; quibus enim Saul regis calumniis laborauit! Perterritis omnibus allophyli impetum lusit et singulari certamine summam belli et totius proelii pondus excepit, uirtute sua solus commune crimen refellens et totius retorquens in hostem plebis obprobrium [e]. Et tamen, quia iuuenculae dixerunt: *Saul triumphauit in milibus, Dauid in decem milibus* [f], gloria in inuidiam uersa odio coepit urgeri. Et ut de posterioribus loquamur, Susanna bene sibi conscia erat et apud homines sibi adesse non poterat. Duo presbyteri senes falsum testimonium deferebant, numerus sacerdotum atque senectus uocem auferebant puellae, sola conscientia erat apud deum liber: denique hominum damnata iudicio nutu absoluta diuino est [g].

26.    Ideo ait propheta: *Libera me a calumnia hominum, ut custodiam mandata tua* [a]. Qui enim obprimitur calumnia, non facile potest custodire mandata diuina, tristitiae necesse est plerumque aut timori cedat et adfligatur uel metu calumniae uel dolore.

27.    Sequitur septimus uersus: *Vultum tuum inlumina super seruum tuum et doce me iustificationes tuas* [a]. Inluminat dominus sanctos suos et lucet in corde iustorum. Itaque cum sapientem uideris, cognosce quia descendit super eum dei gloria, inluminauit eius mentem scientiae fulgore cognitionisque diuinae. Inluminauit autem etiam corporaliter faciem Moysi et transfigurata est gloria uultus eius, quam uidentes Iudaei trepidauerunt [b]; et ideo factum est, ut Moyses uelamen poneret super faciem suam, ne in eam filii Israel intenderent et superturbarentur. Simul declarabatur mysterium, quod illud uelamen, quod in facie Moysi corporaliter ponebatur, in cordibus Iudaeorum mystice poneretur, eo quod ueram legis claritatem uidere non possent [c]. Vultus enim

---

[d] Cf. Gen 39, 10-15.
[e] Cf. 1 Reg 17.
[f] * 1 Reg 18, 7.
[g] Cf. Susanna (Dan 13) 34 ss.
26. [a] * Ps 118, 134.
27. [a] * Ps 118, 135.
[b] Cf. Ex 34, 29-33.
[c] Cf. 2 Cor 3, 15.

delle azioni virtuose. Cosí, ad esempio, Giuseppe [33] non solo fu provocato da profferte di adulterio e dai disonesti inviti della sua padrona, ma fu anche provocato con calunnie. Fu inventata l'accusa che sarebbe stato lui a voler costringere all'adulterio la sua padrona e che, una volta preso, egli le avrebbe abbandonato la veste per non restarle nelle mani, a prova della sua insidia e come corpo del reato. In realtà aveva abbandonato la veste nella fuga per evitare i lacci di lei, che gli si offriva, e le reti di quell'arte seduttrice. Lo stesso Davide aveva sperimentato quella realtà che gli incuteva timore. Quanto dovette patire per colpa delle calunnie di re Saul! Tutti avevano paura, mentre lui seppe irridere alla sfida dello straniero e volle prendere su di sé in un duello le sorti della guerra e il peso di tutta la battaglia: da solo, con il suo valore, smentí la viltà di tutti i suoi e rigettò sul nemico la vergogna di tutto il suo popolo. Eppure, siccome quelle giovani avevano detto: *Saul ha vinto su mille, Davide su diecimila*, la gloria si tramutò in invidia e cominciò ad essere odiato e perseguitato. E, per passare a vicende successive, Susanna era consapevole della sua innocenza, eppure non poteva difendersi presso gli uomini. Due anziani di Israele, assai vecchi, deponevano una falsa testimonianza; il numero e l'età di quei sacerdoti chiudevano la bocca a quella giovane donna: solo la sua coscienza restava libera in Dio. E difatti, pur condannata dal tribunale degli uomini, fu assolta per volontà divina.

26.   Per questo il profeta esclama: *Liberami dalla calunnia degli uomini, perché possa osservare i tuoi comandamenti!* Chi giace sotto il peso della calunnia non può osservare con facilità i comandamenti divini. È pressoché inevitabile che ceda allo sconforto o alla paura, che sia depresso o per il terrore o per il dolore della calunnia.

27.   Prosegue il versetto settimo: *Fa' risplendere il tuo volto sopra il tuo servo e insegnami i modi in cui ci giustifichi!* Il Signore getta la luce sui suoi santi e risplende nel cuore dei giusti. E allora, quando vedi un sapiente, sappi che la gloria di Dio è discesa su di lui e ne ha illuminato l'intelletto con lo splendore della scienza e della conoscenza che vengono da Dio. Ma Egli ha fatto risplendere anche fisicamente il volto di Mosè [34] e la gloria del suo volto si è come trasfigurata e la sua vista ha fatto trasalire i Giudei. Tanto che Mosè dovette porre un velo davanti al suo volto perché i figli di Israele non lo fissassero e non ne fossero sconvolti oltre misura. E nello stesso tempo si esprimeva cosí una realtà mistica: cioè, quel velo — che era posto fisicamente davanti al volto di Mosè — era posto in modo mistico davanti al cuore dei Giudei, proprio per impedire loro la visione della vera luminosità della Legge. Infatti il volto di Mosè è lo splendore

---

[33] Le figure di Giuseppe e di Susanna sono introdotte, a questo stesso proposito, in un anonimo testo catenario, in HARL, SCh 189, p. 404, che probabilmente, vista la ripresa da parte di Ambrogio, va ascritto a Origene.

[34] Cf. ILARIO, *Tract. ps. CXVIII*, 17, 12 (CSEL 22, p. 513).

Moysi fulgor est legis, fulgor autem legis non in littera, sed in intellectu est spiritali. Itaque quamdiu uixit Moyses et adloquebatur Iudaeorum populum, uelamen habebat in facie sua, mortuo autem Moyse Iesus Naue iam non per uelamen, sed facie reuelata et presbyteros adloquebatur <sup>d</sup> et populum et nemo trepidabat, cum utique et ipsi dixerit deus, quod cum ipso ita esset futurus ut fuit cum Moyse <sup>e</sup> et eum similiter inluminaret gestorum utique, non uultus gloria, hoc significante spiritu sancto, quod uenturus esset Iesus uerus, ad quem si quis conuerteretur et eum uellet audire, de corde suo uelamen auferret et reuelata facie uerum saluatorem uidere <sup>f</sup>.

28.   Ergo deus omnipotens pater, qui in Moysi facie excaecauit populum Iudaeorum <sup>a</sup> non duritia, sed praescientia nec malitia, sed aequitate atque iustitia — ipsi enim sibi posuere uelamen qui legem intellegere noluerunt; *lex* enim *spiritalis est* <sup>b</sup>, sicut dixit Hebraeus —, is utique secundum illud quod dat unicuique nostrum, in quo non tribuentis, sed diligentis est culpa, iste, inquam, dominus inluminauit cor populi nationum in facie Christi Iesu per eius aduentum, quod euidenter apostolico declaratur exemplo, sicut scriptum habemus: *Quoniam deus, qui dixit de tenebris lumen splendescere, inluxit in cordibus nostris ad inluminationem scientiae claritatis dei in facie Christi Iesu* <sup>c</sup>.

29.   Ideo ergo dicit Dauid ad dominum Iesum: *Vultum tuum inlumina super seruum tuum* <sup>a</sup>. Faciem Christi uidere cupiebat, ut mens eius inluminari posset. Et secundum incarnationem potest accipi; *multi* enim *prophetae et iusti uidere uoluerunt* <sup>b</sup>, ut ipse dominus declarauit. Quod autem negatum Moysi fuerat <sup>c</sup>, non quaerebat, ut corporaliter dei uultum incorporei uideret, si tamen et Moyses tam sapiens et eruditus hoc potuerit simpliciter magis quam in mysterio postulare. Humanum tamen est desideria supra nos extendere, nec inmerito faciem eius aduenientis ex uirgine

<sup>d</sup> Cf. Ios 1, 10.
<sup>e</sup> Cf. Ios 1, 5.
<sup>f</sup> Cf. 2 Cor 3, 16.18.
28. <sup>a</sup> Cf. 2 Cor 3, 15.
   <sup>b</sup> Rom 7, 14.
   <sup>c</sup> 2 Cor 4, 6.
29. <sup>a</sup> * Ps 118, 135.
   <sup>b</sup> * Lc 10, 24.
   <sup>c</sup> Cf. Ex 33, 20.

27, 22 auferret *codd.*, auferretur *Petschenig.*

della Legge; ma questo splendore della Legge non risiede nella lettera, ma nell'intelligenza spirituale [35]. E cosí, per tutto il tempo in cui Mosè visse e parlava al popolo dei Giudei, teneva quel velo davanti al volto. Invece, dopo la morte di Mosè, Gesú di Nave (Giosuè) ormai poteva parlare agli anziani e al popolo non piú attraverso il velo, ma a volto scoperto. E nessuno trasaliva, benché, certo, anche a lui Dio avesse detto che si sarebbe comportato nei suoi confronti né piú né meno che come con Mosè. E che su di lui avrebbe gettato uguale luce grazie alla gloria delle sue imprese, non a quella del volto. Con questo fatto lo Spirito Santo rendeva noto che sarebbe venuto il vero Gesú [36] e che, se qualcuno a Lui si rivolgesse e lo volesse ascoltare, si leverebbe il velo dal cuore e vedrebbe il vero Salvatore a volto scoperto.

28. Dunque, il Dio — Padre onnipotente — che nel volto di Mosè ha accecato il popolo dei Giudei, non con crudeltà ma con preveggenza, non con malvagità ma con retta giustizia (sono stati essi infatti a mettersi quel velo, perché non hanno voluto capire il valore della Legge: ...*la Legge è infatti spirituale*, come ha detto un Ebreo), proprio questo Dio, secondo i doni che fa a ciascuno di noi e che ha la colpa non di valutare ma di amare, questo Signore — dico — ha gettato luce sul cuore del popolo delle altre razze nel volto di Cristo Gesú per mezzo della sua venuta. Lo esprime con chiarezza l'esempio dell'Apostolo, secondo quanto troviamo scritto: *Il Dio che ha detto: «Dalle tenebre cominci a brillare la luce», è rifulso nei nostri cuori, per gettar luce sulla conoscenza dello splendore di Dio che brilla sul volto di Cristo Gesú* [37].

29. Per questo dunque Davide cosí si rivolge al Signore Gesú: *Fa' risplendere il tuo volto sopra il tuo servo.* Egli era desideroso di vedere il volto di Cristo [38] per poter ricevere la luce del suo intelletto. Si possono intendere quelle parole anche secondo la realtà dell'Incarnazione: infatti, *molti profeti e molti giusti hanno voluto vedere*, come il Signore stesso ha affermato. Ma Davide non chiedeva quello che era stato rifiutato a Mosè: cioè di vedere fisicamente il volto di Dio, che non ha corpo. Ammesso che anche Mosè — cosí sapiente e dotto — abbia potuto avanzare questa richiesta nel suo significato corrente, e non piuttosto in un senso mistico [39]. Tuttavia è umano esprimere desideri piú alti di noi; e non senza motivo egli chiedeva di vedere il volto di Lui, prove-

---

[35] La vera essenza della Legge consiste nel suo significato spirituale: cf. 8, 15 e la nota 19.

[36] È Gesú Cristo, che è archetipo di Gesú di Nave (Giosuè), che ne è figura.

[37] Cf. *Expl. ps. XLIII*, 89.

[38] Cf. ATANASIO, *Exp. ps. CXVIII*, 135 (PG 27, 501D).

[39] A 8, 16 Ambrogio afferma l'impossibilità per Mosè, rappresentante antonomastico della Legge, di avere una visione *facciale* di Cristo. Qui Ambrogio sembra escludere che Mosè abbia avuto una pretesa del genere e accentua il valore profetico della figura di Mosè, sulla linea dell'interpretazione alessandrina: Mosè è prototipo dell'iniziato alla vita dello spirito e per lui il mondo incorporeo è l'unico *reale*. Cf. DANIÉLOU, *Sacramentum futuri...*, pp. 177-190.

quaerebat uidere, ut inluminaretur in corde, sicut inluminabantur etiam illi qui dicebant: *Nonne cor nostrum ardebat in nobis, cum aperiret nobis scripturas?* [d]. Quod si quis ad deum patrem dictum uult uideri, postest accipi uultus patris filius; qui enim uidet filium, uidet et patrem [e].

30.   Inluminat tamen uultus dei secundum quod oculi eius super iustos habentur [a]. Quod cum spiritaliter sit probandum, tamen, quia incidit inluminationis uultus Moysi historia, ne quis non putet corporaliter id fieri potuisse, cognoscat. Etenim usu solis multis etiam pallore confectis totius corporis figura mutatur et ignis uapore calefactis species uultus rutilantis offunditur; oriente die rubent terrae croceo colore perfusae, imaginem de beneficio mutuatae; gemmarum quoque monilia coruscantia trans-fundunt finitimis quod ipsa radiauerint: et miraris, si Moysi uultus diuinae infectus est claritate praesentiae, miraris, si refulgente dei gratia iusti uaporetur ingenium? Non dubitauit propheta, qui poposcit inluminari prius, ut iustitias domini posset addiscere [b].

31.   *Decursus aquarum descenderunt oculi mei, quia non custo-diui legem tuam* [a]. Granditer affectum paenitentiam gerentis expressit, dicens quod aquarum decursus oculi sui descenderint, sine quia per eos tamquam meatus undantium fluentorum ita exuberantium lacrimarum se quidam ductus effuderit et fletus inrigui continuum quoddam et iuge profluuium, siue quod ipsi descenderint oculi. Habet enim hoc uis summi doloris, ut cum lacrimis oculi quodammodo ipsi uideantur descendere, eo quod tanta uis lacrimarum sit, ut putentur oculi in fletus resolui et in lacrimas effundi.

32.   Oculi ergo ipsi tamquam in decursus descendunt aqua-rum. Quo uerbo impetus deplorantium uehemens expressius de-claratur secundum illud quod in Canticis scriptum est: *Fons horto-rum, puteus aquae uiuae et impetus descendens a Libano* [a]. Hic impetus ecclesiam deduxit a Libano, hoc impetu diluuntur pecca-ta, hoc impetu puri fontis spiritus sancti adfuit a Libano sponsa [b]

---

  [d] * Lc 24, 32.
  [e] Cf. Io 14, 9.
30. [a] Cf. Ps 33, 16.
  [b] Cf. Ps 118, 135.
31. [a] * Ps 118, 136.
32. [a] * Cant 4, 15.
  [b] Cf. Cant 4, 8.

niente da una vergine. Voleva che si facesse luce nel suo cuore, come luce era gettata anche su quelli che dicevano: *Non è forse vero che il cuore ardeva dentro di noi, quando Egli ci spiegava le Scritture?* Che se qualcuno pretende che il passo sia stato detto in riferimento a Dio Padre, si può intendere che il Figlio sia il volto del Padre. Chi vede il Figlio, vede anche il Padre.

30. Eppure il volto di Dio getta luce nel senso che i suoi occhi sono posati sopra i giusti. L'affermazione va intesa in senso spirituale. Tuttavia, dato che si è venuti a parlare della storia dell'illuminazione del volto di Mosè, perché non si creda che sia impossibile che il fatto si sia verificato fisicamente, se ne prenda conoscenza. E difatti, l'esposizione al sole riesce spesso a modificare l'aspetto di tutto un corpo, anche di un corpo emaciato e pallido. Cosí, riscaldato dal calore del sole, su di esso si diffonde l'abbronzatura del volto. Quando spunta il giorno, la terra si arrossa, soffusa del colore del croco [40], ricevendo la tinta di quel corpo che gliela dona. Anche gli scintillanti monili di pietre preziose trasmettono i loro bagliori ai corpi che stanno loro vicini. E tu ti stupisci se Mosè ha avuto il volto pervaso dallo splendore della presenza di Dio? Ti stupisci se, sotto il calore della grazia di Dio, risulta fiammeggiante la natura dell'uomo giusto? Non ha avuto di questi dubbi il profeta, la cui prima richiesta fu di ricevere luce, onde potesse poi apprendere i modi in cui il Signore giustifica.

31. *I miei occhi sono discesi in correnti d'acque, poiché non ho osservato la tua legge* [41]. Ha qui espresso mediante un'amplificazione lo stato d'animo di chi fa penitenza. Dice che i suoi occhi sono discesi in correnti d'acque, in un duplice senso: 1) attraverso gli occhi [42], come attraverso passaggi di gonfie correnti, si è cosí riversato un fiume di lacrime traboccanti, un corso di pianto che bagna e una sorgente inarrestabile; 2) gli stessi occhi sono discesi: un effetto della forza di un dolore acutissimo è che gli stessi occhi sembra che — in qualche modo — discendano assieme alle lacrime, proprio perché tanta è la forza delle lacrime che gli occhi sembrano sciogliersi nel pianto e spandersi nelle lacrime.

32. Dunque gli stessi occhi discendono in correnti di acque [43]. La frase indica in modo piú significativo l'impetuosità travolgente del pianto, secondo quello che sta scritto nel Cantico dei Cantici: *Sorgente dei giardini, pozzo d'acqua viva e impetuoso torrente che discende dal Libano.* Questa impetuosa corrente ha trasportato a valle la Chiesa dal Libano. Da questa impetuosa corrente sono lavati i peccati [44]. Portata da questa impetuosa

---

[40] Cf. VIRGILIO, *Georg.*, I, 447: *Tithoni croceum linquens Aurora cubile*; OVIDIO, *Amor.*, II, 443.

[41] Cf. 17, 1 e la nota 1; *Expl. ps. I*, 38.

[42] *Per exitus aquarum* recita infatti *Apol. Dau.*, 25; *De paen.*, II, 93.

[43] È frequente in Ambrogio il motivo delle lacrime di pentimento: cf. *Expl. ps. XXXVII*, 59; *Epist.*, extr. coll. 11 (= Maur. 51), 11; *De paen.*, I, 90 s. (anche nella penitenza pubblica).

[44] Il Sal CXVIII, 136, attraverso un riferimento al Cantico, è interpretato in senso ecclesiologico, come esprimente la temperie d'un atto penitenziale.

et a principio fidei transiuit saeculum et pertransiuit ad regnum. Aliis fons est, aliis puteus pro captu nostro gratia spiritalis, aliis *hortus clausus, fons signatus* c, aliis hortorum fons qui in ecclesiae dote numeratur, aliis impetus descendens a Libano et magnus impetus, qui numquam deficit. *Non* enim *deficiunt de petra ubera neque nix a Libano neque aqua quae fertur ualido uento* d uirginis Hierusalem e. Descendit impetus a Libano, quando collectis in unum apostolis et plurimis credentibus factus est subito de caelo sonus f, tamquam ui magna spiritus ferretur, et repleti sunt omnes spiritu sancto diuersitates donante linguarum. Bonus impetus qui laedere nesciat, norit inplere.

33.   Si quis igitur hunc impetum superuenientis e caelo gratiae uult mereri, descendant etiam ipse oculis in decursus aquarum. Qui hunc primum impetum fuderit, illum merebitur. Descendit oculis suis in hos ductus aquarum, quae lacrimis inrigauit in euangelio domini pedes a, et ideo fidei suae pretio emit animae suae et corporis sanitatem iam non sanguinis proflua b, sed gratiae spiritalis.

34.   Descendit ergo Dauid propheta; ideo de peccato gratiam rettulit. Descendit in aquarum ductus, hoc est: repleuit eos et decurrentium aquarum lacrimis suis fluenta cumulauit aut inanes et uacuos ductus solis repleuit fletibus. An, quod elocutionis moralis quidam sensus ostendit, descendit in aquarum ductus, transiuit eos? Et possemus dicere: «Transcendit eos et supergressus est», sed minuitur uis eloquii, quo uis maior afluentiae descendentis quam ascendentis exprimitur. Vide, rogo, quid de usu uerba habeant, ut impetum suum sermo propheticus non amittat, licet usus ipse scriptorum sensui seruire maiore decore consueuerit.

---

c Cant 4, 12.
d * Ier 18, 14.
e Cf. Ier 18, 13.
f Cf. Act 2, 1-4.
33. a Cf. Lc 7, 38.
    b Cf. Lc 8, 44.

corrente che esce dalla limpida sorgente dello Spirito Santo, è giunta la Sposa, scesa dal Libano, e, partendo dal suo primo incontro con la fede, ha oltrepassato questo mondo ed è arrivata al Regno. La grazia dello Spirito, per qualcuno è sorgente, per altri è pozzo — a seconda delle nostre capacità di coglierla —, per altri è *giardino recintato, sorgente sigillata*. Per altri ancora è sorgente dei giardini, che è annoverata come dote della Chiesa; per altri è torrente impetuoso che discende dal Libano; e molto impetuoso, perché non si secca mai. Della vergine Gerusalemme *non vengono meno le terre grasse tra le pietre né la neve al Libano né l'acqua trasportata dalle raffiche del vento*. È discesa una corrente impetuosa dal Libano, quando gli Apostoli e una moltitudine di credenti stavano raccolti insieme e si sentí all'improvviso un rumore dal cielo, come di un vento di grande potenza; e tutti furono riempiti di Spirito Santo che li faceva parlare in varie lingue. Bella è quella impetuosa corrente che non danneggia ma riempie.

33.  Orbene, se si vuole ottenere il privilegio di questa corrente impetuosa della grazia che cala dal Cielo su di noi, occorre che anche noi discendiamo coi nostri occhi in correnti d'acque. Solo chi avrà riversato questa prima corrente, otterrà l'altra [45]. È discesa coi propri occhi in questi fiumi colei che nel Vangelo ha bagnato di lacrime i piedi del Signore. E cosí, con la moneta della sua fede, ha comprato la salute della sua anima e del suo corpo quella donna, che non perdeva piú sangue ma grazia spirituale.

34.  Vi è disceso dunque il profeta Davide. E perciò dal peccato ha riportato la grazia. È disceso in correnti d'acque: cioè le ha riempite, ha gonfiato con l'aggiunta delle sue lacrime le vene d'acque correnti, oppure ha riempito con le sole sue lacrime quegli alvei secchi e vuoti. Potremmo forse dire, come un certo significato morale [46] del versetto suggerisce, che egli è disceso nei fiumi d'acqua e li ha oltrepassati? Potremmo anche dire: «Li ha oltrepassati e ne è uscito illeso». Ma in questo modo si indebolirebbe il valore della frase che esprime l'eccedenza del flusso discendente rispetto a quello ascendente [47]. Ti prego di osservare il significato usuale delle parole, se non vuoi che il discorso profetico perda il suo impetuoso scorrere [48], anche se l'uso stesso ha imparato ad assoggettarsi al senso degli scrittori, acquistando

---

[45] L'operazione riferita in Ger 18, 14 è attribuita alla Trinità in *De uirginib.*, I, 22.

[46] L'interpretazione morale — affine a quella di *Expl. ps. I*, 38 — interpreta il versetto nel senso che Davide *entra nei fiumi* e sa *uscirne*, grazie alle sue capacità di vincere le tentazioni.

[47] Mentre Sal CXVIII, 136 parla solo di moto discendente (*descenderunt*), interpretare questa discesa come *transitus* introdurrebbe un'indebita accentuazione di un momento ascendente. Ambrogio ritiene, cioè, che questo testo esprima il versante *penitenziale* della confessione umana, piú che l'effetto della liberazione o il risultato positivo della virtú dell'uomo.

[48] Si noti il gioco di parole tra *impetus* del Salmo CXVIII e *impetus* come stile corrente di Davide.

Diuerse hoc et saepe significauit et propemodum incrementa semper adsumpsit. Dixit enim primo: *Lauabo per singulas noctes lectum meum, in lacrimis stratum meum rigabo* [a]. Dixit iterum: *Fuerunt mihi lacrimae meae panis* [b]. Dixit etiam: *Et potum meum cum fletu miscebam* [c]. Hic addidit dicens: *Decursus aquarum descenderunt oculi mei* [d].

35.   Hoc secutus in Threnis Hieremias affectum doloris expressit, uim oculi descendentis imitatus; sic enim habes: *Defecerunt in lacrimas oculi mei; oculi mei caligauerunt* [a]. Tamquam descendunt oculi qui deficiunt in lacrimis. Et alibi: *Oculus meus absortus est* [b]. Sed plus est aquam lacrimis uincere quam oculos absorberi fletibus. Et alibi idem Hieremias: *Exclamauit cor eorum ad dominum: muri filiae Sion deducant torrentes, fluant lacrimas die ac nocte; noli dare tibi requiem, non sileat pupilla oculi tui* [c]. Oculi igitur, qui torrentes deducunt lacrimis suis, ipsi ductus aquarum descendunt, hoc est cumulant, ut faciant eos suis augentes fletibus impetu exundare torrentium.

36.   Sunt tamen codices qui habeant: Διεξόδους ὑδάτων κατεβίβασαν οἱ ὀφθαλμοί μου, hoc est: *Ductus aquarum deduxerunt oculi mei* [a]. Sed ego in Graeco codice meo κατέβησαν legi, hoc est: *descenderunt* [b]. In quo potest fieri, ut in utramlibet partem duarum adiectione aut deminutione litterarum scriptor errauerit.

37.   Et habuit quidem multa quae fleret, uel incestum filiae uel interitum filiorum, sed hic non hoc fleuisse se dicit, sed quia non custodiuit legem domini [a]. A sancto uiro plus culpa quam aerumna defletur. Fleuit itaque, quando Nathan ei de Vriae morte indignationem domini nuntiauit, et peccatum suum de praeuaricatione legis agnouit [b]. Denique filio in aegritudine constituto

---

34. [a] * Ps 6, 7.
   [b] * Ps 41, 4.
   [c] Ps 101, 10.
   [d] * Ps 118, 136.
35. [a] * Thren 2, 11; 5, 17.
   [b] * Thren 3, 49.
   [c] * Thren 2, 18.
36. [a] * Ps 118, 136.
   [b] * Ibid.
37. [a] Cf. Ps 118, 136.
   [b] Cf. 2 Reg 12, 9-12.

---

36, 2   deduxerunt *posui (cf. 17, 35)*, deuexerunt *Petschenig;* duxerunt *O;* direxerunt *ceteri.*

una congruenza maggiore [49]. In forme diverse, e piú volte, Davide ha espresso questo pensiero, e quasi sempre ha fatto delle aggiunte progressive [50]. La prima volta ha detto: *Laverò ogni notte il mio letto, bagnerò di lacrime il mio giaciglio.* Una seconda volta ha detto: *Le mie lacrime furono il mio pane.* Ha detto ancora: *E mescolavo la mia bevanda col pianto.* Qui ha aggiunto: *I miei occhi sono discesi in correnti d'acque.*

35.   Quest'ultima espressione è stata seguita nelle Lamentazioni da Geremia, che ha espresso la situazione di dolore imitando l'efficace immagine dell'occhio che discende. Cosí infatti in lui si trova: *Si sono sfatti nelle lacrime i miei occhi; i miei occhi si sono appannati.* Gli occhi che si sfanno nelle lacrime è come se discendessero nelle lacrime. E in un altro punto: *Il mio occhio è stato assorbito.* Ma è piú forte dire che le lacrime hanno superato in intensità l'acqua che non dire che gli occhi sono assorbiti dal pianto. Anche in un altro punto è sempre Geremia che dice cosí: *Ha gridato il loro cuore al Signore: «Le mura della figlia di Sion facciano scendere torrenti, facciano scorrere lacrime giorno e notte». Non darti tregua, non stia in ozio la pupilla del tuo occhio!* Orbene, proprio gli occhi — che fanno scendere torrenti con le loro lacrime — discendono in corsi d'acqua, cioè li gonfiano per farli crescere col loro pianto e straripare con la violenza impetuosa di torrenti.

36.   Ci sono tuttavia alcuni codici che portano: Διεξόδους ὑδάτων κατεβίβασαν οἱ ὀφθαλμοί μου (*diexodous hydatōn katebibasan hoi ophtalmoi mou*), cioè: *Corsi d'acqua hanno fatto scendere i miei occhi.* Ma io nel mio codice greco ho letto: κατέβησαν (*katebēsan*), cioè *sono discesi.* Può essere che si tratti, nel primo o nel secondo caso, di un errore del copista, che ha aggiunto o tolto qualche lettera [51].

37.   Ed ha avuto certamente molte ragioni per piangere, come ad esempio l'incesto della figlia o la morte dei figli. Ma qui non dice di aver pianto per questi motivi, ma «perché non ha osservato la legge del Signore». L'uomo di Dio piange piú la colpa che la disgrazia. E cosí ha pianto quando Natan gli ha annunciato lo sdegno del Signore a proposito della morte di Uria; ed ha riconosciuto il suo peccato di trasgressione della Legge [52]. Tant'è

---

[49] L'autore sacro adopera moduli espressivi che non vanno valutati sempre e solo a partire dall'*usus* corrente: talora devono essere ricondotti all'uso peculiare dell'autore. In questi casi, è l'autore che determina il significato del termine, e non l'uso.

[50] È un'esemplificazione del principio sopra esposto: Ambrogio insegue il tema del *pianto che bagna e lava* attraverso l'opera salmica di Davide, vedendo — parallelamente al progredire del Salterio — una progressiva accentuazione del motivo. Si ribadisce anche qui il principio che il Salterio è un'opera organicamente in crescita, nella quale il passo successivo supera e approfondìsce il precedente: si noti la successione avanzante dei Salmi VI, XLI, CI, CXVIII. Sul motivo, cf. anche *Expl. ps. XXXVI*, 66; *XXXVII*, 11.

[51] Ambrogio potrebbe avere derivato questa discussione testuale da Origene (cf. HARL, SCh 190, pp. 720 s.). Non risulta però attestata la lezione κατεβίβασαν.

[52] Cf. ILARIO, *Tract. ps. CXVIII*, 17, 13 (CSEL 22, p. 514).

neque cibum sumpsit neque regium thronum aut cubile conscendit, sed stratus in terra ieiuna ora lacrimis diluebat, non tam filii mortem quam peccati poenam in illo lauare desiderans ᶜ. Fleuit, quando numerato populo repente corde percussus est. Denique: *Peccaui*, inquit, *grauiter, peccaui stulte* ᵈ. Fleuit igitur primo, quia elatus regia potestate quaerendo numerum plebis mensuram egressus est condicionis humanae, deinde quia sui erroris pretio uindicabatur in plebem. Sed a domino haec proposita poena fuerat, non a rege est postulata. Domini tamen se committendo misericordiae electionis causam probauit, simul, quia propter eum populus laborabat, ipse se offerendo pro populo elationis soluit iniuriam, pietatis probauit affectum.

# XVIII

## Littera «Sade»

1. Sequitur psalmi centesimi octaui decimi «Sade» littera octaua decima, quae Latina interpretatione dicitur «consolatio». Post more torrentium lacrimas profluentes et graues fletus doloris oportebat consolationem sequi. Nam et qui in doloribus sunt, consolatione indigent, et qui grauibus aerumnis poenas commissorum luerunt criminum, sperant indulgentiam, et qui fletibus et lacrimis propria delicta lauerunt, requiem promerentur.

2. Haec omnia in scripturis diuinis qui quaerit, inuenit. Nam et primum illud, ut in dolore positos consolemur, docet illa, quae in libro Hieremiae flebiliter clamat ad captiuos et exules Iudaeorum: *Ite, proficiscimini, filii; ego enim derelicta sum deserta. Exui me stolam pacis, indui autem stolam precationis meae et clamabo ad excelsum in diebus meis. Animo aequo estote, filii, clamate ad dominum et extrahet uos de manu principum inimicorum. Ego enim speraui in illo aeterno salutem uestram* ᵃ. Credentibus igitur in

---

ᶜ Cf. 2 Reg 12, 15-16.
ᵈ * 2 Reg 24, 10.

---

2.  ᵃ * Bar 4, 19-22.

vero che, mentre il figlio giaceva ammalato, non prese cibo né
salí sul trono regale né sul suo letto, ma stava a dormire per
terra e rigava di lacrime le guance smunte dal digiuno: cosí
desiderava lavare non tanto la morte del figlio quanto la punizione
del peccato che era in lui. Ha pianto quando, dopo aver fatto il
censimento, provò un grande e improvviso rimorso. Tanto che
esclamò: *Ho peccato gravemente; ho peccato da stolto.* Ha quindi
peccato innanzi tutto perché, inorgoglito dal suo potere regale,
aveva travalicato i limiti posti alla condizione umana, cercando
di stabilire l'entità numerica del popolo. Poi perché, per compen-
sare il proprio errore, faceva ricadere la vendetta sul popolo. Ma
questo tipo di punizione era stato proposto dal Signore, non
richiesto dal re. Tuttavia egli motivò quella scelta con la volontà
di affidarsi alla misericordia del Signore. Siccome il popolo era
in angustie per causa sua, egli, offrendo se stesso al posto del
popolo, seppe nello stesso tempo cancellare l'offesa di superbia
e dimostrare il suo senso di pietà.

## XVIII

### Lettera «Sade»

1.   Il Salmo CXVIII prosegue con la lettera diciottesima,
«Sade», che tradotta nella nostra lingua suona come «consolazione». Dopo quelle lacrime sgorganti come torrenti e dopo gli
angosciosi pianti di dolore, era giusto che subentrasse la consolazione. Infatti le persone che stanno nel dolore sentono il bisogno
di una consolazione, e quelle che hanno espiato le pene di colpe
commesse mediante angosciose disgrazie sperano nella clemenza,
e quelle che hanno lavato le loro mancanze con pianti e lacrime
si meritano una tregua.
2.   Chi cerca tutto questo nelle Sacre Scritture, lo trova. Il
primo punto, cioè la consolazione di quanti si trovano nel dolore [1],
ce lo insegna quella donna che — nel Libro di Geremia — leva
un grido lamentoso verso i Giudei prigionieri ed esuli: *Andate,
partitevene, o figli! Io sono stata lasciata in abbandono. Mi sono
levata l'abito di pace, ho indossato al suo posto l'abito della mia
supplica e griderò all'Altissimo per tutti i miei giorni. Fatevi coraggio,
o figli; levate il vostro grido al Signore ed egli vi sottrarrà dalle
mani dei principi, vostri nemici. Io ho riposto la speranza della
vostra salvezza in Lui, nell'Eterno.* Quindi, chi crede nel Signore

---

[1] Ambrogio analizza i tre tipi di uomini che cercano *consolazione*: 1) quelli
che si trovano nel dolore (18, 2); 2) quelli che hanno scontato gravi punizioni (18,
2.4); 3) quelli che si sono pentiti delle colpe (18, 2).

dominum est in domini misericordia consolatio. Est etiam aliud consolationis genus his qui graues soluerint poenas, ut habes scriptum in Esaiae libro: *Consolamini consolamini populum meum, dicit dominus. Sacerdotes, loquimini in cor Hierusalem, consolamini eam, quoniam repleta est humiliatio eius; solutum est peccatum eius, quoniam accepit de manu domini duplicia peccata sua* [b]. Etiamsi fides deerat, poena satisfecerat; releuantur solutione poenarum qui non absoluuntur commendatione meritorum. Tertium est, cum lacrimis crimen abluitur, ut est illud: *Discedite a me omnes qui operamini iniquitatem, quoniam exaudiuit dominus uocem fletus mei* [c]. Quod etiam hoc loco et plerisque locis in libro Psalmorum facile repperitur.


3.   Consolatio igitur prima ordine, quoniam non obliuiscitur deus facere misericordiam neque in aeternum proicit quos putauerit cohercendos [a]. Secunda, quod decursis suppliciis, quae propter peccata nostra tolerauimus, ad ueniam pertinemus. Vnde nonnulli philosophi disputarunt obesse inprobis absolutionem, prodesse mortem, quod in illa incentiuum sit delinquendi, in morte autem finis peccati. Quod adsumptum esse de nostris cui dubium, cum in Prouerbiis Salomonis sit: *Qui parcit baculo, odit filium suum, castigat autem dominus quem diligit* [b], et infra: *Flagellum equo et stimulis asino imperat, uirga autem nationi inprudenti* [c]? Poena enim corrigit et emendat errantem. Si talis est qui emendari non queat, aufertur e medio, ne grauiora committat; mortuus enim iam nescit errare. Ideoque Ecclesiastes ait: *Et laudaui ego mortuos magis quam uiuentes, et optimus supra hos qui nondum natus est, qui non uidit hoc opus mali* [d]. Mortuus praefertur uiuenti, quia peccare desiuit, mortuo praefertur qui natus non est, quia peccare nesciuit.

[b] Is 40, 1-2.
[c] Ps 6, 9.
3.   [a] Cf. Ps 76, 10.8.
      [b] * Prou 13, 24; cf. * Prou 3, 12.
      [c] * Prou 26, 3.
      [d] * Eccle 4, 2-3.

trova consolazione nella misericordia del Signore. Il secondo tipo di consolazione riguarda coloro che hanno scontato gravi punizioni. Ad esempio, nel Libro di Isaia si ha: *Consolate, consolate il mio popolo, dice il Signore. Voi, sacerdoti, parlate al cuore di Gerusalemme! Consolatela poiché è arrivata al colmo la sua umiliazione. È stato rimesso il suo peccato, poiché ha ricevuto dalla mano del Signore una pena che è il doppio dei suoi peccati.* Anche se le mancava la fede, aveva pagato il suo debito. Il riscatto passa attraverso lo scotto della punizione, per quanti non trovano assoluzione grazie a loro azioni meritorie. Terzo tipo di consolazione si dà quando la colpa è lavata dalle lacrime. Ad esempio: *Andate lontano da me, voi tutti che siete operatori di ingiustizia, poiché il Signore ha prestato ascolto alla voce del mio pianto!* Lo si rintraccia facilmente anche in questo punto e in moltissimi altri punti del Libro dei Salmi.

3. C'è quindi una consolazione che viene per prima, dal momento che Dio non si scorda di agire con misericordia e non respinge in eterno quelli che ha voluto punire. Ce n'è una seconda, perché, una volta portate a termine le punizioni che abbiamo subite a causa dei nostri peccati, accediamo al perdono. Perciò ci sono stati dei filosofi [2] che hanno sostenuto che ai disonesti non era utile l'assoluzione, mentre era utile la morte: nella prima infatti ci sarebbe lo stimolo a peccare, nella morte invece la fine del peccare [3]. Chi può dubitare che tale idea non sia stata presa a prestito dai nostri [4]? Infatti nei Proverbi di Salomone si trova: *Chi risparmia il bastone, odia il proprio figlio. Il Signore invece castiga colui che ama.* E piú sotto: *La frusta comanda al cavallo e il pungolo all'asino, ma la verga al popolo sprovveduto.* La punizione raddrizza e corregge chi sbaglia. Se qualcuno dimostra di essere incorreggibile, viene tolto di mezzo perché non commetta azioni peggiori: un morto non può piú sbagliare. Ed è per questo che l'Ecclesiaste esclama: *Ed io ho lodato piú i morti che i vivi, e meglio di tutto è l'uomo che non è ancora nato, perché non ha visto il male che è all'opera quaggiú.* Il morto è preferito al vivo, perché ha finito di peccare; e al morto è preferito chi non è nato, perché non è stato in grado di peccare [5].

---

[2] Forse si allude a PLATONE, *Gorg.*, 479c-e, ma l'accostamento non è del tutto convincente: cf. MADEC, *Saint Ambroise et...*, pp. 118 s.

[3] È questa la cosiddetta *morte mistica*, o morte «al peccato», su cui Ambrogio si sofferma particolarmente nel *De bono mort.*, 15, e in molti altri luoghi, per i quali cf. MADEC, *ibid.*, pp. 291 s.

[4] Si ripresenta qui il motivo dell'imprestito o del furto, che gli autori pagani hanno compiuto nei confronti della Scrittura. È un tema costante nella produzione ambrosiana, sul quale cf. MADEC, *ibid.*, pp. 85, 93. Cf. anche 2, 5 e la nota 13.

[5] Cf. *De exc. fr.*, II, 30: *Non nasci igitur longe optimum secundum sancti Salomonis sententiam. Ipsum enim etiam hi, qui sibi uisi sunt in philosophia excellere, secuti sunt* (si cita poi Eccle 4, 2-4). Il pensiero di Ambrogio riprende un *topos* del mondo antico (*non nasci longe optimum... proximum autem quam primum mori*), che era attribuito a Sileno. Sulla storia del *topos*, cf. il commento di J.H. Waszink al *De anima* di TERTULLIANO (Amsterdam 1947, pp. 102 s.). Le fonti piú *ravvicinate* per Ambrogio sembrano essere CICERONE, *Tusc.*, I, 114; TERTULLIANO, *De an.*, 2, 3 (Was-

4.   Nunc dicamus etiam de his qui poenas scelerum soluerunt suorum. Nonne isti tulerunt culpae pretium et iam non integra his poena debetur? Clamat per Esaiam dominus: *Consolamini populum meum, quia recepit de manu domini duplicia peccata* [a]. Discite unde Plato haec sumpserit. Eruditionis gratia in Aegyptum profectus, ut Moysi legis oracula, prophetarum dicta cognosceret, audiuit consolationem populi, qui supra peccati modum uidebatur fuisse punitus, et hunc locum quadam adopertum dote uerborum in dialogum transtulit quem scripsit de uirtute. Quem locum tamen dominus in euangelio plenius conprehendit et apertius declarauit, dicens per Abrahae personam ad illum diuitem saeculi huius: *Fili, recordare quia recepisti bona in uita tua et Lazarus similiter mala; nunc autem hic consolationem habet, tu uero cruciaris. Et in his omnibus inter uos et nos chaos magnum firmatum est, ut hi qui ueniunt hinc transire ad uos non possint neque inde huc transmeare* [b]. Sed iam audiamus quid iustus in consolando se loquatur.

5.   *Iustus es, domine, et rectum iudicium tuum. Mandasti iustitiam testimonia tua et ueritatem tuam nimis* [a]. Vere iustus uir qui lacrimis profluens, inuolutus aerumnis, graui supplicio delicta persoluens non taedio uincitur, non metu frangitur, non labore lassatur, non ingratus aut tristis est. Plerumque enim uulgus hominum sua delicta non repetens iniuste se putat tolerare quae patitur. At uero uir iustus, qui se ipsum statim in exordio sermonis accusat [b], iustitiam domini praedicat, quod meritis suis digna patiatur. Dicendo autem iustum deum de sua quidem iniustitia ante pronuntiat, sed de iustitia domini sperat et ueniam [c]. Iustus enim non semper irascitur; sicut ultor culpae, ita moderator est poenae, sicut uindex peccatorum, ita remunerator est uirtutum optimorumque meritorum. Qui uult dare praemium, debet specta-

---

4.   [a] * Is 40, 1-2.
       [b] * Lc 16, 25-26.
5.   [a] Ps 118, 137.138.
       [b] Cf. Prou 18, 17.
       [c] Cf. Ps 102, 9.

---

5, 1.2 *a* mandasti *usque ad* nimis *cum ed. Amerbachiana omittit Petschenig.*
6   repetens *codd.,* reputans *Petschenig.*

4. Parliamo ora un po' degli uomini che hanno scontato la punizione dei loro crimini [6]. Non è forse vero che costoro hanno subíto il castigo della colpa e che la punizione loro dovuta non risulta piú intera? Per bocca di Isaia il Signore grida: *Consolate il mio popolo, perché ha ricevuto dalla mano del Signore una pena che è il doppio dei peccati.* Imparate quale sia a questo proposito la fonte di Platone [7]. Platone si recò in Egitto in un viaggio di cultura, per prendere conoscenza del dettato della Legge di Mosè, delle parole dei Profeti [8]. Là sentí parlare della consolazione del popolo, che sembrava essere stato punito oltre la misura del suo peccato e trasferí questo passo nel suo dialogo sulla virtú [9], celandolo sotto la forbitezza del suo stile. Questo passo è stato tuttavia ricompreso nel Vangelo in forma piú piena ed espresso in modo piú chiaro dal Signore, quando attraverso il personaggio di Abramo cosí parla a quel ricco epulone: *Figlio, ricordati che tu hai ricevuto ogni bene in questa vita e viceversa Lazzaro ogni male. Ora invece è lui ad avere consolazione, mentre tu sei tra i tormenti. E in questa situazione voi e noi siamo separati da un grande abisso: quelli che vogliono passare di qua a voi, non lo possono fare, né di costí si può passare a noi.* Ma è tempo di sentire come parli il giusto, quando consola se stesso.

5. *Giusto sei, o Signore, e diritto è il tuo giudizio. Ci hai comandato come giustizia i segni della tua volontà, e come tua verità fino in fondo.* È un vero giusto l'uomo che, tra le lacrime che gli sgorgano, tra le disgrazie che lo circondano, tra il pesante tormento delle colpe che sta scontando, non si lascia vincere dalla mestizia né abbattere dalla paura né spossare dal travaglio: non ha ingratitudine né tristezza. La maggior parte della gente non risale alle proprie mancanze e crede che le sofferenze che prova siano ingiuste. Non cosí l'uomo giusto: egli subito, quando prende la parola, accusa se stesso, proclama la giustizia del Signore che gli impone sofferenze adeguate ai suoi demeriti. Ma, chiamando giusto Dio, ha già espresso un giudizio sulla propria personale ingiustizia; solo che dalla giustizia del Signore spera anche il perdono. Il giusto non sempre si adira: attento nel colpire la colpa, lo è altrettanto nel misurare la pena; attento nel punire i peccati, lo è altrettanto nel ricompensare la virtú e i grandi meriti.

---

zink, p. 3); *Adu. Hermog.*, 25, 5 (CChL 1, p. 418); LATTANZIO, *Diu. inst.*, III, 19, 1-6 (CSEL 19, pp. 240 s.). L'accoglimento del *topos* è da Ambrogio accompagnato dal giudizio di *anteriorità* della Scrittura (Salomone) rispetto alla filosofia antica.

[6] Si tratta del secondo tipo dei *consolandi*, di cui s'è detto a 18, 1-2 e alla nota 1.

[7] Cf. 18, 3 e la nota 4.

[8] Ambrogio conosce il soggiorno di Platone in Egitto (cf. anche *De Noe*, 24), sul quale cf. STRABONE, *Geogr.*, XVII, 1, 29; DIOGENE LAERZIO, *Vit. Philos.*, III, 6. Sul rapporto tra Ambrogio e Platone, cf. MADEC, *Saint Ambroise et...*, pp. 109-132.

[9] Cf. PLATONE, *Meno* (*siue de uirtute*), 81bc, dove si riporta una citazione di Pindaro, a proposito delle anime che già hanno pagato il fio delle colpe commesse. Il Madec pensa che Ambrogio si sia accontentato di riprendere, in maniera allusiva, un commentario, che giustificava piú chiaramente il rapporto tra i testi di Isaia e di Platone/Pindaro (*Saint Ambroise et...*, p. 118 e nota 140).

re certamen, quia nemo sine certamine coronatur [d]. Sinit ergo nos saepe temptari, uolens iuste praemia dare luctanti utique, non dormienti. Non decet redimitos floribus corona, sed puluerulentos nec molles deliciis, sed labore exercitatos ornat uictoria.

6.   Iustus ergo in aduersis suis iustitiam dei laudat. Sed non hoc sentit amissis teneris parens liberis, non inmaturo nuptae uiduatus consortio, non aeger in dolore, non naufragus in periculo, non reus in iudicio, non captiuus in laqueo. Clamat tamen Hieremias, cum futurae adnuntians populis captiuitatis aerumnam in luti uoragine turpi necandus inluuie mergeretur [a]: *Iustus es, domine* [b]. Clamat iterum, cum uictae plebis miserandis seruitiis angeretur: *Iustus est dominus, quia os eius inritaui. A foris sine filiis fecit et ab intus mors* [c]. Clamabant Hebraei, cum propter uirtutem deuotionis et fidei gratiam fornacis ardentis ambirentur incendiis: *Iustus es in omnibus quae fecisti* [d] et ideo meruerunt, ut inlaesi ignibus domini iustitias praedicarent. Danihel quoque propheta secundo in lacum missus leonum et inmanium ferarum saeuitia atque horrore circumdatus recta omnia in conspectu esse domini inperterrito clamore iactabat [e]. Ionas inclusus utero bestiali anhelandi spiritus uix habens commeatum iustus iniustorum sorte damnatus clamabat de uentre ceti in mari: *Cum uoce laudis et confessionis supplico tibi* [f]. Dauid cum fugeret a facie Abessalon parricidalibus armis et terris pulsus et regno egressus, cum pro totius populi se offerret excidio, dicebat: *Iustus es, domine, et rectum iudicium tuum* [g]. *Grex innocens iste quid fecit? Ego pastor feci malignum* [h]. Apud iustum deum poena de culpae auctore sumatur. Ipse pater fidei Abraham, cum ad immolandum unicus a sene filius posceretur, paternae pietatis affectum diuinae confessione iustitiae temperabat dicens: *Iustus es, domine* [i]. Non enim poscis alienum, sed tuum reposcis; ipsum tibi restituo quem dedisti. Hunc imitatus Iob extinctis liberis patrimonioque nudatus

---

[d] Cf. 2 Tim 2, 5.
6.  [a] Cf. Ier 38, 1-6.
   [b] Ier 12, 1.
   [c] * Thren 1, 18.20.
   [d] * Dan 3, 27.
   [e] Cf. Dan 6, 22.
   [f] * Ion 2, 10.
   [g] Ps 118, 137.
   [h] * 2 Reg 24, 17.
   [i] Ps 118, 137.

---

6,  19 terris *codd.*, telis *Petschenig.*

Chi vuole aggiudicare un premio deve assistere ad una gara, perché nessuno riceve la corona senza gareggiare. Dunque, egli ·permette che noi siamo piú volte tentati, proprio perché vuole giustamente aggiudicare il premio a chi combatte, non a chi dorme. La corona non spetta a chi se ne sta ben agghindato di fiori, ma a chi è sporco di polvere. La vittoria fregia non chi è rammollito nelle comodità, ma chi è allenato in dure fatiche.

6. Il giusto dunque, tra le sue sventure, loda la giustizia di Dio [10]. Ma non è questo il sentimento del genitore che ha perduto figli in tenera età o del coniuge che è rimasto troppo presto vedovo della consorte o dell'ammalato grave o del naufrago in pericolo o dell'imputato nel processo o del prigioniero in catene. Eppure Geremia, anche quando — annunciando ai popoli la disgrazia di una imminente prigionia — viene immerso in una cisterna piena di fango per trovare morte in quella melma, grida: *Giusto sei, o Signore!* E grida ancora, quando è angosciato dalle miserevoli condizioni di schiavitú del popolo vinto: *Giusto è il Signore, ed io ho provocato ad ira il suo volto. Fuori di me non ho piú figli e dentro di me ho la morte.* Quei fanciulli ebrei, quando erano avvolti dalle fiamme della fornace ardente, pagando la tenacia della loro fedeltà a Dio e il dono della fede, gridavano: *Giusto sei in ogni tua azione!* E per questo ebbero il privilegio di poter proclamare gli atti di giustizia del Signore, usciti illesi dalle fiamme. Anche il profeta Daniele fu gettato per due volte nella fossa dei leoni, fu circondato dalla terrificante ferocia delle belve crudeli, eppure levava alto il suo grido impavido: che tutto era giusto al cospetto del Signore. Giona, chiuso dentro il ventre del mostro dove filtrava appena un filo d'aria per respirare, lui, giusto che subiva la sorte degli ingiusti, gridava nel mare dal ventre del cetaceo: *Ti supplico con voce di lode e di fede.* Davide, costretto a fuggire davanti ad Abessalon sotto la minaccia di armi parricide, cacciato in esilio dalle sue terre [11] e dal regno, quando offriva se stesso in luogo della strage del suo popolo, diceva: *Giusto sei, o Signore, e diritto è il tuo giudizio! Questo gregge è innocente: e che cosa ha fatto di male? Io, il pastore, mi sono comportato male.* L'autore della colpa riceva la punizione presso Dio, che è giusto. Lo stesso Abramo, padre della fede, quando gli veniva richiesto di sacrificare il suo unico figlio avuto in vecchiaia, riusciva a trattenere il sentimento dell'amor paterno professando apertamente la giustizia di Dio e dicendo: «*Giusto sei, o Signore!* Non vuoi qualcosa che non ti appartenga, ma rivuoi quello che è tuo: io non faccio che restituirti quello che mi hai dato». Lo imitò

---

[10] Cf. ORIGENE, in HARL, SCh 189, p. 408, 1-4; ILARIO, *Tract. ps. CXVIII*, 18, 1 (CSEL 22, p. 515).
[11] Il Castiglioni è propenso a espungere *et terris* e giudica incompatibile con lo stile di Ambrogio la correzione *et telis* del Petschenig: cf. L. CASTIGLIONI, *Spigolature ambrosiane*, in *Ambrosiana. Scritti di storia, archeologia ed arte pubblicati nel XVI centenario della nascita di sant'Ambrogio*, Milano 1942, p. 121. Ma non si vede il motivo di rifiutare la lezione unanime dei mss., che tra l'altro stabilisce una *climax* tra *terris* e *regno* e mantiene il parallelismo nell'espressione.

amisso amictum sui corporis scindens ait: *Nudus natus sum, nu-*
*dus,* inquit, *et moriar. Dominus dedit, dominus abstulit; sit nomen*
*domini benedictum* [1].

7.   Omnes ergo iustum dominum praedicemus. Et qui mori-
bunda sepulchro sua membra conponit et qui damno feritur aut
funere filiorum, dicat: *Iustus es, domine* [a]. Quid enim nostrum
amittimus? Clamat apostolus: *Quid habes quod non accepisti?* [b].
Quod habemus ergo accepimus, quod igitur amittimus reddimus,
non amittimus. Iustus dominus in periculis, iustus in damnis,
iustus in ultionibus est, non solum quia unusquisque iuste culpae
suae pretium luit, uerum etiam quia, dum unus punitur, plurimi
corriguntur. Ananias in Actibus apostolorum fraudati pretii, quod
de agri uenditione perceperat, crimen admisit [c], qui potuerat nihil
offerre et crimen euadere. Verum ne quis inpune circumscriben-
dos apostolos arbitraretur aut misericordiae suae munus fraude
contaminaret perfidiae, morti addictus aeternae uniuersos ad
fidei studium iusto terrore conposuit. Pharao cum populo suo
fluctibus mersus mundanae conuersationis exemplum est, ne quis
dei populum persequatur. Denique potuit deus eum uoluntati
suae facere oboedientem, sed eius poena omnes uoluit emendari,
ideoque dicit ad eum dominus: *Quia ad hoc ipsum te suscitaui,*
*ut ostendam in te uirtutem meam et adnuntietur nomen meum in*
*uniuersa terra* [d]. Non utique dominus suae laudis, sed nostrae
correctionis incrementa quaerebat.

8.   Omnes ergo sapientes dicunt: *Iustus es, domine, et rectum*
*iudicium tuum* [a]. Neque enim tradimur aduersariis sine iudicio
ipsius neque sine ipsius iudicio in tribulationes uenimus. Haec
iustorum est consolatio, hoc est domini iudicium. Denique et
supra habes: *Memor fui iudiciorum tuorum quae a saeculo sunt et*
*me consolatus sum* [b]. Aduertis ergo quia domini iudicia consolatio-
nes sunt.

9.   *Mandasti iustitiam testimonia tua et ueritatem tuam nimis* [a].
Vtrum «nimis mandasti» an «nimiam ueritatem»? Sed et nimia
ueritas plena laudis et nimium mandare prouidentiae atque caute-
lae est. Etenim infirmos nouerat; ideo saepius admonebat, ut non
obliuiscerentur.

---

[1] * Iob 1, 21.
7.  [a] Ps 118, 137.
    [b] 1 Cor 4, 7.
    [c] Cf. Act 5, 1-5.
    [d] * Ex 9, 16; Rom 9, 17.
8.  [a] Ps 118, 137.
    [b] * Ps 118, 52.
9.  [a] Ps 118, 138.

· Giobbe quando — mortigli i figli e spogliato di tutto il suo patrimonio — strappandosi la veste che aveva addosso esclamò: *Nudo sono nato e nudo* — cosí diceva — *morirò. Il Signore ha dato, il Signore ha tolto. Sia benedetto il nome del Signore!*

7. Tutti dunque dobbiamo celebrare il Signore come giusto. E l'uomo, che dispone le sue membra ormai morenti nel sepolcro e quello che ha subito una perdita o la morte di figli, dica: *Giusto sei, o Signore!* Che cosa di nostro possiamo perdere? L'Apostolo grida: *Che cos'hai di tuo che tu non abbia ricevuto?* Dunque, quello che abbiamo, l'abbiamo ricevuto [12], e allora quello che perdiamo lo restituiamo e non lo perdiamo. Il Signore è giusto anche quando ci mette nel pericolo, è giusto quando ci fa danno, è giusto quando ci colpisce, e non solo perché ciascuno paga il giusto prezzo per la sua colpa, ma anche perché nel punirne uno ne corregge una moltitudine. Negli Atti degli Apostoli, Anania ammette la sua frode a proposito del versamento dei soldi ricavati dalla vendita del suo campo. Avrebbe potuto non versare nulla e non incorrere in colpa. Cosí invece fu condannato alla morte eterna: ché non si pensasse di poter impunemente ingannare gli Apostoli o di inquinare un dovere di misericordia con la frode, tipica di chi non è fedele. Il suo esempio, cosí, dispose tutti allo zelo di essere fedeli con un giusto terrore. Il Faraone, travolto dai flutti assieme al suo popolo, è un monito, per chi vive nel mondo, a non perseguitare il popolo di Dio. Tant'è vero che Dio avrebbe potuto renderlo obbediente alla propria volontà, ma, punendo lui, ha inteso correggere tutti. Per questo a lui dice il Signore: *Proprio per questo io ti ho suscitato: per mostrare in te la mia potenza e per annunciare il mio nome su tutta la terra.* Desiderio del Signore non era di certo quello di incrementare la sua gloria, quanto piuttosto la nostra correzione.

8. Dunque, tutti quelli che sono sapienti dicono: *Giusto sei, o Signore, e diritto è il tuo giudizio!* Noi non siamo consegnati agli avversari senza un suo giudizio né senza un suo giudizio cadiamo nelle disgrazie. La consolazione dei giusti è proprio questa: cioè che esiste il giudizio del Signore. Tant'è vero che anche sopra si trova scritto: *Fui memore dei tuoi giudizi, che esistono dall'eternità, ed ho trovato la mia consolazione.* Puoi notare dunque come i giudizi del Signore siano consolazioni.

9. *Ci hai comandato come giustizia i segni della tua volontà, e come tua verità fino in fondo.* Ci hai *fino in fondo* comandato o si tratta di verità *fino in fondo*? Ma l'una cosa e l'altra, perché una verità-fino-in-fondo merita piena lode; mentre comandare-fino-in-fondo è segno di preveggente cautela. Egli sapeva di avere a che fare con esseri deboli e li esortava piú e piú volte, proprio perché non se ne dimenticassero.

---

[12] Cf. 15, 30.

10.    Sequitur uersus tertius: *Exquisiuit me zelus domus tuae, quoniam inimici mei obliti sunt uerborum tuorum* [a]. Est zelus ad uitam et est zelus ad mortem. Ad uitam zelus est diuina praecepta seruare et amore domini eius custodire mandata, ut fecit Phinees, de quo legimus in Numeris dicente domino ad Moysen: *Phinees filium Eleazar filii Aaron sacerdotis sedauit furorem meum a filiis Israel in eo quod aemulatus est zelum meum in illis, et non consummaui filios Israel in zelo meo. Sic dixi: Ecce ego do ei testamentum pacis et erit illi et semini eius post eum testamentum sacerdotii aeternum, propter quod aemulatus est deum suum et non exorauit pro filiis Israel* [b]. Caesa iacebant uiginti quattuor milia populorum; tendebat poena in omnes nec ullus finis exitii. Adripuit siromasten Phinees, duos occidit interdicta sibi consuetudine copulatos, redemit omnes, indignationem domini mitigauit, dedit uictoriam quibus negabat salutem [c]. Quam salutaris igitur est dei zelus!

11.    Non unius temporis illud uitium fuit; et nunc Madianitis miscetur Iudaeo. Madianitis est quae nullo est uxoris legitimae copulata coniugio, nullo fidei iuncta consortio. Madianitis est haereticorum perfidia, cum populum dei temptat. Quam multis populis meretrix ista feralis inrepsit, quae publico funere totum populum communi morte tumulauit! Veni et nunc, Phinees, arripe gladium uerbi, interfice perfidiam, iugulato haeresim, ne propter eam populus uniuersus intereat. Vrget ira caelestis: percute ipsam uuluam impietatis generatoriumque perfidiae, ne partus formetur infelix, ne adulterina conceptio diffundat seminarium praeuaricationis et sceleris, ut dominus tecum statuat testamentum pacis et testamentum gratiae, testamentum promissionum caelestium. Zelum habere debet sacerdos, qui incorruptam seruare studet ecclesiae castitatem, et ideo princeps sacerdotum dicit: *Zelus domus tuae conrodit me* [a]. Et Phinees sacerdos erat et nepos sacerdotis et filius sacerdotis. Bonus zelus et utilis in sacerdote, praeci-

---

10. [a] * Ps 118, 139.
   [b] * Num 25, 11-13.
   [c] * Cf. Num 25, 7-9.
11. [a] * Io 2, 17; Ps 68, 10.

10. Prosegue il versetto terzo: *Mi ha ricercato lo zelo della tua casa, poiché i miei nemici hanno scordato le tue parole.* C'è uno zelo che cerca la vita e uno zelo che cerca la-morte [13]. Zelo per la vita è mantenere fede alle prescrizioni divine e, per amore del Signore, osservarne i comandamenti. Cosí ha fatto Finees, di cui leggiamo nei Numeri, quando il Signore dice a Mosè: *Finees, figlio di Eleazaro, figlio del sacerdote Aronne, ha stornato il mio furore dai figli di Israele, proprio perché ha imitato il mio zelo in mezzo a loro. Ed io non ho annientato i figli di Israele nel mio zelo. Ma ho detto: «Ecco che io concedo a lui un patto di pace ed egli e la sua discendenza avranno un patto eterno di sacerdozio, perché egli ha imitato il suo Dio e non ha impetrato venia [14] per i figli di Israele».* Erano stesi a terra ventiquattromila cadaveri: la punizione si stava spandendo su tutti e non si vedeva la fine dello sterminio. Allora Finees afferrò una lancia [15] e ne ammazzò due che si erano congiunti carnalmente in modo vietato: cosí riscattò tutti, calmò lo sdegno del Signore, diede la vittoria a quelli cui non lasciava scampo. Quale scampo quindi rappresenta lo zelo di Dio!

11. Quello non fu un vizio limitato a quel tempo. Anche oggi la madianita si unisce al giudeo. La madianita è la donna che non è congiunta in un legittimo matrimonio, che non è unita in un vincolo di fedeltà. La madianita è l'infedeltà degli eretici quando tenta il Popolo di Dio. In quanti popoli si è insinuata strisciando questa letale meretrice, che provocando una moria generale ha seppellito tutto un popolo con pubblico funerale [16]! Vieni ancora, o Finees! Afferra la spada della parola, ammazza l'infedeltà, sgozza l'eresia, ché a causa sua tutto il popolo non perisca! L'ira del Cielo incalza: colpisci l'empietà nel suo utero e la perfidia nel suo apparato genitale [17], se vuoi che non prenda forma un parto disgraziato, affinché un concepimento adulterino non diffonda un semenzaio di trasgressione e di colpevolezza, affinché il Signore stabilisca con te un patto di pace e un patto di benevolenza, un patto di promesse celesti. Lo zelo deve essere una dote del sacerdote che aspira a mantenere incorrotta la purezza della Chiesa. Per questo Colui che è il Sacerdote per antonomasia dice: *Lo zelo della tua casa mi consuma* [18]. E Finees era sacerdote e nipote di sacerdote e figlio di sacerdote. Uno zelo

---

[13] Cf. 18, 17. In *Expl. ps. XXXVI*, 5 si distingue tra *zelum* (= zelo) e *parazelum* (= gelosia).

[14] La lezione *non exorauit* (al posto di *exorauit*) è solo ambrosiana e i Maurini hanno ipotizzato che il codice greco di Ambrogio riportasse καὶ οὐχ ἱλάσατο come possibile variante per καὶ ἐξιλάσατο (PL 15, 1532, nota 12).

[15] *Siromastes* è un calco dal testo greco σειρομάστης di Num 25, 7 (e di altri passi dei Settanta). Cf. GEROLAMO, *Epist.*, 109, 3: *Legi enim siromasten Finees* (Labourt, V, p. 204); ed *Epist.*, 147, 9 (ibid., VIII, p. 129).

[16] Si allude qui ai successi dell'eresia (ariana).

[17] Cf. *De Noe*, 40.

[18] Questa citazione, e poi quella di Sal CXXXVIII, 21-22 (cf. 18, 12.18) e quella di 3 Re 19, 19 (18, 12), si trovano a costellare lo stesso commento in ORIGENE, in HARL, SCh 189, pp. 410-412.

pue ne neglegens, ne remissus sit. Melius est ut unius aut duorum damnatione plurimi liberentur quam duorum absolutione plures periclitentur.

12.   *Exquisiuit*, inquit, *me zelus domus tuae* [a]. Vides quia zelus dei gratia est, qui exquirit, qui superuenit, qui se iusti infundit pectori. Zelus dei uita est. Denique dominus ait: *Zelus domus tuae deuorauit me* [b]. Sicut enim ante in Adam deuorauerat hominem mors praeualens, ita zelus deuorauit quem uiuificauit in Christo. Zelum habuit Helias et ideo raptus ad caelum est — *zelans*, inquit, *zelaui dominum* [c] —, zelum Mattathias Butanus, qui aduersus sacrilegia Antiochi excitauit dei plebem [d]. Zelum qui habent omnes sibi inimicos suos putant qui sunt hostes dei, quamuis patrem fratres sorores; de omnibus dicit: *In hostes facti sunt mihi* [e], sicut Dauid ait. Quid multa? Apostolus quoque domini hoc declaratus est nomine, ut Iudas Zelotes diceretur, sicut legimus in euangelio [f].

13.   Zelo fidei populus gentilium uitam sibi adquisiuit aeternam, quam neglegentia atque desidia Iudaeorum populus amisit. Ideoque scriptum est: *Zelus adprehendit populum ineruditum* [a], quoniam populus, qui erat eruditus in lege, nullum fidei habebat ardorem. Contulit se zelus ad gentes, cuius tanta est gratia, ut electionis praerogatiuam uicerit, ut eruditionis industriam superarit. Denique adprehendens populum ineruditum fecit esse meliorem. Itaque ea gratia operata est in populo nationum, ut hereditatem domini mereretur, qua operatus est dominus, ut ecclesiam sibi ex nationibus copularet. Zelus ergo caritas est. Denique *ualida est sicut mors caritas, durus sicut inferi zelus* [b]. Durus zelus quem uitae huius nulla uincit inlecebra, durus sicut inferi, per quem peccato morimur, ut uiuamus deo [c].

14.   Angeli quoque sine zelo nihil sunt et substantiae suae amittunt praerogatiuam, nisi eam zeli ardore sustentent. Denique

12. [a] * Ps 118, 139.
  [b] * Io 2, 17; Ps 68, 10.
  [c] * 3 Reg 19, 10.
  [d] Cf. 1 Mach 2.
  [e] * Ps 138, 22.
  [f] Cf. Lc 6, 15.
13. [a] * Is 26, 11.
  [b] * Cant 8, 6.
  [c] Cf. Rom 6, 10.

13, 3   adprehendit *codd.*, adprehendet *Petschenig.*
  8   operata *codd.*, operatus *Petschenig.*

opportuno è anche utile nel sacerdote, soprattutto per prevenire trascuratezza e disimpegno. È meglio condannare una o due persone e liberare la massa piuttosto che assolverne due e mettere in pericolo i piú.

.12.  *Mi ha ricercato* — si dice — *lo zelo della tua casa.* Lo zelo — puoi vederlo — è la grazia di Dio, che va alla ricerca, che soppraggiunge, che penetra nel cuore del giusto. Lo zelo è la vita di Dio. Tant'è vero che il Signore esclama: *Lo zelo della tua casa mi ha divorato.* Come prima, in Adamo, l'uomo era stato divorato dalla morte vincente, cosí ora l'uomo vivificato in Cristo è divorato dallo zelo. Lo zelo fu una dote di Elia, e perciò egli fu rapito al cielo: *Avevo zelo ed il mio zelo l'ho speso per il Signore,* egli dice. Fu una dote di Mattatia Butano [19], che sollevò il Popolo di Dio contro le sacrileghe imprese di Antioco. Gli uomini dotati di zelo ritengono nemici proprio tutti quelli che sono nemici di Dio, siano essi loro padri, fratelli, sorelle. Di tutti si può dire: *Sono diventati per me come nemici,* come esclama Davide. Ma perché dilungarci? Basta pensare che anche un apostolo del Signore ebbe un tale soprannome: come leggiamo nel Vangelo, Giuda era chiamato lo Zelota.

13.  Grazie allo zelo il popolo dei Gentili si guadagnò la vita eterna, perduta invece dal popolo dei Giudei a causa della sua negligente trascuratezza. È per questo che sta scritto: *Ecco che lo zelo afferra un popolo non istruito,* perché il popolo, che era istruito nella Legge, non aveva un palpito di fede. Allora lo zelo si è rifugiato presso i Gentili, la grazia concessa ai quali è tanto grande da vincere il privilegio della scelta, da superare quella solerzia nell'erudizione. Tant'è vero che, afferrando un popolo non erudito, l'ha reso migliore dell'altro. E cosí quella grazia fu attiva dentro il popolo delle altre razze, al quale fece ottenere l'eredità del Signore. E, mediante essa, il Signore agí in modo tale da radunarsi una Chiesa traendola dalle altre razze. Dunque, lo zelo è amore: tant'è vero che *forte come la morte è l'amore, resistente come gli inferi è lo zelo.* Resistente è lo zelo, perché nessuna lusinga di questo mondo lo piega; resistente come gli inferi, perché grazie ad esso moriamo al peccato per vivere per Dio [20].

14.  Anche gli angeli, se sono senza zelo si riducono a nulla e perdono la caratteristica specifica della loro natura, se non l'alimentano col calore dello zelo. Tant'è vero che nell'Apocalisse

---

[19] Il nome non è attestato altrove. Potrebbe essere una corruzione di *Mathatias bar Ioannis* di 1 Macc 2, 1.

[20] Un analogo concetto esprime AGOSTINO, *Tract. Ioh.*, LXV, 1 (CChL 36, p. 491): cf. TAJO, *Un confronto tra...*, p. 138.

in Apocalypsi Iohannis dominus ad angelum Laodiciae dicit: *Scio opera tua; neque frigidus es neque calidus. Vtinam frigidus esses uel calidus! Sed quia tepidus es, incipiam te euomere ex ore meo. Quia dicis quod diues sum et ditatus et nullius egeo, et nescis quod tu es miser et miserabilis et mendicus et nudus et caecus, consulo tibi ut emas a me aurum igne probatum* [a]. Hic est dei zelus, hoc est fidei uapor deuotionisque feruor, qui nos uelut suauem cibum in Christo remollit et format. Quanta domini gratia, ut nos in suo ore constituat et quasdam meritorum nostrorum epuletur dapes ac, si meremur, deuoret, si nostri cibi suauitatibus delectetur! Beatus quem sapientia deuorauerit, quem uirtus hauserit, quem iustitia receperit [b]. Culpa in eo habere non potest portionem quem absorbuerit remissio peccatorum. Vbi eum error inuenient quem integritas inmaculata susceperit?

15.   Et quid miremur, si angeli eum habent? Ipse deus pater ait: *Zelans zelabo Hierusalem zelo magno* [a]. Quia magnus deus, ideo et zelus eius magnus est et pro uniuscuiusque potentiae qualitate ita zelus aut mediocris aut magnus est. Zelo uindicatur Hierusalem, zelo ecclesia congregatur, zelo fides adquiritur, zelo pudicitia possidetur. Dominus quoque Iesus ait: *Zelus domus tuae comedit me* [b], increpans Iudaeos, quod domum orationis fecerint speluncam latronum [c], fecerint et domum negotiationis.

16.   Sed non solum locum ecclesiae zelare debemus, sed hanc quoque interiorem in nobis domum dei, ne sit domus negotiationis aut spelunca latronum. Si enim lucra, quaestus pecuniae et emolumenta aucupemur, domum negotiationis fecimus; si inuadamus alienas possessiones, fines uiduae uel minorum, fecimus speluncam latronum. Ergo ueniat uerbum dei et de hac domo proiciat fures direptores caupones, ut mundum sit cor tuum, pectus tuum.

17.   Sed est zelus ad culpam, est zelus ad gratiam. Nam et ipse Dauid ait: *Zelaui in peccatoribus pacem* [a], et in Ecclesiastico scriptum est: *Non zeles mulierem sinus tui, ne ostendat super te malitiam doctrinae nequam* [b], et mulier zelotypa in mulierem fidelem iure reprehenditur [c]. Aduertimus ergo, quod mensura quaedam et disciplina sit zeli, sicut disciplina uirtutis. Et ideo beatus

14. [a] * Apoc 3, 15-18.
    [b] Cf. 1 Cor 1, 30.
15. [a] * Zach 8, 2.
    [b] Io 2, 17.
    [c] Cf. Mt 21, 13; Io 2, 16.
17. [a] * Ps 72, 3.
    [b] * Eccli 9, 1.
    [c] Cf. Eccli 26, 6 (8).

di Giovanni, il Signore dice all'angelo di Laodicea: *Conosco le tue opere: non sei né freddo né caldo. Magari lo fossi, o freddo o caldo! Ma siccome sei tiepido, comincerò col vomitarti fuori dalla mia bocca. Siccome dici di essere ricco, arricchito e provvisto di tutto, e non sai che sei misero e miserabile, un mendicante, nudo e cieco, ti consiglio di comprare da me oro saggiato col fuoco.* Questo è lo zelo di Dio, cioè il calore che esala la fede e il fervore della pietà: esso ci frolla come un dolce cibo in Cristo e ci plasma. Quanto grande è la degnazione del Signore! Egli sa accoglierci nella sua bocca, sa pranzare col cibo di qualche nostra buona azione e — se lo meritiamo — sa divorarci, qualora lo delizino le squisitezze del nostro cibo. Beato l'uomo che è divorato dalla sapienza, inghiottito dalla potenza, accolto dalla giustizia. La colpa non ha nulla a che spartire con lui, che è risucchiato dal perdono stesso dei peccati. Dove mai lo può incontrare l'errore, se l'ha assunto in sé l'incolpevolezza assoluta?

15.    Quale meraviglia se lo zelo è dote degli angeli? Lo stesso Dio Padre esclama: *Nel mio zelo nutrirò un grande zelo verso Gerusalemme.* Grande è Dio e perciò grande è anche il suo zelo. Lo zelo è mediocre o grande a seconda del grado di potenza di ciascuno. Dallo zelo è protetta Gerusalemme, dallo zelo è radunata la Chiesa; grazie allo zelo si acquista la fede, grazie allo zelo si gode il possesso della castità. Anche il Signore Gesú esclama: *Lo zelo della tua casa mi divora.* Questo, quando grida contro i Giudei, che hanno trasformato la casa di preghiera in una spelonca di ladri, che l'hanno trasformata in una casa di traffici.

16.    Ma non dobbiamo mostrare zelo solo verso la Chiesa come edificio di culto, ma anche verso questa casa di Dio interiore che sta dentro di noi, e impedire che divenga una casa di traffici o una spelonca di ladri. Se noi andiamo a caccia di guadagni, di soldi, di profitti, ecco che l'abbiamo fatta diventare una casa di traffici. Se noi ci gettiamo sulle proprietà altrui, sui terreni di una vedova o di minorenni, ecco che l'abbiamo fatta diventare una spelonca di ladri. Venga dunque la parola di Dio e cacci fuori da questa casa ladri, saccheggiatori, trafficanti; e il tuo cuore, il tuo animo, sia cosí purificato!

17.    Ma c'è uno zelo rivolto alla colpa e uno zelo rivolto al bene. Infatti lo stesso Davide esclama: *Ho desiderato con zelo la pace in mezzo ai peccatori* [21]. E nell'Ecclesiastico sta scritto: *Non avere zelo* (cioè gelosia) *verso la donna del tuo cuore, perché essa non si senta superiore e non metta in mostra la malizia di una dottrina malvagia.* E la donna gelosa d'una donna fedele è giustamente criticata. Ci rendiamo dunque conto che c'è una misura e una regola nello zelo, come c'è una regola nella virtú. E perciò

---

[21] Questo pare essere qui il senso di Sal LXXII, 3, che è ancora citato in *De interp.*, III, 5, dove *pacem* sembra appoggiarsi, come complemento oggetto, al successivo *peccatorum uidens*. Cosí pare che Ambrogio risolva il versetto anche a 17, 14, dato che, dopo la citazione interrotta del versetto, egli aggiunge: *dum pacem peccatorum putat esse mirandam.*

qui zeli nouerit disciplinam et oderit eos, qui domini gratiam relinquentes salutem propriam deserant, errorem sibi fraudis adsciscant.

18. Ideoque ait: *Quoniam obliti sunt uerborum tuorum inimici mei* [a]. Qui sunt isti inimici? Si populus Iudaeorum, quomodo inimici erant sub eius imperio constituti? Dauid enim Iudaeos omnes regno proprio gubernabat. Si gentiles, quomodo obliti uerborum dei qui legem domini nesciebant? Nemo enim nisi id quod acceperit obliuisci potest. Illi ergo inimici mei qui inimici tui, qui dominum proprie in sua uenientem non erant recepturi [b]. Hos graues hostes, hos inimicos suos propheta testatur, non qui sibi essent, sed qui Christo rebelles. Denique alibi dicit: *Et super inimicos tuos tabescebam, iusto odio oderam illos* [c], grauiora putans arma perfidiae esse quam pugnae; nemo enim grauior hostis omnium quam qui omnium laedit auctorem. Ideo ergo zelo magno adquisitus est populus nationum, quoniam a suo deus populo negabatur; nec enim poterant aut fidei deuotionem aut disciplinam tenere uirtutis, qui memoriam praeceptorum caelestium non tenebant. Sic Adam de paradiso eiectus, sic populus Iudaeorum de praerogatiua electionis exclusus est.

19. Sequitur uersus quartus: *Ignitum eloquium tuum nimis, et seruus tuus dilexit illud* [a]. Ignem quidem dominus misit in terram [b], non ut eam Sodomitano rursus [c], sicut scriptum est, arderet incendio nec ut eam donatae munere fecunditatis aut usu uel flore uiriditatis excluderet; opus enim suum dominus probare magis atque augere quam minuere aut damnare consueuit. Neque uero dignum erat, ut elementa innoxia nostri luerent sceleris ultionem. Quid natura deliquerat, si adulta iam suboles errauit? Non erat partus in uitio, si deuio lapsa est errore progenies, sed usus in culpa. Quem ergo dominus ignem in nouo sparsit testamento? Qui secretos mentium diuinae cognitionis ardore inflammaret affectus, qui uaporem fidei et deuotionis adoleret, qui cupiditatem uirtutis accenderet. Hoc igne calefactus Hieremias dicit: *Et erat ignis flammigerans in ossibus meis* [d]. Hoc sermonum igne caelestium uaporati Cleopas et ille alius, qui simul cum domino ab Hierusalem usque in castellum confecerant iter, dice-

18. [a] * Ps 118, 139.
     [b] Cf. Io 1, 11.
     [c] * Ps 138, 21-22.
19. [a] * Ps 118, 140.
     [b] Cf. Lc 12, 49.
     [c] Cf. Gen 19, 24.
     [d] * Ier 20, 9.

18, 7     proprie *delevit Petschenig (*propria *N P Rm1*; in propria *O Rm2 et edd.).

beato è l'uomo che conosce la regola nello zelo. E beato è chi odia gli uomini che abbandonano la grazia di Dio e che quindi rinunciano alla propria salvezza e si aggiudicano quella colpa che è la frode.

18. E perciò Davide esclama: *Poiché i miei nemici hanno scordato le tue parole*. Chi sono questi nemici? Il popolo dei Giudei? Ma allora, come potevano essergli nemici se erano posti sotto il suo comando? Davide era infatti re di tutti i Giudei. I Gentili, allora? Ma come potevano avere scordato le parole di Dio, se non conoscevano la Legge del Signore? Non si può dimenticare se non ciò che si è appreso. Dunque, i *miei* nemici non sono altro che i *tuoi* nemici, cioè quelli che in particolare non avrebbero accolto il Signore che veniva in casa sua. Questi, il profeta dichiara nemici pericolosi; questi, dichiara suoi nemici; non perché siano ostili a lui, ma a Cristo [22]. Tant'è vero che in un altro passo dice: *E mi consumavo più dei tuoi nemici, li odiavo con un odio meritato*. Giudica più pericolose le armi dell'infedeltà che quelle di guerra: non c'è universalmente un nemico più pericoloso di colui che offende l'Artefice dell'universo. Dunque, il popolo delle altre razze fu acquistato con grande zelo proprio perché Dio era rinnegato dal suo popolo. Non potevano mantenere saldo il rispetto della fede o la regola della virtú quelli che non riuscivano a mantener salda la memoria delle prescrizioni celesti. Cosí Adamo fu cacciato dal paradiso, cosí il popolo dei Giudei fu escluso dal privilegio dell'elezione.

19. Prosegue il versetto quarto: *Incandescente è il tuo detto, fino in fondo. E il tuo servo l'ha amato*. Certo, il Signore ha mandato fuoco sulla terra [23]. Ma non per arderla nell'incendio di una novella Sodoma biblica, né per privarla del benefico dono della fertilità o del suo verde cosí utile e splendido. È costume del Signore trovar buona e accrescere la sua opera piuttosto che menomarla o condannarla. Né d'altra parte sarebbe stato giusto che elementi incolpevoli fossero puniti per la nostra scelleratezza. Che colpa aveva la natura, se un suo figlio ha sbagliato quand'era già allevato? Non è colpa del parto, se il suo frutto è caduto in un errore che l'ha fatto deviare. La colpa è del suo comportamento successivo. Qual è dunque il fuoco che il Signore ha disseminato nel Nuovo Testamento? Un fuoco capace di infiammare i riposti sentimenti dello spirito con il calore bruciante della conoscenza di Dio; capace di far avvampare il calore della fede e della pietà; capace di accendere il desiderio di virtú. Al calore di questo fuoco Geremia dice: *E c'era un fuoco che fiammeggiava dentro le mie ossa*. Alla vampa di questo fuoco dei discorsi celesti, Cleopa e quel suo compagno — che avevano percorso insieme col Signore il cammino da Gerusalemme fino a un villaggio — dicevano: *Non*

---

[22] Cf. 13, 5: *suos inimicos dicit esse qui inimici sunt dei*.
[23] Stessa reminiscenza si trova in EUSEBIO, in HARL, SCh 189, p. 412, 1-3.

bant: *Nonne cor nostrum ardens erat in nobis, cum aperiret nobis scripturas?* [e].

20.  Ignis ergo hic sermo Christi est, et bonus ignis qui calefacere nouit, nescit exurere nisi sola peccata. Hoc igne super bonum fundamentum positum apostolicum illud aurum probatur [a], hoc igne illud merum operum examinatur argentum, hoc igne pretiosi illi lapides inluminantur, faenum autem et stipula consumitur. Mundat ergo hic ignis animum, consumit errorem. Vnde et dominus ait: *Iam uos mundi estis propter sermonem quem locutus sum uobis* [b]. Hic est ignis qui ardet ante dominum [c], nisi enim quis flagrantiam deuotionis adsumpserit, praesentiam domini habere non poterit. Accende hunc prius ignem in mentibus tuis, ut Christi tibi lumen effulgeat. Hoc igne urebatur rubus et non exurebatur [d]; urit enim sermo diuinus, ut corrigat conscientiam peccatoris, non exurit, ut perdat. Hic ignis hebetare, hic ignis extinguere materialium saeua flammarum consueuit incendia; denique Hebraei hoc igne succensi fornacis ardentis uaporem nec timere nec sentire potuerunt [e]. Merito ergo bonus seruus diligit ignitum domini alloquium quo induitur caritas, quae excludit timorem [f].

21.  Pulchre autem addidit «nimis», quia omnis quidem doctor inflammat audientis affectum [a], sed supra omnes sermo est dei, diuisiones artuum et intima penetrans medullarum [b]. Tripliciter ergo describe tibi ignitum alloquium dei, uel quod mundat uel quod accendit uel quod inluminat audientes. Ideo ait dominus: *Scrutatus sum Hierusalem ad lucernam* [c], sed neminem in ea uel qui mundaretur uel qui accenderetur aut inluminaretur inuenit; ideo eam in tenebris dereliquit.

22.  Nec mireris, si seruus diligit ignitum domini alloquium, quod et sponsa dilexit, quae ait: *Sicut resticula coccinea labia tua* [a]; in cocco enim species ignis et crucis dominicae sanguis inrutilat. Coccinea labia domini, quae passionem propriam loquebantur. Denique in Exodo coccum pro igne conlatum est [b]. Non enim ex

---

[e] * Lc 24, 32.
20. [a] Cf. 1 Cor 3, 12-13.
  [b] Io 15, 3.
  [c] Cf. Leu 6, 12.
  [d] Cf. Ex 3, 2.
  [e] Cf. Dan 3, 50.
  [f] Cf. 1 Io 4, 18.
21. [a] Cf. Ps 118, 140.
  [b] Cf. Hebr 4, 12.
  [c] * Soph 1, 12.
22. [a] * Cant 4, 3.
  [b] Cf. Ex 25, 4 ss.

---

22, 5   conlatum *codd.*, conlocatum *Petschenig*.

*è vero che il nostro cuore ardeva dentro di noi, quando egli ci spiegava le Scritture?* [24].

20.   Dunque, questo fuoco è il discorso di Cristo. È un buon fuoco, perché sa riscaldare ma non incenerire alcunché, tranne i peccati [25]. Da questo fuoco viene saggiato quell'oro dell'apostolo, collocato sopra un buon fondamento. Da questo fuoco è esaminata la purezza di quell'argento che sono le nostre opere. Da questo fuoco ricevono brillantezza quelle pietre preziose, mentre sono distrutti fieno e paglia. Questo fuoco dunque purifica l'anima, ma distrugge l'errore. Perciò anche il Signore esclama: *Ormai voi siete puri in virtú della parola che io vi ho annunciato* [26]. Questo è il fuoco che arde davanti al Signore: se non sarà stato appiccato in noi il fuoco della pietà, non si potrà possedere la presenza del Signore. Accendi prima questo fuoco nei tuoi pensieri, se vuoi che ti risplenda la luce di Cristo. Questo fuoco faceva ardere il roveto, eppure non lo inceneriva. Il discorso di Dio fa ardere per correggere la coscienza del peccatore, ma non l'incenerisce e quindi non l'annienta. Questo fuoco sa smorzare; questo fuoco sa estinguere la violenza delle fiamme di incendi reali. Tant'è vero che, infiammati da questo fuoco, quegli ebrei sono rimasti insensibili e impavidi sotto la vampa della fornace ardente. Dunque, fa bene il buon servo ad amare la parola incandescente del Signore, che lo riveste di carità, la quale non concede spazio alla paura.

21.   Bene ha fatto poi ad aggiungere *fino in fondo*, perché è pur vero che ogni maestro infiamma l'animo di chi lo ascolta; ma al di sopra di ogni maestro è il discorso di Dio, che penetra fin dentro le giunture e nel midollo delle ossa. Immaginati dunque che il dire di Dio sia incandescente per tre aspetti: perché purifica, perché accende, perché illumina quelli che lo ascoltano. Perciò il Signore esclama: *Ho esaminato Gerusalemme alla lucerna*; ma non ha trovato in essa nessuno da purificare, da accendere o da illuminare. E cosí l'ha abbandonata alle tenebre.

22.   Né c'è da stupirsi se il servo ama il detto incandescente del Signore, che è stato oggetto d'amore anche da parte di quella sposa che ha esclamato: *Le tue labbra sono come nastri scarlatti.* Lo scarlatto è il colore del fuoco ed ha i bagliori del sangue della croce del Signore. Scarlatte erano le labbra del Signore, quando annunciavano la propria Passione. Tant'è vero che, nell'Esodo, scarlatto è usato al posto di fuoco [27]. Il mondo non è formato

---

[24] Stessa citazione al proposito si trova in DIDIMO, in HARL, SCh 189, p. 414, 3-6, di fonte probabilmente origeniana. Secondo le stesse movenze si modula il discorso ambrosiano anche a *Expl. ps. XXXVIII*, 15.

[25] Cf. *Expl. ps. XXXVIII*, 15: *Non malus ignis qui adurat, sed non exurat.* La bella aggiunta *nisi sola peccata* indica forse una precisione maggiore di pensiero raggiunta nell'*Exp. ps. CXVIII*.

[26] Stessa terminologia si trova in *Expl. ps. XLV*, 3.

[27] Cf. ORIGENE, *Hom. Ex.*, XIII, 3: *sicut et coccum (refertur) ad ignem* (GCS 29, p. 275).

cocco mundus, sed ex quattuor constat elementis; sed in cocco
figura ignis expressa est, cuius uapor nisi caelum atque aerem,
maria terrasque penetraret, omnia tamquam effetis uiribus solue-
rentur. Per resticulam igitur uinculum persuasionis agnoscimus,
per coccum uel cupiditatis ardorem, qui scintillet in animis au-
dientium, uel indicium passionis. Vnde et alibi ait sponsa: *Labia
eius lilia distillantia myrram plenam* c. Per myrram enim passionis
unguentum et resurrectionis gratia declaratur, quae rediuiuum
uitae odorem suscitatis mortuorum uisceribus infundit. Merito
igitur alloquii eius accipiens suauitatem exclamans sponsa testatur: *Fauces eius dulcedines et totus desiderium* d.


23.  Sequitur: *Iuuenis ego sum et despectus; iustificationes tuas
non sum oblitus* a. Multorum sanctorum, quia a prima adulescentia
exerciti sunt duris laboribus potest hic uersiculus conuenire. Nam
et Ioseph, cum a fratribus in Aegyptum uenderetur, iunior erat
et despectus, qui ad seruitutis iniuriam uendebatur. Et postea,
cum productus e carcere praepositus Aegypto populis frumenta
diuideret, fratribus uicem iniuriae non referret, sed refuso pretio
alimenta donaret, senilem patris a fame atque ieiunio uindicaret
aetatem curruque submisso obuius et famulantibus ceteris am-
plae potestatis insignibus adoraret, iure dicebat: *Iuuenior ego sum
et despectus; iustificationes tuas non sum oblitus* b.


24.  Ipse quoque iunior fratribus cum patris oues pasceret a
tamquam uili ablegatus obsequio, non oblatus est sacerdoti, quasi
indignus qui ungeretur in regnum, sed a sacerdote quaesitus et
accersitus a pascuis praerogatiuam regiae unctionis accepit. Postea quoque progressus ad bellum, cum Golias totum populum
Iudaeorum corporis sui mole despiciens singulari certamine
prouocaret, timentibus ceteris poposcit a rege, ut congrediendi
sibi permitteret facultatem. Ne tum quidem tanto certamini habi-

---

    c * Cant 5, 13.
    d * Cant 5, 16.
23. a * Ps 118, 141.
    b * Ibid.
24. a Cf. 1 Reg 16, 11 ss.

dallo scarlatto, ma da quattro elementi; però nello scarlatto è
raffigurata l'immagine del fuoco [28]: se il suo calore non penetrasse
nel cielo e nell'aria, nei mari e nelle terre, tutto si svigorirebbe
e andrebbe in dissoluzione. Quindi nell'immagine del nastro leggiamo l'idea del legame della convinzione; nello scarlatto quella
o dell'ardore del desiderio — che brilla nell'animo di chi ascolta [29]
— o del segno della Passione di Cristo. È per questo che, anche
in un altro passo, la Sposa esclama: *Le sue labbra sono gigli che
stillano densa mirra.* La mirra sta ad indicare l'unguento usato
nella Passione e la grazia della Risurrezione: essa, che infonde il
rinato profumo della vita ai corpi dei morti ridestati. Orbene, la
Sposa — che riceve la dolcezza del dire del Signore — fa bene
a levare alta la voce di testimonianza: *Il suo palato è tutte le
dolcezze ed egli è tutto desiderabile.*

23.   Prosegue: *Io sono giovane e disprezzato; non mi sono
scordato delle opere con cui mi hai giustificato.* Questo versetto
può essere adatto alle pesanti pratiche a cui si sono sottoposti
molti uomini di Dio fin dall'adolescenza. Ad esempio, Giuseppe,
quando era messo in vendita dai fratelli e destinato all'Egitto,
era men che giovane e disprezzato, tanto che era messo in vendita
e destinato alla schiavitú, che è un'infamia. E successivamente
fu tirato fuori di prigione, ottenne il posto di sovrintendente
dell'Egitto, come addetto alla distribuzione del grano a tutte le
genti. In quella posizione non ripagò i fratelli di pari offesa, ma
diede loro le vettovaglie, restituendo loro il denaro; liberò il
vecchio padre dalla fame e dalla carestia. Attaccò il cocchio e gli
si mosse incontro e con il seguito dei servi lo venerò, fregiato
delle insegne della sua alta carica. Ed aveva ragione di dire: *Io
sono troppo giovane e disprezzato; non mi sono scordato delle opere
con cui mi hai giustificato.*

24.   Anche Davide, che era il piú giovane tra i fratelli [30],
quando pascolava il gregge del padre — costretto ad un compito
pressoché da servi — non fu presentato al sacerdote, come se
fosse indegno di essere unto re. Ma fu il sacerdote a ricercarlo
e a farlo venire dai pascoli a ricevere il privilegio dell'unzione
regale. Anche dopo, quando andò in guerra e c'era Golia che
provocava a singolar tenzone ciascuno del popolo dei Giudei,
disprezzandolo dall'alto della sua possanza fisica, mentre tutti
erano vinti dalla paura egli chiese al re di concedergli il permesso
di misurarsi con lui. Nemmeno allora fu ritenuto all'altezza di

---

[28] Questo motivo si incontra in FILONE, *De uita Moys.*, II, 88 (C.W., IV, p. 221);
GIUSEPPE FLAVIO, *Ant. Iud.*, III, 183 (Niese, I, p. 195); *Bell. Iud.*, V, 212 (Vitucci, II,
p. 216); CLEMENTE ALESSANDRINO, *Strom.*, V, 6, 32, 3 (GCS 15, p. 347); ORIGENE, *Hom.
Ex.*, XIII, 3 (GCS 29, pp. 274 s.). Forse tramite Ambrogio esso passerà in GREGORIO
MAGNO, *Hom. in Euang.*, XXXVIII, 10: *coccus quippe ignis speciem habet* (PL 76,
1288 C).

[29] Una simile interpretazione di Sal CXVIII, 140 si trova in *De Ios.*, 19 (*uerae
scientiae cupiditas*), in altro contesto e senza riferimento alla Passione di Cristo.

[30] Sulla giovinezza di Davide e sul suo valore, cf., allo stesso proposito, un
testo anonimo (Origene?), in HARL, SCh 189, p. 414, 2-3; ILARIO, *Tract. ps. CXVIII*,
18, 6 (CSEL 22, p. 519).

lis aestimatus est, rege dicente: *Non potes ire ad allophylum et pugnare cum eo, quoniam tu puer es et ille uir bellator est a iuuentute sua* [b]. Neque esset admissus, nisi fecisset fidem, quod in sua adulescentia leonem suis manibus strangulatum extractis raptae ouis cruribus peremisset [c]. Ipse etiam despectus allophylo, quod aduersus armatum proeliatorem cum uirga et lapidibus processisset, rettulit non uiribus se fretum esse, non armis, sed in nomine domini confidentem ad proelium esse progressum, ut lacessitae plebis auferret obprobrium, hic ergo iuuenis atque despectus strauit allophylum potitusque uictoria in decem milibus iuuencularum psallentium testimonio triumphauit [d].

25.   Gerebat enim typum eius qui quasi despectus uenturus esset in terras et sine legato, sine adiutore, sine nuntio totum populum mundi huius crucis suae proelio liberaret, cui adplauderent animae sanctorum per baptismatis sacramenta renouatae, quod uerum illum Golian reuelatum nobis ac proditum uerbi sui gladio trucidasset. Iacet igitur uerus Golias humilitate filii dei stratus, amisit caput, quod in multas artes uertebat et fraudes. Psallunt securae iam animae, quae ante peccatorum suorum tormenta deflebant. Dicunt tympanis, hoc est corporibus suis peccato mortuis resultantes: *Saul triumphauit in milibus, Dauid in decem milibus* [a]. Rex ille durus indignatur et irascitur diabolus, eo quod canerent iuuenculae quia duritiae filius paucos decepit, Christus totum mundum redemit. Dicit ergo Christus natus ex uirgine: *Iuuenis ego sum et despectus; iustificationes tuas non sum oblitus* [b].

26.   Dicit etiam populus nationum ille in prima electione despectus, rudis adhuc fide et studio primaeuae deuotionis adulescens uel certe renouatus aquilae iuuentute [a] per baptismatis sacramenta: *Iuuenis ego sum et despectus; iustificationes tuas non sum oblitus* [b]. Ille ego despectus ante iam praeferor, iam anteponor electis, ille ante despectus populus peccatorum habeo caelestium sacramentorum ueneranda consortia, iam mensae caelestis hono-

---

    [b] * 1 Reg 17, 33.
    [c] Cf. 1 Reg 17, 34 - 18, 6.
    [d] Cf. 1 Reg 18, 7.
25. [a] * 1 Reg 18, 7.
    [b] * Ps 118, 141.
26. [a] Cf. Ps 102, 5.
    [b] * Ps 118, 141. .

una contesa cosí importante, tant'è vero che il re gli diceva: *Non sei in grado di affrontare lo straniero e di combattere con lui, perché tu sei ancora un ragazzo e lui è un adulto, guerriero di professione fin dalla sua giovinezza.* E non sarebbe stato accettato se non avesse dimostrato che nella sua adolescenza aveva ucciso un leone, strangolandolo con le sue mani e strappandogli di bocca le zampe di una pecora predata. Subí pure il disprezzo dello straniero, che lo scherniva perché, contro un guerriero perfettamente armato, egli si presentava al combattimento munito solo d'un bastone e di sassi. Ma egli rispose che non riponeva la sua fiducia nelle proprie forze né nelle armi, ma che si era presentato al' combattimento fidando nel nome del Signore, perché il suo popolo non subisse la macchia della viltà. Egli dunque, giovane e disprezzato, abbatté lo straniero ed ottenne vittoria, riportando il trionfo su diecimila nemici, come testimoniò il canto delle ragazze

25.   Sosteneva, in figura, la parte di Colui che come un essere disprezzato sarebbe venuto sulla terra, e che senza intermediari, senza aiutanti, senza banditori, avrebbe liberato tutto il popolo di questo mondo con la battaglia della sua croce. A Lui avrebbero plaudito le anime degli uomini di fede, rinnovate per mezzo dei sacri segni del battesimo, perché aveva ucciso con la spada della sua parola quel vero Golia, la cui vera identità ci è stata manifestamente rivelata. Giace quindi a terra il vero Golia, abbattuto dall'umiltà del Figlio di Dio; non ha piú quella testa, alla quale faceva assumere vari aspetti per ingannare e frodare. Cantano le anime, ormai rassicurate, mentre prima piangevano le pene dei propri peccati. Al suono dei timpani — cioè dei propri corpi, ora morti al peccato — dicono: *Saul ha vinto su mille, Davide su diecimila.* Si indigna quel re crudele e si adira il diavolo a sentire il canto delle ragazze: il figlio della crudeltà ne ha ingannati pochi, Cristo ha riscattato tutto il mondo. Dunque, è Cristo, nato da una vergine, che dice: *Io sono giovane e disprezzato; non mi sono scordato delle opere con cui mi hai giustificato* [31].

26.   Cosí parla anche quel popolo delle altre razze [32], disprezzato quando fu fatta la prima elezione. Esso, ancora principiante nella fede, adolescente innamorato della sua giovane religione, oppure rifiorito nella giovinezza dell'aquila, grazie ai sacri segni del battesimo, dice: *Io sono giovane e disprezzato; non mi sono scordato delle opere con cui mi hai giustificato.* Io, che prima ero quel disprezzato, ormai sono il preferito, ormai sono anteposto agli eletti. Io, che prima ero quel popolo di peccatori disprezzato, mi trovo ora in una condizione di vita venerabile che mi accomuna alla sacra realtà del Cielo e sono ora ammesso alla dignità di

---

[31] Se Davide è figura di Cristo, è come se fosse Cristo a parlare nel Salmo CXVIII.

[32] Sul passaggio da Davide al «popolo delle altre razze», cf. un testo anonimo (Origene?), in HARL, SCh 189, p. 414, 11-14; ILARIO, *Tract. ps. CXVIII,* 18, 7 (CSEL 22, p. 519).

re suscipior. Epulis meis non pluuia undatur, non terrae partus laborat, non arborum fructus; potui meo non flumina quaerenda, non fontes. Christus mihi cibus, Christus est potus, caro dei cibus mihi et dei sanguis est potus. Non iam ad satietatem mei annuos expecto prouentus, Christus mihi cotidie ministratur. Non uerebor, ne qua mihi eum caeli intemperies aut sterilitas ruris inminuat, si pii cultus diligentia perseueret. Non iam coturnicum pluuias mihi opto descendere quas ante mirabar, non manna quod ante cibis omnibus praeferebam [c], quia qui manna manducauerunt patres esurierunt [d]. Meus cibus est, quem si quis manducauerit non esuriet [e], meus cibus est qui non corpus inpinguat, sed confirmat cor hominis [f].

27.   Fuerat mihi ante mirandus panis de caelo — scriptum est enim: *Panem de caelo dedit eis manducare* [a] —, sed non erat uerus ille panis, sed futuri umbra. Panem de caelo illum uerum mihi seruauit pater [b]. Mihi ille panis dei descendit e caelo, qui uitam dat huic mundo. Non Iudaeis descendit, non synagogae descendit, sed ecclesiae descendit, sed populo dei iuueniori descendit. Nam quomodo Iudaeis descendit panis qui uitam dedit, cum omnes, qui illum panem manducauerunt, hoc est manna, quem putauerunt Iudaei uerum panem [c], in deserto mortui sunt [d]? Quomodo synagogae descendit, cum synagoga omnis interierit et aeterno ieiunio fidei macerata defecerit? Denique si accepissent panem uerum, non dixissent: *Domine, semper da nobis panem hunc* [e].

28.   Quid petis, Iudaee, ut tribuat tibi panem quem dat omnibus, dat cotidie, dat semper? In te ipso est ut accipias hunc panem; accede ad hunc panem et accipies eum. De hoc pane dictum est: *Omnes qui elongant se abs te peribunt* [a]. Si elongaueris ab eo, peribis, si adpropinquaueris ad eum, uiues. Hic est panis uitae [b]; qui ergo uitam manducat, mori non potest. Quomodo enim morietur cui cibus uita est? Quomodo deficiet qui habuerit uitalem substantiam? Accedite ad eum et satiamini, quia panis est; accedite ad eum et potate, quia fons est; accedite ad eum et inluminamini, quia lux est [c]; accedite ad eum et liberamini, quia

[c] Cf. Ex 16, 13-15.
[d] Cf. Io 6, 31.49.
[e] Cf. Io 6, 35.
[f] Cf. Ps 103, 15.
27. [a] Io 6, 31.
[b] Cf. Io 6, 33.
[c] Cf. Io 6, 31.49.
[d] Cf. Ios 5, 4.
[e] Io 6, 34.
28. [a] * Ps 72, 27.
[b] Cf. Io 6, 35.
[c] Cf. Io 1, 9.

commensale del Cielo. Per procurarmi il cibo non ci vogliono piogge abbondanti né la laboriosa produzione della terra né frutti di piante. Per la mia sete non domando fiumi né sorgenti. Il mio cibo è Cristo, la mia bevanda è Cristo, il mio cibo è la carne di Dio e la mia bevanda il sangue di Dio. Ormai non aspetto entrate annuali per saziarmi: Cristo mi viene offerto ogni giorno [33]. Non avrò paura che qualche intemperie meteorologica o qualche improduttività agricola me lo assottiglino, purché la devozione me lo preservi con cura assidua. Non bramo piú che piovano quaglie, le quali prima mi parevano un miracolo, né la manna, che prima era il cibo che preferivo a tutti gli altri: i padri che hanno mangiato la manna hanno continuato ad aver fame. Il mio cibo è tale che, se lo si mangia, non si ha piú fame; il mio cibo è tale che non ingrassa il corpo, ma irrobustisce il cuore dell'uomo.

27. Avevo avuto anche prima un miracoloso pane del cielo (sta scritto infatti: *Ha dato loro da mangiare un pane del cielo*), ma quello non era il vero pane, ma solo un'ombra di quello che doveva venire. Il pane del Cielo, quello vero, mi è stato tenuto in serbo dal Padre. Per me è disceso dal Cielo quel pane di Dio, che dà la vita a questo mondo. Non è disceso per i Giudei né per la Sinagoga; è disceso invece per la Chiesa, per il Popolo di Dio piú giovane. Come infatti può essere disceso per i Giudei il pane che dà la vita, se tutti essi, che mangiarono quel pane (cioè la manna, che i Giudei hanno ritenuto vero pane), sono morti nel deserto? Come può essere disceso per la Sinagoga, dal momento che ogni sinagoga è perita e si è spenta, sfinita da un eterno digiuno di fede? Tant'è vero che, se quello ricevuto fosse stato il vero pane, non avrebbero detto: *Signore, dacci sempre di questo pane!*

28. Perché, o giudeo, chiedi che ti offra quel pane che Egli dà a tutti, ogni giorno, sempre? Sta a te prendere questo pane. Accostati a questo pane e lo prenderai. Di questo pane è stato detto: *Tutti quelli che si allontanano da te, moriranno*. Se ti allontanerai da Lui, morirai; se ti avvicinerai a Lui, vivrai. Questo è il pane della vita: dunque, chi mangia la vita non può morire. Come potrà morire chi ha per cibo la vita? Come potrà venir meno chi avrà la vita come sostentamento? Accostatevi a Lui e saziatevi: Egli è pane. Accostatevi a Lui e bevete: Egli è sorgente. Accostatevi a Lui e rischiaratevi: Egli è luce. Accostatevi a Lui e diventate

---

[33] C'è — qui e al c. 28 — un probabile accenno alla pratica giornaliera della celebrazione eucaristica, sulla quale abbiamo altre testimonianze ambrosiane in 21, 14; *Exam.*, V, 90; *De patr.*, 38; *De sacr.*, IV, 28; V, 25; cf. R. JOHANNY, *L'Eucharistie, centre...*, pp. 75-81; CATTANEO, *La religione a Milano...*, pp. 74 s.

*ubi spiritus domini, ibi libertas* [d]; accedite ad eum et absoluimini, quia remissio peccatorum est [e]. Quis sit iste quaeritis? Audite ipsum dicentem: *Ego sum panis uitae; qui uenit ad me non esuriet et qui credit in me non sitiet umquam* [f]. Audistis eum et uidistis eum et non credidistis ei, ideo mortui estis. Vel nunc credite, ut possitis uiuere.

29.   Sed miramini Moysen, quia patres uestros per mare siccis duxit uestigiis. Moyses non imperauit, sed impetrauit, non iussit mari, sed seruiuit iubenti fluctibus. Moysen laudatis, quia regem Pharao cum exercitu suo mersit. Moyses orabat et alius imperabat, Moyses precabatur, Christus operabatur, Moyses fugiebat, Christus insequebatur, Moyses columnam sequebatur, ut nocturnas tenebras declinaret, Christus inluminabat. Moysen agnoscitis, qui aquae amaritudinem temperauit [a], Moysen agnoscitis, qui aquam produxit de petra [b]: Christum non agnoscitis, qui ueri illius Aegyptii regis strauit exercitum et abyssi mersit profundo [c], qui nos liberat cotidie de mundi huius fluctibus, ne nos saeculi procella demergat. Quid profuit patribus transire per Mare Rubrum, quibus ad terram resurrectionis non licuit peruenire? Quicumque enim exierunt de Aegypto, perierunt in deserto. Mortuus est Aaron, mortua est Maria, mortuus est et ipse Moyses; solum Iesum Naue nominis sacri similitudo seruauit. Plaudat Iudaeus, quia sitienti illi undam saxa uomuerunt: Mihi de corpore dei fons fluxit aeternus, meas amaritudines bibit Christus, ut mihi suae donaret gratiae suauitatem.

30.   Dicit ergo populus christianus: *Iuuenis ego sum et despectus; iustificationes tuas non sum oblitus* [a]. Bene hoc dicit qui iustificauit deum baptismatis sacramentis. Qui enim baptizatur iustificat deum, quia peccata propria confitetur et a domino suorum praestolatur indulgentiam delictorum. Iustificauit Dauid, qui ait: *Tibi soli peccaui et malum coram te feci, ut iustificeris in sermonibus tuis* [b]. Non iustificauerunt Pharisaei qui baptizari Iohannis bapti-

---

[d] 2 Cor 3, 17.
[e] Cf. Eph 1, 7.
[f] Io 6, 35.
29. [a] Cf. Ex 15, 23-25.
  [b] Cf. Ex 17, 6.
  [c] Cf. Apoc 20, 2-3.
30. [a] * Ps 118, 141.
  [b] Ps 50, 6.

liberi: *Dove c'è lo spirito del Signore, là c'è la libertà.* Accostatevi a Lui e liberatevi dai lacci: Egli è perdono dei peccati [34]. Vi domandate chi Egli sia? Ascoltate quello che dice Egli stesso: *Io sono il pane della vita. Chi viene a me non avrà piú fame e chi crede in me non avrà piú sete.* Voi l'avete sentito, l'avete visto e non gli avete creduto: perciò siete morti. Credete almeno adesso, se volete vivere [35]!

29.  Ma voi ammirate Mosè perché ha fatto attraversare a piedi asciutti il mare ai vostri padri. Quello non fu un ordine impartito da Mosè, ma una grazia da lui ricevuta [36]: egli non comandò al mare, ma obbedí a Chi sa comandare ai flutti. Voi celebrate Mosè, perché ha sommerso nel mare il re Faraone e il suo esercito: ma Mosè pregava, mentre era un Altro che impartiva gli ordini; Mosè invocava e Cristo operava; Mosè fuggiva e Cristo lo incalzava; Mosè seguiva la colonna di fuoco per evitare il buio della notte e Cristo lo rischiarava. Voi riconoscete Mosè perché ha reso dolci le acque amare, riconoscete Mosè perché ha fatto scaturire l'acqua dalla roccia e non riconoscete invece Cristo, che ha abbattuto l'esercito del vero re d'Egitto e l'ha sprofondato nell'abisso, che ci libera giorno dopo giorno [37] dai flutti di questo mondo, perché la tempesta di questo tempo non ci faccia naufragare. A che giovò a quei padri il passare attraverso il Mar Rosso, se non poterono raggiungere la terra della risurrezione? Quanti uscirono dall'Egitto tanti morirono nel deserto. Morí Aronne, morí Maria, morí anche il grande Mosè. Solo Gesú di Nave (Giosuè) fu salvato, grazie alla consonanza del suo sacro nome. Applauda pure il giudeo perché alcune rocce vomitarono acqua [38] sulla sua sete: ma per me è scaturita una sorgente perenne dal corpo di Dio. Cristo ha bevuto le mie acque amare per donarmi la dolcezza della sua grazia.

30.  È il popolo cristiano dunque che dice: *Io sono giovane e disprezzato; non mi sono scordato delle opere con cui mi hai giustificato.* Fa bene a parlare cosí chi ha riconosciuto la giustizia di Dio per mezzo delle sacre realtà del battesimo. Chi riceve il battesimo riconosce la giustizia di Dio, perché confessa i propri peccati e attende dal Signore clemenza per le sue mancanze. Ne ha riconosciuto la giustizia Davide, quando esclamava: *Contro te solo ho peccato e ho compiuto il male al tuo cospetto, e cosí viene riconosciuta la tua giustizia nei tuoi discorsi.* Non ne hanno invece riconosciuto la giustizia i Farisei, che non si sono voluti far

---

[34] Cf. 8, 48 e nota 76; 15, 28 e nota 53.

[35] È un significativo invito alla conversione rivolto ai Giudei, la cui comunità era ben presente a Milano: cf. CATTANEO, *La religione a Milano...*, pp. 41-45.

[36] Da qui fino a *nos saeculi procella demergat* il passo è divisibile in *cola* di prosa ritmica: cf. NAZZARO, *Simbologia e poesia...*, pp. 53 s.

[37] Altro accenno alla quotidianità del sacrificio eucaristico (cf. 18, 26 e nota 33). La superiorità di Cristo su Mosè, che svolge un ruolo di precursore di Cristo, è messa bene in rilievo dai Padri: cf. LUNEAU, *Moïse et les pères...*, pp. 296 s.

[38] Cf. VIRGILIO, *Georg.*, II, 462: *totis uomit aedibus undam*, anche in *Exam.*, III, 9: cf. NAZZARO, *Simbologia e poesia...*, nota 62, pp. 94 s.

smo noluerunt [c], ut in euangelio legisti. Nec solum iustificare satis est, sed etiam non obliuisci iustificationum dei, id est ut intemerata gratiae spiritalis dona custodiat et sacrae remissionis munera inlibata atque inoffensa conseruet.

31.   Haec generalia. Sed etiam specialis singulis christianis suppetit praerogatiua dicendi: *Iuuenis ego sum et despectus* [a], si humilis corde sit, si mitis atque mansuetus [b]. Dicat ergo: *Iuuenis ego sum et despectus* [c], praemittat aetatis generalem iactantiam, quo plus commendet humilitatis suae gratiam. Non mirabilis humilitas in senectute, quae effeta uiribus, fracta debilitatibus, tristis doloribus, anhela suspiriis, cocta curarum aestibus et ipso uiuendi maesta fastidio alacritatem est oblita iactantiae. Rara sane in iuuenibus est humilitas ideoque miranda. Dum aetas uiget, dum uires solidae, dum sanguis aestuat, dum sollicitudo nescitur, dum ignoratur debilitas, dum laetitia frequentatur, tunc feruet iactantia, tunc se iuuentutis superbus extollit affectus, tunc humilitas quasi uilescit, abiecta contemnitur, tunc subiectio degeneris conscientiae aestimatur infirmitas. Grandis igitur morum adsuefacienda maturitas, quae uincat naturam.

32.   Denique, si consideremus, in paradiso defecit humilitas et ideo uenit e caelo; in paradiso orta est inoboedientia et ideo oboedientia cum saluatore descendit. Inflabatur caro, unde subiectio mansuetudinis inueniri non poterat in terris; intumuerat omnis praeuaricatoris hereditas. Veniens dominus Iesus primum *se exinaniuit, non rapinam arbitratus esse se aequalem deo, formam serui accipiens; et specie inuentus ut homo humiliauit semet ipsum factus oboediens usque ad mortem* [a]. Non te moueat, quia scriptum est «ut homo»; non enim similitudinem suscepit hominis, sed

---

  [c] Cf. Lc 7, 30.
31. [a] * Ps 118, 141.
  [b] Cf. Mt 11, 29.
  [c] * Ps 118, 141.
32. [a] * Phil 2, 6-8.

---

32, 1   si *codd.*, sic *Petschenig.*

battezzare da Giovanni, come si è letto nel Vangelo. E non basta riconoscere la giustizia, occorre anche non scordarsi delle opere con cui Dio ci ha giustificati: in altre parole, è necessario mantenere puri i doni della grazia spirituale, conservare integri e inviolati i doni di quel sacro perdono.

31.    Finora abbiamo parlato in generale. Ma c'è anche un privilegio particolare, per cui i Cristiani possono dire: *Io sono giovane e disprezzato*. È l'umiltà di cuore, la mitezza e la mansuetudine. Lo si dica dunque: *Io sono giovane e disprezzato*. Si nomini prima la baldanza, generalmente legata a quell'età giovanile, perché sia ancor di piú impreziosita la bellezza della propria umiltà. L'umiltà non fa impressione vista nei vecchi, che, privi di forze, rotti dagli acciacchi, afflitti dai dolori, ansanti per difficoltà di respirazione, arsi dalle vampe delle preoccupazioni e rattristati dalla stessa noia di vivere, si sono ormai scordati lo slancio della baldanza. È vero: l'umiltà è rara nei giovani, e perciò desta ammirazione. Quando l'età è nel fiore [39], quando le forze sono salde [40], quando il sangue ribolle [41], quando non si conosce affanno, quando non si sa che cosa sia la debolezza, quando ci è compagna l'allegria, allora ferve la baldanza, allora si erge superbo l'impulso della giovinezza, allora l'umiltà è quasi un disvalore e la si disprezza come cosa ignobile, allora la sottomissione è ritenuta una malattia d'una coscienza degenere. Ci vuole quindi una grande maturità morale, frutto di lungo addestramento, per vincere la natura.

32.    Tant'è vero che — se [42] ben guardiamo — in paradiso è venuta a mancare l'umiltà, e perciò vuol dire che essa è venuta dal Cielo [43]; in paradiso è nata la disobbedienza, e perciò vuol dire che l'obbedienza è discesa col Salvatore. Si gonfiava la carne, e perciò non era possibile trovare sulla terra la sottomissione della mansuetudine. Ogni lascito ereditario del trasgressore [44] si era ingrossato. Quando il Signore Gesú venne, per prima cosa *ha svuotato se stesso, non ritenendo un possesso indebito* [45] *la sua uguaglianza con Dio, assumendo la forma di servo. E, trovato uomo nell'aspetto, ha umiliato se stesso, diventando obbediente fino alla morte*. Non deve creare difficoltà l'espressione *trovato uomo*: non ha preso su di Sé una semplice somiglianza umana, ma la vera

---

[39] Cf. SALLUSTIO, *De con. Catil.*, 20, 10: *aetas uiget*.

[40] Cf. VIRGILIO, *Aen.*, II, 639: *uires solidae*.

[41] Cf. SERENO SAMMONICO, *Lib. medic.*, 709: *sanguis aestuat*.

[42] *Si*, e non *sic*, è esigito dall'esatto valore di *denique* in Ambrogio, che non è conclusivo, ma che serve a introdurre un'esemplificazione avvalorante l'affermazione precedente.

[43] «Come già nella cristologia degli scritti dogmatici l'umiltà che si rivela nella *subiectio* di Cristo» è anche qui «lo strumento di congiunzione fra la sua divinità e la sua umanità» e fa sí che l'uomo sia in grado di «realizzare la chiamata alla sequela»: DASSMANN, *La sobria ebbrezza...*, p. 225. Cf. anche 14, 20.46; 20, 3.20; *Exp. eu. Luc.*, V, 54.

[44] Cioè, Adamo.

[45] Cf. 8, 37 e la nota 54.

ueritatem. Nam et ipse apostolus ait alibi: *Mediator dei et hominum, homo Christus Iesus* [b], et ut de euangelio adferamus exemplum: *Vidimus,* inquit Iohannes, *gloriam eius, gloriam quasi unigeniti a patre, plenum gratia et ueritate* [c]. Numquid, quia dixit «quasi unigeniti», similitudinem magis unigeniti quam ueritatem uoluit aestimari?

33.　Non ergo superuacuo Christus aduenit. Iam potest dicere homo: *Iuuenis ego sum et despectus* [a], qui erat ante in populo priore senex superbus. Dicit: *Iuuenis sum et despectus* [b], quomodo ecclesia: *Nigra sum et decora* [c]. Praemisit nigram, ut augeret decorem; sic et hic praemisit iuuenem, ut augeret humilitatem. Non dixit: «Nigra sum decora», ne quod nigrum est decorum aestimaretur, nec dixit: «Iuuenis sum despectus», ne iuuentas despicabilis putaretur, sed ait: «iuuenis» et, quod mireris, «humilis», non «superbus», deiecto propior quam tumenti. Sic et ibi: Nigra sum superiore peccato, sed decora confessione peccati et correctionis studio atque amore uirtutis. Quamuis ergo «et» syllaba, ut grammatici appellant, coniunctiua sit, habet tamen distinctionem, qua confusio disiungitur ac separatur, ut, si dicas Ambrosium Bassum intus esse, unus putatur, sin autem asseras Ambrosium et Bassum intus esse, duo utique intelleguntur.

34.　Dicat ergo: *Iuuenis sum et despectus* [a], quia Christus in paupere atque despecto mundum redemit, quia Christus humilitate diabolum uicit. Dicat: «Despectus sum», quia cor humiliatum deus non spernit [b], quia despectus ille Lazarus in Abrahae nunc requiescit sinu et diues ille iactantior adfligitur in inferno [c]. Despectus erat Moyses nec sibi idoneus uidebatur, cum ad liberandum Hebraeorum populum mitteretur [d]. Despectus erat Hieremias, qui dicebat: *Dominator domine, ecce nescio loqui, quia iuuenis sum ego* [e], sed facilius iste despectus eligitur; denique dicitur ei: *Noli dicere quia iuuenis sum ego, quia ad omnes quoscumque misero te abibis et per omnia quaecumque mandauero tibi loqueris.*

[b] 1 Tim 2, 5.
[c] * Io 1, 14.
33. [a] * Ps 118, 141.
　　[b] * Ibid.
　　[c] * Cant 1, 5 (4).
34. [a] * Ps 118, 141.
　　[b] Cf. Ps 50, 19.
　　[c] Cf. Lc 16, 22.
　　[d] Cf. Ex 3, 11.
　　[e] * Ier 1, 6.

natura umana [46]. Infatti, anche l'Apostolo, con la sua autorità, in un altro passo esclama: *mediatore fra Dio e gli uomini, l'uomo Cristo Gesú*. E, per addurre un esempio tratto dal Vangelo, ecco le parole di Giovanni: *Abbiamo visto la sua gloria, gloria come di unigenito del Padre, pieno di grazia e di verità*. Forse perché qui dice «*come*» *di unigenito*, ha voluto far intendere che assomigliava ad un unigenito piuttosto che era realmente unigenito?

33. Cristo non è venuto per nulla. L'uomo che prima — nel popolo della precedente elezione — era un vecchio superbo, ormai può dire: *Io sono giovane e disprezzato*. Dice: *sono giovane e disprezzato*, come la Chiesa dice: *Sono bruna e bella*. Ha detto prima «bruna», per far risaltare di piú il successivo «bella». Cosí anche qui è stato detto prima «giovane» per far risaltare di piú la successiva caratteristica dell'umiliazione. Non ha detto: «Sono una bella bruna», per non lasciare intendere che bruna e bella erano la stessa cosa. Nemmeno qui ha detto: «Sono un giovane disprezzato», per non dare a intendere che la giovinezza sia disprezzabile di per se stessa. Ha usato invece il termine «giovane» e — strano! — «umile», non «superbo»: un termine che indica piú l'emarginazione che l'orgoglio. Cosí anche là: sono bruna per il peccato commesso, ma bella per la confessione di quel peccato, per la volontà di correggerlo e per l'amore della virtú. Dunque, benché la «e» — stando alla definizione dei grammatici — sia una particella congiuntiva, essa ha pure un valore disgiuntivo, che serve a disaggregare e a separare un tutto. Ad esempio, se si dice trovarsi in casa Ambrogio Basso, si intende nominare una sola persona; se invece si dice trovarsi in casa Ambrogio *e* Basso, si intendono ovviamente due persone.

34. Si dica dunque: *sono giovane e disprezzato*, dal momento che Cristo da giovane e disprezzato ha redento il mondo, dal momento che Cristo ha sconfitto il diavolo nell'umiltà; si dica: *sono disprezzato*, dal momento che Dio non disprezza un cuore che si umilia, dal momento che Lazzaro ora riposa nel seno di Abramo, mentre il ricco epulone, ben piú orgoglioso, soffre le pene dell'inferno. Era disprezzato Mosè e non gli pareva di essere all'altezza del compito affidatogli, di liberare il popolo degli Ebrei. Era disprezzato Geremia, che diceva: *O Signore padrone, ecco, io non sono capace di parlare, perché sono giovane*. Ma preferibilmente viene scelto uno cosí, disprezzato. Tant'è vero che gli si dice [47]: *Non dire che sei giovane, perché tu andrai da tutti quelli a cui io*

---

[46] Stessa spiegazione, con ricorso alla stessa citazione di 1 Tim 2, 5 e di Gv 1, 14, è anche in *Epist.*, Maur. 46, 8, dove l'errata interpretazione è attribuita esplicitamente agli Apollinaristi. Su Ambrogio e l'Apollinarismo, cf. GAPP, *La doctrine de l'union...*, pp. 16-36; MADEC, *Ambroise, Athanase...*, dove si relativizza l'importanza della dottrina di Apollinare agli occhi di Ambrogio. Ma cf. le ottime osservazioni di CANTALAMESSA, *Ambrogio e i grandi...*, pp. 500 s. e nota 57.

    L'*Epistola 46* (a Sabino) avrà grande fortuna nella teologia latina posteriore: cf. P. HENRY, *Kénose*, in *Dictionnaire de la Bible*. Supplément, V, Paris 1957, col. 122; GRELOT, *La traduction et l'interprétation...*, p. 1011.

[47] Cf. 2, 17; 13, 13; 14, 26.

*Ne timueris a facie eorum, quia ego tecum sum, dicit dominus, ut te liberem* [f]. Despectus erat ille publicanus, qui oculos ad caelum non audebat leuare et ideo facilius quam ille Pharisaeus exaudiebatur [g]; *omnis* enim *qui se exaltat humiliabitur et qui se humiliat exaltabitur* [h].

35. Sequitur: *Iustitia tua iustitia in aeternum et lex tua ueritas* [a]. Possunt quidem singuli facere opera iustitiae, sed non in aeternum manentia. Diues ille, cui abundarunt in hoc saeculo diuitiae [b], fortasse fecerit aliqua opera iustitiae quorum remunerationem in praesenti uita acceperit, quod non magna fuerint opera illa nec remuneratione digna perpetua. Quid quod, etiamsi facimus opera aliqua iustitiae, facimus tamen non continua, sed rara? Plerique non rapiunt aliena, sed nesciunt de proprio largiri; alii inuadentes indebitas facultates, quo speciem iustitiae sibi quaerant, solent conferre pauperibus. Non est ista in aeternum iustitia. Multi iusti plerumque grauiter deliquerunt non habentes aeternae fructum iustitiae. Soli deo suppetit in perpetuum per omnia possidere iustitiam, qui pascit iustos et iniustos; non enim beneficiis solis referenda iustitia est, sed illa est uera iustitia, quae ipsis quoque defertur inimicis, meritoque ait iustitia dei: *Diligite inimicos uestros* [c].

36.   Ergo sicut in aeternum est iustitia solius dei, ita lex dei ueritas. Sed quomodo istud accipimus? Vtrum quia lex dei ueritas [a], hoc est uera et quod statuit deus omne uerum, sicut infra ait: *Omnia praecepta tua ueritas* [b], an quia ueritas lex dei est, quia non mentitur deus [c]? Apud eum igitur ueritas lex est, fallacia praeuaricatio est. Sed et sic potest: lex dei ueritas est; apud Iudaeos ergo non est lex dei, quia non recipiunt ueritatem. *Lex dei spiritalis est* [d], sicut apostolus dixit; non habent ergo ueram legem qui eam non acceperint spiritaliter. Quod autem non uerum, mendax est, quod mentitur, occidit. Littera ergo, quae occidit, mentitur, spiritus, qui uiuificat [e], uerus est.

---

[f] * Ier 1, 7.
[g] Cf. Lc 18, 13.
[h] Lc 18, 14.
35. [a] Ps 118, 142.
   [b] Cf. Lc 16, 19 ss.
   [c] Mt 5, 44.
36. [a] Cf. Ps 118, 142.
   [b] * Ps 118, 151.
   [c] Cf. Tit 1, 2.
   [d] Rom 7, 14.
   [e] Cf. 2 Cor 3, 6.

*ti manderò e tu parlerai con tutte quelle parole che io ti prescriverò.*
*Non aver paura di stare di fronte a loro, perché io sono con te —*
dice il Signore — *per liberarti!* Era disprezzato quel pubblicano,
che non osava sollevare gli occhi da terra, e proprio per questo
veniva esaudito piú facilmente di quel fariseo. Infatti *chi si esalta*
*sarà umiliato e chi si umilia sarà esaltato.*

35.  Prosegue: *La tua giustizia è giustizia senza fine e la tua*
*legge è verità.* Certo, anche i singoli possono fare opere di giustizia,
ma in questo caso non durano «senza fine» [48]. Quel ricco, che
aveva abbondanti ricchezze in questo mondo, aveva forse fatto
qualche opera di giustizia e ne aveva ricevuto la ricompensa in
questa vita, dato che quelle opere non erano state rilevanti né
meritevoli d'una ricompensa per l'eternità. Come mai avviene
che le nostre opere di giustizia, che pur facciamo, non abbiano
il carattere di continuità, ma siano rare? Ci sono moltissimi che
non derubano il loro prossimo, ma che non sono nemmeno capaci
di essere generosi con le loro ricchezze. Altri, quando mettono
le mani su sostanze che non sono di loro spettanza, hanno l'abitudine di fare elargizioni ai poveri, per procacciarsi una parvenza
di giustizia. Non è questa una giustizia «senza fine». Molti, anche
tra i giusti, hanno commesso moltissimi sbagli e gravi, non goden-
do cosí d'una condizione di giustizia «senza fine». Solo Dio ha il
pieno possesso di una giustizia «senza fine» in ogni momento,
Lui che nutre i giusti e gli ingiusti. Infatti la giustizia non deve
essere intesa come un puro e semplice scambio di benefici, ma
vera giustizia è quella che viene concessa anche agli stessi nemici.
E ben a proposito la giustizia di Dio esclama: *Amate i vostri nemici!*

36.  Dunque, come solo Dio è la giustizia che non ha fine,
cosí la legge di Dio è verità. Ma in che senso dobbiamo intenderlo?
Forse nel senso che la legge di Dio è verità, cioè vera, ed ogni
disposizione di Dio è vera, come piú avanti si dice: *Ogni tua*
*prescrizione è verità?* Oppure nel senso che la verità è legge di
Dio, perché in Dio non c'è menzogna? Al suo cospetto, dunque,
la verità sarebbe legge e la menzogna una trasgressione. Ma si
può intendere anche cosí: la legge di Dio è la verità: dunque
presso i Giudei non alberga la legge di Dio, perché essi non sanno
accogliere la verità. *La legge di Dio è spirituale*, come ha detto
l'Apostolo, e dunque non possiedono veramente la legge quelli
che non l'hanno intesa in senso spirituale. Ma ciò che non è vero
è menzogna, e la menzogna uccide. Dunque, la lettera, che uccide,
è menzogna, mentre lo spirito, che infonde vita, è verità.

---

[48] Sulla precarietà di questa giustizia, cf. ATANASIO, *Exp. ps. CXVIII*, 142 (PG
27, 504 BC).

37.　Accipiamus et sic: lex dei non typus, non umbra, non exemplar caelestium, sed ipsa caelestia. Vnde et scriptum est, quia *finis legis* est *Christus* [a]. Non defectus utique, sed plenitudo legis in Christo est, quia uenit legem non soluere, sed implere [b]. Sicut enim testamentum est uetus, sed omnis ueritas in nouo est testamento, ita et lex per Moysen data figura legis est uerae. Ergo illa lex ueritatis exemplar est; in exemplari enim agni sanguis effunditur, in ueritate Christus immolatur. Meritoque apostolus, cum praemisisset uitulorum immolationem secundum legem, adiecit: *Necessarium itaque exemplaria caelestium his mundari; nam ipsa caelestia melioribus hostiis. Non enim in manufacta sancta intrauit Christus, exemplaria uerorum, sed in ipsum caelum, et nunc apparet uultui dei pro nobis* [c]. Vt cognoscamus autem, quia legem nouam dedit dominus Iesus, habes dicentem spiritum: *Hoc autem testamentum quod testabor ad eos, dicit dominus: Dando leges meas in cordibus eorum et in sensibus eorum scribam eas et peccati et iniustitiae eorum non ero memor* [d]. Vbi ergo remissio, iam non oblatio pro peccatis. Quo euidenter ostendit tibi omnem ueritatem euangelio contineri, quia lex dei in sensibus hominum et in cordibus scribitur, non in tabulis lapideis [e] — qui ergo praecepta dei non habent in cordibus suis, non habent legem —, siue quia inueteratur in Iudaeis, renouatur in nobis.

38.　Vmbra est, non ueritas, ut, cum fiat oblatio pro peccatis secundum legem, non fiat remissio peccatorum; *inpossibile est enim sanguine taurorum et hircorum peccata mundari* [a]. Mendax ergo erat illa remissio, donec remissionis ueritas adueniret. Quid deinde manifestius quam Iohannis euangelistae sententia, qui ait: *Quia lex per Moysen data est, gratia autem et ueritas per Iesum Christum facta est* [b]? Πρὸς ἀντιδιαστολὴν legis retulit ueritatem.

---

37. [a] Rom 10, 4.
　[b] Cf. Mt 5, 17.
　[c] * Hebr 9, 23-24.
　[d] * Hebr 10, 16-17.
　[e] Cf. 2 Cor 3, 3.
38. [a] * Hebr 10, 4.
　[b] * Io 1, 17.

37.  Possiamo accogliere anche un'altra interpretazione. La legge di Dio non è anticipazione, ombra, copia delle realtà celesti, ma coincide con le realtà celesti [49]. Perciò sta anche scritto: *Fine della legge è Cristo*. Fine non in quanto mancanza, ma in quanto pienezza della Legge [50]: questo c'è in Cristo, dal momento che Egli è venuto non a dissolvere la Legge, ma a portarla a compimento. Allo stesso modo in cui c'è un Testamento Antico, ma ogni verità sta all'interno del Nuovo Testamento, cosí avviene per la Legge: quella che è stata data per mezzo di Mosè è figura della vera legge [51]. Dunque, quella legge mosaica è copia della verità: il sangue versato dell'agnello è come una copia; la verità è il sacrificio di Cristo. E appropriatamente l'Apostolo, dopo aver parlato in precedenza del sacrificio dei vitelli secondo la Legge, ha proseguito: *Quindi era necessario che le copie delle realtà celesti fossero purificate per mezzo di questi; ché le vere e proprie realtà celesti dovevano essere purificate per mezzo di vittime superiori. Cristo non è entrato in santuari fatti dall'uomo, che sono copie dei veri santuari, bensí nel Cielo stesso; ed ora appare davanti al volto di Dio in nostro favore.* Ma se si vuole conoscere che il Signore Gesú ci ha dato una legge nuova, si può leggere la parola dello Spirito: *Questo è il patto che stipulerò per loro, dice il Signore: nel dare le mie leggi, le iscriverò dentro i loro cuori e nei loro pensieri, e non mi ricorderò piú del loro peccato e della loro iniquità.* Una volta concesso il perdono, non ha piú senso un sacrificio espiatorio dei peccati. C'è quindi la chiara dimostrazione che ogni verità è contenuta nel Vangelo, se è vero che la legge di Dio è iscritta dentro i pensieri e dentro i cuori degli uomini, non su tavole di pietra (ne consegue che, chi non ha le prescrizioni di Dio dentro il suo cuore, non ha la legge), e se è vero anche che la legge dei Giudei è invecchiata, mentre la nostra è rinnovellata.

38.  Siamo in presenza dell'ombra, non della verità [52]: cosí, quando si dà — secondo la Legge — un sacrificio espiatorio per i peccati, non si dà il perdono dei peccati: *È impossibile purificare i peccati col sangue di tori e di capri.* Si trattava dunque, allora, d'un perdono finto [53], prima che venisse il perdono nella sua verità. Infine, che c'è di piú chiaro del pensiero espresso dall'evangelista Giovanni? Egli esclama infatti: *La Legge ci è stata data per mezzo di Mosè, mentre la grazia e la verità sono state operate per mezzo di Gesú Cristo.* Πρὸς ἀντιδιαστολὴν [54] (*pros antidiastolēn*),

[49] In quanto che *la pienezza* della Legge — come si dirà subito dopo — coincide con Cristo, si può dire che la vera natura della Legge coincide con i *caelestia*.

[50] *Finis*, come il greco τέλος, sta ad indicare sia *la* fine (come *defectus*) che *il* fine o compimento (come *plenitudo*).

[51] Si distingue tra legge di Dio (che è pienamente testimoniata da Cristo) e Legge di Mosè, che è figura della vera legge.

[52] Τύπος e ἀλήθεια sono i termini che, al proposito, usa ORIGENE, in HARL, SCh 189, 142, p. 416, 1-4. Caratteristica della *ueritas* è l'efficacia salvifica spirituale.

[53] La Legge dell'Antico Testamento sta a quella *uera* del Nuovo, non solo come l'*umbra* sta alla *ueritas*, ma anche come la falsità sta alla verità: cf. HAHN, *Das wahre Gesetz...*, pp. 444 s.

[54] Cf. ORIGENE, *Comm. Ioh.*, II, 6 (GCS 10, p. 60, 16).

Nam cum sit «autem» disiunctio, intellegendum est disiunctionem ideo interpositam, quia, si ueritas fuisset in lege, non fuisset facta per Christum.

39. Possumus et sic intellegere: ueritas Christus est; ergo ueritas lex est, et si mandatum domini lex est, multo magis uiuum et operatorium uerbum dei lex est.

40. Sequitur uersus septimus: *Tribulatio et necessitas inuenerunt me; mandata tua meditatio mea est* [a]. Quaerunt tribulationes et necessitates iustum et interdum inueniunt, interdum non inueniunt eum. Inuenitur cui corona debetur, non inuenitur qui idoneus certamini non probatur. Tribulatio igitur uelut quaedam gratia est; denique *sacrificium deo spiritus contribulatus* [b]. An non est gratia quae operatur patientiam? Qui ergo nouerat tribulationis profectum esse, quaesitus a tribulatione inuentus est nec refugit.

41. Dicit sapientia: *Quaerent me mali et non inuenient* [a], non quia dominus nolebat inueniri ab hominibus, qui se omnibus etiam non quaerentibus offerebat, sed quia his operibus quaerebatur, ut indigni essent qui quaererent inuenire. Ceterum Symeon, qui eum expectabat, inuenit [b], inuenit Andreas [c]. Denique ait ad Simonem: *Inuenimus Messiam, quod interpretatur Christus* [d]. Philippus quoque dicit ad Nathanahel: *Quem scripsit Moyses in lege et prophetae inuenimus Iesum filium Ioseph qui est a Nazareth* [e]. Et ut ostenderet quemadmodum Christus inueniretur, ait: *Veni et uide* [f]. Qui ergo Christum quaerit, ueniat non corporis gressu, sed mentis uestigio, uideat eum non exterioribus oculis, sed internis. Aeternus enim corporalibus non uidetur aspectibus, quoniam *quae uidentur temporalia sunt, quae autem non uidentur aeterna* [g]. Christus igitur non temporalis, sed ex patre ante tempora quasi deus uerus dei filius et quasi uirtus sempiterna supra tempora, quem nullus temporum finis includat, quasi uita supra tempora, quem numquam dies mortis inueniat. *Quod enim mortuus est, peccato mortuus est semel; quod autem uiuit, uiuit deo* [h].

---

40. [a] * Ps 118, 143.
   [b] Ps 50, 19.
41. [a] * Prou 1, 28.
   [b] Cf. Lc 2, 25 ss.
   [c] Cf. Io 1, 40.
   [d] * Io 1, 41.
   [e] * Io 1, 45.
   [f] Io 1, 46.
   [g] 2 Cor 4, 18.
   [h] Rom 6, 10.

cioè «per contrapposizione», ha riproposto la verità della Legge. Infatti, poiché quel «mentre» è disgiuntivo, il passo va interpretato in senso disgiuntivo: se ci fosse stata la verità nella Legge, non ci sarebbe stato bisogno che fosse stata operata per mezzo di Cristo.

39.   Si può interpretare anche in questo modo: la verità è Cristo; dunque, la verità è legge; e se il comandamento del Signore è legge, a maggior ragione è legge la Parola di Dio, che è assai più viva ed efficace [55].

40.   Prosegue il versetto settimo: *L'affanno e la costrizione mi hanno trovato; i tuoi comandamenti sono la mia riflessione.* Gli affanni e le costrizioni vanno in cerca del giusto e talvolta lo trovano, talaltra invece no. Trovano l'uomo che merita la corona, non trovano invece l'uomo che non è ritenuto idoneo a sostenere la lotta. L'affanno quindi è quasi una grazia. Tant'è vero che *è come un sacrificio per Dio un cuore pieno di affanni.* O non è forse una grazia ciò che produce la pazienza? [56]. Chi dunque sapeva che il progredire passa attraverso l'affanno, quando l'affanno lo ha cercato, si è fatto trovare senza scappare.

41.   La Sapienza dice: *Mi cercheranno i malvagi, ma non mi troveranno.* Questo non vuol dire che il Signore non volesse farsi trovare dagli uomini, Lui che si dava in dono a tutti, anche a quelli che non lo cercavano. Vuol dire che Egli era cercato con opere tali che quelli che lo cercavano per mezzo di esse erano indegni di trovarlo. Invece lo trovò Simeone, che lo stava aspettando; lo trovò Andrea. Tant'è vero che disse a Simone: *Abbiamo trovato il Messia (che è tradotto con Cristo).* Anche Filippo dice a Natanaele: *Colui del quale hanno scritto Mosè nella Legge e i profeti, noi l'abbiamo trovato: è Gesú, il figlio di Giuseppe, e viene da Nazaret.* E per mostrare come si fa a trovare Cristo, esclama: *Vieni a vedere!* Dunque, chi cerca Cristo, venga! Ma non con i passi delle gambe, ma con l'incedere dello spirito. Lo veda non con gli occhi dell'uomo esteriore, ma con quelli dell'uomo interiore. L'eterno non si scorge in parvenze corporee, dal momento che *le realtà visibili sono quelle che stanno nel tempo, mentre le eterne sono quelle invisibili.* Orbene, Cristo non è nel tempo, ma viene dal Padre prima del tempo, come Dio — vero Figlio di Dio — e come potenza sempiterna che sta al di là del tempo, che nessun limite di tempo può racchiudere, come vita al di là del tempo, che mai può essere trovata dal giorno della morte. *Infatti, per quanto riguarda la sua morte, è morto al peccato una volta per sempre; per quanto riguarda la sua vita, egli vive per Dio.*

[55] Per il valore di *operatorius*, cf. 3, 21 e la nota 36.
[56] Cf. *Expl. ps. I,* 32.

42.   Audis quid dixerit hodie apostolus? *Peccato*, inquit, *mortuus est semel* [a]. Semel tibi peccatori mortuus est Christus; noli iterum peccare post baptismum. Omnibus in commune semel mortuus est et singulis semel moritur, non frequenter. Peccatum es, o homo; ideo peccatum fecit christum suum omnipotens pater [b], hominem fecit, qui peccata nostra portaret [c]. Mihi ergo peccato mortuus est dominus Iesus, *ut nos in illo essemus iustitia dei* [d]. Mihi est mortuus, ut mihi resurgeret; semel est mortuus, semel resurrexit. Et tu cum illo mortuus, cum illo consepultus [e], cum illo in baptismate resuscitatus caue, ne, cum mortuus fueris semel moriaris iterum. Iam non peccato morieris, sed ueniae, ne, cum resurrexeris, moriaris secundo. *Christus* enim *resurgens ex mortuis iam non moritur, mors in eum iam non dominabitur* [f]. Ergo mors dominata est in eum? Vtique, quia dixit: *iam non dominabitur* [g], ostendit esse dominatam. Noli tantum amittere beneficium, o homo. Propter te Christus dominationi mortis se subdidit, ut te iugo dominationis exueret. Ille suscepit mortis seruitutem, ut tibi tribueret uitae aeternae libertatem.

43.   Qui quaerit ergo Christum, quaerit et tribulationem eius nec refugit passionem. Denique Dauid, qui dignus erat ut a tribulatione quaereretur, tribulationem et ipse quaesiuit; nam nisi quaesisset, non inuenisset. Quod inuenerit autem, ipse testatur dicens: *Tribulationem et dolorem inueni et nomen domini inuocaui* [a], et alibi: *In tribulatione inuocaui dominum et exaudiuit me in latitudine* [b]. Bona ergo tribulatio, quae dignos facit qui in latitudine exaudiamur a domino; gratia est autem exaudiri a domino deo nostro.

44.   Qui quaerit igitur tribulationem, non refugit, qui non refugit, inuenitur; non enim refugit qui mandata dei sensu operibusque meditatur. Nam utique illum athletam certamina inueniunt, qui in usu exercitii fuerit constitutus; qui uero exercitium dereliquerit, sine dubio non poterit repperiri, quia indignus est ut quaeratur. Dauid ergo quasi bonus athleta dicit: *Tribulatio et necessitas inuenerunt me* [a], quia paratum semper habuerunt, non refugientem necessitatum et tribulationum proelia, sed petentem.

42. [a] Ibid.
    [b] Cf. 2 Cor 5, 21.
    [c] 1 Pt 2, 24.
    [d] * 2 Cor 5, 21.
    [e] Cf. Col 2, 12.
    [f] * Rom 6, 9.
    [g] * Ibid.
43. [a] Ps 114, 3-4.
    [b] * Ps 117, 5.
44. [a] * Ps 118, 143.

42.   Senti che cosa ha detto oggi l'Apostolo [57]? *È morto al peccato una volta per sempre*, dice. Una volta per sempre Cristo è morto per te che sei peccatore. Non peccare ancora, dopo il battesimo! Per tutti, indistintamente, Egli è morto una volta per sempre; e muore per ciascuno una volta per sempre, non ripetutamente. Tu, uomo, sei peccato. Perciò il Padre onnipotente ha reso peccato il suo Cristo, l'ha reso uomo che portasse su di Sé il peso dei nostri peccati. Per me dunque, per me peccato, è morto il Signore Gesú, *affinché in lui noi fossimo giustizia di Dio*. Per me è morto, per risorgere per me. Una volta per sempre è morto, una volta per sempre è risorto. Anche tu sei morto con Lui, sepolto insieme con Lui, risuscitato con Lui nel battesimo. Attento ora a non morire di nuovo, dopo essere morto una volta per sempre! Ormai la tua non sarebbe piú una morte al peccato, ma al perdono: attento a non morire una seconda volta, dopo essere risorto! *Cristo, risorto dai morti, piú non muore; la morte non avrà piú potere su di lui.* Ci fu dunque un tempo in cui la morte ebbe su di Lui potere? Certo, dal momento che ha detto: «non avrà piú potere», significa che ne ha avuto. Non perdere, o uomo, questo grande vantaggio! Per te Cristo si è assoggettato al potere della morte, per liberarti dal giogo di quel potere. Egli ha preso su di Sé la condizione di schiavo della morte per renderti la libertà della vita eterna.

43.   Dunque, chi cerca Cristo cerca anche il suo affanno e non ne evita la Passione. Tant'è vero che Davide, che meritava di essere cercato dall'affanno, fu lui stesso a cercarlo: se non l'avesse cercato, non l'avrebbe trovato. Lo afferma egli stesso dicendo: *Ho trovato l'affanno e il dolore ed ho invocato il nome del Signore*. E in un altro passo: *Nell'affanno ho invocato il Signore ed egli mi ha esaudito in larghezza*. Com'è buono quell'affanno che ci rende degni di essere esauditi in larghezza dal Signore! Essere esauditi dal Signore Dio nostro è però una grazia [58].

44.   Allora, chi cerca l'affanno non lo evita. Chi non lo evita ne viene trovato. Non lo evita l'uomo che riflette sui comandamenti di Dio con il pensiero e con l'azione. Le lotte, sono loro che vengono a cercarsi quell'atleta, che si troverà bene addestrato ad esse grazie a lungo allenamento. Chi invece tralascerà l'allenamento, certamente non si farà trovare, perché non merita di essere cercato. Dunque, Davide — da buon atleta — dice: *L'affanno e la costrizione mi hanno trovato*. In realtà l'hanno sempre avuto a loro disposizione, perché egli non si sottrasse alle battaglie delle costrizioni e degli affanni, ma le ha domandate.

---

[57] Esplicito riferimento alla lettura liturgica del giorno, indice di origine omiletica dell'opera.

[58] La testimonianza cristiana è un obbligo per tutti, il martirio è una grazia.

45.   Sequitur: *Iustitia testimonia tua in aeternum; intellectum da mihi eorum et uiuifica me* [a]. Quis tantus, qui possit intellegere domini testimonia? Et ideo intellectus a domino postulandus est, cuius tanta est uis, ut initium eius sit plenitudo uirtutis. Denique scriptum est: *Pietas autem in deo initium intellectus* [b], quae uirtutum omnium fundamentum est humanarum iuxta rerum et caelestium disciplinam. Pietas amica deo, parentibus grata, dominum conciliat, necessitudines fouet, dei cultura, merces parentum, filiorum stipendium; pietas, inquam, iustorum tribunal, egenorum portus, miserorum suffugium, indulgentia peccatorum.

46.   Qui habet intellectum, ipse uere est pius; intellegit enim humanae lubricum fragilitatis et cito ignoscit erranti. Intellegit commune nobis datum naturae ususque consortium et ideo pauperibus tamquam debitum soluit, non infitiatur tamquam indebitum. Intellegit uices esse calamitatum et ideo tamquam naufragis mundi istius portu quodam suae humanitatis occurrit. Haec perfecta uirtus in hominibus, haec plena in deo laus est.

47.   Merito intellectum sibi etiam Salomon paternum secutus magisterium a domino postulauit dicens: *Ego sum puer humilis et ignoro introitum meum et exitum meum. Et seruus tuus in medio populi tui, quem elegisti populum multum sicut harenam maris quae dinumerari non potest prae multitudine. Et dabis seruo tuo cor prudens audire et iudicare cum iustitia populum tuum et intellegere inter bonum et malum* [a]. Vnde conplacuit domino, quia non sibi longaeuitatem uitae et regalium diuitiarum copias, sed sapientiam ad intellegenda domini iudicia et iustitias depoposcit [b] et ideo tantum populum regno pacifico gubernauit, quia non usurpauit ut Adam boni et mali scire distantiam [c], sed intellegendae eius gratiam orauit a Christo. Quod enim scire diuinum est, hoc a domino deo tuo ut possis cognoscere promerendum est. Si petisset et Adam, sicut petiuit Dauid, nequaquam illos inextrica-

---

45. [a] * Ps 118, 144.
   [b] * Prou 1, 7.
47. [a] * 3 Reg 3, 7-9.
   [b] Cf. 3 Reg 3, 10.
   [c] Cf. Gen 3, 5-6.

45.  Prosegue: *Giustizia per sempre sono i segni della tua volontà; concedimi la comprensione di essi e infondimi la vita!* Chi è cosí grande da poter comprendere i segni della volontà del Signore? Ed è per questo che bisogna chiedere al Signore quella comprensione: essa è cosí potente che il suo inizio è la pienezza della virtú. Tant'è vero che sta scritto: *Il sacro rispetto verso Dio è l'inizio della comprensione.* Esso è la base di tutte le virtú, conformemente a quanto insegnano le realtà umane e divine. Quel rispetto è caro a Dio, gradito ai padri; ci rende propizio il Signore, riscalda i legami di parentela. È culto di Dio, ricompensa dei padri, remunerato dovere dei figli. Il rispetto — dico — è il tribunale dei giusti, il porto dei poveri, il rifugio degli infelici, la clemenza dei peccatori [59].

46.  Chi ha la comprensione, questi, sí, ha il vero atteggiamento di rispetto. Sa infatti comprendere l'instabilità della debolezza umana e sa celermente perdonare a chi sbaglia. Sa comprendere la comune sorte di natura e di esperienze [60] che ci è stata data, e perciò sa pagare al povero quello che considera un debito, senza contestarlo come se non vi fosse tenuto [61]. Comprende che alterne sono le disgrazie, e perciò appresta, in soccorso ai naufraghi di questo mondo, il porto della sua umana comprensione. Questa è la piú compiuta virtú dell'uomo ed essa è in Dio un motivo di piena lode [62].

47.  Bene fece Salomone a richiedere al Signore la comprensione — sulla scia dell'insegnamento paterno — con le parole: *Io non sono che un povero piccolo servo e non so come entrare e come uscire. Non sono che un tuo servo in mezzo al tuo popolo, che tu hai scelto, popolo numeroso come la sabbia del mare, che nessuno può contare, numerosa com'è. E darai al tuo servo un cuore sapiente nell'ascoltare e nel giudicare con giustizia il tuo popolo e nel comprendere la distinzione tra bene e male.* Ne ebbe compiacimento il Signore, perché non aveva richiesto per sé una vita lunga o abbondanti ricchezze da re, ma la sapienza che gli facesse comprendere i giudizi e le opere di giustizia del Signore. E ottenne di governare su un popolo cosí numeroso in pace, proprio perché non aveva preteso, come Adamo, di conoscere da sé la differenza tra bene e male, ma aveva chiesto, con la preghiera a Cristo, la grazia di comprenderla. Il conoscere quella differenza è dote divina, e ottenere di poterla conoscere è un dono di Dio che bisogna meritare. Se l'avesse chiesta anche Adamo, come

[59] Si noti l'elogio della *pietas*, tipica virtú del *mos Romanorum*, già originariamente presente nel padre del popolo romano, Enea.

[60] Mi pare che il rapporto che corre tra *natura* e *usus* sia quello tra dato di partenza naturale e suo modo di impiego per giungere a nuove acquisizioni. Non mi pare esatta la traduzione che propone il Poirier: «communauté de nature et de besoins», anche se il suo studio è un ottimo contributo al valore dell'espressione *consors naturae*: cf. *Consors naturae...*, p. 328.

[61] Cf. QUINTILIANO, *Declam.*, 245: *Infitiari est depositum nolle soluere.*

[62] La *pietas* è connessa all'*intellectus*, perché è comprensione dell'esatta posizione dell'uomo nei confronti della natura, dell'altro uomo e di Dio. Anche questo tema può rientrare in quello piú usuale del «conosci te stesso».

biles erroris laqueos incidisset, quibus omnis eius hereditas stran-
gulatur. Ideoque mortuus est et, quod grauius est, morte peccati,
quia ante usurpauit scire quam intellectum quo uiuificaretur
acciperet.


48.   Viuificat ergo intellectus, ut spiritus, quia ipse intellectus
gratia spiritalis est [a], ideoque intellectum munere suo spiritus
sanctus operatur. *Intellectus* autem *bonus est omnibus qui eum
faciunt* [b]. Quo docemur, quia non solum sensu conplecti, sed etiam
factis id quod intellegimus exequi debeamus.


# XIX

## Littera «Cof»


1.   Incipit littera «Cof» nona decima, cuius interpretatio est
«conclusio» et, sicut alibi inuenimus, «aspice». Distat littera, con-
gruit sensus. Nam qui concluditur circumspicere se debet et
causam periculi non dissimulare, maxime cum letale discrimen
sit. Concluditur unusquisque tumescentibus uisceribus internisue
faucibus, cum intercluso spiritus commeatu spirandi ac respirandi
commercia coartantur. Concluditur femina, cum fit peridrome
matricis, qua pectoris ipsius premitur principale. Vnde graues
oriuntur angustiae et, nisi in locum suum illa recipiendorum
seminum aula reuocetur, uitam consueuit excludere. Ita etiam,
quia animo angitur et quibusdam aduersis inminentibus perurge-
tur, concludi dicitur non minoribus angustiis mentis quam corporis. Maiores enim animae aestus febresque sunt animorum quam
corporum.


2.   Conclusus igitur uiscerum tumore medicum quaerit, ut
possit propulsare periculum et constricta laxare. Veniens medicus

---

48. [a] Cf. 2 Cor 3, 6.
    [b] * Ps 110, 10.

Davide, non sarebbe incappato in quei lacci indistricabili dell'errore [63] che stringono alla gola tutti i suoi eredi. Ed egli è morto
e — cosa ancor piú grave — ha avuto la morte del peccato,
proprio perché aveva preteso di raggiungere da sé, prima di
riceverla come un dono, quella comprensione che gli avrebbe
infuso la vita.

48. Dunque, la comprensione intellettiva sa, come lo Spirito,
infondere vita [64], perché l'intelletto stesso è un dono dello Spirito.
Ed è per questo che lo Spirito Santo produce con il suo dono la
comprensione intellettiva. Ma, *buono è l'intelletto per tutti quelli
che lo esercitano*. Ne deduciamo che dobbiamo non solo abbracciare col pensiero, ma anche attuare con i fatti, ciò che comprendiamo.

<h1 style="text-align:center">XIX</h1>

<h3 style="text-align:center">Lettera «Kof»</h3>

1. Comincia la lettera diciannovesima, «Kof», che significa
«occlusione» e anche — secondo quanto abbiamo trovato in altra
fonte — «osserva!». Diversi quanto a espressione letterale, i due
termini corrispondono quanto a senso. Chi viene «occluso», infatti, deve guardarsi bene attorno e non nascondersi l'origine del
pericolo, soprattutto quando si tratti di un rischio mortale. Ciascuno può essere «occluso» dal gonfiarsi degli organi o dei condotti
esterni, quando sono ostruite le facoltà respiratorie a causa di
occlusioni delle vie respiratorie [1]. È «occlusa» la donna che ha
un fibroma all'utero che l'opprime fin nelle parti interne piú
delicate: ne derivano soffocanti oppressioni e, a meno che quella
sede — fatta per accogliere i semi — non riprenda le sue dimensioni, essa risulta incapace di dar ricetto alla vita. Allo stesso modo
si dice «occlusa» anche la persona che è oppressa nel morale ed
è ossessionata da qualche sventura incombente, perché le angosce
spirituali non sono piú leggere di quelle fisiche. Anzi, le infiammazioni e le febbri dell'anima sono piú gravi di quelle del corpo.

2. Orbene, chi si sente «occluso» da un tumore interno
chiama il medico, per rimuovere il pericolo e dar respiro agli

---

[63] Cf. VIRGILIO, *Aen.*, VI, 27: *et inextricabilis error*. Il labirinto di Dedalo — a
cui Virgilio applica l'espressione — è da Ambrogio visto come l'intrico dei contrad-
dittori sistemi filosofici, come già da LATTANZIO, *De ira Dei*, 7, 1 (CSEL 27, p. 77):
cf. COURCELLE, *Connais-toi...*, II, p. 443.

[64] Si noti l'omogeneità, qui proclamata, tra comprensione, spirituale, del testo
sacro e opera dello Spirito: la Scrittura e l'esegesi spirituale di essa sono entrambe
opera dello Spirito.

---

[1] Cf. SOLINO, *Collectanea rerum memorabilium*, 23, 21: *in corporibus nostris
commercia sunt spiritalia.*

temptat omnia, explorat interna. Et tu ergo conclusus animi feruore aspice temet ipsum interiore oculo. Morbi uis urget, feruet
noxia conscientia, moles peccatorum premit, intercipiunt sensum
mentis angustiae: cognosce te ipsum et orationis quaere medicinam, posce ut ueniat medicus ille qui descendit de caelo, qui
maxime aegrotos requirit, sicut ipse ait: *Non opus est sanis medicus, sed his qui male habent* [a]. Habes uulnera? Ne differas; non
est apud eum ulla conperendinatio sanitatis. Habes ulcera? Ne
timeas; uerbo, non ferro curare consueuit. Aspice igitur illis oculis,
quibus Dauid auxilium quaesiuit et meruit. «*Leuaui*», inquit, «*oculos meos ad montes, quaesiui unde mihi ueniret auxilium* [b], non
inueni nisi a domino». Qui enim mundum condidit, tuetur accolas
mundi. Aspice ergo et semper aspice, quia iusti oculi semper ad
dominum [c].

3.     Hoc monet te etiam Hieremias in Threnis sub hac ipsa
littera dicens ad Hierusalem: *Surge et expergiscere in nocte in
principio uigiliae tuae, effunde sicut aquam cor tuum contra faciem
domini, extolle ad dominum manus tuas pro animabus paruulorum
tuorum qui deficiunt fame in plateis omnium itinerum* [a]. Nonne et
aperte conclusionis ostendit angustias et monet, ut intentione
cordis, in quo est oculi melioris obtutus, remedium tibi salutare
prouideas? Denique etiam infra iterum sub hac littera ait: *Adpro-
piauit enim tempus nostrum, repleti sunt dies nostri, aduenit finis
noster; leues facti sunt qui persecuti sunt nos super aquilas caeli,
in montibus accensi sunt, in deserto insidiatus est nobis* [b].

4.     Demonstrauit summam conclusionem nec ullum remedium nisi in aduentu domini nostri Iesu Christi, qui solus despera-
tis possit adferre medicinam. Et quasi ostendens eum dicit: *Spiritus ante faciem nostram christus dominus conprehensus est in interitu nostro; in umbra eius uiuemus inter gentes* [a], et infra: *Bibes*,
inquit, *et inebriaberis adhuc. Visitauit iniquitates tuas, reuelauit
super peccata* [b]. Quam breuiter aduentum et passionem eius
expressit remissionemque omnium peccatorum, quam aperte congregationem futuram gentium declarauit! Hinc illud apostolicum:

2.    [a] * Mt 9, 12.
      [b] * Ps 120, 1.
      [c] Cf. Ps 24, 15.
3.    [a] * Thren 2, 19.
      [b] * Thren 4, 19.
4.    [a] * Thren 4, 20.
      [b] * Thren 4, 21.22.

organi oppressi. Il medico, durante la sua visita, lo palpa dappertutto, cerca di studiare i suoi organi interni. Anche tu, dunque, che sei «occluso» dal ribollire dell'animo, «osserva» [2] te stesso con l'occhio dello spirito. Se la violenza del male ti ossessiona, se ti ribolle una cattiva coscienza, se ti opprime la massa dei peccati, se le angosce bloccano l'esercizio delle tue facoltà spirituali, conosci te stesso e cerca quella medicina che è la preghiera! Chiedi che ti visiti quel medico che discende dal Cielo, che va in cerca soprattutto degli ammalati, come Egli stesso esclama: *Non sono i sani ad aver bisogno del medico, ma quelli che stanno male.* Hai qualche ferita? Non perdere tempo: Egli non rinvia d'un momento la guarigione. Hai qualche piaga? Non aver paura: il suo strumento terapeutico è la parola, non il bisturi. «Osserva», quindi, con gli stessi occhi con cui Davide ha chiesto e ottenuto soccorso! Egli ha detto: «*Ho levato gli occhi ai monti, ho cercato donde mi venisse il soccorso, e non l'ho trovato che dal Signore*». Infatti Colui che ha creato il mondo protegge gli inquilini del mondo. «Osserva» dunque, «osserva» sempre, dal momento che gli occhi del giusto sono sempre rivolti al Signore.

3. È l'ammonimento che ti rivolge anche Geremia nelle Lamentazioni, sotto questa stessa lettera, quando dice a Gerusalemme: *Alzati e svegliati nel cuor della notte, all'inizio del tuo turno di guardia! Versa come acqua il tuo cuore al cospetto del Signore! Leva al Signore le tue mani in favore della vita dei tuoi piccoli, che muoiono di fame nei crocicchi di ogni strada!* Non c'è qui forse un'aperta dimostrazione delle angosce di una «occlusione»? Non c'è forse un avviso a procurarti un rimedio di salvezza con tutta la tensione del cuore, dove ha sede lo sguardo di un «occhio» superiore? Tant'è vero che ancora una volta, piú avanti — sotto questa lettera —, esclama: *Si è avvicinato il nostro tempo; si sono compiuti i nostri giorni; è arrivata la nostra fine. Son diventati lesti quelli che ci hanno perseguitato, lesti piú delle aquile del cielo; sono divampati sui monti, nel deserto ci ha teso insidie.*

4. Ha qui manifestato che c'è la piú grande «occlusione» e che non c'è alcun rimedio, tranne la venuta del Signore nostro Gesú Cristo, che è l'unico in grado di apportare la medicina a chi è senza speranza. E quasi rivelandocelo [3], dice: *Lo spirito che sta al nostro cospetto, il Cristo Signore è stato coinvolto nella nostra rovina; alla sua ombra vivremo tra le nazioni.* E piú sotto: *Berrai* — si dice — *e ti inebrierai ancora. Egli ha visitato le tue iniquità, ha tolto il velo dai peccati.* In che modo conciso ne ha espresso la venuta, la Passione, il perdono di tutti i peccati! In che modo manifesto ha spiegato la futura raccolta delle nazioni! Di qui trae

---

[2] Questo è il collegamento tra *conclusio* e *aspice*, i due etimi di *Kof.*

[3] Da qui fino al c. 5 (*claritas aperta uirtutis*) citazione scritturistica uguale (Lam 4, 20) e movimento di pensiero simile si trovano in *Exp. eu. Luc.*, VII, 38-39 (cf. in particolare il c. 39: *Si tantum, domine Iesu, confert umbra tua, quantum utique ueritas adferet?*). La fonte è ORIGENE, *Dial. c. Heracl.*, 27-28 (SCh 67, pp. 106-110): cf. H.-CH. PUECH - P. HADOT, *L'Entretien d'Origène avec Héraclide et le Commentaire de saint Ambroise sur l'Evangile de saint Luc*, in «Vigiliae Christianae», 13 (1959), pp. 208-210, 215.

*Quia caecitas ex parte Israel contigit, donec plenitudo gentium intra-*
*ret et sic omnis Israel saluus fieret* [c].

5.   Veni, domine Iesu, sed iam non in umbra, sed in sole
iustitiae [a]. Si umbra profuit, si passionis tuae umbra protexit, si
corporis umbra saluauit, quantum conferre poterit claritas aperta
uirtutis! Per umbram lepra curata est [b], per umbram quoque illius
feminae, quae fimbriam uestis dominicae attigit, sanguis stetit [c];
per umbram te uidimus, quando non habebas speciem neque
decorem [d]. Vmbra tua caro fuit, quae nostrarum aestus refrigera-
uit cupiditatum, quae restinxit ignes libidinum, quae auaritiae
diuersarumque passionum incendia temperauit. Et quid dicam
de umbra domini, quando et apostolorum umbra sanabat? Venien-
te etenim Petro unusquisque offerebat aegros suos, quos transeun-
tis apostoli umbra reddidit sanitati [e].

6.   Audi quia caro domini umbra erat: *Ecce dominus sedet*
*super nubem leuem et ueniet in Aegyptum* [a], et Dauid dicit: *Sub*
*umbra alarum tuarum protege me* [b]. Factus est igitur exinanitus [c]
umbra nobis, quos sol iniquitatis exusserat. Vidimus ergo in umbra eum, cum adhuc fides prima procederet. Sed nunc iam totum
inluminat mundum et tamen adhuc eum per sui corporis, quae
est ecclesia, umbram uidemus, nondum facie ad faciem [d]; neque
enim oculi corporis diuinitatis possunt recipere fulgorem. Haec
quoque umbra totum cotidie protegit orbem terrarum. Profuit
igitur conclusio; *conclusit enim deus omnia in incredulitate, ut*
*omnium misereatur* [e]. Sed iam consideremus, quid in conclusione
dicendum est et unde incipiendum.

7.   *Exclamaui in toto corde meo: exaudi me, domine, iustitias*
*tuas exquiram* [a], dicit Dauid. Cum inpressiones patimur corporales,
exclamare consueuimus, ut alios ad praesidium nobis uocare
possimus. Premebatur sanctus propheta adpropinquantibus sibi
persecutoribus. Saul primo infestus armato eum insequebatur

　　　[c] * Rom 11, 25-26.
5　[a] Cf. Mal 4, 2.
　　[b] Cf. Mt 8, 3.
　　[c] Cf. Lc 8, 44.
　　[d] Cf. Is 53, 2.
　　[e] Cf. Act 5, 15.
6.　[a] * Is 19, 1.
　　[b] Ps 16, 8.
　　[c] Cf. Phil 2, 7.
　　[d] Cf. 1 Cor 13, 12.
　　[e] Rom 11, 32.
7.　[a] * Ps 118, 145.

spunto quel passo dell'Apostolo: *La cecità colpí l'Israele parziale, fino a che entrasse la totalità delle nazioni, e allora l'Israele totale sarà salvo.*

5.   Vieni, Signore Gesú [4], ma non piú nell'ombra, bensí nel sole della giustizia. Se fu di giovamento l'ombra, se fu un riparo l'ombra della tua Passione, se fu una salvezza l'ombra della corporeità, quanto grande potrà mai essere l'utilità della chiarezza dischiusa della virtú! Attraverso l'ombra fu curata la lebbra; ancora attraverso l'ombra si stagnò la perdita di sangue di quella donna che sfiorò l'orlo della veste del Signore; attraverso l'ombra ti abbiamo visto quando non avevi né bellezza né decoro. Ombra fu la tua carne, che rinfrescò le febbri dei nostri desideri smodati, che smorzò le vampate della sensualità, che mitigò l'incendio dell'avidità e delle altre varie passioni. E che mai sarà l'ombra del Signore, se perfino l'ombra degli Apostoli era fonte di salute? Infatti quando Pietro passava, ciascuno gli presentava i propri malati, ai quali l'ombra dell'apostolo che passava restituí la salute.

6.   Eccoti la prova che la carne del Signore era un'ombra: *Ecco che il Signore siede su una nube leggera e verrà in Egitto.* E Davide dice: *Proteggimi sotto l'ombra delle tue ali!* Svuotò Se stesso e cosí divenne un'ombra per noi, che eravamo stati bruciati dal sole dell'ingiustizia. L'abbiamo dunque visto nell'ombra, quando ancora la fede muoveva i primi passi. Ma ora getta ormai luce su tutto il mondo. Eppure noi lo vediamo ancora attraverso l'ombra del suo Corpo, che è la Chiesa, e non ancora a faccia a faccia [5]: infatti gli occhi di questo nostro corpo non possono sopportare la luce sfolgorante della natura divina. Anche l'ombra che c'è adesso (la Chiesa) protegge ogni giorno tutto il mondo. Dunque quell'«occlusione» è stata di giovamento: *Infatti Dio «occluse» tutto dentro l'incredulità, per esercitare la misericordia su tutto.* Ma è tempo ormai di prendere in esame quali siano le cose da dire in questa chiusura e da quali si debba cominciare.

7.   *Ho gridato con tutto il mio cuore: «Esaudiscimi, o Signore! Io ricercherò le tue opere di giustizia».* Cosí dice Davide. Quando noi subiamo qualche violento trauma fisico, noi gridiamo per richiamare l'attenzione di chi può aiutarci. Sotto quella oppressione si trovava il profeta di Dio, quando i suoi persecutori stavano per raggiungerlo. Una prima volta era inseguito dalla rabbia ostile

---

[4] Cf. anche *De Hel.*, 80. Sull'uso di questa invocazione antica in Ambrogio, cf. K. BAUS, *Das Nackwirken des Origenes in der Christus-Frömmigkeiten des heiligen Ambrosius*, in «Römische Quartalschrift», 49 (1954), p. 46.

[5] Può apparire strano che la presenza di Cristo incarnato (e poi della Chiesa come suo prolungamento storico) ricada sotto la categoria dell'*umbra* (come del resto a 3, 19), quando invece normalmente essa è espressa dal termine *imago* (cf., ad es., *Expl. ps. XXXVIII*, 24: *etsi iam resurrexerit Christus, tamen in euangelio nobis adhuc eius imago monstratur*). Qui Ambrogio usa la terminologia piú radicalmente contrapposta (*umbra-ueritas*) per sottolineare di piú il distacco tra *saeculum* e *eschaton*. Non è estranea a questo schema la presenza del termine *umbra* in Lam 4, 20 (cf. 19, 4). In realtà, il termine *imago*, altrove preferito, è ambivalente (e ciò spiega gli slittamenti), perché esso è già *ueritas* rispetto all'*umbra*, ma è ancora *umbra* rispetto alla *ueritas* finale: cf. il mio, *La dottrina esegetica...*, p. 82.

exercitu, postea parricida filius inminebat; non contentus fugien-
tis exilio uitam patris quaerebat eripere. Sed ab illis minus pati
poterat, quos in praesenti uidebat, quam ab illis, quos non uidebat.
Est enim conluctatio sanctis non solum aduersus carnem et sanguinem, sed etiam aduersus principatus et potestates istius mundi
rectoresque tenebrarum [b], qui latronum modo in istius saeculi
nocte humanis insidiantur affectibus. Horum igitur sanctus Dauid
cum graues aduersum se fieri uideret incursus, exclamauit in toto
corde suo. Etenim aduersus diabolum non uocis magnitudine,
sed magnanimitate cordis utendum est.

8.    Est tamen et uox cordis, quia est et uox sanguinis, quae
ad deum peruenit; denique deus dicit: *Vox sanguinis fratris tui
clamat ad me* [a]. Clamat ergo cor nostrum non sono corporis, sed
cogitationum sublimitate concentuque uirtutum. Grandis fidei
clamor; denique in spiritu adoptionis clamamus: *Abba pater* [b] et
ipse spiritus dei clamat in nobis. Magna uox iustitiae, magna est
castitatis, per quam et mortui locuntur nec solum locuntur, sed
etiam sicut Abel clamant. At uero iniusti anima nec uiuentis
clamat, quia deo mortua est. Nihil in illa sublime, nihil magnifi-
cum est quale eorum, quorum sonus in omnem terram exiuit [c]
et uerba in fines orbis terrarum. Gracili uoce loquebatur Moyses [d]
et plus omnibus audiebatur, cotidie auditur in ecclesia. Ab illis
solis, hoc est Iudaeis, non auditur, qui aure audiunt, sed non
audiunt [e]. Prophetae dicitur alteri: *Exalta uiribus uocem tuam* [f].

9.    Anna tamen non clamabat in corde suo sicut Moyses, sed
loquebatur [a], fortasse quia filios postulabat, hoc est bona quidem,
sed priuata, non publica; non clamabat, sed quia a domino postulabat, quia domino eum, si quem susciperet, offerebat, loquebatur
deo; clamabat autem Moyses, quia non pro se, sed pro omni
populo precabatur. Vnde dictum est ei a domino: *Quid clamas?* [b].
Clamabat affectu pio et sensu profundo et personabat in caelo,
miraculis petens digna caelestibus, ut mundi elementa mutaret.

[b] Cf. Eph 6, 12.
8.   [a] Gen 4, 10.
     [b] Rom 8, 15.
     [c] Cf. Ps 18, 5.
     [d] Cf. Ex 4, 10.
     [e] Cf. Ier 5, 21.
     [f] * Is 58, 1.
9.   [a] Cf. 1 Reg 1, 13.
     [b] Ex 14, 15.

di Saul, con tutto l'esercito in armi; poi lo incalzava il figlio parricida che, non contento che il padre fosse fuggito in esilio, cercava di metterlo a morte. Ma il male che poteva ricevere dai nemici che egli poteva vedere sul momento era minore di quello che poteva avere dai nemici che non vedeva. Gli uomini di Dio devono infatti lottare non solo contro la carne e il sangue, ma anche contro i principati e le potestà di questo mondo e i reggitori del mondo delle tenebre, che come briganti durante la notte del tempo del mondo insidiano i sentimenti dell'animo umano. Orbene, fu proprio quando Davide capiva di essere assalito pericolosamente dagli attacchi di costoro che gridò «con tutto il suo cuore». E difatti contro il diavolo non bisogna usare la potenza della voce, ma la grande forza del cuore.

8. Però anche il cuore ha una voce[6], dato che anche il sangue ne ha una, che sa giungere fino a Dio. Tant'è vero che Dio dice: *La voce del sangue di tuo fratello grida fino a me.* Il nostro cuore dunque grida, non con un suono fisico, ma con l'elevatezza dei suoi pensieri e con il canto armonioso delle virtú[7]. Forte è il grido della fede[8]: tant'è vero che, nello spirito di figli adottivi, noi gridiamo: *Abba, Padre!* ; ed è lo stesso Spirito di Dio che grida in noi. Forte è la voce della giustizia; forte è quella della castità, grazie alla quale anche i morti parlano: anzi, non solo parlano, ma — come Abele — gridano. Al contrario, invece, l'anima dell'ingiusto non grida, nemmeno se è vivo, perché essa è morta a Dio. Non c'è elevatezza in essa; non c'è quello splendore che hanno quegli uomini, la cui voce si sparse per tutta la terra e le cui parole toccarono i confini del mondo[9]. Debole era la voce con cui parlava Mosè, eppure era ascoltata piú di tutte e lo è ogni giorno nella Chiesa[10]. Non l'ascoltano solo loro, cioè i Giudei, che ascoltano con le orecchie, ma in realtà non ascoltano. A un altro profeta[11] si dice: *Leva alta piú che puoi la tua voce!*

9. Eppure, Anna non gridava col suo cuore, come Mosè, ma parlava. Forse perché ella chiedeva la grazia della maternità: cioè, la sua richiesta era, sí, buona, ma era privata e non pubblica; non gridava, ma parlava a Dio, perché essa invocava il Signore, perché al Signore offriva il figlio, se l'avesse avuto. Gridava invece Mosè, perché egli pregava non per sé, ma per tutto il popolo. Perciò il Signore gli disse: *Perché gridi?* Gridava con sentimento di devozione, con profondità di sentire, e il suo grido risuonava alto nel cielo, quando egli chiedeva opere degne di prodigi celesti per mutare la natura degli elementi fisici.

---

[6] Il tema della voce è sviluppato secondo le stesse citazioni (Gen 4, 10; Es 14, 15 = c. 10; Rom 8, 15; Gv 7, 37 = c. 11) in ORIGENE, in HARL, SCh 189, p. 420.

[7] Cf. ILARIO, *Tract. ps. CXVIII*, 19, 1 (CSEL 22, p. 522).

[8] In questo stesso senso è interpretato Sal CXVIII, 145 nell'*Exp. eu. Luc.*, I, 41, dove c'è il medesimo riferimento a Mosè e a Es 4, 10.

[9] Sono gli Apostoli.

[10] Si allude forse al frequente impiego liturgico dei libri mosaici.

[11] L'espressione dice chiaramente che anche Mosè è da Ambrogio considerato profeta.

10.   Denique et ipsius loci seriem recenseamus. Instabat Pharao et innumeris Aegyptiorum stipatus curribus urgebat Hebraeos; hinc circumfusus hostis, inde interfusum mare plebem dei clauserat. Nulla in armis fiducia, spes nulla in uiribus. Strepebat tantummodo querella miserabilis, quod commodius sibi foret dura in Aegypto seruitutis onera subire quam acerba in deserto morte consumi ᵃ, querella nihil praesidii ferens, plurimum offensae adferens. Stabat ergo Moyses maestus sollicitus anxius populi et periculis et querellis, expectans fidem caelestium promissorum, et tacitus secum ipse uoluebat, qua tandem dominus ope iniuriae inmemor, memor gratiae subueniret. Dicit ad eum dominus: *Quid clamas ad me?* ᵇ. Sonum eius in operibus deprehendo. Clamabat populus et non audiebatur, tacebat Moyses et audiebatur. Non populo dictum est: *Quid clamas ad me?* ᶜ. Non enim ad deum clamabat populus qui iniusta et uiris indigna clamabat. Sed Moysi dictum est: *Quid clamas ad me?* ᵈ, hoc est: Tu solus ad me clamas qui de me speras, tu solus ad me clamas qui uirtutem meam excitas, tu solus ad me clamas qui per uniuersam terram adnuntiari meum nomen expectas.

11.   Clamabat ergo Moyses in corde suo, et omnis sapiens in corde suo clamat ᵃ. Denique sapientia cum altissima praedicatione conuocat ad craterem dicens: *Relinquite insipientiam et quaerite sapientiam* ᵇ. Magnae sublimitatis, magnae uocis haec praedicatio est quae stultis sapientiam pollicetur. Et Iesus dominus clamabat: *Si quis sitit, ueniat ad me et bibat* ᶜ, et uere magna clamabat, qui uocabat homines ad regnum caelorum, ad illum uenerabilem potum, quo uitae aeternae fluctus infunditur. Et tu cum oras magna ora, id est ora quae aeterna sunt, non caduca, ora quae diuina sunt atque caelestia, ut sis sicut angeli in caelo ᵈ. Noli orare pro pecunia, quia aerugo est, noli pro auro, quia metallum est, noli pro possessione, quia terra est; oratio ista ad dominum non peruenit. Non audit deus nisi quod dignum suis ducit esse beneficiis, sed audit piam uocem, plenam deuotionis et gratiae.

---

10. ᵃ Cf. Ex 14, 12.
    ᵇ Ex 14, 15.
    ᶜ Ibid.
    ᵈ Ibid.
11. ᵃ Cf. Prou 9, 3.
    ᵇ * Prou 9, 6.
    ᶜ Io 7, 37.
    ᵈ Cf. Mt 22, 30.

10. E cosí passiamo in rassegna lo svolgimento anche di questo stesso passo! Il Faraone [12] incalzava da presso e premeva gli Ebrei con la folta schiera dei carri degli Egiziani. Un nemico avvolgente alle spalle, un mare travolgente davanti avevano chiuso la strada al Popolo di Dio. Nullo l'affidamento nelle armi, nulla la speranza nella forza. Si levava soltanto il querulo lamento: «Oh, come sarebbe stato meglio sopportare i pur duri pesi della schiavitú in Egitto piuttosto che morire di lenta e penosa consunzione nel deserto!». Ma quel lamento non portava un briciolo di sicurezza, anzi comportava un'infinita offesa a Dio [13]. Se ne stava dunque Mosè pieno di tristezza, di preoccupazione, di ansietà, sia per i pericoli che per i lamenti del popolo, in attesa del fedele compimento delle promesse del Cielo; e in silenzio tra sé meditava con quale risorsa alfine il Signore sarebbe intervenuto, dimentico dell'offesa, memore del suo amore. A lui dice il Signore: *Perché gridi a me?* Non riesco a percepire un suo suono, ma riconosco la sua voce: io colgo il suo silenzio, avverto il grido [14] che si nasconde nelle sue opere. Il popolo gridava, eppure non era udito; Mosè taceva, eppure era udito. Non al popolo è stato detto: *Perché gridi a me?* Infatti non gridava a Dio quel popolo che gridava ingiurie indegne di uomini. È stato invece detto a Mosè: *Perché gridi a me?* In altre parole: «L'unico che grida a me sei tu, che riponi speranza in me; l'unico che grida a me sei tu, che provochi la mia forza; l'unico che grida a me sei tu, che non desideri altro che il mio nome venga annunciato per tutta la terra».

11. Gridava dunque Mosè col suo cuore, e ogni sapiente grida con il suo cuore. Tant'è vero che la Sapienza — con un proclama bandito dai luoghi piú elevati — invita al brindisi da lei offerto, dicendo: *Abbandonate la stoltezza e cercate la sapienza!* È un proclama che cade dall'alto, di forte timbro, questo che promette la sapienza agli stolti. Anche il Signore Gesú gridava: *Se qualcuno ha sete, venga a me e beva!* E gridava un annuncio veramente grande, perché invitava gli uomini al Regno dei cieli, a quella venerabile bevanda che infonde il flusso della vita eterna. Anche tu, quando preghi, prega per beni grandi, cioè prega per quei beni che sono eterni e non caduchi; prega per i beni che sono divini e celesti, cosí da essere come gli angeli in Cielo. Non pregare per il denaro, che non è che una ruggine; non pregare per l'oro, che non è che un metallo; non pregare per i possedimenti, che non sono che terra: una preghiera cosí non arriva al Signore. Dio non ascolta se non quanto reputa degno del suo intervento benefico; ascolta però una voce devota, piena di fedeltà e di amore.

---

[12] Cf. la strettissima vicinanza di questo passo con ILARIO, *Tract. ps. CXVIII*, 19, 2 (CSEL 22, pp. 522 s.).
[13] Cf. *Expl. ps. XXXVIII*, 3: *quo diuinam contraxit offensam.*
[14] Cf. *Expl. ps. XXXVIII*, 7.

12.   Non solum ergo clamandum in corde, sed etiam in toto corde clamandum est. Sicut enim corporaliter tunc bene clamatur, cum toto ore clamatur, ita spiritaliter toto est clamandum corde, si uolumus magna deferre et a domino quae poscimus impetrare. Hanc dominus uocem exigebat a populo, quam populus nesciebat, ideoque dixit dominus: *Populus hic labiis me honorat, cor autem eorum longe est a me* [a]. Qui ergo adpropinquauerit corde, ipse auditur a domino; cor ergo prius clamet, ut sermo possit audiri.

13.   Sed non satis est clamare ad dominum, sed etiam iusti- tias eius exquirere [a]. Exquirit autem iustitias, qui id, quod in omnibus creaturis et maxime in animantibus rationabilibus iu- stum est, prouidentiae adscribit diuinae. Vnde turturi studium pudicitiae, quae compare amisso concubitum indulgere non nouit, quod homines seruare non possunt? Vnde plerisque animantibus tam sobria partus cura seruandi, ut, ubi conceptionis munus agnouerint, coitum non putent esse repetendum, ne receptorum seminum fiat adulterina permixtio? Phoenix coitus corporeos ignorat, libidinis nescit inlecebras, sed de suo resurgit rogo, sibi auis superstes, ipsa et sui heres corporis et cineris sui fetus. Aquila, ne degeneres partus nutriat, diligenti librat examine et adhuc teneros fetus pio ungue suspendit solisque offert radiis, ut, si forte oculos suos ui fulgoris inflexerint, tamquam degeneres laxato in praeceps ungue dimittat, sin uero naturae uigorem

12. ˙ Non solo bisogna dunque gridare col cuore, ma anche con «tutto» il cuore. Quando infatti si grida fisicamente, il grido è ben riuscito se è fatto a piena bocca. Cosí anche il grido spirituale va fatto con tutto il cuore, se si vuole attribuirvi grande deferenza ed ottenere dal Signore quello che gli domandiamo. Questa è la voce che il Signore richiedeva al suo popolo, il quale però non la conosceva. Ed è per questo che il Signore ha detto: *Questo popolo mi onora con le labbra, ma il loro cuore è lontano da me.* Dunque, chi si avvicina col cuore è udito dal Signore. Dunque, sia il cuore a gridare per primo, se si vuole che il discorso risulti udibile.

13. Ma non è sufficiente gridare al Signore. Occorre anche ricercare la sue opere di giustizia. E le ricerca l'uomo che attribuisce alla provvidenza di Dio tutto quel che di giusto si trova in ogni creatura e soprattutto in ogni essere animato provvisto di ragione. Da dove viene, se no, alla tortora l'istinto del pudore? Essa, quando perde il compagno, non si presta piú all'accoppiamento [15]: non sanno fare altrettanto gli uomini. Da dove viene, se no, alla maggior parte degli animali una cosí austera cura nel tutelare la propria gravidanza? Essi, quando ne hanno avvertito i sintomi, non intendono piú tornare ad accoppiarsi, per non dar ricetto ad una promiscuità di semi che sa di adulterio. La fenice [16] non conosce accoppiamento fisico, non sa che cosa siano gli adescamenti del sesso; ma essa risorge dal rogo dove è morta, nuovo uccello superstite a se stesso, erede lei stessa del suo corpo e parto della sua cenere. L'aquila [17], per non allevare figli degeneri, li soppesa con attento esame e, mentre sono ancora implumi, tiene sospesi i suoi piccoli nel vuoto con il suo artiglio materno e li espone ai raggi del sole. Cosí, se per caso alcuni abbassano gli occhi abbagliati dalla luce, essa allenta la presa e li lascia precipitare al suolo, rifiutandoli come degeneri. Se invece essi

---

[15] Cf. anche *Exam.*, V, 62. La fonte prossima di Ambrogio, data la presenza del tema nell'*Exam.*, può essere BASILIO, *Hexaem.*, VIII, 6 (SCh 26bis, p. 458). Il motivo della tortora monogama, e di vita solitaria (anacoretica), ha però lunga tradizione: cf. ARISTOTELE, *Hist. anim.*, I, 7, 613a 14 s.; ORIGENE, *Comm. Cant.*, II (GCS 33, p. 155); *Physiologus*, 28 (Sbordone, pp. 92-94, dove si possono reperire i *testimonia*). VIRGILIO, *Aen.*, IV, 16-18 risulta qui fonte espressiva, ma non tematica.

[16] La vicenda dell'uccello ha lunga tradizione nel mondo classico, che è ordinata dal *Physiologus*, 7 (Sbordone, pp. 25-28, a cui si rinvia per una precisa registrazione dei *testimonia*). Essa entra nell'area cristiana con CLEMENTE ROMANO, *Epist. Cor.*, 25 (SCh 167, pp. 142-144). Ambrogio la riprende in *De exc. fr.*, II, 59 e in *Exam.*, V, 79. Nel nostro passo, egli segue la tradizione della risurrezione della fenice dal *rogo* (non cosí nell'*Exam.*, dove risorge dalla *theca*), alla quale accenna, come seconda tradizione, in *De exc. fr.* Tale tradizione è già in LATTANZIO, *De aue Phoenice*, vv. 95-98 (CSEL 27, p. 141) e nel *Physiologus*, cit. Normalmente l'uccello fenice è addotto dai Cristiani come prova naturale della risurrezione: cf. H. CROUZEL, *Fonti prenicene della dottrina di Ambrogio sulla risurrezione dei morti*, in «La Scuola Cattolica», 102 (1974), p. 377. Esso qui diventa modello di *verginità*, in quanto che non si riproduce per contatto sessuale (cf. anche LATTANZIO, *ibid.*, v. 164, p. 146).

[17] Cf. anche 6, 26; *Exam.*, V, 60, che trova fonte immediata in BASILIO, *Hexaem.*, VIII, 6 (SCh 26bis, pp. 458-460) e piú remota in ARISTOTELE, *Hist. anim.*, IX, 34, 619b 18; PLINIO IL VECCHIO, *Nat. hist.*, X, 10.

constanti aduersum radios solis obtutu potuerint uindicare, dignae indolem subolis onere grato reportet.

14.   Volatilia caeli omnia non serunt neque metunt et deus pascit illa [a], quia iustitias domini custodiunt nihil sibi proprium uindicando, sed ligno fructifero, quod domini iudicio communem ad escam datum est [b], famem releuare contenta. Ex his igitur nos cognoscimus, quam diuinae subsidia prouidentiae hominibus non deessent, si dei iustitiam seruare uellemus. Qui alit aues, non aleret homines, quos ad imaginem et similitudinem sui fecit [c]? Nonne pluris sumus illis? Naturae praerogatiua pluris sumus, sed inferiores deminutione gratiae et praeuaricationis iniustitia.

15.   Versus secundus: *Clamaui ad te, salua me, et custodiam testimonia tua* [a]. Repetit quod ad deum clamauerit et custodem se promittit caelestium statutorum, quae caelo terraque testibus dominus deus sanxit [b], ut praeuaricatores elementorum testimoniis arguantur. Quomodo caelum aspiciant praeuaricationis suae conscium? Quomodo fructus de terra expectent, quae nouit ingratos? Vide igitur quam non parua promittat propheta. In clamando fidelis et promptus affectus exprimitur, in custodiendo testimonia continentiae uirtus, obsequii sedulitas declaratur.

16.   Tertius uersus: *Anticipaui in maturitate et exclamaui, in uerba tua speraui* [a]. Graecus ἐν ἀωρίᾳ dixit, quod est ante horam, ante tempus. Qui ergo dominum deprecatur, non uelut praescripta praecipue tempora praestoletur, nesciens in obsecrationibus domini tempus esse aliquod, sed semper in ipsis sit. Siue manducamus siue bibimus, Christum adnuntiemus, Christum rogemus, Christum cogitemus, Christum loquamur [b]; in corde nostro semper, semper in ore sit Christus.

17.   Sed forte dicas: «Quomodo scriptum est: *Tempus omnibus, et tempus omni rei sub caelo est* [a]?». Sed Iesus dominus supra caelum est, nullo circumscriptus est tempore. Claudat os suum Arriana perfidia: *Tempus*, inquit, *omni rei sub caelo* [b]; quanto magis

14. [a] Cf. Mt 6, 26.
    [b] Cf. Gen 1, 29-30.
    [c] Cf. Mt 6, 26.
15. [a] * Ps 118, 146.
    [b] Cf. Deut 4, 26.
16. [a] * Ps 118, 147.
    [b] Cf. 1 Cor 10, 31.
17. [a] * Eccle 3, 1.
    [b] * Ibid.

13, 17 indolem subolis *codd.*, subolem indolis *Petschenig*.

riescono a far valere la vigoria della loro natura, mantenendo fisso lo sguardo sul sole raggiante, essa riguadagna una razza di piccoli che meritano il peso gradito dell'allevamento.

14.   Gli uccelli del cielo,, nessuno escluso, non seminano e non raccolgono: eppure Dio li nutre, perché essi sanno rispettare le opere di giustizia del Signore, non pretendendo nulla come proprio, bensí accontentandosi di togliersi la fame coi frutti degli alberi, che il giudizio del Signore ha loro donato come nutrimento comune. Da loro quindi è possibile apprendere come non manche-rebbe nemmeno all'uomo l'aiuto della divina provvidenza, purché noi volessimo osservare la giustizia di Dio. Colui che nutre gli uccelli, non nutrirebbe gli uomini che ha creato a sua immagine e somiglianza? Forse che noi non valiamo piú di quelli? Noi valiamo di piú perché siamo piú dotati quanto a natura, ma valiamo di meno perché impoveriamo quel dono e operiamo l'ingiustizia della trasgressione.

15.   Versetto secondo: *Ho gridato a te, salvami, ed io osserverò i segni della tua volontà*. Ripete che ha gridato a Dio e promette che sarà osservante dei decreti celesti che il Signore Dio ha stabilito, testimoni cielo e terra [18], proprio perché gli elementi fossero i testimoni d'accusa contro i trasgressori. Come avrebbero il coraggio di guardare il cielo, che è a conoscenza della loro trasgressione? Come potrebbero aspettarsi frutti dalla terra, che ne conosce l'ingratitudine? Ecco allora che la promessa del profe-ta non è di poco conto. Nel gridare si esprime un sentimento di fedeltà e di disponibilità; nell'osservare i segni della volontà di Dio si rende evidente la virtú della continenza, la premura dell'ob-bedienza.

16.   Versetto terzo: *Sono arrivato precocemente alla maturità ed ho gridato forte, nelle tue parole ho sperato*. Il testo greco ha ἐν ἀωρίᾳ (*en aōría*), che significa «prima dell'ora», «prima del tempo». Dunque, chi scongiura il Signore, faccia come se non conoscesse l'esistenza di qualche tempo particolare da dedicare alle suppliche del Signore, bensí resti sempre in quell'atteggia-mento di supplica. Sia che mangiamo, sia che beviamo, annuncia-mo Cristo, preghiamo Cristo, pensiamo Cristo, parliamo Cristo! Cristo sia sempre nel nostro cuore, sempre sulla nostra bocca!

17.   Si potrebbe forse obiettare: «Come mai sta scritto: *C'è un tempo per tutto e un tempo per ogni cosa sotto il cielo?*». Ma il Signore Gesú sta *sopra* il cielo, nessun tempo lo delimita. Chiuda la bocca l'infedeltà degli Ariani; sta scritto: *C'è un tempo per ogni cosa sotto il cielo*. Allora, a maggior ragione il tempo sta *sotto* Dio, non *sopra* Dio [19]. Il generare del Padre non ha tempo, perché non

---

[18] Cf. 14, 44, con la stessa citazione di Deut 4, 26.
[19] Il tempo sta *sotto il cielo*, quindi, se il Cristo sta sopra il cielo, a maggior ragione il tempo sta sotto il Cristo. L'annotazione tende a togliere spazio alla dottrina ariana d'una generazione del Logos nel tempo.

sub deo tempus, non supra deum! Generatio ex patre non habet tempus; neque enim opus ante auctorem, sed auctor supra operis exordium. Fortasse obiciant, quia dixit: *Tempus nondum aduenit* [c] et iterum dixit: *Pater, uenit hora* [d]; sed haéc hora hora est passionis. Est etiam tempus uirginalis conceptionis: *Ecce uirgo in utero accipiet* [e], quia uirgo sub tempore et ideo praescripta aetate concepit.

18.    Qui rogat itaque, semper roget et, si non semper precatur, paratum semper habeat precantis affectum. Pernoctabat in oratione dominus Iesus [a] non indigens precationis auxilio, sed statuens tibi imitationis exemplum. Ille pro te rogans pernoctabat, ut tu disceres quomodo pro te rogares. Redde igitur ei quod pro te detulit, audi supra dicentem prophetam: *Media nocte surgebam ad confitendum tibi* [b]. Et tu surge uel media nocte, si non potes tota semper nocte uigilare, ut, dum oras nocte, ueri solis pectori tuo splendor inradiet, quia omnis anima quae Christum cogitat in lumine semper est, dies lucet, tibi Christus adspirat. Sed quia sequens uersiculus de tempore precandi euidenter expressit, in isto uersiculo actuum magis operumque arbitror quam orationis tempus intellegendum.

19.    Praecurrit aetatis maturitatem, quisquis in adulescentia positus senilem grauitatem induit et iuuenales annos ueterana quadam continentia regit feruoremque uirentis corporis [a] incana morum maturitate componit. Nam quid potest habere laudis, si effetum corpus uoluptatibus et iam senectutis gelu frigidum ad sera deuotionis officia deposito iam segnior uigore conuertat? Non est corona, nisi ubi fuerit difficilioris lucta certaminis, ad quam rari adtingere possunt nec omnes qui ingressi fuerint stadium peruenire. Ille laudabilis, cui est in se ipso ante certamen, qui carnem suam reluctantem sibi mentis cohercet imperio, parca frugalitate castigat et seruituti redigit, ne effrenata libertate luxuriet atque indomita feruens cupiditate habenas animi regentis abrumpat. In hora est ergo senex, si munia sobriae maturitatis exerceat, ante horam praecurrens iuuenis, si senili pondere incentiua conprimat uoluptatum ac feruentis inlecebras cupiditatis extinguat; *bonus est* enim *dominus sustinentibus* [b], Hieremias dicit

---

[c] * Io 7, 6.
[d] Io 17, 1.
[e] * Is 7, 14.
18. [a] Cf. Lc 6, 12.
    [b] Ps 118, 62.
19. [a] Cf. 1 Cor 9, 27.
    [b] * Thren 3, 25.

---

18, 10 *inter* lucet *et* tibi *Petschenig inseruit* «si».

è l'opera che viene prima dell'autore, ma è l'autore che sta sopra l'inizio dell'opera. Forse potrebbero obiettare che Cristo ha detto: *Non è ancora giunto il tempo*, e poi ancora: *Padre, è giunta l'ora*. Ma l'ora di cui qui si parla è l'ora della Passione. Come c'è il tempo della concezione verginale: *Ecco che una vergine concepirà nel suo grembo*, perché la Vergine sta sotto il tempo e per questo Ella ha concepito in un'epoca stabilita.

18. E cosí chi prega, preghi sempre e, se non proprio sempre, sempre abbia un animo disponibile alla preghiera. Il Signore Gesú passava tutta la notte in preghiera, pur non avendo la necessità del sostegno che viene dalla preghiera: lo faceva per mettere davanti ai tuoi occhi un esempio da imitare. Egli passava tutta la notte a pregare per te, perché tu imparassi come pregare per te. Allora, restituisci a Lui quanto Egli per te ha speso! Senti quello che, sopra, il profeta dice: *Mi alzavo nel cuor della notte per confessare a te* [20]. Anche tu, se non puoi restare sveglio sempre, tutta la notte, alzati almeno nel cuor della notte, se vuoi che, mentre di notte preghi, lo splendore del Sole vero illumini il tuo cuore con i suoi raggi, perché ogni anima che pensa Cristo sta sempre nella luce. C'è la luce del giorno; Cristo ti ispira da vicino. Ma siccome è il versetto seguente [21] che con chiarezza ha espresso il motivo del tempo della preghiera, io ritengo che in questo versetto il tempo sia da interpretare come «tempo di azioni e di opere» piú che come «tempo di preghiera».

19. Previene la maturità fisiologica chiunque, pur trovandosi ancora nella giovinezza, già ha la mentalità seria del vecchio, controlla i suoi anni giovanili con un'austerità da persona anziana e dà pacatezza all'esuberanza di un corpo fiorente con la canizie di un carattere maturo. Che merito c'è, infatti, quando si è ormai troppo deboli e privi di ogni vigore, a convertire a tardive pratiche di pietà un corpo spossato dai divertimenti e già freddo del gelo della vecchiaia [22]? Non c'è corona, se non laddove c'è stata una contesa che ha comportato una lotta parecchio difficile: e solo pochi possono metterci su le mani e non tutti quelli che sono entrati nello stadio possono arrivarci. È meritevole l'uomo che prima combatte dentro di sé, che sa imbrigliare con l'autorità del suo spirito la riottosità della propria carne, che la mortifica con una frugalità austera e la riduce in schiavitú, stando bene attento che non cada negli eccessi d'una sfrenata libertà e non rompa le briglie dell'anima che la guida, impazzando in una ingovernabile smodatezza di desideri. Si è dunque vecchi al giusto tempo, se ci si impegna nei doveri tipici d'una austera maturità; si è giovani che precorrono il tempo, se si sa reprimere gli stimoli delle proprie voglie con la ponderatezza dei vecchi e spegnere le lusinghe di una impazzita smodatezza. *Buono è il Signore con*

---

[20] Cf. 8, 45.
[21] Sal CXVIII, 147, introdotto a 19, 22.
[22] Tutto il passo che qui si conclude è modellato su ORIGENE, in HARL, SCh 189, p. 422, 8-13; ILARIO, *Tract. ps. CXVIII*, 19, 4 (CSEL 22, p. 524).

et: *Bonum est uiro qui graue portauit iugum a iuuentute, sedebit singulariter et silebit, quia tulit iugum uerbi* [c]. Qui enim a iuuentute iugum portauerit et habenis maturi moderaminis teneriora uolens colla subdiderit, sedebit singulariter remotus a strepitu interpellantium passionum et quietus silebit, cui necesse iam non sit iurgari cum corpore, decertare cum uariis cupiditatibus, quia tulit iugum uerbi anima quae quaerit deum, quae captiuas sibi fecit omnes delicias iuuentutis. Vnde fortasse et illud dominicum: *Non clamabit neque contendet neque audiet quisquam in plateis uocem eius* [d] non solum ad defensionis silentium absolutionisque contemptum et tolerantiam passionis, sed etiam ad conpressiones omnium accipere possumus corporalium uoluptatum. Vnde et alibi scriptum est, quia peccatum non fecit [e]. Recte igitur tacebat in mortis periculo constitutus qui mortis aculeum non timebat.

20.　*In uerba*, inquit, *tua speraui* [a]. Graecus ἐφήλπισα dixit, quod est ad sperandum semper crescere et spem spei adiungere. Iustus semper sperat et in aduersis positus et frequentibus adflictus aerumnis desperare non nouit, sed quo grauiora tolerauerit magis sperat et sperandi sumit profectum secundum illud oraculum: *Consolamini consolamini populum meum, dicit dominus. Sacerdotes, loquimini iustitiam in cor Hierusalem, consolamini eam, quia repleta est deiectio et solutum est peccatum eius, quia recepit de manu domini duplicia peccata sua* [b]. Quam cito dixit plenitudinem deiectionis solutionem esse peccati et repetiuit causam consolationis, eo maius esse reconciliationis insigne, quo numerosior fuerit poena quam culpa.

21.　Iob tot grauatus incommodorum acerbitatibus pio spem cumulabat affectu, discretam a piis causam adserens impiorum, quorum lumen extinguetur [a]; *lux* autem secundum Salomonem *semper iustis* [b]. Vnde colligitur, quia iustus semper in uerba dei sperat et spem adicit spei. Quod euidentius expressit Esaias dicens: *Tribulationem super tribulationem expecta, spem super spem* [c]. Ad perlactatos et abductos ab uberibus loquebatur, hoc est ad eos qui prima infantiae alimenta transissent cibo iam habiles fortiori [d]. Exemplo sit, quod ablactatus Isaac patriarcha tantus

---

[c] * Thren 3, 27-28.
[d] * Mt 12, 19.
[e] Cf. 1 Pt 2, 22.
20. [a] * Ps 118, 147.
　　[b] * Is 40, 1-2.
21. [a] Cf. Iob 18, 5.
　　[b] * Prou 13, 9.
　　[c] * Is 28, 10.
　　[d] Cf. Hebr 5, 12.14.

*quelli che lo aspettano con pazienza,* dice Geremia; e ancora: *Buona cosa è per l'uomo se ha portato fin dalla giovinezza un giogo pesante, egli siederà tutto solo e in silenzio, perché ha portato il giogo della parola.* L'uomo, che fin dalla gioventú ha portato il giogo e di buon grado ha sottoposto il tenero collo alle redini di un controllo da anziano, siederà tutto solo, in disparte dallo strepito delle passioni adescatrici e calmo, in silenzio. Non è piú costretto a litigare col corpo, a combattere con le piú svariate voglie, perché l'anima che cerca Dio, che ha reso suoi schiavi tutti i piaceri della gioventú, ha portato il giogo della parola. A questo si collega forse quell'affermazione del Signore: *Non griderà, non litigherà, nessuno udrà la sua voce nelle piazze.* La si può interpretare come riferita ad un silenzio di difensiva, alla noncuranza per una assoluzione e alla capacità di sopportare il patimento, ma anche come riferita alla repressione di tutti i desideri corporali. Perciò, anche in un altro punto sta scritto che non ha commesso peccato. E giustamente allora taceva, pur trovandosi in pericolo di morte, Lui che non aveva paura del pungiglione della morte.

20. Dice: *Nelle tue parole ho sperato.* Il testo greco porta ἐφήλπισα (*ephēlpisa*), che significa «continuare a crescere nella speranza» e «aggiungere speranza a speranza» [23]. Il giusto continua a sperare e, anche se si trova nelle sventure ed è colpito da una serie di disgrazie, non conosce la disperazione. Anzi, quanto piú gravi sono le difficoltà tanto piú spera e progredisce sempre piú nella speranza, secondo quel detto: *Consolate, consolate il mio popolo, dice il Signore. Voi, sacerdoti, parlate giustizia al cuore di Gerusalemme! Consolatela, perché è arrivata al colmo la sua umiliazione ed è stato rimesso il suo peccato, poiché ha ricevuto dalla mano del Signore una pena che è il doppio dei suoi peccati.* Ha in un attimo stabilito la contemporaneità tra il colmo della degradazione e la remissione del peccato. Ed ha ripetuto il motivo della consolazione: cioè che tanto piú grande è il segno della riconciliazione quanto piú grave è stata la pena rispetto alla colpa [24].

21. Giobbe, pur sotto il peso di cosí gravi disagi, accumulava speranza con atteggiamento di fede rispettosa. Sosteneva che ben distinta da quella dei fedeli era la causa di chi fede non ha, la cui luce sarà spenta; mentre, secondo Salomone, *ai giusti risplenderà sempre la luce.* Se ne deduce che il giusto spera sempre nelle parole di Dio e «aggiunge speranza a speranza». Lo ha espresso in forma ancor piú evidente Isaia, dicendo: *Attendi tribolazione su tribolazione, speranza su speranza.* Egli si rivolgeva a persone ormai svezzate e staccate dal seno, cioè a persone che avevano superato la fase dell'alimentazione infantile ed erano ormai capaci di cibarsi di alimenti piú robusti. Valga come esempio il patriarca Isacco che, una volta svezzato [25], raggiunse un grado di robustezza

---

[23] Cf. ORIGENE, *ibid.*, p. 422, 7. Vedasi anche 15, 23 e la nota 47.
[24] Cristo ha subíto una pena piú grande della colpa e questo dimostra la grandezza della riconciliazione e il suo valore consolatorio.
[25] Cf. *De Abr.*, I, 65; *De patr.*, 25.

euaserit, ut adhuc inter rudimenta primaeuae positus aetatis nequaquam tamen gladium ferituri parentis horruerit. Plures filios habuit Abraham, nullum ablactauit alium, sed in hoc solo legitur fecisse *epulum magnum* e. Et bene «magnum epulum» scriptura dixit, quia typus erat eius quem semper epulantur corda sanctorum.

22.  Sequitur uersus quartus: *Praeuenerunt oculi mei mane meditari uerba tua* a. Supra ait: *Praeueni* b ἐν ἀωρίᾳ, hoc est «ante horas, ante tempus», hic ait «mane», aliud significans tempus orandi atque psallendi domino, ut sit illud prius secundum quod ait: *Media nocte surgebam* c, hoc autem iuxta illud: *Praeueni orientem solem* d. Graue est enim, si te otiosum in stratis radius solis orientis inuerecundo pudore conueniat et lux clara feriat oculos somnolentos, adhuc torpore depressos. Arguit nos tanti temporis spatium sine ullius deuotionis munere ac sacrificii spiritalis oblatione feriata nocte transmissum. An nescis, o homo, quod primitias tui cordis ac uocis cotidie deo debeas? Cotidiana tibi messis, cotidianus est fructus. Occurre ergo ad solis ortus, ut te oriens inueniat iam paratum ne lumina tua madido adhuc sopore mergentia primus diei fulgor exagitet.

23.  *In cubili meo in noctibus quaesiui quem dilexit anima mea* a, dicit ecclesia. Ideo eum meruit inuenire, ideo eius gratiam promereri, quia etiam in cubili suo quaesiuit, quaesiuit in noctibus. Propterea copiam eius adepta in posterioribus loquitur ad sponsum: *Veni, frater meus, exeamus in agrum, requiescamus in castellis; diluculo surgamus in uineas* b. Aduertis quemadmodum sponsa uerbum inuitet dei, ut ueniat in terras et tollat peccata mundi c? Ager hic erat ante desertus, sentibus nostrorum squali-

---

e * Gen 21, 8.
22. a * Ps 118, 148.
   b * Ps 118, 147.
   c Ps 118, 62.
   d Sap 16, 28.
23. a * Cant 3, 1.
   b * Cant 7, 11-12.
   c Cf. Io 1, 29.

---

22, 13-14 mergentia *codd.*, marcentia *Petschenig*.

cosí elevato da non essere minimamente spaventato dalla spada del padre che lo stava per colpire; e sí che si trovava ancora ai primi passi di una verde età. Abramo ebbe parecchi figli, e di nessun altro si parla di svezzamento: solo in onore di costui si nomina un *grande banchetto*. Ed è giusto che la Scrittura parli qui di un «grande banchetto», perché egli era anticipazione figurale di Colui di cui sempre banchetta il cuore dei santi.

22.    Prosegue il versetto quarto: *I miei occhi sono corsi avanti il mattino nel riflettere sulle tue parole*. Prima aveva esclamato: *Son corso avanti*, ἐν ἀωρίᾳ (*en aōría*), cioè «prima dell'ora», «prima del tempo»; qui invece parla di «mattino»: si indicano cosí due momenti diversi da dedicare alla preghiera e alla salmodia. Il primo segue l'indicazione [26]: *Mi alzavo nel cuor della notte*; questo secondo invece segue un'altra indicazione: *Son corso avanti a precedere il sorgere del sole*. Sarebbe grave infatti se i raggi del sole nascente ti sorprendessero a poltrire a letto con sfacciata spudoratezza e se una luce già forte ti ferisse gli occhi assonnati, ancora sprofondati nel torpore [27]. È un'accusa [28] per noi uno spazio cosí lungo di tempo passato senza la minima pratica di pietà e senza l'offerta di un sacrificio spirituale, in una notte scioperata. Non sai forse, o uomo, che ogni giorno sei in debito con Dio delle primizie del tuo cuore e della tua voce [29]? La tua messe matura ogni giorno; ogni giorno matura il tuo frutto. Corri dunque incontro al sole che sorge, se vuoi che la sua nascita ti trovi già pronto e che il primo splendore del giorno non ti urti bruscamente gli occhi, che ancora affondano [30] nel bagno del sopore.

23.    *Nel mio giaciglio, notti e notti, ho cercato colui che l'anima mia ha amato*: è la Chiesa che parla [31]. Ed ha avuto il privilegio di trovarlo e di godere i suoi favori, proprio perché l'ha cercato perfino nel suo giaciglio; l'ha cercato notti e notti. È per questo che, dopo avere goduto della sua abbondanza, cosí — piú avanti — dice al suo Sposo: *Vieni, mio diletto; usciamo alla campagna, riposiamo nei villaggi; alziamoci all'alba tra le vigne!* Capisci che invito fa la Sposa alla Parola di Dio? Che venga in terra e prenda i peccati del mondo. Questa campagna era prima abbandonata, tutta incolta e piena dei rovi dei nostri peccati, irta di spine [32].

---

[26] Cf. 19, 18.

[27] Analogo tema in ILARIO, *Tract. ps. CXVIII*, 19, 5 (CSEL 22, p. 525).

[28] Cf. l'Inno *Aeterne rerum conditor*, vv. 19-20: *Et somnolentos increpat, / gallus negantes arguit.*

[29] Cf. *ibid.*, v. 31: *Te nostra uox primum sonet.*

[30] La lezione *mergentia* dei mss. è accettabile, perché il verbo è usato spesso in forma intransitiva da Ambrogio (cf. *De myst.*, 17, 21; *Exp. eu. Luc.*, IV, 51; *De Is.*, 78) e perché l'immagine dell'immergersi nel sonno è conosciuta (cf. SENECA, *Epist.*, 53, 7: *grauis sopor... animum altius mergit*; VALERIO FLACCO, *Arg.*, VIII, 66: *lumina somno mergimus*).

[31] Cf. 7, 33.

[32] «Il mondo, sotto la maledizione del peccato... passò alla condizione di un deserto, mentre Dio si comportava alla stregua di un agricoltore che ripetutamente viene a cercare i frutti al tempo del raccolto»: TOSCANI, *Teologia della Chiesa...*, p. 159. Cf. anche *De Noe*, 11; *Exp. eu. Luc.*, IV, 7; V, 104; *De Is.*, 35-36.

dus delictorum, horridus spinis. Castellum erat, in quo relegatus Adam perpetuo suae posteritatis heredes stringebat exilio. Illo ergo ducit Christum ecclesia, ut Adam liberet. Deinde exulibus absolutis coepit mundi istius ager idoneos habere cultores et, qui erat ante ieiunus, factus est uitis aeternae plantatione fecundus [d]. Nec sic tamen spiritalibus laeta palmitibus euagatur, sed ad has uineas uocat Christum, ubi psallentes sint et orantes, ubi noctibus ac diebus fructus innoxius perseueret.

24. *Ibi*, inquit, *dabo ubera mea tibi. Dederunt mandragorae odorem* [a]. Plerique discernunt quendam inter mandragoras sexum, ut et mares et feminas putent esse, sed feminas grauis odoris. Significat ergo gentes, quae ante faetebant, cum essent infirmiores euirata quadam inbecillitate perfidiae, boni odoris fructus ferre coepisse, postquam in aduentum domini crediderunt. Legimus etiam, quod mandragoras acceperit sancta Rachel a sorore sua Lia, ut concederet ei illa nocte dormire cum sancto Iacob [b]. Mandragoras Ruben primogenitus adtulerat matri suae Liae, quae lippientibus oculis synagogae figuram accepit, quia Christi gratiam uidere non potuit hebetato debilis mentis obtutu. Quo declaratur, quod fructus, quos ante synagoga a primogenito dei filio susceperat, ecclesiae concessit. Sed quia illius noctis potita concu-

---

[d] Cf. Io 15, 1 ss.
24. [a] * Cant 7, 12-13.
   [b] Cf. Gen 30, 14-16.

C'era un villaggio, dove era stato confinato Adamo [33] a tenervi soffocati in un esilio senza fine gli eredi della sua razza. È là dunque che la Chiesa conduce Cristo: a liberare Adamo. Poi, una volta avvenuta la liberazione degli esuli, ecco che la campagna di questo mondo ha cominciato a trovare coltivatori all'altezza del compito e, da sterile quale era prima, è diventata feconda di filari della vite eterna. Eppure, non le basta ancora, e non se ne va tra il lussureggiare di tralci spirituali. Bensí invoca Cristo su queste vigne, dove si trovino persone che innalzano salmi e preghiere [34], dove il frutto resista sano per notti e per giorni.

24. *Là* — ella dice — *ti darò i miei vezzi. Le mandragore hanno esalato odore.* Molti dividono le mandragore secondo il sesso [35], tanto da pensare che ci siano tra esse maschi e femmine, riconoscendole dall'odore piú acre che hanno le femmine. Si vuole qui dunque indicare la situazione dei Gentili [36]: essi prima erano maleodoranti, perché si trovavano in uno stato di maggiore infermità a causa della debolezza femminea della loro falsa fede. Ma dopo hanno cominciato a dare frutti di buon profumo, da quando hanno creduto alla venuta del Signore. Abbiamo letto anche che Rachele [37] aveva ricevuto alcune mandragore da sua sorella Lia, perché permettesse a lei di dormire quella notte con Giacobbe. Ruben, il primogenito, aveva portato alcune mandragore a sua madre, Lia, la quale per i suoi occhi cisposi [38] è stata considerata figura della Sinagoga, perché questa — a causa della vista debole del suo spirito fiacco — non ha potuto vedere la grazia di Cristo. Questo spiega la ragione per cui quei frutti, che prima la Sinagoga aveva ricevuto dal primogenito Figlio di Dio, questi li abbia concessi alla Chiesa. Ma dato che Lia, che si era accaparrata il

---

[33] Cf. anche *Expl. ps. XXXVI*, 20; *Epist.*, 19 (= Maur. 71), 8. Sulla figura di Adamo dopo la sua cacciata dal paradiso terrestre, è fiorita una vasta e pittoresca letteratura apocrifa, di origine sia giudaica che cristiana, di contenuto sia ascetico e popolare che eterodosso. Del filone eterodosso fa cenno, in area cristiana, già EPIFANIO, *Panar.*, XXVI, 8, 1 (GCS 25, p. 284). Su questa letteratura apocrifa, cf. R.H. CHARLES, *The Apocrypha and Pseudoepigrapha of the Old Testament in English*, 2 voll., Oxford 1913; J.-B. FREY, *Adam (Livres apocryphes sous son nom)*, in *Dictionnaire de la Bible*, Supplément, I, Paris 1928, coll. 101-134; J. BONSIRVEN, *La Bibbia apocrifa*, trad. it., Milano 1962.

Sotto il termine *castellum* si trova espresso il concetto platonico di corpo-prigione (sul quale cf. 4, 6): cf. COURCELLE, *Connais-toi...*, II, p. 364, nota 219.

[34] Forse c'è un riferimento alle comunità monastiche, che rappresentano la vigna contenente i tralci spirituali (anime consacrate).

[35] Sulla mandragora, distinta in maschio e femmina, cf. PLINIO IL VECCHIO, *Nat. hist.*, XXV, 147 e 194 (dove però è il maschio che ha *odor grauis*, anche se il testo non è del tutto sicuro); DIOSCORIDE, IV, 75 (dove la odorosa è la femmina); ISIDORO, *Etym.*, XVII, 9, 30. Sulle virtú soporifere della mandragora, cf. ancora *Exam.*, III, 39; SERENO SAMMONICO, *Lib. medic.*, 989; CELIO AURELIANO, *Acut. pass.*, II, 4, 20; DIOSCORIDE, IV, 75; ISIDORO, *Etym.*, XVII, 9, 30.

[36] Sulla mandragora come tipo della Chiesa, cf. anche *Exam.*, III, 56; *De Iac.*, II, 3, dove la sua crescita sul campo di Giacobbe indica il legame della Chiesa con il popolo di Israele: cf. HAHN, *Das wahre Gesetz...*, p. 179, nota 188.

[37] Cf. il commento a tale episodio biblico in AGOSTINO, *Contra Faust.*, XXII, 56 (CSEL 25, p. 651), dove l'autore afferma di avere personalmente investigato la natura dei frutti della mandragora.

[38] La mandragora era considerata anche curativa degli occhi: cf. PLINIO IL GIOVANE, *Epist.*, I, 8, 4.

bitu genuit Lia suae posteritatis heredem, impletur mysterium, quoniam credentibus apostolis reliquiae Iudaeorum per electionem gratiae saluae factae sunt [c].

25. Vnde ait ecclesia: *Noua et uetera, frater meus, seruaui tibi. Quis dabit te fratrem, lactantem ubera matris meae? Inueniens te foris osculabor te, et quidem non spernent me. Adsumam te et inducam in domum matris meae et in secretum eius quae concepit me; docebis me* [a]. Habens igitur informationem nouarum et ueterum scripturarum nec despicabilem esse se sentiens non solum orationibus in secreto cordis uerbum tenet, uerum etiam psallentis chori uocibus uelut quibusdam eum gratiae osculis osculatur.

26. Itaque malorum granatorum [a], hoc est diuersorum et innumerabilium fructuum et praecipue fidei odoribus grata, sapientiae et gloriae uitaeque aeternae subnixa diuitiis, quae sunt circa sinistram et dexteram sponsi [b], per animas sanctas laudantium congregationum plausibus excitat Christum dicens: *Adiuraui uos, filiae Hierusalem, quid suscitetis et quid resuscitetis dilectionem usque quo uoluerit* [c].

27. Vnde eam mirantur filiae Hierusalem, sanctae scilicet animae patriarcharum et prophetarum ueterumque iustorum uel caelestes potentiae, dicentes: *Quae est haec quae ascendit dealbata, innitens super fratrem suum?* [a]. Hoc est: talibus sollemnitatibus fulget ecclesia et quae ante per diem fusca erat, iam splendet in noctibus et relucet.

28. Ipse quoque dominus tanto munere psallentium delectatus ait: *Pone me ut signaculum in cor tuum, ut sigillum in brachium tuum, quia ualida est ut mors caritas, durus sicut inferi zelus; alae eius alae ignis flammae; aqua multa excludere non poterit caritatem et flumina non inundabunt eam* [a]. Qui audit tantam deuotionem ecclesiae, idoneos putat esse iam populos, qui in corde nostro et brachio signaculum eius portare possimus. Ipsum enim pater signauit deus et qui testimonium eius accepit signauit, quia deus uerax est [b], et ideo operantes cibum permanentem in uitam aeter-

[c] Cf. Rom 11, 5.
25. [a] * Cant 7, 13 (14) - 8, 2.
26. [a] Cf. Cant 8, 2.
 [b] Cf. Cant 8, 3.
 [c] * Cant 8, 4.
27. [a] * Cant 8, 5.
28. [a] * Cant 8, 6-7.
 [b] Cf. Rom 3, 4.

privilegio di giacere quella notte con Giacobbe, generò un erede della sua razza, ecco come trova compimento quella realtà mistica: quando gli Apostoli hanno creduto, ecco che il resto dei Giudei ha trovato salvezza tramite l'elezione della grazia [39].

25. Perciò la Chiesa esclama: *Cose nuove e cose vecchie, o mio diletto, ho messo da parte per te. Chi mi darà quel fraterno diletto, che sei tu, che ti allatti al seno di mia madre? Trovandoti fuori, io ti bacerò, senza che nessuno mi disprezzi. Ti prenderò e ti porterò nella casa di mia madre e nel suo posto piú segreto, dove ella mi ha concepito. E tu mi sarai maestro.* Essa possiede la conoscenza delle Scritture nuove e antiche, ed ha coscienza di non essere spregevole. Cosí, non solo trattiene la Parola nel segreto del suo cuore, mediante la preghiera, ma anche la bacia con voci di coro salmodiante come con i baci del suo amore.

26. E cosí essa è soffusa del profumo delle melagrane, cioè del profumo di vari e innumerevoli frutti [40], e prima di tutto del profumo della fede. Ha la sicurezza che le viene dalle ricchezze della sapienza, della gloria e della vita eterna, che stanno alla sinistra e alla destra dello Sposo. Cosí, per mezzo delle anime sante che formano le assemblee lodanti, essa desta Cristo con gli applausi, dicendo [41]: *Vi scongiurai, figlie di Israele, di destare e ridestare il mio amore fino a quando vorrà.*

27. Perciò la guardano con ammirazione le figlie di Gerusalemme, cioè le anime sante dei Patriarchi e dei Profeti, nonché degli antichi giusti, oppure le potenze del Cielo, e dicono: *Chi è costei che sale tutta bianca, appoggiandosi al suo diletto?* In altre parole: questi costumi fanno sfolgorare la Chiesa e lei — che prima, durante il giorno, era bruna — ora splende e brilla nelle notti.

28. Anche il Signore stesso si rallegra per l'omaggio cosí intenso di quelle anime salmodianti ed esclama: *Poni me a sigillo del tuo cuore, a sigillo del tuo braccio, perché forte come la morte è l'amore, tenace come gli inferi è la gelosia. Le sue ali sono le ali della fiamma del fuoco. Acqua su acqua non potrà tenere lontano l'amore e i fiumi non lo sommergeranno.* Chi sente parlare di una devozione cosí profonda da parte della Chiesa, ritiene che noi — popoli dei Gentili — siamo ormai capaci di portare il suo sigillo nel cuore e nel braccio. Vi ha impresso il suo segno Dio Padre e Colui che ha ricevuto la sua attestazione [42], vi ha impresso il segno che Dio è verace. E cosí quelli che producono un cibo che

---

[39] La fecondità (= mandragore), che la Sinagoga (= Lia) aveva ricevuto da Cristo (= Ruben), passa alla Chiesa (= Rebecca). Ma la Sinagoga ha generato, come estremo suo frutto, il resto di Israele, nel quale stanno gli Apostoli, che costituiscono cosí il *trait-d'union* tra Israele e la Chiesa. Quando sviluppa il tema del *passaggio* da Israele a Chiesa, raramente Ambrogio dimentica di sottolineare anche quello della *continuità*. Sul resto di Israele già salvato, cf. *Expl. ps. XLIII*, 68.

[40] Si tratta dei vari grani della melagrana.

[41] Il passo di Cant 8, 4 = Cant 2, 7 = Cant 3, 5 viene interpretato da Ambrogio come se fosse la sposa a chiedere che venga svegliato lo sposo. Cf. anche *Expl. ps. XXXVI*, 66.

[42] Cioè, Cristo.

nam [c] signati sunt ad imaginem et similitudinem Christi, *qui est imago inuisibilis dei* [d]. Sicut ergo deus uerax est, et tu signa in tuo sensu et opere ueritatem, ut os tuum non loquatur mendacium, manus tuae non operentur opera hominum quae sunt fallacis istius mundi, sed illa quae dei sunt [e], ut pauperibus largiantur, debiles subleuent, mortuos honorent tumuli sepultura. His operibus caritas quaeritur, ut nemo possit a Christo uel periculo mortis auelli. Vnde ille ait: *Quis nos separabis a Christo? Tribulatio an angustia an persecutio?* [f]. Et infra: *Confido enim quia neque mors neque uita neque angeli* [g].

29.   Ea specie etiam zelus durus est caritatis et alae eius alae ignis. Habet alas sicut columba [a]. Sunt enim pennae columbae deargentatae, quibus euolat qui diligit, dicens: *Ecce elongaui fugiens et mansi in solitudine* [b]. Sed alae caritatis alae ignis, quibus dilectionis inflammat ardorem. Hoc uapore feruentes fecit dominus angelos suos spiritus et ministros suos ignem urentem [c], sed non exurentem. Legimus et alam templi, supra quam diabolus temptans fecit ascendere saluatorem [d], quae erat in templi culmine. Sunt ergo fastigia pietatis, sunt culmina caritatis, quae uaporem gratiae pectoribus humanis adolere consuerunt, ut multa aqua extinguere atque excludere non queat caritatem et flumina eam saecularium tempestatum nulla concludant.

30.   Cum ergo tanta ecclesiae gratia, tanta nos praemia deuotionis inuitent, praeueniamus orientem solem, occurramus ad eius ortus, antequam dicat: *Ecce adsum* [a]. Vult se praeueniri sol iustitiae et ut praeueniatur expectat. Audi quemadmodum expectet et cupiat praeueniri: dicit *angelo Pergami ecclesiae: Age paenitentiam, ceterum uenio tibi* [b]. Dicit *angelo Laodiciae: Aemulare ergo et paenitentiam age. Ecce sto ad ianuam et pulso, et si quis audierit*

[c] Cf. Io 6, 27.
[d] * Col 1, 15.
[e] Cf. Io 6, 28.
[f] * Rom 8, 35.
[g] * Rom 8, 38.
29. [a] Cf. Ps 67, 14.
  [b] Ps 54, 8.
  [c] Cf. Ps 103, 4.
  [d] Cf. Mt 4, 5.
30. [a] Is 58, 9.
  [b] * Apoc 2, 12.16.

28, 19 *post* angeli *Petschenig ex 8, 36 necnon ex 3, 43 supplevit*: «neque potestates neque praesentia neque futura separare nos poterunt a caritate dei quae est in Christo Iesu» (Rom 8, 38).

dura per la vita eterna [43] hanno ricevuto impresso il segno dell'immagine e della somiglianza di Cristo, *che è immagine del Dio invisibile.* Dunque, al modo in cui è verace Dio, anche tu imprimi nel tuo pensiero e nel tuo agire il segno della verità: che la tua bocca non dica menzogna; che le tue mani non producano opere da uomini, che appartengono alla fallacia di questo mondo, ma le opere che sono di Dio: quali l'essere generosi con i poveri, il soccorrere i deboli, il dare ai defunti l'onore di una sepoltura. Queste sono le opere che ci fanno conquistare quella carità grazie alla quale nessuno possa essere strappato da Cristo, nemmeno sotto rischio di morte. Perciò egli esclama: *Chi potrà staccarci da Cristo? La tribolazione? L'angoscia? La persecuzione?* E piú avanti: *Sono sicuro che non ci riusciranno né morte, né vita, né angeli* [44].

29. In presenza di quella bellezza nasce anche una tenace gelosia d'amore e le sue ali sono le ali del fuoco. Possiede ali come una colomba [45]. Sono penne di colomba dal riflesso d'argento quelle con le quali si alza in volo chi ama, dicendo: *Ecco, mi sono allontanato di corsa e mi sono fermato in un posto solitario.* Ma le ali della carità sono le ali del fuoco, con cui egli accende la vampata dell'amore. Accesi di questa fiamma, il Signore ha reso i suoi angeli come venti e i suoi ministri li ha resi fuoco che arde ma non consuma. Abbiamo letto anche di un'ala del tempio: quella su cui il diavolo tentatore ha fatto salire il Salvatore e che si trovava alla sommità del tempio. Ci sono dunque sommità di devozione, ci sono culmini d'amore. Essi sanno far divampare nel cuore dell'uomo fiammate di altruismo cosí alte che acqua su acqua non può spegnere o tenere lontano quell'amore, e nessun fiume, ingrossato dalle bufere del mondo, può isolarlo.

30. Dunque, se cosí grande è la bellezza della Chiesa, se cosí grandi sono le ricompense della fedeltà che ci stimolano, anticipiamo allora il sole nascente [46]! Corriamo incontro al suo sorgere, prima che esso dica: *Eccomi qua!* Il sole della giustizia vuole essere anticipato e non aspetta altro. Senti come esso aspetti e desideri di essere anticipato! Dice *all'angelo della Chiesa di Pergamo: «Fa' penitenza, altrimenti io verrò da te!».* Dice *all'angelo di Laodicea: «Sii zelante, adunque, e fa' penitenza. Ecco che io sto alla tua porta e busso e se qualcuno udrà la mia voce e mi aprirà la porta, io entrerò da lui».* Sarebbe potuto già entrare [47]: tant'è vero

---

[43] Cioè, i Cristiani.

[44] Pare ingiustificato integrare la citazione con il passo completo, visto che non sempre Ambrogio riferisce il testo completo: cf., ad es., *Expl. ps. XXXIX*, 23, dove condensa il passo che cita.

[45] Cf. 14, 38.

[46] Le celebrazioni domenicali, secondo il CATTANEO, *La religione a Milano...*, pp. 56 s., «erano sicuramente *tre*: di buon mattino, poco dopo l'ora terza, al Vespero». Qui si fa riferimento alla prima.

[47] Il *poterat* dei mss. si giustifica pienamente, perché c'è la differenza tra «l'aver potuto entrare» del Signore e invece il ritardo ad entrare, che egli accetta per mettere prima alla prova l'uomo.

*uocem meam et aperuerit ianuam, intrabo ad eum* <sup>c</sup>. Poterat intrare; denique nec resurgentem eum cum corpore ulla clausarum ualuarum repagula retinere potuerunt <sup>d</sup>, subito se apostolicis penetralibus inprouisus infudit. Sed studia deuotionis tuae desiderat experiri, apostolos iam probatos habebat. Aut forte in persecutione praeuenit; ubi tranquillitas est, praeueniri cupit. Praeuenit certe hunc quem uides solem, *surge qui dormis et exsurge a mortuis, ut inlucescat tibi Christus* <sup>e</sup>. Si hunc solem praeueneris, antequam iste surgat, accipies Christum inluminantem. Ipse prius in tui cordis inlucescet arcano, ipse tibi dicenti: *De nocte uigilat ad te spiritus meus* <sup>f</sup> matutinum lumen temporibus faciet splendere nocturnis, si mediteris uerba dei. Dum enim meditaris, lux est et uidens lucem non temporis, sed gratiae dices: *Quia lux praecepta tua* <sup>g</sup>, cum autem te meditantem uerba diuina dies inuenerit et tam gratum opus orandi atque psallendi delectauerit tuam mentem, iterum dices ad dominum Iesum: *Exitus matutinos et uespere delectabis* <sup>h</sup>.

31.   An uero Moyse magistro usus populus Iudaeorum cotidie in senioribus suis, qui ad hoc munus electi sunt, noctibus ac diebus sine ulla cessatione recenset scripturas diuinas et, si quid aliud seniorem interrogaueris, nescit nisi scripturae diuinae seriem resultare <sup>a</sup>, uacat illi sermo de saeculo, sola illic scriptura contexitur, singulorum sibi per uices ora succedunt, ne quando sacer ille sonus mandatorum caelestium ferietur: et tu, christiane, dormis, cui magister est Christus, et non uereris, ne de te dicatur: «Populus iste nec labiis me honorat, Iudaeus uel labiis, tu uero nec labiis» <sup>b</sup>? Si illius qui uel labiis honorat cor longe est a deo, quomodo potest cor tuum prope esse, qui etiam labiis non honoras? Quamdiu somnus, quamdiu te saecularia tenent, quamdiu sollicitudines istius uitae, quamdiu terrena!

32.   Diuide saltem deo et saeculo tempora tua; uel, quando non potes agere in publico, quae sunt istius mundi, et tenebrae prohibent noctis, deo uacato, indulge orationibus et, ne obdormi-

---

<sup>c</sup> * Apoc 3, 14.19.20.
<sup>d</sup> Cf. Io 20, 19.
<sup>e</sup> * Eph 5, 14.
<sup>f</sup> * Is 26, 9.
<sup>g</sup> * Ibid.
<sup>h</sup> * Ps 64, 9.
31. <sup>a</sup> Cf. Ex 18, 14 ss.
  <sup>b</sup> Cf. Is 29, 13.

---

30, 8   Poterat *codd.*, Poterit *Petschenig.*

che il suo corpo risorto non poterono trattenerlo catenacci di porte chiuse, ma in un baleno si introdusse inaspettato nelle stanze dove gli Apostoli stavano nascosti. Il fatto è che di te desidera mettere alla prova l'intensità della fedeltà, mentre gli Apostoli li aveva già saggiati. O forse durante la persecuzione è Lui che anticipa, mentre, quando la situazione è calma, desidera essere anticipato. Quel che è certo è che devi anticipare questo sole fisico: *Svegliati e alzati e sollevati dai morti, se vuoi che risplenda per te la luce di Cristo!* Se tu anticiperai questo sole nel suo sorgere, riceverai come luce Cristo. Sarà proprio Lui la prima luce che brillerà nel segreto del tuo cuore; sarà proprio Lui che, se tu gli dirai: *Durante la notte sta sveglio per te il mio spirito*, farà splendere per te la luce del mattino nelle ore della notte, se tu rifletterai sulle parole di Dio. Mentre tu rifletti, si fa luce. Al vedere quella luce non fisica, ma della grazia, dirai: *Luce sono le tue prescrizioni.* Quando invece il giorno ti sorprenderà immerso nella riflessione sulle parole divine e quando una cosí piacevole attività di preghiera e di salmodia rallegrerà il tuo spirito, di nuovo dirai al Signore Gesú: *Rallegrerai le porte del mattino e alla sera.*

   31.   Non è forse vero che il popolo dei Giudei, prendendo Mosè per maestro, quotidianamente nei suoi anziani, che sono stati scelti per questo ufficio, notte e giorno senza alcuna tregua ripercorre le Scritture divine? E se tu poni ad un loro anziano qualche domanda di altro tipo, non sa far altro che riecheggiare una serie di passi della Scrittura divina: vi è assente qualsiasi discorso profano, ma vi è un tessuto di sola Scrittura. Si danno il cambio, uno dopo l'altro, perché non abbia posa la sacra proclamazione dei comandamenti celesti. E tu, cristiano, che hai Cristo come maestro, dormi e non hai paura di sentirti dire: «Questo popolo non mi onora nemmeno con le labbra; i Giudei si limitano alle labbra, ma tu nemmeno questo fai»? Se il cuore dell'uomo, che si limita ad onorare Dio con le labbra, è lontano da Dio, come fa ad essere vicino il tuo cuore, che non l'onora neppure con le labbra? Quanto dormi! Come sei impegnato in interessi caduchi, in preoccupazioni legate a questa vita, alle realtà di quaggiú!

   32.   Dividi almeno il tuo tempo tra Dio e il mondo [48]! Almeno quando non puoi trattare in pubblico i tuoi affari mondani, quando non te lo permette il calar della notte, almeno allora trova il tempo per Dio! Dedicati alle preghiere e, per tenerti sveglio, al

---

[48] L'esortazione ci presenta un Ambrogio «pastore d'anime senza illusioni, forse perfino deluso»: DASSMANN, *La sobria ebbrezza...*, n. 7, p. 322.

scas, psallito, somnum tuum bona fraude fraudato. Mane festina ad ecclesiam, defer primitias pii uoti; et postea, si uocat saecularis necessitas, non excluderis dicere: *Praeuenerunt oculi mei mane meditari uerba tua* [a]; securus procedes ad tuos actus. Quam iucundum inchoare ab hymnis et canticis, a beatitudinibus quas in euangelio legis [b], quam prosperum, ut te Christi sermo benedicat et, dum recantas domini benedictiones, studium alicuius uirtutis adsumas, ut etiam in te benedictionis diuinae meritum recognoscas!

33.   Sequitur uersus quintus: *Vocem meam exaudi secundum misericordiam tuam, domine, secundum iudicium tuum uiuifica me* [a]. Semper homo, etiamsi sanctus et iustus sit, debet orare, ut exaudiat eum dominus secundum misericordiam suam, non secundum merita uirtutis alicuius, quia rara uirtus, multa peccata, et secundum iudicium suum, ut infirmis opem ferat. Et maxime hoc debemus orare, cum aliquibus urgemur aduersis. Vnde non otiose a sancto Dauid praemissa est diuinae misericordiae postulatio.

34.   Sequitur enim: *Adpropinquauerunt persequentes me inique, a lege autem tua elongauerunt* [a]. Graecus sic posuit: *Adpropinquauerunt persequentes me iniquitate* [b], hoc est qui cum iniquitate me persequebantur. Quanto magis mihi adpropinquauerunt, tanto amplius se a lege tua separauerunt, quoniam qui fratrem suum persequitur a lege secernitur; lex enim dicit: *Diliges dominum*

---

32. [a] * Ps 118, 148.
   [b] Cf. Mt 5, 3-10.
33. [a] * Ps 118, 149.
34. [a] * Ps 118, 150.
   [b] * Ibid.

canto dei Salmi: imbroglia il tuo sonno con un imbroglio merito-
rio! Di buon mattino affrettati in chiesa e recavi in omaggio le
primizie della tua devozione. E dopo, se l'impegno del mondo ti
chiama, niente ti impedirà di dire: *I miei occhi sono corsi avanti
il mattino nel riflettere sulle tue parole*, e con la coscienza a posto
ti recherai ai tuoi affari. Com'è bello cominciare dagli inni e dai
canti, dalle beatitudini che leggi nel Vangelo! Com'è propizio che
scenda su di te a benedirti il discorso del Signore; che tu, mentre
ripeti cantando le benedizioni [49] del Signore, ti prenda l'impegno
di realizzare qualche virtú, se vuoi ravvisare anche dentro di te
qualcosa che ti faccia sentire meritevole di quella benedizione
divina [50]!

33. Prosegue il versetto quinto: *Esaudisci la mia voce secondo
la tua misericordia, Signore; secondo il tuo giudizio infondimi vita!*
L'uomo, per quanto santo e giusto, deve pregare sempre, se vuole
che il Signore lo esaudisca: secondo la sua misericordia, non
secondo i meriti d'una qualche virtú [51] (rare sono le virtú e
frequenti i peccati), e secondo il suo giudizio di portar soccorso
ai deboli. E dobbiamo pregare cosí, soprattutto quando ci incalza
qualche sventura. Perciò non per nulla Davide, uomo di Dio, ha
posto all'inizio un'invocazione alla misericordia divina.

34. Cosí prosegue infatti: *Si sono avvicinati i miei ingiusti
persecutori, ma si sono allontanati dalla tua legge*. Il testo greco
suona cosí: «Si sono avvicinati i miei persecutori di ingiustizia»,
cioè quelli che mi perseguitavano con ingiustizia. Ma, quanto piú
si sono avvicinati a me tanto piú si sono staccati dalla tua legge [52],

---

[49] In questo passo, che riporta lo svolgimento della lode mattutina a Milano
nel sec. IV, compare la piú antica testimonianza dell'uso dei *macarismi* nel quadro
dell'Ufficio del mattino: cf. J.A. JUNGMANN, *Christliches Beten in Wandel und Bestand*,
München 1969, p. 31 e nota 12. La recita delle *beatitudines* pare al Fischer una
prova dell'influsso dell'uso gerosolimitano in Occidente e che abbia qualcosa a
che fare con la recita quotidiana del Decalogo da parte del Giudaismo del tempo
di Cristo. In un momento impreciso, tra il II e il IV secolo, le beatitudini
avrebbero assunto — sostituendo il Decalogo — il ruolo di codice cristiano della
morale: cf. B. FISCHER, *Die Acht Seligkeiten als Gesangs-und Gebetstext in Vergan-
genheit und Gegenwart*, in «Trierer Theologische Zeitschrift», 81 (1972), pp. 280 s.;
*Gemeinschaftsgebet in den christlichen Gemeinde und in der christlichen Familie in
der alten Christenheit*, in «Liturgisches Jahrbuch», 24 (1974), p. 100.
*Benedictiones* come sinonimo di *beatitudines* si trova usato anche da GEROLAMO,
*Comm. Gal.*, III, 5, 22 (PL 26, 447D-448A): cf. AUF DER MAUR, *Das Psalmenverständnis
des Ambrosius...*, n. 2548, p. 436.
[50] Da questo passo, secondo il CATTANEO, *La religione a Milano...*, p. 74, «si può
arguire che il programma religioso d'una giornata lavorativa fosse nella sostanza
uguale a quello della domenica... Centro della giornata era sempre il sacrificio
eucaristico... Anche se non abbiamo prove, considerando lo stato spirituale della
Chiesa milanese antecedente alla sua (*scil.* di Ambrogio), possiamo essere certi
che l'ordinamento completo della liturgia anche per i giorni feriali è stato il frutto
d'un lavoro lento, progressivo, lungo di Ambrogio». Al Fischer non sembra estranea
a questa densità liturgica e soprattutto all'uso della preghiera orale nella comunità
del sec. IV la pratica della preghiera del monachesimo, che provoca un ordinamento delle riunioni liturgiche: cf. FISCHER, *Gemeinschaftsgebet in den...*, p. 95.
[51] Stessa precisazione di trova in ORIGENE, in HARL, SCh 189, 149, p. 424, 2-4.
[52] Il tema della persecuzione del giusto e l'espressione stessa sono modellati
su ORIGENE, *ibid.*, p. 424, 1-5; ILARIO, *Tract. ps. CXVIII*, 19, 7 (CSEL 22, p. 526).

*deum tuum, diliges proximum tuum* [c]. Non ergo oderim fratrem, ne dicatur mihi: *Si fratrem tuum non diligis quem uides, quomodo potes deum diligere quem non uides?* [d]. Nescis fratrem tuum mercem esse sanguinis Christi? Mercem ergo non diligis Christi, si fratrem non diligis.

35.   Ergo persecutor mihi adpropinquat, ut noceat, sed is se a lege disterminat — *quae enim portio iustitiae cum iniquitate?* [a] — qui autem a lege dei se separat, separat se et ab aeterna uita; lex enim uita est. Denique ostendens propheta legem dei ait: *Ecce ista est uita* [b], *quoniam qui facit quae legis sunt uiuet in eis* [c], quod legi utique conuenit spiritali. Et fortasse qui mihi adpropinquat, ut noceat mihi, dum separatur a lege, separatur a Christo, quia Christus est uita. Ego autem si adhaeream Christo, nec mihi adpropinquat, quia, etiamsi corporis mei habeat potestatem, animae tamen meae nocere non poterit [d]. Denique persecutores martyrum quam longe ab eorum meritis separati sunt!

36.   Sed forte dicas: «Quomodo sancti adhaerent deo?» et ideo sequitur: *Prope es, domine, et omnia praecepta tua ueritas* [a]. Prope est dominus omnibus, qui ubique adest, nec fugere eum possumus, si offendimus, nec fallere, si delinquimus, nec amittimus, si colamus. Spectat omnia deus, omnia uidet, adsistit singulis dicens: *Deus adpropinquans ego sum* [b]. Et quomodo potest deesse alicubi deus, cum de spiritu dei legeris: *Spiritus domini repleuit orbem terrarum* [c]?, quia ubi domini spiritus ibi dominus deus. *Caelum et terram ego conpleo, dicit dominus* [d]. Vbi igitur deficit qui implet omnia aut quomodo de plenitudine eius omnes accepimus [e], nisi omnibus adpropinquet?

37.   Denique Dauid, sciens illum ubique esse et implere caelum et terras et maria, ait: *Quo ibo a spiritu tuo aut quo fugiam a facie tua? Si ascendero in caelum tu ibi es, si descendero in infernum ades; si sumpsero pennas meas ante lucem et habitem in*

[c] Deut 6, 5; * Leu 19, 18.
[d] * 1 Io 4, 20.
35. [a] * 2 Cor 6, 14.
  [b] * Leu 18, 5.
  [c] * Ez 20, 11.
  [d] Cf. Mt 10, 28.
36. [a] * Ps 118, 151.
  [b] * Ier 23, 23.
  [c] Sap 1, 7.
  [d] * Ier 23, 24.
  [e] Cf. Io 1, 16.

dato che chi perseguita il proprio fratello si separa dalla legge. La Legge infatti dice: *Amerai il Signore Dio tuo, amerai il prossimo tuo*. Dunque che io non odii il fratello, se non voglio che mi si dica: *Se non ami il tuo fratello che vedi, come puoi amare Dio che non vedi?* Non sai che tuo fratello è un acquisto del sangue di Cristo? Dunque, non ami l'acquisto di Cristo, se non ami il fratello.

35.    Dunque, ecco che mi si avvicina il persecutore per farmi del male. Ma egli si distanzia dalla legge: infatti, *che parte ha la giustizia in comune con l'ingiustizia?* Ma chi si separa dalla legge di Dio si separa anche dalla vita eterna, perché la legge è la vita. E difatti il profeta, quando presenta la legge di Dio, esclama: *Ecco, questa è la vita, poiché chi fa le opere della legge, in esse vivrà*: detto che si riferisce, ovviamente, alla legge spirituale. E forse l'uomo che mi si avvicina per farmi del male, nel momento in cui è separato dalla legge è separato da Cristo, perché è Cristo la vita. Ma se io rimango attaccato a Cristo, quello non si può nemmeno avvicinare a me: potrà avere tutt'al piú potere sul mio corpo, ma non potrà fare alcun male alla mia anima. Guarda, per l'appunto, i persecutori dei martiri: come sono distanti dalle benemerenze dei martiri!

36.    Ma forse qualcuno mi potrebbe chiedere: «Come fanno i santi a restare attaccati a Dio?». Per questo il Salmo cosí prosegue: *Tu sei vicino, Signore, e ogni tua prescrizione è verità* [53]. Il Signore è vicino a tutti, perché Egli è in ogni luogo [54]. Non possiamo sfuggirgli se l'offendiamo, né farla franca se sbagliamo, né perderlo se usiamo il filtro [55]. Dio osserva ogni cosa, vede ogni cosa e sta al fianco di ognuno, dicendo: *Io sono il Dio che si avvicina*. E come può Dio risultare assente da qualche luogo, se a proposito dello Spirito di Dio hai letto: *Lo Spirito del Signore ha riempito tutta la terra?* Dove c'è lo Spirito del Signore, là c'è il Signore Dio. *Io riempio cielo e terra, dice il Signore*. E allora, dove può mancare uno che riempie ogni luogo [56]? E come ci troveremmo ad aver ricevuto parte della sua pienezza, se Egli non si avvicinasse a tutti?

37.    Tant'è vero che Davide ben sapeva che egli era in ogni luogo, che riempiva cielo, terre e mari, ed esclamò: *Dove andrò mai lontano dal tuo Spirito o dove fuggirò lontano dal tuo volto? Se salirò nel cielo, là tu ci sei; se discenderò agli inferi, là sei presente; se solleverò le mie ali verso la luce e se abiterò nell'estremi-*

---

[53] Il testo è già anticipato a 18, 36.

[54] Il motivo della perenne vicinanza di Dio, che Ambrogio sviluppa lungo i cc. 36-42, è tratto da ORIGENE, in HARL, SCh 189, p. 426, 1-12, dove compaiono uguali citazioni (Atti 17, 28: c. 41; Sap 1, 7: c. 36; Sal LXXII, 27: c. 41; Es 18-24: c. 42).

[55] Il verbo, per analogia coi precedenti, deve essere all'indicativo. Il senso potrebbe essere questo: la presenza di Dio non sfugge all'uomo, nemmeno se questi usa molti *filtri*, attraverso i cui fori passa il liquido; infatti la presenza divina *implet omnia*. Ma forse, piú plausibilmente, si potrebbe pensare a *celamus* («né perderlo se ci nascondiamo»): infatti egli *spectat omnia*. Potrebbe soccorrere un confronto con *De paen.*, II, 53: «*Nouit omnia Dominus*»... *Non uult ut insultet tibi diabolus et celantem peccata tua arguat.*

[56] Cf. ILARIO, *Tract. ps. CXVIII*, 19, 8 (CSEL 22, p. 527).

*nouissimo maris, etenim ibi manus tua deducet me et tenebit me dextera tua* ª. Quam cito significauit ubique deum esse et ubicumque est dei spiritus ibi deum esse et ubi est deus ibi spiritum eius esse praesentem. Quo loco indiuiduae copula trinitatis expressa est, siquidem haec per os prophetae locutus est dei filius, in persona hominis locutus qui per incarnationem descendit in terras, per resurrectionem ascendit in caelum, per corporis mortem penetrauit infernum, ut solueret alligatos. Aut si ad prophetam referas, aduertis expressum quod ubique manus et dextera dei Christus adsistat, ubi pater deus et sanctus dei spiritus.

38.   An cum de sole dubitare nequeamus, quod procedens toto orbe radios diffundat suos et omnibus lumen infundat, quem etiam illi qui uidere non possunt sentiunt tamen aeris ipsius fotu esse praesentem — ubi enim deest calor illius? Quo radii eius non perueniunt, cum discussis noctis aut nubium tenebris inluminat terras? In caelo fulget, in mari rutilat, feruet in terris —, de sole ergo non dubitas quod ubique resplendeat, de deo dubitas quod ubique fulgeat splendor gloriae eius et imago substantiae ª? Quid non penetret uerbum dei, splendor aeternus, qui etiam occulta mentis inluminat quae non potest sol iste penetrare? Verbum enim dei gladius spiritalis est ᵇ, usque ad diuisiones animae atque artuum medullarumque perueniens ᶜ, de quo dicit iustus ad Mariam: *Et tuam ipsius animam pertransibit gladius, ut reuelentur multorum cordium cogitationes* ᵈ.

39.   Penetrat ergo animam et quasi candor aeternae lucis inlustrat. Sed quamuis diffusae per omnes et in omnes et supra omnes potestatis sit, quia omnibus ortus ex uirgine est, et bonis et malis, sicut et solem suum oriri iubet super bonos et malos ª, illum tamen fouet qui adpropinquat sibi. Sicut enim a se fulgorem solis excludit, qui fenestras domus suae clauserit locumque tenebrosum in quo deuersetur elegerit, ita qui se auerterit a sole iustitiae non potest splendorem eius aspicere, in tenebris ambulat et in omnium luce ipse sibi causa est caecitatis. Aperi igitur fenestras tuas, ut tota domus tua ueri fulgore solis inluceat, aperi oculos tuos, ut uideas orientem tibi solem iustitiae ᵇ, sed caue ne eos ulla stipulae festuca perturbet. Si quid sordis in oculo mentis fuerit tuae, non poteris intueri, si quid aegritudinis, plus grauabit;

---

37.ª * Ps 138, 7-10.
38.ª Cf. Hebr 1, 3.·˙
    ᵇ Cf. Eph 6, 17.
    ᶜ Cf. Hebr 4, 12.
    ᵈ * Lc 2, 35.
39.ª * Cf. Mt 5, 45.
    ᵇ Cf. Mal 4, 2.

*tà del mare, ecco che anche là la tua mano mi condurrà e mi terrà stretto la tua destra.* Senza dilungarsi, ha voluto mostrare che Dio è in ogni luogo, e che dovunque c'è lo Spirito di Dio là c'è Dio, e che dove c'è Dio là è presente il suo Spirito. È qui espressa l'unità dell'indivisibile Trinità, dal momento che qui — per bocca del profeta — cosí ha parlato il Figlio di Dio; ha parlato servendosi di un personaggio umano colui che, mediante l'Incarnazione, è sceso sulla terra; che, mediante la Risurrezione, è salito al cielo; che, mediante la sua morte corporale, è penetrato nell'inferno per liberarvi quelli che vi erano incatenati. Oppure, se vuoi riferire quella frase al profeta, ci puoi trovare indicata la presenza di Cristo, come mano, e mano destra di Dio, in ogni luogo in cui c'è Dio Padre e il santo Spirito di Dio.

38. Non si può certo dubitare che il sole, avanzando su tutta la superficie del mondo, diffonda i suoi raggi e spanda su ogni cosa la sua luce. Anche quelli che non lo possono vedere, ne avvertono pur sempre la presenza nel tepore dell'aria medesima. Dove mai non c'è il suo calore? Dove mai non possono penetrare i suoi raggi, se esso sa dissipare le tenebre della notte o delle nuvole e illumina la terra? Brilla nel cielo, s'imporpora nel mare, brucia sulla terra. Del sole dunque non dubiti che risplenda in ogni luogo. E come puoi allora dubitare di Dio? Che lo splendore della sua gloria e l'immagine della sua essenza non possano risplendere in ogni luogo? Dove mai non potrebbe penetrare la parola di Dio, l'eterno splendore che getta luce anche sui recessi dello spirito, dove nemmeno il sole fisico può penetrare? La parola di Dio è una spada spirituale che penetra fino a dividere l'anima, le membra e le midolla [57]. Di essa, quel giusto parla a Maria: *E una spada ti trapasserà l'anima, per portare alla luce i pensieri di molti cuori.*

39. Trapassa l'anima, dunque, e la rischiara tutta come un chiarore di luce eterna. E sebbene Egli abbia una potenza che si estende attraverso tutti, che tutti raggiunge e che sta sopra tutti — perché per tutti egli è nato da una vergine (per i buoni e per i malvagi, come sopra buoni e malvagi Egli del resto fa nascere anche il sole, che a lui appartiene) —, tuttavia Egli riscalda chi gli si avvicina. E come tiene lontano da sé lo splendore del sole chi chiude le finestre della sua casa e sceglie deliberatamente di vivere in un luogo tutto buio, cosí chi volge le spalle al Sole della giustizia non può vederne lo splendore, finisce col camminare al buio e — mentre tutto è illuminato — diventa da se stesso causa della propria cecità. Spalanca allora le tue finestre, che tutta la tua casa sia illuminata dallo splendore del vero Sole! Apri bene gli occhi, per mirare il Sole di giustizia che nasce per te! Ma sta' attento che qualche pagliuzza non te li irriti. Se qualche impurità è presente nell'occhio del tuo spirito, ti sarà impossibile guardar-

---

[57] Cf. *Expl. ps.* XXXVII, 22; XLIII, 12.

confusam oculorum aciem lux ferit maioremque dolorem excitat. Sit ergo simplex oculus tuus [c], ne incipiat totum corpus tuum esse tenebrosum et uacillet in lumine, sicut sunt caecorum uestigia.

40. Numquid, si quis ostia domus suae claudat, solis est culpa, quod non inluminat domum eius? Ergo si quis peccatorum suorum repagulis obserandam mentem propriam iudicauerit et uerbi a se splendorem stultus auertat ac sibi inferat insipientiae caecitatem, causari poterit, quod sol iustitiae noluerit intrare, aut infirmitatem luminis caelestis arguere? Pulsat ianuam tuam dei uerbum. *Si quis mihi aperuerit*, inquit, *intrabo* [a]. Si quis ergo non aperuerit, numquid non ingredientis et non magis non aperientis est culpa? Nihil quidem deo est obseratum, nihil clausum aeterno lumini, sed portas malitiae dedignatur aperire, conclauia non uult penetrare nequitiae.

41. An uero, cum animae nostrae uigor putrem corporis refugiat portionem, quod eius gratiam corrupti artus sentire non possint, deus corruptae animae membra quaedam dignatur habitare? Animae tamen uigor per corpus omne diffunditur, siue manus siue pes siue digitus particeps sensus est: dei potest alicubi deesse sapientia, alicubi eius deesse maiestas? Sane fugientes non retinet, non cogit inuitos, sed neque fastidit adpropinquantes et illius quidem uirtus, illius uerbum deus omnibus prope est; *in ipso* enim *constant omnia et ipse est caput corporis ecclesiae* [a] in quo omnis inhabitat plenitudo [b]. Sed plerosque ab eo peccata secernunt, de quibus dictum est: *Ecce qui elongant se a te peribunt* [c]. Vnde sanctus ait: *Mihi autem adhaerere deo bonum est* [d], et apostolus ait non longe esse deum ab unoquoque nostrum: *In ipso*, inquit, *uiuimus et sumus et mouemur* [e]. Vitalem etenim omnibus gratiam subministrans omnibus praesto est bonitatis suae munere, sed propior est illis qui contrito sunt corde [f].

42. Quod uetus quoque per aenigmata historia docet. Moyses in montis Sina supercilio erat et erat solus [a]. Populus in ualle in imo montis, presbyteri in parte montis supra merita plebis, sed plurimo interuallo a Moysi meritis separati. Non omnes in

[c] Cf. Mt 6, 22.
40. [a] * Apoc 3, 20.
41. [a] * Col 1, 17-18.
    [b] Cf. Col 2, 9.
    [c] Ps 72, 27.
    [d] Ps 72, 28.
    [e] * Act 17, 28.
    [f] Cf. Ps 50, 19.
42. [a] Cf. Ex 19, 20 ss.

lo. Se c'è qualche malattia, aggraverà la situazione: una pupilla ·inquinata è ferita dalla luce, che ne acutizza il dolore. Dunque, ha da essere schietto il tuo occhio, se non vuoi che tutto intero il tuo organismo si intristisca e barcolli sotto la luce, come i passi dei ciechi.

40.   Forse che, se si chiude la porta della casa, è poi colpa del sole se non la illumina? Dunque, se c'è qualcuno che ha creduto bene di sbarrare il suo spirito con catenacci e che nella sua stoltezza si esclude dallo splendore del sole e si procura la cecità dell'ignoranza, come potrà costui gettar la colpa sul Sole di giustizia, che non avrebbe voluto entrare, o accusare la luce celeste d'essere troppo debole? Bussa alla tua porta la Parola di Dio e dice: *Se qualcuno mi aprirà, io entrerò*. Dunque, se nessuno viene ad aprire, forse che la colpa è di chi non entra e non piuttosto di chi non gli apre? Certo, non c'è sbarramento che tenga per Dio, non c'è chiusura per la luce eterna: solo che Egli non si abbassa ad aprire le porte che sanno di cattiveria e non vuole entrare nelle stanze che sanno di malvagità.

41.   O forse il nostro spirito rifiuta di far entrare la sua forza vitale in parti del corpo putrescenti, perché le membra incancrenite non sono capaci di avvertirne il beneficio. E noi pensiamo che Dio si degni di prender dimora dentro qualche membro di un'anima incancrenita? Ciononostante la forza vitale dell'anima si diffonde per tutto il corpo: mano, piede, dita sono partecipi della facoltà di sentire. Può allora esserci qualche luogo privo della sapienza di Dio, qualche luogo privo della sua sovrana potenza? Certo, Egli non trattiene chi vuole fuggire; non costringe i riluttanti, ma nemmeno disdegna chi gli si avvicina e proprio la sua potenza, la sua parola sono il Dio che è vicino a tutti: *Tutto sussiste in lui ed è lui il capo del corpo della Chiesa*, nel quale ha dimora ogni pienezza. Solo che molti ne vengono separati dai peccati e di essi sta scritto: *Ecco che quelli che si allontanano da te moriranno*. Per questo l'uomo di Dio esclama: *È un bene per me rimanere attaccato a Dio*; e l'Apostolo esclama che Dio non è lontano da ciascuno di noi: *In lui — egli dice — abbiamo vita, esistenza e movimento*. Egli, che appresta a tutti il dono della vita, è a disposizione di tutti con i benefici della sua bontà. Ma è piú vicino a quanti hanno contrizione di cuore.

42.   Questa verità ci è insegnata, attraverso oscure profezie, anche dalla storia sacra antica. Mosè stava sulla sommità del monte Sinai ed era solo. Il popolo stava a valle, giú, in fondo al monte; gli anziani, sulle falde del monte, piú in alto della massa per dignità, ma pur essi ad un'enorme distanza da Mosè, sempre quanto a dignità. Non tutti stavano sulla cima e non tutti giú, in

uertice neque in imo omnes, sed populus; Moyses solus in uertice Sina montis, qui Latina interpretatione dicitur «temptatio». Et tu, si supra temptationes ascenderis et contrito corde [b] detuleris precem, deo proximus eris, si mundo corde fueris et tu deum uidebis; *beati* enim *mundo corde, quia ipsi deum uidebunt* [c].

43.   Qui ergo deo proximus est, dicit: *Prope es, domine, et omnia praecepta tua ueritas* [a]. Iudaeus hoc non potest dicere, qui non recipit dominum Iesum; separauit enim se nec in ueritate, sed in umbra credit [b]. Quomodo dicit: *Praecepta tua ueritas* [c], cum gratia et ueritas per Iesum Christum facta sit, cum eum non agnoscat, qui ueritate et plenitudine circumcisionis suae totum mundum redemit?

44.   Octauus uersus est: *Initio cognoui de testimoniis tuis, quia in aeternum fundasti ea* [a]. De testimoniis, inquit, tuis ab initio cognitionem et fidem adsumpsi quod in aeternum fundata sunt; testimonium enim fidele est et praestat paruulis sapientiam. Si cognouisset Adam et Eua, quod quasi paruulis data essent cautiora praecepta, ne usurparent sibi scientiam boni et mali, quam recto discrimine definire non possent, paradisi incolatum in perpetuum uindicare potuissent. Si considerent homines, quia sanguis hominis ad deum clamat [b], manus proprias a nece hominis abstinebunt. Si custodiant praecepta quae dedit dominus coram caelo et terra testibus dicens: *Audi, caelum, et auribus percipe, terra* [c], scientes quia, quicquid flagitii commiserint, aduersus legem domini fecisse angelorum et potestatum, sanctorum quoque hominum testimoniis arguantur, supra haec testimonia fundamentum sibi constituent, quia aeterna sunt atque perpetua. Et nos ergo opus nostrum aedificemus supra fundamentum testimoniorum caelestium [d], ut non ardeat sicut lignum aut stipula, sed sicut aurum probetur, ut aeterno maneat nixum fundamine.

[b] Cf. Ps 50, 19.
[c] * Mt 5, 8.
43. [a] Ps 118, 151.
   [b] Cf. Hebr 10, 1.
   [c] * Ps 118, 151.
44. [a] Ps 118, 152.
   [b] Cf. Gen 4, 10.
   [c] * Is 1, 2.
   [d] Cf. 1 Cor 3, 12-13.

fondo al monte, dove invece c'era il popolo. Solo Mosè stava sulla sommità del monte Sinai, il cui nome nella nostra lingua potrebbe essere tradotto con «tentazione» [58]. Anche tu, se salirai piú in alto delle tentazioni e se offrirai una prece con cuore contrito, sarai il piú vicino a Dio. Se sarai puro di cuore, anche tu vedrai Dio: *Beati i puri di cuore, perché vedranno Dio.*

43. Chi è dunque il piú vicino a Dio dice: *Tu sei vicino, o Signore, e ogni tua prescrizione è verità.* Non può parlare cosí il giudeo, che non accetta il Signore Gesú: si è separato e non crede nella verità ma nell'ombra [59]. Come può dire: *Le tue prescrizioni sono verità,* se la grazia e la verità vengono per mezzo di Gesú Cristo? Se egli non riconosce Colui che ha riscattato tutto il mondo con la sua vera e perfetta circoncisione?

44. Questo è l'ottavo versetto: *Dall'inizio ho avuto conoscenza dei segni della tua volontà, perché tu li hai stabiliti per l'eternità.* Fin dall'inizio — si dice — ho preso conoscenza dei segni della tua volontà ed ho creduto che sono stati stabiliti per l'eternità: il tuo segno è fedele e dona sapienza ai piccoli. Se Adamo ed Eva avessero avuto conoscenza che erano state date a loro, come a dei piccoli, prescrizioni piuttosto prudenti — affinché non si arrogassero la conoscenza del bene e del male, che essi non potevano delimitare con giusti confini —, avrebbero potuto pretendere di dimorare per sempre nel paradiso. Qualora gli uomini riflettano che il sangue dell'uomo grida verso Dio, terranno lontane le proprie mani dall'assassinio. Qualora osservino fedelmente le prescrizioni date dal Signore al cospetto del cielo e della terra, chiamati a testimoni (con le parole: *Ascolta, o cielo, e porgi l'orecchio, o terra!*) — ben sapendo che qualsiasi infamia commessa sarebbe bollata dalla testimonianza degli angeli e delle potestà, nonché da quella degli uomini santi, come compiuta contro la legge del Signore —, in tal caso essi stabiliranno il loro fondamento sopra quei segni del volere divino, perché questi sono eterni e per sempre. Anche noi, dunque, costruiamo il nostro edificio sopra il fondamento dei segni della volontà del Cielo [60], perché non bruci come legno o come paglia, ma sia invece saggiato come l'oro e duri per sempre, solido sulle sue basi.

---

[58] L'interpretazione *temptatio* — che si trova anche a 5, 5 — è attestata dalle liste etimologiche di tipo lattanziano (cf. Wutz, *Onomastica sacra...*, p. 96). Ma è già in Origene, *Hom. Ex.*, XI, 1 (GCS 29, p. 253); *Hom. Num.*, XXVII, 11-12; *Hom. Ies. Nau.*, XIX, 2 (GCS 30, pp. 271, 277, 412).

L'etimologia nell'*Expl. ps. XLIII*, 57 sarà diversa: *mensura* e *merces. Mensura* è rinvenibile nelle liste geronimiane, mentre *merces* rimonta alle liste lattanziane-ciprianee (cf. Wutz, *ibid.*, pp. 312, 81). Si rivela, ancora una volta, la diversità di fonti onomastiche, alle quali Ambrogio attingeva.

[59] Cf. Origene, in Harl, SCh 189, p. 426, 19-25, ma si noti che Ambrogio omette l'aggettivo σωματικός (*carnalis*), con il quale Origene qualifica i Giudei: cf. Ceccato, *Le fonti cristiane...*, p. 212.

[60] Cf. Origene, *ibid.*, p. 428, 6-8.

# XX
## Littera «Res»

1.   Incipit littera «Res», quae Latina interpretatione «caput» dicitur uel «primatus». Caput est, ut formam generis humani consideremus, quod fouet membra omnia et dirigit atque implet sensibus; *sensus* enim *sapientis in capite eius* [a]. Inde ductus uenarum meatusque spiritus, sanguinis uires in totius partes corporis diriuantur; lustrat omnia, ornat omnia. Sublato capite corpus sine nomine est, non agnoscitur nec ulla superest usura uiuendi. Propterea, qui in aliquo damnantur crimine, eo quod ornamentum est totius corporis abdicantur et, quia turpi uel scelesto reatu beluinae scaeuitatis inluuiem uel bestialis inmanitatis horrorem commisisse detecti sunt, tamquam hi, qui proposito humanae moderationis exciderint, formam quoque humanae condicionis iubentur exuere. Reciso enim capite reliqui corporis truncus bestiarum corpori conparatur et sapientiae arce fraudatur qui sapientiae non potuit tenere rationem. Sepelitur igitur sine decore suo corpus; in capite etenim uigor uitae, in capite est gratia uenustatis.

2.   Fertur coluber, cum urgetur periculo, caput semper abscondere et in orbem se colligens obiecta reliqua parte corporis hoc solum tueri, quod inlisa feratur membra cetera saluo capitis uigore reparare. Hoc et tu moraliter caput serua, hoc seruato et mystice. Mysticum caput Christus est, quia *omnia in ipso constant et ipse est caput corporis ecclesiae* [a]. Hoc caput qui amiserit, uiuendi usum habere non poterit, hoc solo distamus a bestiis, ad imaginem dei et similitudinem uirtutum uigore formati. Fides nos ab inrationabilium pecudum comparatione secernit. Hoc caput humani seruate serpentes. Etiamsi omnia membra caedantur, totum uratur corpus incendiis, mergatur profundo, euisceretur a bestiis, hoc tamen capite custodito uita integra, salus tuta est; nemo enim potest perire, cui non sublatus est Christus.

3.   Est et caput summa studii atque operis nostri, summa negotii, summa spei, summa uirtutum. Omnis autem summa est studii nostri, ut simus humiliores, ueritatem sequamur, quam *non*

1.   [a] * Eccle 2, 14.
2.   [a] Col 1, 17-18.

## XX

## Lettera «Res»

1. Comincia qui la lettera «Res», che nella nostra lingua significa «capo» oppure «preminenza». Il capo, a voler considerare la struttura della razza umana, è quell'organo che dà calore vitale a tutte le membra, le dirige e le provvede di facoltà di sentire: *Il sentire del sapiente sta nel suo capo*. Di lí si dipartono le vene, i passaggi della respirazione, e le energie del sangue vengono convogliate per tutte le parti del corpo. È il capo che rischiara e dà bellezza all'insieme. Togli il capo e non resta che un corpo anonimo, irriconoscibile e senza capacità vitale. Per questo i delinquenti che vengono condannati vengono privati del capo, che è considerato il decoro di tutto il corpo. E siccome nei loro crimini vergognosi e scellerati sono stati scoperti colpevoli della sporcizia d'una feroce perversità e di atrocità d'una nefandezza bestiale, ecco che li si priva della parvenza piú bella della struttura umana, come merita chi all'ideale di umana misura si è già sottratto. Una volta tagliato il capo, il troncone che resta del corpo è simile al corpo delle bestie e viene privato della roccaforte della sapienza[1], ché non ha saputo mantenere salda la caratteristica della sapienza. Il suo corpo trova allora una sepoltura indecorosa, ché nel capo è posta l'energia della vita; è posta nel capo l'armonia della bellezza.

2. Si dice che il serpente, quando è pressato da qualche pericolo, nasconda sempre il capo[2], si raggomitoli, offrendo al pericolo tutto il resto del corpo e proteggendo invece quella sola parte, perché si dice che, se riesce a preservare integro il capo, egli riesca a rimettere in sesto tutte le altre membra, per quanto acciaccate. Metti anche tu in salvo questo capo in senso morale, e metti in salvo anche il capo in senso mistico! Il capo mistico è Cristo, perché *tutto sussiste in lui ed è lui il capo del corpo della Chiesa*. Chi perderà questo capo, non potrà avere capacità vitale. È Lui solo che distingue dalle bestie noi, che siamo stati formati ad immagine e somiglianza di Dio grazie alla forza delle virtú. È la fede che ci permette di non confonderci con gli animali senza ragione. Mettete in salvo questo capo, serpenti umani! Siano massacrate tutte le membra, sia arso dal fuoco tutto il corpo, sia buttato a mare, sia sbranato dalle belve: ma se si riesce a salvare questo capo, la vita resta intatta, la salvezza è assicurata. Nessuno può perire, se non si fa sottrarre Cristo.

3. Per capo si intende anche la sintesi dei nostri ideali e del nostro operare, la sintesi dell'attività, la sintesi della speranza, la sintesi delle virtú. Ma la sintesi di ogni nostro ideale altro non è che la crescita dell'umiltà, il rispetto della verità, che *non vede*

---

[1] Il capo come *arx* dell'uomo è tema ricorrente in Cicerone: cf., ad es., *Tusc.*, I, 20; *De nat. deor.*, II, 140.
[2] Cf. 6, 15 e nota 31.

*uidet extollens se frustra, inflatus mente carnis suae et non tenens caput* [a]. Quod sit hoc caput euidenter expressit dicens: *Ex quo omne corpus per compaginationes et colligationes subministratum et copulatum crescit in incrementum dei* [b]. Et in Esaiae libro dicit dominus per prophetam: *Auferam a Iudaea caput et caudam, initium et finem* [c]. Hoc caput Iudaea quod tenebat amisit, quae Iesum dominum non recepit. Vbi fides est, et initium et finem habemus, ubi perfidia, nec initium nec finis est. Ecclesia principium habet, quae Christum habet; Christus enim ecclesiae principium est, *primogenitus ex mortuis* [d]. Habet et finem, quia ipse est *primus et nouissimus* [e], ipse est *finis legis ad iustitiam omni credenti* [f]. Synagoga nec initium nec finem habet, quia nec in principio inuenit quod sequatur nec in fine quod speret. Inflatus ergo caput non tenet, hoc est illam Christi humilitatem qua descendit usque ad crucem, descendit usque ad inferos. Ideo Iudaeus non credidit, quia contempsit dicentem: *Discite a me, quia mitis sum et humilis corde* [g]. Haec humilitas uirtutum omnium caput est, quae totum uelut quoddam nostrorum actuum fouet corpus.


4.    Quamuis infirmus aliquis sit, pauper, ignobilis, tamen, si non se extollat et praeferat, ipsa se humilitate commendat. Sit aliquis praediues et nobilis: idem, si nobilitatem generis et diuitias suas iactet, insolentia sui uilis est. Sit aliquis facundus et fortis, qui tumore facundiae ac uirtutis elatus plurimum sibi adroget: nonne ei propter uerecundiam et insipiens plerumque et inualidus antefertur? Denique Pharisaeus in euangelio, cum abstemius et parcus esset alieni, liberalis sui, non refugus ieiunii, ut ipse dicebat, tamen propter iactantiam etiam illa quae habere poterat amisit [a]; nihil ei tot genera uirtutum uno uitio decolorata prodesse potuerant. Publicanus, qui nihil enumerare poterat quod posset probari, propter humilitatem tamen iustificatus magis quam ille Pharisaeus descendit e templo, secundum quod scriptum est in propheta, quia *humiles spiritu saluabit* [b].


3.    [a] * Col 2, 18-19.
      [b] * Col 2, 19.
      [c] * Is 9, 14.
      [d] Col 1, 18.
      [e] Apoc. 22, 13.
      [f] Rom 10, 4.
      [g] Mt 11, 29.
4.    [a] Cf. Lc 18, 10-14.
      [b] Ps 33, 19.

---

3, 4    se, frustra inflatus *Petschenig.*

*chi si esalta a vuoto*[3], *gonfio di una mentalità carnale e privo del capo.* Quale sia questo capo, l'ha espresso con chiarezza quando ha detto: *Grazie ad esso tutto il corpo, provveduto e tenuto insieme per mezzo di congiunzioni e legamenti, cresce secondo la crescita di Dio.* Anche nel Libro di Isaia[4], il Signore — per mezzo del profeta — dice: *Toglierò alla Giudea capo e coda, inizio e fine.* Non avendo accolto il Signore Gesú, la Giudea ha perso questo capo che prima possedeva. Dove c'è la fede, abbiamo inizio e fine; dove la fede manca, non c'è né inizio né fine. La Chiesa, che ha Cristo, ha un principio: Cristo è infatti il principio della Chiesa, *il primogenito di quelli che risuscitano da morte.* Ha anche fine, perché è Lui *il primo e l'ultimo*; è Lui *fine della legge per la giustificazione di ogni credente*[5]. La Sinagoga invece non ha né inizio né fine, perché non ha trovato al principio la strada da seguire né alla fine una ragione di speranza. Dunque, chi è gonfio, non possiede piú il capo, cioè quell'umiltà di Cristo che l'ha fatto abbassare fino alla croce, fino agli inferi. Il giudeo non ha creduto proprio perché ha disprezzato Colui che diceva: *Imparate da me, che sono mite e umile di cuore!* Questa umiltà è il capo di tutte le virtú, che dà calore vitale a tutto quel corpo costituito dalle nostre azioni.

4.   Per quanto uno sia debole, povero, di oscure origini, se non si esalta e non si mette in mostra, sarà la sua stessa umiltà a raccomandarlo. Uno può invece essere straricco e nobile, eppure, se della sua nobiltà di prosapia e delle sue ricchezze fa esibizione, la sua arroganza lo rende spregevole. Ha un bell'essere colto e forte chi, tronfio di cultura ed esaltato di potenza, ha una presunzione senza limiti: non è forse vero che la modestia rende piú gradito di lui un incolto e debole? Tant'è vero che quel fariseo nel Vangelo, che pur era sobrio e parsimonioso dell'altrui e generoso del proprio, non alieno dal digiuno, secondo la sua stessa affermazione, tuttavia, a causa di quella sua ostentazione, perse anche quei meriti che poteva avere. Non gli ha potuto giovare a nulla una sfilza di virtú, scolorita da un solo difetto. Il pubblicano, invece, che pur non poteva elencare alcun merito al suo attivo, tuttavia, grazie alla sua umiltà, discese dal Tempio giustificato piú di quel fariseo, secondo quanto si trova scritto nel profeta: *Salverà gli umili di spirito.*

---

[3] La diversa posizione della virgola, rispetto a quella del Petschenig, è giustificata da *Expl. ps. XXXVI*, 16; *XXXVII*, 29 e anche da 3, 35.

[4] Stessa «orchestrazione» di Col 2, 19 e Is 9, 14 si trova a 15, 14.

[5] Cristo è principio d'origine della Chiesa; è principio di coesione, di conservazione e di compimento: cf. F. SZABÒ, *Le Christ créateur chez saint Ambroise*, Roma 1968, pp. 114-152.

5.   Hoc autem esse caput, quod haec littera exprimat, euidenter etiam in Hieremiae Threnis docemur; nam praelata hac littera ait propheta: *Spiritus ante faciem nostram christus dominus, sub umbra eius in gentibus uiuemus* [a]. Hoc ergo caput uere est quod omnium caput est.

6.   Diximus de capite. Dicamus et de primatu, quod licet sermone distet ac littera, sensu tamen in eandem concurrit intellegentiam. Primatus enim legimus in ueteri testamento, quos in primogenitis Esau fratri suo cessit [a], *et ideo uocatum est nomen eius Edom* [b], hoc est terrenus et callidus. Isti sunt autem fratres, de quibus rogatus est dominus ab Isaac patre eorum, ut daret ei suae posteritatis heredes de Rebecca uxore sua, quae per uiginti annos nullum dederat generationis insigne. Exaudiuit eum et concepit Rebecca et rogauit dominum, cum iactare se paruuli uiderentur in utero eius, et responsum accepit: *Duae gentes in utero tuo sunt et duo populi ab utero tuo separabuntur; et populus populum superabit et maior seruiet minori* [c]. Nonne apertum est mysterium duos significari populos, hoc est populum Iudaeorum seniorem et christianum populum iuniorem, qui propter cocturam lentis primatus fratris senioris accepit? Quo indicio euidenter exprimitur, quod populus senior ille terrenus propter intemperantiam gulae primatus quod habebat amisit, populus autem ecclesiae per sobrietatem et continentiam primatus, quos ordine non habebat aetatis, et confessione et pio furto paternae benedictionis eripuit. Quid est igitur quod populus rapuit christianus nisi dominum Iesum? *A diebus* enim *Iohannis Baptistae regnum caelorum cogitur et cogentes diripiunt illud* [d], sicut ipse dominus declarauit. Bona fraus quae uitam furatur aeternam. Sed quoniam satis dictum de litterae huius interpretationibus arbitramur, consideremus ea, quae huic litterae propheta subiecit.

7.   Primus itaque uersus est: *Vide humilitatem meam et erue me, quoniam legem tuam non sum oblitus* [a]. Fortasse dicat aliquis: «Gloriatur de se propheta». Etsi gloriatur, gloriatur in infirmitatibus suis, in quibus et apostolus gloriatur dicens: *Gloriabor in infirmitatibus meis* [b]. Alius in diuitiis, alius in titulis nobilitatis ac

5.   [a] * Thren 4, 20.
6.   [a] Cf. Gen 25, 33.
     [b] * Gen 25, 30.
     [c] * Gen 25, 23.
     [d] * Mt 11, 12.
7.   [a] * Ps 118, 153.
     [b] 2 Cor 12, 5.

5. Ma che questo sia il capo, tratteggiato da questa lettera, l'apprendiamo con chiarezza anche dalle Lamentazioni di Geremia. Infatti, sotto il titolo di questa lettera, il profeta esclama: *Alito davanti alla nostra faccia è il Cristo Signore, alla sua ombra noi vivremo in mezzo alle nazioni.* Quello dunque è il vero capo: il capo di tutti.

6. Abbiamo parlato del «capo». Ora passiamo a parlare anche della «preminenza» [6]. Anche se c'è differenza di suono e di grafia, tuttavia anche questa parola, quanto a senso, si accorda in una medesima interpretazione. Di «preminenze» abbiamo letto nell'Antico Testamento, di quelle che, dentro il quadro della primogenitura, Esaú cedette a suo fratello, e *perciò fu soprannominato Edom*, cioè «legato alla terra» e «scaltro» [7]. Ma questi sono i fratelli per i quali il Signore fu supplicato da Isacco, loro padre, di concedergli eredi per la sua discendenza tramite sua moglie, Rebecca, la quale per vent'anni non aveva dato segni di fecondità. Il Signore l'esaudí. Rebecca concepí e supplicò il Signore quando ebbe l'impressione che i piccoli si agitassero nel suo seno. Ne ricevette questa risposta: *Due nazioni stanno dentro il tuo seno e due popoli si divideranno dal tuo seno e l'un popolo supererà l'altro e il maggiore servirà il minore.* Forse che questa indicazione dei due popoli non è lo svelamento del mistero? Essi sono il popolo dei Giudei — il piú anziano — e il popolo cristiano — il piú giovane —, il quale, per un piatto di lenticchie, ottenne la «preminenza» spettante al fratello piú anziano. Questa è una prova che dimostra con tutta chiarezza che quel popolo piú anziano, legato alla terra, perse la «preminenza» che aveva, a causa della sua ingordigia. E che invece il popolo della Chiesa, grazie alla sua sobrietà e continenza [8], quella «preminenza» che non gli spettava per precedenza di nascita la strappò con la sua professione di fede e col pio furto della benedizione paterna. Orbene, che altro gli strappò il popolo cristiano se non il Signore Gesú? Come il Signore stesso ha spiegato, *fin dai giorni di Giovanni il Battista il regno dei cieli subisce violenza e i violenti lo rapiscono.* È una frode positiva [9], quella che ruba la vita eterna. Ma siccome pensiamo di avere parlato a sufficienza sul significato di questa lettera, prendiamo ora in esame quello che il profeta dice sotto questa lettera.

7. E allora ecco il primo versetto: *Guarda la mia umiltà e liberami, perché io non mi sono dimenticato della tua legge.* Forse qualcuno potrebbe dire: «Ecco che il profeta si vanta». Ma anche ammesso che si vanti, si vanta delle sue debolezze, come si vantava anche l'Apostolo, dicendo: *Mi vanterò delle mie debolezze.* C'è chi

---

[6] È il secondo etimo della lettera *res*: cf. 20, 1.

[7] L'etimo di *Edom* come *terrenus* compare anche a 5, 19 (cf. ivi, nota 41).

[8] L'ingordigia, che conduce Esaú alla schiavitú, e il controllo di sé, che mena Giacobbe al comando, sono le caratteristiche principali dei due personaggi anche in *De Hel.*, 39; *Expl. ps. XLV*, 14.

[9] Cf. *Tituli*, 5: *bona fraus* (Merckle, p. 216).

prosapiae suae, alius in administrationibus et honoribus gloriatur: iustus in humilitate gloriatur; bona enim gloria Christo esse. subiectum. Vt scias autem, quia non iactare se cupiat, sed domini in se gratiam prouocare, alibi idem propheta ait: *Vide humilitatem meam et laborem meum* [c]. Ergo quasi is, qui humiliauerit cor suum, quasi is, qui plurimum laborauerit, ibi sibi dimitti peccata desiderat, hic erui se precatur.

8.   Constitue aliquem sacerdotem pro ministri salute sollicitum quem probatum aduertat deo, aliquem patrem pro filio in aegritudine constituto graui, aliquam feminam uel pro filio uel pro uiro maestam orationibus incubantem, fundentem uberes lacrimas noctibus ac diebus, humiliantem se ac sternentem solo, multiplicantem ieiunia et, quod his grauius est, mentis atque animi dolore confectam, morbi ac periculi dilatione torpentem dicere ad dominum: *Vide humilitatem meam et erue me* [a].

9.   Considera etiam, quia spiritali quodam oleo caelestium praeceptorum ungit nos atque exercet cotidie scriptura diuina et dominus noster, plurimos ad subeunda certamina gestiens prouocare, diuersa posuit praemia coronarum, considera, inquam, Christi athletam innumeris contentionibus fatigatum ac prope iam lassatis uiribus resistentem periculi mole turbatum, cum uideat sibi non solum aduersus carnem et sanguinem, sed etiam aduersus spiritales nequitias quae sunt in caelestibus esse luctamen [a], dicere: *Vide humilitatem meam et erue me, quoniam legem tuam non sum oblitus* [b]. Non enim potuit obliuisci qui secundum eius praecepta certauit.

10.   Contuere etiam aliquem in martyrio constitutum, frequentibus adflictum subpliciis, retrusum in tenebras, graui fractum pondere catenarum, neruis crura distentum, euisceratum eculeo, exaratum ungulis, adustum candentibus lamminis perseuerantis fidei uirum, sed iam taediantis animi, quod diutius differatur sacrae mortis corona, dicentem: *Vide humilitatem meam et erue me, quoniam legem tuam non sum oblitus* [a]. Non solum enim in studiis atque propositis, sed etiam in temptationibus humilitatem dici posse testimoniis scripturarum docemur, siquidem lectum est: *Homines acceptabiles in fornace humilitatis* [b]; ταπεινώσεως enim Graecus dixit, quod est humilitatis. Hoc ideo

---

   [c] Ps 24, 18.
8.   [a] * Ps 118, 153.
9.   [a] Cf. Eph 6, 12.
     [b] * Ps 118, 153.
10. [a] * Ibid.
     [b] * Eccli 2, 5.

si vanta delle ricchezze, chi dei titoli nobiliari e della sua casata, chi delle cariche e della carriera: il giusto invece si vanta della sua umiltà. È un vanto positivo quello di ritenersi sottomessi a Cristo. Ma, per farti sapere che egli non ha l'intenzione di fare l'esibizionista, ma di stimolare la grazia del Signore nei suoi confronti, ecco che in un altro passo il medesimo profeta esclama: *Guarda la mia umiltà e la mia fatica!* Dunque, come uno che ha umiliato il suo cuore, come uno che ha faticato assai, là egli desidera che gli vengano rimessi i peccati, qui supplica di essere liberato.

8. Immagina il caso di un vescovo, preoccupato per la salute di un suo ministro che sa accetto a Dio; il caso d'un padre, preoccupato per un figlio che versa in una grave malattia; il caso d'una donna, che si abbandona affranta alle preghiere per il figlio o per il marito, che versa lacrime e lacrime, notte e giorno, che si umilia e si butta per terra, che aggiunge digiuno a digiuno e — cosa ancor piú grave — che è logorata da un dolore non fisico, ma interiore, incapace ormai di reagire a causa del prolungarsi del male e del pericolo. Immagina che sia uno cosí a dire al Signore: *Guarda la mia umiltà e liberami!*

9. Ancora: se è vero che la Scrittura divina ci unge dell'olio spirituale delle prescrizioni celesti e ci allena giorno per giorno; se è vero che il Signore nostro, nell'intenzione di stimolare il piú gran numero possibile di noi ad affrontare le contese, ha fissato varie corone come premi; se è vero questo — dico —, prendi in considerazione l'atleta di Cristo provato da mille combattimenti. Ecco che la sua resistenza è ormai giunta al limite, è atterrito dalla portata del pericolo quando vede che deve affrontare una lotta non solo contro la carne e il sangue, ma anche contro gli spiriti del male che stanno nei cieli. Allora egli dice: *Guarda la mia umiltà e liberami, perché io non mi sono dimenticato della tua legge!* Come avrebbe potuto dimenticarsene, se ha combattuto in conformità alle sue prescrizioni?

10. Osserva ancora uno che sta subendo il martirio [10]: è sottoposto a incessanti torture, è sbattuto in prigioni tenebrose, ha le ossa spezzate dal peso delle catene, ha le gambe stirate dalle corde, il ventre straziato dal cavalletto, il corpo solcato dalle unghiate. Osserva quest'uomo ustionato da piastre incandescenti, la cui fede non crolla ma il cui animo è esasperato, perché gli è sempre piú ritardata la ricompensa della corona destinata alla sua morte santa: è lui che dice: *Guarda la mia umiltà e liberami, perché io non mi sono dimenticato della tua legge!* Ci sono infatti testimonianze delle Scritture, che ci insegnano come si possa parlare di «umiltà», non solo a proposito di aspirazioni o di intenzioni, ma anche a proposito di tentazioni, se è vero che si è letto: *Gli uomini risultano accettabili dopo la fornace dell'umiltà.* Il testo greco dice ταπεινώσεως (*tapeinōseōs*), cioè «dell'umiltà».

---

[10] Il riferimento di Sal CXVIII, 153 al martire è motivo origeniano: cf. HARL, SCh 189, p. 430, 6-10.

posui, quia plurimi habent Latini *in fornace adflictionis* <sup>c</sup>. Latinus discernit, Graecus non separat: ταπείνωσις et humilitas uirtutis dicitur et humilitas adflictionis. Nihil inpedit, si Latinus separat; non enim Graecus ex Latino transtulit, sed Latinus ex Graeco.

11.   Denique et Hebraei, quamdiu in Aegypto erant, in fornace erant ferrea, hoc est in fornace temptationis, in fornace adflictionis, cum duris adfligerentur imperiis. Vnde et scriptum est: *Quia eduxit eos deus de fornace ferrea, ex Aegypto* <sup>a</sup>. Fornax erat ferrea, quia nullius adhuc in Aegypto opera uitutum plena lucebant, nullius aurum illic fuerat conprobatum, nullius plumbum iniquitatis exustum <sup>b</sup>. Dura fornax fornax mortis perpetuae, quam fornacem nullus poterat euadere, quae omnes consumeret, in qua solus dolor esset et luctus. At uero fornax, in qua Ananias Azarias Misahel hymnum domino canebant <sup>c</sup>, fornax aurea illa, non ferrea, per quam toto orbe sapientia fide deuotionis inluxit. Erat quidem etiam haec fornax in Babylonia, ubi aurum non erat spiritale nisi forte captiuum; captiuam enim dominus duxit captiuitatem <sup>d</sup>. Hoc erat aurum in dei sanctis, qui captiui erant apud Babylonios corpore, spiritu autem apud deum liberi, soluti uinculis captiuitatis humanae, iugo gratiae spiritalis innexi. Et fortasse eadem fornax ferrea fragilibus est, aurea perseuerantibus.

12.   Omnes oportet per ignem probari quicumque ad paradisum redire desiderant; non enim otiose scriptum est, quod eiectis Adam uel Eua de paradisi sede posuit deus in exitu paradisi gladium igneum uersatilem <sup>a</sup>. Omnes oportet transire per flammas, siue ille Iohannes euangelista sit, quem ita dilexit dominus, ut de eo diceret ad Petrum: *Si sic eum uolo manere, quid ad te? Tu me sequere* <sup>b</sup>. De morte eius aliqui dubitauerunt, de transitu per ignem dubitare non possumus, quia in paradiso est nec separatur a Christo. Siue ille sit Petrus qui claues accepit regni caelorum, qui supra mare ambulauit <sup>c</sup>, oportet ut dicat: *Transiuimus*

<sup>c</sup> * Ibid.
11. <sup>a</sup> * Ier 11, 4.
   <sup>b</sup> Cf. Ier 6, 29.
   <sup>c</sup> Cf. Dan 3, 51.
   <sup>d</sup> Cf. Ps 67, 19; Eph 4, 8.
12. <sup>a</sup> Cf. Gen 3, 24.
   <sup>b</sup> * Io 21, 22.
   <sup>c</sup> Cf. Mt 16, 19; 14, 29.

Ho stabilito cosí questo testo, ben sapendo che moltissimi codici latini portano «la fornace dell'afflizione». Il latino distingue, il greco non separa: ταπείνωσις (*tapeinōsis*) significa sia «umiltà», intesa come virtú, che «umiltà», intesa come afflizione («umiliazione»). Ma non vuol dir nulla se il latino usa parole diverse, perché non è il testo greco che è una traduzione dal latino, ma è proprio il contrario [11].

11. Tant'è vero che anche gli Ebrei, per tutto il tempo in cui erano in Egitto, erano dentro una fornace ferrigna — cioè in una fornace «di tentazione», in una fornace «di afflizione» —, perché una dura schiavitú li opprimeva. Perciò si trova anche scritto che *Dio li trasse fuori dalla fornace ferrigna, dall'Egitto.* Si trattava di una fornace ferrigna perché in Egitto non c'era nessuno che risplendesse per un comportamento particolarmente virtuoso. In quel luogo non c'era stato nessuno il cui oro fosse stato già saggiato, il cui piombo di ingiustizia fosse stato fuso. Fornace dura, fornace di morte eterna, da dove nessuno poteva scappare, dove tutti venivano inceneriti, dove regnavano soltanto dolore e pianto. Ma, al contrario, quella fornace, dentro la quale Anania, Azaria e Misaele levavano un cantico al Signore, quella fornace era d'oro. Non ferrigna, se attraverso essa, in forza d'una devota fedeltà, risplendette su tutto il mondo la luce della sapienza. E questa fornace si trovava anche a Babilonia, dove non c'era traccia d'oro spirituale, tranne forse tra i prigionieri: infatti il Signore ha fatto prigioniera la prigionia. Un oro cosí si trovava presso gli uomini di Dio, che erano fisicamente prigionieri in Babilonia ma spiritualmente erano liberi in Dio, senza piú le catene della prigionia degli uomini, aggiogati invece alla grazia dello Spirito. E, forse, la medesima fornace può essere ferrigna per i deboli, d'oro per i resistenti.

12. Conviene che tutti passino al vaglio del fuoco, quelli che desiderano far ritorno al paradiso. Non inutilmente è stato scritto che, dopo la cacciata di Adamo ed Eva dal paradiso, Dio ha stabilito sulla porta del paradiso una spada di fuoco roteante [12]. Conviene che tutti passino attraverso le fiamme, fosse pure anche quell'evangelista Giovanni, che il Signore amò cosí tanto da parlarne in questi termini a Pietro: *Se io desidero che lui resti cosí, che t'importa? Tu seguimi!* Ci furono alcuni che misero in dubbio la sua morte [13], ma non possiamo invece mettere in dubbio un suo passaggio attraverso il fuoco, perché egli è in paradiso e non è staccato da Cristo. Fosse pure anche quel Pietro, che ha ricevuto le chiavi del Regno dei cieli, che camminò sulle acque del mare,

---

[11] Il valore prevalente del testo greco, come archetipo delle traduzioni latine, è espresso anche a *De patr.*, 34; *De interp.*, III, 2. Qui Ambrogio mette l'accento su una caratteristica difficoltà delle traduzioni, quale quella della resa d'un *ambiguum* (cf. anche *Expl. ps. XXXVI*, 34). A 12, 45 si esprime il concetto che la lingua greca è superiore per *uis* e *pompa*.

[12] Cf. *Expl. ps. I*, 38.

[13] Sulla base di Gv 21, 22 era nato tale fraintendimento, che Giovanni smentisce però a 21, 23. Cf. anche *De exc. fr.*, II, 49.

*per ignem et aquam et induxisti nos in refrigerium* [d]. Sed Iohanni cito uersabitur igneus gladius, quia non inuenitur in eo iniquitas quem dilexit aequitas. Si quid in eo uitii humani fuit, caritas diuina decoxit; *alae* enim *eius sicut alae ignis* [e].

13.   Qui hic habuerit caritatis ignem, illic ignem gladii timere non poterit. Ipsi Petro, qui totiens mortem suam pro Christo obtulit, dicet: *Transi, recumbe* [a]. Sed ille dicet: *Igne nos examinasti, sicut igne examinatur argentum* [b]. Etenim in quo aqua multa excludere non potuit caritatem [c], quomodo eum ignis excludet? Sed ille examinabitur ut argentum, ego examinabor ut plumbum; donec plumbum tabescat, ardebor. Si nihil argenti in me inuentum fuerit, heu me [d]! In ultima inferna detrudar aut ut stipula totus exurar. Si quid inuentum in me fuerit auri uel argenti non per meos actus, sed per misericordiam et gratiam Christi, per ministerium sacerdotii, dicam fortasse ego: *Etenim qui sperant in te non confundentur* [e].

14.   Illo igitur igneo gladio iniquitas exuretur quae sedet super talentum plumbeum [a]. Ideo unus ignem illum sentire non potuit qui est iustitia dei Christus, quia peccatum non fecit [b]; nihil enim ignis in eo quod exurere posset inuenit. Denique soli eleuatae sunt portae aeternales [c], ut introiret rex gloriae, non reus causae. Et hic quidem mortem caro illius gustauit; neque enim aliter posset resurgere. Quod legi, praesumo, quod non legi, ueneratus scientibus derelinquo unum confitens, quia, quicquid caro illa subiit, ideo subiit, ut uiam ceteris uel triumphandi per martyrii passionem uel transeundi in paradisum suis uestigiis reformaret. Nemo ergo sibi adroget, nemo de meritis, nemo de potestate se iactet, sed omnes speremus per dominum Iesum misericordiam inuenire, quoniam omnes ante tribunal eius stabimus [d]. De illo ueniam, de illo indulgentiam postulabo; quae enim spes alia peccatoribus?

---

  [d] * Ps 65, 12.
  [e] * Cant 8, 6.
13. [a] Lc 17, 7.
  [b] * Ps 65, 10.
  [c] Cf. Cant 8, 7.
  [d] Cf. 1 Cor 3, 12-13.
  [e] * Ps 24, 3.
14. [a] Cf. Zach 5, 6-7.
  [b] Cf. 1 Pt 2, 22.
  [c] Cf. Ps 23, 7.
  [d] Cf. Rom 14, 10.

conviene lo stesso che dica: *Siamo passati attraverso il fuoco e l'acqua e tu ci hai introdotti nel luogo del ristoro.* Ma per Giovanni quella spada di fuoco roteerà subito via, perché non c'è traccia di ingiustizia nell'uomo che fu amato dalla giustizia. Se pur qualche traccia di difetto umano ci fu in lui, fu bruciata dalla carità di Dio: *Le sue ali, infatti, sono come ali di fuoco.*

13. L'uomo che quaggiú avrà il fuoco della carità, non potrà nell'aldilà temere il fuoco della spada. Allo stesso Pietro, che tante volte offrí la sua vita per quella di Cristo, dirà: *Passa oltre, vieni a sedere!* [14]. Ma egli ribatterà: *Ci hai saggiato con la prova del fuoco, come si fa con l'argento.* E infatti, se nemmeno una gran massa d'acqua è riuscita ad annullare la sua carità, come riuscirà ad annullarla il fuoco? Ma lui sarà saggiato come l'argento, io invece lo sarò come il piombo. Arderò finché il piombo sarà liquefatto. Se non si troverà in me alcuna traccia d'argento, povero me! Sarò scaraventato nel profondo dell'inferno oppure sarò totalmente incenerito, come la paglia. Se invece si troverà in me qualche traccia d'oro e d'argento — non in virtú delle mie opere, ma della misericordia e della grazia di Cristo, in virtú del ministero sacerdotale —, allora forse anch'io dirò: *È cosí: quelli che sperano in te non resteranno smarriti.*

14. Orbene, quella spada di fuoco incenerirà l'ingiustizia, che sta seduta sopra una massa di piombo. Perciò l'unico che non poteva avvertire quel fuoco è stato Cristo, che è la giustizia di Dio, perché non ha commesso peccato: il fuoco non ha in Lui trovato nulla da poter incenerire. Tant'è vero che per Lui solo si sono sollevate le porte eterne, per far passare il Re della gloria, non l'imputato d'un processo. E, certo, quaggiú la sua carne ha assaporato la morte: ché non v'era altro modo per risorgere! Quello che ho letto nel testo, oso darlo per certo; quello che non trovo nel testo, lo lascio con deferenza a quelli che sanno. Mi limito a professare solo una cosa: a qualsiasi cosa si sia sottomessa quella carne, se ne è sottomessa per ripristinare agli altri, battendola Lui, la strada o del trionfo [15] — attraverso la sofferenza del martirio — o del passaggio verso il paradiso. Dunque, che nessuno se ne appropri; che nessuno si vanti per merito o capacità! Tutti speriamo invece di trovare misericordia grazie al Signore Gesú, dal momento che tutti dovremo comparire davanti al suo tribunale! Con riferimento a Lui chiederò perdono, chiederò clemenza. Quale altra speranza resta ai peccatori?

[14] Cf. 15, 6.7; *Expl. ps. XLVII*, 7.
[15] Sul linguaggio «trionfale» e sul suo valore antiariano in Ambrogio, cf. B. STUDER, *Die anti-arianische Auslegung...*, pp. 262 s.

15. Et qui se hic aurum putat [a], habet plumbum, et qui putat se granum tritici, habet stipulam quae possit exuri. Sed hic sibi multi aurum uidentur. Non illis inuideo; sed etiam aurum examinabitur, uretur, ut possit probari. Sic enim scriptum est: *Sicut aurum in conflatorio probabo illos* [b]. Ergo aduertant, quia examinabuntur omnes. Multi ergo, qui se aurum putant, et ipsi humilitatem sequantur, ut uitia sua decoquant. Sed hic inanis iactantia est. Ideo multis, qui se massas auri putant, dicit sapientior auri massa: Omnes nos fornax probabit. Ergo quia examinandi sumus, sic nos agamus, ut iudicio probari mereamur diuino. Teneamus hic positi humilitatem, ut, cum unusquisque nostrum uenerit ad iudicium dei, ad illos ignes, quos transituri sumus, dicat: *Vide humilitatem meam et erue me* [c]. Nam si superbus fuerit, si adrogans, si contumax, non poterit hoc dicere. Nemo autem dicet: «Vide superbiam meam», sed: *Vide humilitatem meam* [d], ut eius gratia erui ab illo igne mereatur.

16. Est ergo humilitas laboris et fatigationis, est et humilitas uirtutis atque propositi, quam et in secundis et prosperis et in otio positus tenet iustus. Nullo scilicet fractus labore, nullius certaminis dubius euentu humilem omnibus affectum exhibet nec sua extollere studet, sed magis minuere operis sui pretium et meriti sui gratiam. Audi iustum humiliantem se: *Ego*, inquit, *sum minimus apostolorum* [a]. Ille uas electionis diuinae [b], ille gentium doctor minimum esse se dicit, indignum eius officii nomine quod suis operibus praeferebat nihilque sibi adrogat, sed totum gratiae dei deputat. Hoc utique decet iustum.

17. Hac humilitate Abraham pater fidei nuncupatus est [a], qui cum diuino participaretur alloquio, terram se esse dicebat et limum [b], ipse quoque dominus ait: *Ego autem sum uermis et non homo, obprobrium hominum et abiectio plebis* [c], cum de sui corporis passione loqueretur, qui non quae sua sunt quaesiuit, sed quae

---

15. [a] Cf. 1 Cor 3, 12-13.
   [b] * Sap 3, 6 (cf. Zach 13, 9).
   [c] * Ps 118, 153.
   [d] Ibid.
16. [a] 1 Cor 15, 9.
   [b] Cf. Act 9, 15; 1 Tim 2, 7.
17. [a] Cf. Rom 4, 11.
   [b] Cf. Gen 18, 27.
   [c] Ps 21, 7.

15. L'uomo che quaggiú crede di essere oro, non ha che piombo. E l'uomo che crede di essere grano di frumento, non ha altro che paglia che si incenerisce. Ma quaggiú ci sono molti che credono di essere oro. Non mi fanno invidia. Ma anche l'oro sarà messo alla prova, sarà messo sul fuoco per essere saggiato. Cosí infatti sta scritto: *Come l'oro dentro il crogiuolo li saggerò*. Si rendano dunque conto che tutti saranno messi alla prova. Molti, dunque, che si credono oro, si mettano sulla strada dell'umiltà, per liquefare i loro difetti! Ma quaggiú non c'è che fatua presunzione. Perciò, a quei molti che si reputano una massa d'oro, cosí parla quella massa d'oro, che è piú sapiente: «Tutti ci saggerà la fornace». Dunque, dal momento che dobbiamo sottostare a questa verifica, comportiamoci — da parte nostra — in modo da meritare l'approvazione da parte del giudizio di Dio! Finché viviamo quaggiú, restiamo umili, di modo che ciascuno di noi, quando si presenterà al giudizio di Dio — a quel fuoco che siamo chiamati ad attraversare — possa dire: *Guarda la mia umiltà e liberami!* Che se sarà stato superbo, presuntuoso, riottoso, non potrà dir questo. Ma nessuno dirà: «Guarda la mia superbia!», bensí: *Guarda la mia umiltà!*, se vuole ottenere la liberazione da quel fuoco, in forza della sua grazia.

16. C'è dunque un'umiltà che è prodotta dal travaglio e dalla fatica, e c'è un'umiltà che è frutto di forza morale e di un ideale [16]: questa è una caratteristica che nel giusto permane anche nelle situazioni di fortuna e di successo e di pace. Nessun travaglio, cioè, lo abbatte; nessuna situazione di contesa lo rende incerto, e cosí egli presenta in ogni circostanza un atteggiamento umile e non cerca di esaltare i suoi meriti, bensí piuttosto di sminuire il pregio del suo operato e il peso del suo merito. Ascolta il giusto che si umilia! *Io* — egli dice — *sono il piú piccolo fra gli apostoli*. Lui, il vaso della divina elezione! Lui, il dottore delle genti, dice di essere il piú piccolo, di essere indegno del titolo di quell'ufficio che portava avanti con la sua vita! Non ascrive nulla a sé, ma attribuisce tutto alla grazia di Dio. E questo è, appunto, il genuino atteggiamento del giusto.

17. Grazie a questa umiltà, Abramo fu proclamato padre della fede, egli che — reso partecipe di un colloquio con Dio — affermava di essere terra e fango. Anche lo stesso Signore ha esclamato: *Io però sono un verme e non un uomo, vergogna degli uomini e rifiuto del popolo*. Cosí quando parlava della sua Passione corporale, Egli che non ha cercato il proprio interesse ma quello

---

[16] Questi due aspetti dell'*humilitas*, che Ambrogio sviluppa lungo i cc. 16-20, si ispirano a ORIGENE, in HARL, SCh 189, pp. 430, 17 - 432, 22.

aliorum [d]. Cuius nos imitatores uult fieri apostolus atque hortatur dicens: *Hoc enim sentite in uobis quod et in Christo Iesu, qui cum in forma dei esset non rapinam arbitratus est esse se aequalem deo, sed semetipsum exinaniuit formam serui accipiens* [e]. Nec nos igitur nobilitatem generis nec diuitias requiramus, si uolumus Christum sequi. Exinaniuit se, cum esset in dei forma, cum diues esset, pauper factus est [f]. Noli et tu contemnere plebeium, quia nobilis es, noli despicere seruum, quia potens es, noli pauperem fastidire, quia diues es. Numquid nobilior, numquid potentior, numquid ditior Christo es? Ille pro te suscepit illa quae tu despicis, ille pro te humiliauit se usque ad mortem et mortem crucis [g], ut tuae lapsum aboleret superbiae, ut, quod per unius Adae inoboedientiam perdideramus, per unius domini Iesu oboedientiam reciperemus [h]. *Propter quod deus*, inquit, *illum exaltauit et dedit illi nomen super omne nomen, ut in nomine Iesu omne genu flectatur, quoniam dominus Iesus in gloria est dei patris* [i].

18.    Considera, o homo, quid legas. Non laborauit apostolus potentiam Christi probare, sed oboedientiam praedicare, sed demonstrare quanta sit humilitatis gratia, quantus eius profectus. Si simplicibus accipias auribus, et Christum exaltauit; sed Christus non quae sua, sed quae tua erant, illa humilitate quaerebat. Accipe ergo argutis auribus: moraliter tibi profuit, mystice tuam redemit salutem. Quomodo uis intellege, salus est tua. Si putas quod Christo profuit humilitas sua, cui ergo non proderit? Si illum exaltauit, quem non augebit? Factus est minister omnium dominus et auctor omnium uapulauit, pedes lauit, crucifixus est, mortuus est. Sed in his omnibus detrimentum nullum uideo diuinitatis eius, profectum operationis agnosco. Qui nihil habebat quod ad

[d] Cf. 1 Cor 13, 5.
[e] Phil 2, 5-7.
[f] Cf. 2 Cor 8, 9.
[g] Cf. Phil 2, 8.
[h] Cf. Rom 5, 19.
[i] * Phil 2, 9-11.

altrui. Di Lui vuole che siamo imitatori l'Apostolo e ce ne esorta dicendo: *Abbiate in voi gli stessi sentimenti che c'erano nel Signore Gesú, il quale, sussistendo nella forma di Dio, non ha ritenuto un possesso indebito* [17] *questa sua somiglianza con Dio, ma ha svuotato se stesso, assumendo la forma di servo.* Anche noi, allora, non stiamo a cercare nobiltà di stirpe o ricchezze, se vogliamo essere seguaci di Cristo! Egli svuotò Se stesso, pur sussistendo nella forma di Dio. Da ricco che era, si è fatto povero [18]. E tu, non disprezzare i plebei, se sei nobile; non guardare dall'alto in basso i servi, se tu sei un potente; non fare lo schifiltoso verso il povero, se tu sei ricco. Forse che sei piú nobile, piú potente, piú ricco di Cristo? Eppure Egli per te ha preso su di Sé quelle condizioni che tu disprezzi; Egli per te ha abbassato Se stesso fino alla morte, e alla morte in croce, per cancellare il fallo della tua superbia: affinché, quanto avevamo perduto attraverso la disubbidienza di uno solo — di Adamo — lo recuperassimo attraverso l'ubbidienza di uno solo, del Signore Gesú. *Per questo — si dice — Dio lo ha innalzato e gli ha dato un nome piú alto di ogni nome, affinché nel nome di Gesú si pieghi ogni ginocchio, perché il Signore Gesú sta nella gloria di Dio Padre.*

18. Rifletti, uomo: che cosa stai leggendo? L'Apostolo non si è sforzato di dimostrare il potere di Cristo, ma di proclamarne l'ubbidienza, di dimostrare quanto valga l'umiltà e quanti vantaggi essa produca. Qualora tu l'interpreti con semplicità, vi vedi anche un'esaltazione di Cristo; ma Cristo, con quella umiltà, non cercava il suo interesse, ma il tuo. Dunque, cerca di interpretare il passo in modo acuto: secondo l'interpretazione morale, Egli ti è stato di giovamento; secondo l'interpretazione mistica, Egli ha riscattato la tua salvezza [19]. Interpretalo come vuoi! Si tratta sempre di una salvezza, per te. Se tu credi che per Cristo sia stata di giovamento la sua umiltà, allora per chi non lo sarà? Se ha innalzato Lui, chi non potrà accrescere? Il Signore è diventato il servitore di tutti e il Creatore di tutti è stato percosso, ha lavato i piedi, è stato crocifisso, è morto. Ma in tutti questi fatti non scorgo nessuna limitazione della sua divinità, mentre vi riconosco una progressiva ricchezza d'intervento [20]. Egli, che non aveva nulla

---

[17] Cf. 8, 37 e la nota 54.

[18] Cf. 3, 8; 13, 28 e le note 15 e 41.
Si noti il frequente collegamento, in Ambrogio, di 2 Cor 8, 9 e Fil 2, 6-7: cf. POIRIER, «*Christus pauper*»..., p. 256.

[19] L'interpretazione *morale* del passo paolino coglie un esempio istruttivo di umiltà, la quale è comportamento moralmente positivo, ma pur sempre legato all'opera dell'uomo, e perciò non producente di per sé la salvezza. L'interpretazione *mistica* invece legge sotto quell'umiliazione l'opera di Cristo, nel suo piano globale, che ha efficacemente prodotto la salvezza. Altrettanto chiaramente Ambrogio si esprime nell'*Expl. ps. I*, 42: *Mystica saluant et a morte liberant, moralia autem ornamenta decoris sunt, non subsidia redemptionis.* Cf. anche *Exp. eu. Luc.*, VI, 67.

[20] L'avvertenza è di non concedere spazio ai possibili sfruttamenti ariani del passo paolino. L'interpretazione mistica elimina il pericolo, perché colloca l'umiltà-umiliazione di Cristo dentro un liberamente progettato piano di salvezza, nel quale costituisce addirittura il culmine del perfetto amore di Dio per l'uomo. Sull'originalità dell'interpretazione ambrosiana — e dell'Ambrosiaster — di Fil 2,

potestatem suam adderet, habuit quod ad cultum suae maiestatis
adiungeret. Audeo dicere: Operationis suae munus amiserat, nisi
id humilitas recepisset. Itaque nos quidem redemit, sed etiam
sibi adquisiuit. Nihil ergo humilitas adfert dispendii; ille qui se
exinaniuit plenus est, ille qui non rapinam arbitratus est esse se
aequalem deo, formam serui accipiens, in gloria est dei patris.
Suscepi quem nesciebam, agnoui quem non cognoscebam, confi-
teor quem negabam. Ipsi genu corporis flecto, ipsi genu mentis
inflecto, ipsum adoro quem ante fugiebam.

19.   Gratias tibi agimus, Iesu domine, quod creasti nos sed
creatos feris bestiis, mutis animantibus praefecisti. Maiora sunt
uisitationis tuae munera. Visitatos maiestatis tuae consortiis ho-
norasti dicens: *Narrabo nomen tuum fratribus meis* [a]; suscepto
enim corpore frater es factus nec dominus esse desisti. Maior
redemptionis gratia. Periclitantes morte propria redemisti, sicut
scriptum est: *Expedit unum hominem mori pro populo* [b]. Suscitasti
mortuos dicens: *Soluite hoc templum, et in triduo resuscitabo illud* [c];
in illo enim templo dominici corporis omnibus resurrectio adcre-
uit. Resurgentes adaequauisti angelis, sicut dixisti: *Quoniam quae
non nubunt et qui non ducunt uxores erunt sicut angeli in caelo* [d],
postremo ad dexteram dei in illo filii hominis solio conlocasti,
sicut ipse dignatus es dicere: *Ex hoc autem erit filius hominis
sedens ad dexteram uirtutis dei* [e].

20.   Vnde apostolus admirans diuinae dona pietatis, simul
ostendens unam patris et filii esse liberalitatem ait: *Deus autem
qui diues est in misericorida propter multam caritatem qua dilexit*

19. [a] Ps 21, 23.
    [b] Io 18, 14.
    [c] * Io 2, 19.
    [d] * Mt 22, 30.
    [e] * Lc 22, 69.

19, 1   sed *codd.* (sed et *Pm2 Rm2*), et *Petschenig.*

da aggiungere alla sua potenza, ha avuto invece qualcosa da aggiungere all'adorazione della sua sovrana grandezza. Mi arrischio a dire: avrebbe perso la funzione ministeriale del suo intervento, se l'umiltà non l'avesse recuperata [21]. E cosí ci ha, sí, riscattati, ma ci ha anche acquistati per Sé. L'umiltà non produce alcuna perdita: Colui che ha svuotato Se stesso è ben pieno; Colui che non ha ritenuto un possesso indebito la sua uguaglianza con Dio — assumendo la forma di servo — sussiste nella gloria di Dio Padre. Ho accolto in me Uno che ignoravo; ho riconosciuto Uno che non conoscevo; professo la mia fede in Uno che rinnegavo. A Lui mi genufletto col corpo; a Lui mi genufletto con lo spirito; Lui, che prima rifuggivo, adoro.

19. Ti rendiamo grazie, o Signore Gesú, di averci creati [22]; e, una volta creati, di averci dato il potere sulle bestie feroci, sugli animali senza parola. Ancor piú grandi sono i benefici della tua venuta. Nella tua visitazione ci hai fatto l'onore di renderci partecipi della tua sovrana grandezza, dicendo: *Narrerò il tuo nome ai miei fratelli* [23]. Avendo assunto il corpo, sei diventato fratello, senza cessare di essere Signore. Piú grande è il dono della redenzione. Tu hai riscattato con la tua morte quelli che ne vivevano in pericolo, come sta scritto: *È meglio che un solo uomo muoia per tutto il popolo.* Tu hai ridestato i morti dicendo: *Distruggete questo tempio, e in tre giorni lo rimetterò in piedi.* In quel tempio, che era il corpo del Signore, è venuta crescendo la risurrezione di tutti. E i risorti li hai messi alla pari degli angeli, come hai detto: *Le donne e gli uomini che non si sposano saranno come gli angeli in cielo.* E, alla fine, li hai collocati alla destra di Dio, proprio su quel trono del Figlio dell'uomo, come Tu stesso ti sei degnato di dire: *Da questo momento poi il Figlio dell'uomo starà seduto alla destra della potenza di Dio.*

20. L'Apostolo ammira i doni della bontà divina e nello stesso tempo dimostra che la generosità del Padre e del Figlio è una sola, quando esclama: *Dio però, che è ricco di misericordia,*

---

6-7, che ha preceduto quella di Agostino — al quale è generalmente attribuita l'origine — e che è originata dalla lotta contro la cristologia ariana, cf. GRELOT, *La traduction et l'interprétation...*, pp. 1009 s. Ambrogio distingue il v. 6 dal v. 7 di Fil 2, nel senso che nel primo vede un'affermazione della divinità di Cristo e nel secondo gli atti compiuti in virtú dell'Incarnazione (a proposito della quale Ambrogio non manca di sottolineare la pienezza della natura umana, in senso antiapollinarista: cf. 18, 32 e la nota 46).

[21] L'intervento del Verbo nel mondo sarebbe stato intervento di potenza e non di oblazione, se egli non avesse accettato l'umiliazione di assimilarsi all'uomo. La venuta non sarebbe stata un *munus*, vantaggioso per l'uomo, ma un atto estrinseco di sovrimposizione. Solo grazie a questa umiliazione l'uomo non solo è riscattato ma anche assimilato a Dio. C'è forse anche l'idea che la Provvidenza divina sarebbe risultata poco trasparente, se l'umiltà dell'Incarnazione non ne avesse recuperato agli occhi dell'uomo il valore della permanente oblazione divina.

[22] Ambrogio considera Cristo come principio di ogni cosa secondo la sua divinità, ma anche secondo la sua umanità: cf. *Exam.*, I, 15-19; SZABÓ, *Le Christ créateur...*, pp. 97-99; TOSCANI, *Teologia della Chiesa...*, pp. 299-301.

[23] Un'interpretazione cristologica di Sal XXI, 23 si trova anche in *Expl. ps. XLIII*, 16.

*nos* [a]. Audis in quo debeas, homo, diues esse, quas habere uirtutes: amorem dei in te probare, imitari caritatis caelestis dulcedinem. Et addidit: *Et cum essemus mortui peccatis, conuiuificauit nos in Christo, cuius gratia estis saluati, et simul suscitauit, simul fecit sedere in caelestibus in Christo Iesu* [b]. In Christo utique honoratur et caro. Ille igitur, qui ad dexteram dei sedet, propter nos humiliatus est ideoque dicit nobis: *Discite a me, quia mitis sum et humilis corde* [c], non dixit: «discite a me quia potens sum», sed *quia humilis corde* [d], ut tu illum imiteris, ut tu ei dicas: domine, audiui uocem tuam, impleui praeceptum tuum, dixisti ut a te disceremus humilitatem: didicimus non solum sermone tuo, sed etiam actu tuo; feci quod imperasti: *Vide humilitatem meam* [e].

21. Athleta bonus membra sua monstrat, ut conuersationis suae adprobet disciplinam. Monstrat etiam tunc membra sua, quando post aliqua certamina grauiora iterum certare conpellitur, ut iudex uidens fessum corpus nequaquam eum certare conpellat. Et tu ostende cordis tui humilitatem, ut titulos uirtutis ostendas, ostende et corporis tui certamina, ut dicas: *Certamen bonum certaui, cursum consummaui* [a] et uidens spiritalis iudex certaminis coronam iustitiae decernat, quoniam legem agonis implesti.

22. Sequitur uersiculus secundus: *Iudica iudicium meum et libera me; propter uerbum tuum uiuifica me* [a]. Festinant innoxii ad iudicium et propriae innocentiae arbitri desiderant citius conprobari; habet hoc usus etiam in saeculo quod est commune cum sanctis. Verum is, qui apud deum iustus est, habet aliam causam iudicii non timendi, quia apud misericordem iudicem sibi causa est, apud redemptorem suum uult cito et sperat absolui; absolutio enim matura sanctorum est. Vnde et dominus ait per Ezechiel ad angelos, qui ministri sunt ultionum: *A sanctis meis incipite* [b]. Non uult dominus commune sanctis cum diaboli sociis consortium esse iudicii [c]; diabolus enim et ministri eius cum hominibus

---

20. [a] * Eph 2, 4.
   [b] * Eph 2, 5-6.
   [c] Mt 11, 29.
   [d] Ibid.
   [e] Ps 118, 153.
21. [a] * 2 Tim 4, 7.
22. [a] * Ps 118, 154.
   [b] * Ez 9, 6.
   [c] Cf. Ps 72, 5.

---

21, 6   corporis *codd.*, cordis *Petschenig.*
22, 3   arbitri *codd.* (arbitres *G M N T ed. Amerbachiana*), arbitro se *Petschenig*, arbitris *edd. Maurinorum et Ballerinii.*

*in forza della grande carità con cui ci ha amato.* Puoi sentire, o uomo, di che cosa devi essere ricco; quali siano le virtú che devi possedere: avvertire l'amore di Dio verso di te e imitare la dolcezza della carità del Cielo. *E, pur essendo noi morti per i peccati, ci ha infuso la sua vita in Cristo, dalla cui grazia siete stati salvati. E insieme ci ha risuscitati e insieme ci ha fatto sedere nei cieli, in Cristo Gesú.* In Cristo, certamente, trova gloria anche la carne. Orbene, Colui che siede alla destra di Dio si è abbassato per noi, e cosí può dire a noi: *Imparate da me, che sono mite e umile di cuore!* Non ha detto: «Imparate da me che sono potente!», bensí: *che sono umile di cuore!* Vuole che tu lo imiti, perché tu possa dirgli: «Signore, ho udito la tua voce, ho adempiuto al tuo precetto. Tu ci hai detto di imparare da te ad essere umili: l'abbiamo imparato non solo dalle tue parole, ma anche dal tuo comportamento. Io ho eseguito il tuo comando: *Guarda la mia umiltà!*».

21. Il bravo atleta mette in mostra i suoi muscoli, per dar la prova del suo austero stile di vita. E scopre i suoi muscoli anche quando, dopo avere affrontato qualche gara particolarmente impegnativa, è di nuovo chiamato a gareggiare: in questo caso, perché il giudice di gara, constatando che il suo fisico è provato, non lo chiami a gareggiare ancora. Anche tu metti in mostra l'umiltà del tuo cuore, per mettere in mostra i titoli di merito della tua virtú! Metti in mostra anche le gare sostenute dal tuo corpo, per dire: *Ho fatto una buona gara, ho finito la corsa.* E cosí le veda il giudice della gara spirituale e ti decreti la corona della giustizia, dal momento che hai portato a termine quanto nella gara si richiedeva.

22. Prosegue il versetto secondo: *Giudica il mio giudizio e liberami! In vista della tua parola infondimi vita!* Gli innocenti hanno fretta di essere giudicati e, da veri giudici della propria innocenza, il loro desiderio è che questa sia al piú presto riconosciuta. L'esperienza della vita del mondo ha anche questo in comune con la vita dei santi. Pur tuttavia, l'uomo che è giusto presso Dio ha anche un altro motivo per non temere il giudizio, ed è che il suo processo si svolge davanti ad un giudice misericordioso e che il giusto vuole e spera di essere rapidamente assolto davanti al suo Redentore: rápida è infatti l'assoluzione dei santi. Perciò anche il Signore, per bocca di Ezechiele, dice agli angeli che sono i ministri dei suoi castighi: *Cominciate dai miei santi!* Il Signore non vuole che si celebri un processo comune tra i santi e gli alleati del diavolo: il diavolo e i suoi ministri non saranno flagellati assieme agli uomini. La pena trova esecuzione in mo-

non flagellabuntur. Separata est poena, ubi distat et culpa. Ideoque alio loco scriptura ait: *Tempus incipere iudicium dei a domo
dei* [d]. Quos miseratur enim, cito castigat, ut non diutius adficiantur
futuri expectatione iudicii, non prolixius misera reatus sorte ma-
cerentur, ut unusquisque reddat etiam duplicia peccata sua [e], quo
tandem possit absolui. Poena enim reorum quaedam absolutio
delictorum est.

23.   Videmus in hoc saeculo insertos nexibus catenarum reos
in specie pompae miserabilis duci, et nonnumquam hoc patiuntur
insontes, ut tolerabilius sit mori quam talia subire supplicia.
Optant utique audiri bene sibi conscii, optant etiam hi, qui grauibus flagitiis urgentur, poenam mortis celeritate transigere, ut
aliquanta conpendia poenarum lucrentur. Spes est etiam de iudicis misericordia. Ipso exilio claustra carceris duriora sunt nec
reditus in perpetuum omnibus intercluditur relegatis. Si hoc operatur humanum examen, quanto magis Christi est omnibus expe-
tendum! Differtur diaboli iudicium, ut sit semper in poenis reus,
semper inprobitatis suae innexus catena, conscientiae suae in
perpetuum sustineat ipse iudicium. Ideo diues ille in euangelio
licet peccator poenalibus urgetur aerumnis [a], ut citius possit euadere, diabolus autem nequaquam peruenisse ad iudicium demon-
stratur, nequaquam adhuc poenis esse subiectus, nisi quas ipse
tantorum conscius scelerum soluit timore perpetuo, ne aliquando
securus sit.

24.   Immo, ut uerius dicam, sanctus ad iudicium uenit, impius non uenit, *quoniam non resurgunt impii in iudicium* [a]. Hic
petit ut absoluatur, alius ut cohercitus dimittatur; qui autem non
credidit, non iudicatur, sed impietatis suae iudicio ipse punitur [b].
Apud imperatores istos non puniuntur sceleris rei barbari quod
in sua gente commiserint, quia non sibi subditi, sed grauiore
nomine hostes habentur, qui sine interrogatione priuati sceleris
puniuntur, ita et Christus suos castigat quos diligit [c], alienos tamquam generali damnatione impietatis adstrictos poenae donat

[d] * 1 Pt 4, 17.
[e] Cf. Is 40, 2.
23. [a] Cf. Lc 12, 20.
24. [a] * Ps 1, 5.
   [b] Cf. Io 3, 18.
   [c] Cf. Hebr 12, 6.

menti diversi là dove è distinta anche la colpa. Ed è per questo che in un altro passo la Scrittura esclama: *È il momento in cui comincia il giudizio di Dio dalla casa di Dio.* Quelli a cui Egli usa misericordia, li punisce subito [24], perché non stiano piú a lungo in ansia per il giudizio futuro, perché non subiscano il lungo logoramento riservato alla triste condizione dell'imputato, perché ciascuno paghi il doppio rispetto ai propri peccati e possa cosí alfine essere assolto. Infatti la punizione degli imputati rappresenta una specie di assoluzione dei delitti.

23.   Nel nostro mondo vediamo gli imputati tradotti in catene in una specie di corteo che suscita pietà. E si dà talvolta il caso che ne siano vittime alcuni innocenti, tanto che diventa per questi preferibile la morte che la sopportazione di tali tormenti. Certo, quelli che hanno la coscienza a posto desiderano il processo. Anche quelli che vivono sotto il peso di gravi infamie desiderano che una morte rapida ponga termine alla loro punizione, per guadagnare una specie di riduzione delle loro pene. C'è anche chi spera nella misericordia del giudice. Il recinto di una prigione risulta piú duro perfino dell'esilio, e non a tutti quelli che sono stati mandati al confino è interdetto per sempre il rimpatrio. Se un giudizio umano produce questi effetti, quanto piú naturale è che tutti ricerchino il giudizio di Cristo! Per il giudizio del diavolo c'è sempre un rinvio, di modo che l'imputato resti sempre nella condizione di pena, resti sempre legato alla catena della sua malvagità, sopporti per sempre dentro di sé il giudizio della propria coscienza. Per questo quel ricco del Vangelo, per quanto peccatore, è incalzato da disgrazie punitrici che lo sospingono verso una rapida soluzione. Mentre non risulta mai che il diavolo sia arrivato al momento del giudizio, non risulta che sia mai stato finora assoggettato a punizioni, se non a quelle che egli stesso —. nella consapevolezza delle sue grandi colpe — sconta stando in una condizione di timore senza fine, che gli impedisce di avere mai qualche sicurezza.

24.   Per dir meglio, dirò anzi che è il santo che giunge al giudizio e non chi non ha fede, *poiché non risorgono gli empi per il giudizio* [25]. C'è chi chiede l'assoluzione, chi domanda di scontare la pena per essere poi liberato. Ma colui che non ha creduto non può essere giudicato, bensí risulta già punito dal giudizio della sua incredulità. Presso gli imperatori di questa terra non vengono puniti i barbari che siano imputati di qualche colpa commessa all'interno del loro popolo, perché non vengono considerati sudditi. Hanno bensí il titolo — ben piú grave — di nemici, e questo basta a farli punire senza sottoporli a interrogatori su qualche reato commesso privatamente. Cosí fa anche Cristo: castiga i suoi che ama, e gli estranei li affida alla punizione eterna, come se

---

[24] La trattazione, fino alla fine del capitolo, è modellata su ORIGENE, in HARL, SCh 189, p. 432, 5-9, dove si notano corrispondenze perfino letterali (αἱ χολάσεις λυτρώσεις εἰσὶν ἀπὸ τῶν ἁμαρτημάτων).
[25] Cf. *Expl. ps. I*, 51.56-57 e la nota 66, in SAEMO 7, p. 109.

aeternae; *nouissima* enim *destruetur mors* [d]. Et tamen uerecunde docet propheta exemplo sui, ut etiam qui diffidit operibus suis propter uerbum tamen clementiorem speret sententiam [e].

25.    Alius propter diuitias uiuere cupit, alius propter filios. Hic propter uerbum dei uiuificari petit, sicut Symeon domini expectauit aduentum; unde et dominum in templo accipiens ait: *Nunc dimittis seruum tuum in pace, quia uiderunt oculi mei salutare tuum* [a], adserens uiuendi sibi cupiditatem aliam non fuisse nisi ut Christum uideret. Denique uidit et uinculis solui corporis postulauit.

26.    Possumus etiam intellegere: *Iudica iudicium meum* [a], quasi grauior nobis causa sit de iudicio nostro quam de errore dicenda; erranti enim facilius datur uenia quam inprobe in alium iudicanti. Necesse est enim eam formam in te redire iudicii, quam in alium ipse decernendam putaueris.

27.    Sequitur uersus tertius: *Longe est a peccatoribus salus, quoniam iustitias tuas non exquisierunt* [a]. Quorum serum est iudicium, eorum salus longe est; sed ipsi sunt sui auctores periculi, qui domino non adpropinquarunt. Ideo facti sunt longe, quia uoluntate sua a salutis se gratia separauerunt; non refugit eos salus, sed ipsi salutem qui se elongauerunt. Venit ad Iudaeos, sed illi salutem non receperunt. Quomodo non receperunt, audi. Iesus salus est, Iesus filius hominis nuncupatus est; *uenit filius hominis quaerere et saluum facere quod perierat* [b], sed Iudaei dimitti sibi latronem postularunt, Iesum repudiauerunt [c].

28.    Quis est autem qui se longe facit a domino nisi qui non exquirit iustitias eius? Qui uero iustitias exquirit prope est, adhaeret deo. Et ideo iustitias dei quaerentibus dicit apostolus: *Vos qui eratis longe facti estis prope in sanguine Christi* [a]. Sanguis Christi iustitia est; denique ipse ait ad Iohannem: *Sine nos implere omnem iustitiam* [b].

29.    Sequitur uersus quartus: *Miserationes tuae multae nimis, domine; secundum iudicia tua uiuifica me* [a]. Etsi longe est a pecca-

---

[d] 1 Cor 15, 26.
[e] Cf. Ps 118, 154.
25. [a] Lc 2, 29-30.
26. [a] Ps 118, 154.
27. [a] * Ps 118, 155.
   [b] Lc 19, 10.
   [c] Cf. Io 18, 40.
28. [a] Eph 2, 13.
   [b] Mt 3, 15.
29. [a] * Ps 118, 156.

fossero implicati nella generale condanna riservata all'incredulità: *Per ultima infatti sarà annientata la morte* [26]. Eppure il profeta, con un certo pudore, insegna — portandosi ad esempio — che anche chi non ha fiducia nelle proprie opere può tuttavia sperare in una sentenza piú mite, in forza della Parola.

25.   C'è chi desidera vivere per arricchirsi, chi per i figli. Il nostro chiede che gli venga infusa la vita per avere la Parola di Dio, come Simeone che ha atteso la venuta del Signore. Perciò, quando ha accolto il Signore nel tempio, ha esclamato: *Ora lascia che il tuo servo se ne vada in pace, perché i miei occhi hanno visto la tua salvezza.* Viene cosí ad affermare di non aver avuto alcun altro desiderio di vivere se non per vedere il Cristo. Tant'è vero che, vistolo, chiese di essere sciolto dai legami del corpo.

26.   L'espressione «giudica il mio giudizio» può essere intesa anche nel senso che il processo piú importante da dibattere riguardi piú il nostro modo di giudicare che non il nostro errore: infatti si perdona piú facilmente a chi sbaglia che non a chi giudica disonestamente gli altri. È inevitabile infatti che ricada su di te quel tipo di giudizio che tu stesso hai ritenuto di dover adottare nei confronti di altri.

27.   Prosegue il versetto terzo: *La salvezza è lontana dai peccatori, poiché essi non hanno ricercato le tue opere di giustizia.* Tardivo giudizio, lontana salvezza: ma artefici del proprio rischio sono essi stessi, che non si sono avvicinati al Signore. Sono diventati lontani, lontani proprio perché essi di propria volontà si sono separati dalla grazia. Non è stata la salvezza a sfuggirli, ma sono stati loro a sfuggire la salvezza, allontanandosene [27]. La salvezza è venuta ai Giudei, ma essi non l'hanno accolta. Sta' a sentire come è avvenuto. Gesú è la salvezza; Gesú è stato denominato il Figlio dell'uomo: *È venuto il Figlio dell'uomo a cercare ed a salvare quello che era perduto*; ma i Giudei hanno chiesto la liberazione di un bandito ed hanno ripudiato Gesú.

28.   Ma chi si allontana dal Signore, se non l'uomo che non ricerca le sue opere di giustizia? Mentre chi le ricerca gli è vicino, resta attaccato a Dio. E per questo l'Apostolo cosí si rivolge a quelli che cercano le opere di giustizia di Dio: *Voi, che eravate lontani, siete diventati vicini nel sangue di Cristo.* La giustizia è il sangue di Cristo. Tant'è vero che Egli stesso ha cosí apostrofato Giovanni: *Lasciaci portare a compimento ogni opera di giustizia!*

29.   Prosegue il versetto quarto: *Le tue misericordiose attenzioni sono infinite, o Signore. Infondimi vita secondo i tuoi giudizi!*

---

[26] L'*impietas*, che è sinonimo di *mors*, verrà giudicata e annientata per ultima.
[27] Il passo, fino a qui, è preso — con leggere modifiche stilistiche — da ORIGENE, in HARL, SCh 189, pp. 432, 1 - 434, 8.

toribus salus, tamen nemo desperet, quia multae sunt misericordiae. Qui suo peccato pereunt, misericordia domini liberantur:
*Miserebor*, inquit, *cuius misertus ero* [b]. Palam apparuit non quaerentibus, uocauit refugientes, congregauit ignaros [c], pro omnibus
se obtulit passioni. Non ergo multum misericors? *Misericordia
enim hominis in proximum suum, misericordia domini in omnem
carnem* [d], ut omnis caro ad deum ascenderet illa domini miseratione donata.

30.   Sed quomodo, cum dixerit multas esse domini miserationes, secundum iudicia eius uiuificari petit, maxime cum ipse alibi
dicat: *Et non intres in iudicium cum seruo tuo* [a]? Sed aliud est
illud iudicium beneficiorum Christi, cui respondere non possumus — quis enim potest debitum referre naturae, debitum salutis
et gratiae? —, aliud iudicium, quo fragilitatis nostrae aestimatione
censemur. In hoc ipso tamen iudicium cum misericordia copulatum est, ut ueritas iudicii miseratione domini temperetur.

31.   Aut fortasse, quia dixerat: *Iudica iudicium meum* [a], ideo
subtexuit miserationes domini nimium multas esse; graue est
enim de alio iudicare. Vnde etiam scriptum est: *Nolite iudicare,
ut non iudicemini* [b]. Cum enim unusquisque sit suorum conscius
peccatorum, quomodo potest de alterius iudicare peccato? Iudicet
de alterius errore, qui non habet quod in se ipse condemnet,
iudicet ille, qui non agat eadem quae in alio putauerit punienda,
ne, cum de alio iudicat, in se ferat ipse sententiam, iudicet ille,
qui ad pronuntiandum nullo odio, nulla offensione, nulla leuitate
ducatur. Audisti hodie, quid iudex uerus et iustus locutus sit: *Non
possum*, inquit, *ego a me facere quicquam* [c].

32.   Nonnulli haeretici solebant hinc facere quaestiones, quasi infirmus esset filius qui a se nihil faceret, quasi secundum
diuinitatem quoque subditus et paterno subiectus imperio, nec

   [b] * Ex 33, 19.
   [c] Cf. Rom 10, 20.
   [d] Eccli 18, 13.
30. [a] Ps 142, 2.
31. [a] Ps 118, 154.
   [b] * Lc 6, 37.
   [c] Io 5, 30.

Anche se la salvezza è lontana dai peccatori, tuttavia nessuno ceda alla disperazione: infinite sono le attenzioni misericordiose. Quelli che sono rovinati dal loro peccato, sono liberati dalla misericordia del Signore: *Avrò misericordia — dice — di chi avrò avuto misericordia.* Si è mostrato apertamente a chi non lo cercava; ha chiamato indietro quelli che lo stavano fuggendo; ha radunato quelli che non sapevano; si è offerto alla sofferenza per tutti. Non è dunque infinitamente misericordioso? Infatti, *la misericordia dell'uomo si esercita con quelli che gli stanno vicino, mentre la misericordia del Signore è rivolta ad ogni uomo* [28], affinché ogni carne salga a Dio, ricevendo il dono della misericordia del Signore [29].

30. Ma come mai, dopo aver detto che infinite sono le attenzioni misericordiose del Signore, chiede che gli venga infusa vita *secondo i suoi giudizi?* Tanto piú che altrove Davide stesso dice: *E non entrare in giudizio con il tuo servo!* Ma altro è quel giudizio che è misurato sui benefici di Cristo, a cui non possiamo rispondere (chi infatti è in grado di ripagare il dono della natura, il dono della salvezza e della grazia?), e altro è quel giudizio nel quale noi siamo valutati sulla base della nostra fragilità. Eppure, anche a questo giudizio è congiunta la misericordia, di modo che la verità del giudizio sia addolcita dalla misericordia del Signore.

31. O forse l'aggiunta che infinite sono le attenzioni misericordiose del Signore dipende dal fatto che prima aveva detto: *Giudica il mio giudizio!* È infatti difficile giudicare gli altri. Per questo sta anche scritto: *Non giudicate, per non essere giudicati!* Come può, uno che è consapevole dei propri peccati, ergersi a giudice dei peccati degli altri? Giudichi la colpa altrui chi non ha nulla da rimproverare a se stesso; la giudichi colui che non commette le stesse colpe che vuole punite negli altri, se non vuole esprimere la propria condanna nel momento in cui giudica gli altri! La giudichi colui la cui sentenza non è stimolata da odio, da risentimento o da leggerezza. Hai ascoltato, nella lettura odierna [30], la parola del giudice vero e giusto, che diceva: *Io non posso fare nulla da me stesso.*

32. C'erano degli eretici [31] che, a questo proposito, sollevavano un problema: come se il Figlio, per il fatto di non fare nulla da Se stesso, fosse un debole incapace, come se anche secondo

---

[28] Stessa citazione in ORIGENE, *ibid.*, 156, p. 434, 1-3.

[29] Da questo testo risulta evidente la visione ambrosiana di Dio come essere essenzialmente *misericordioso.* Ambrogio è annoverato tra i «Padri misericordiosi» dal LAVALETTE, *L'interprétation du Psaume...*, p. 554.

[30] Accenno alla lettura liturgica del giorno e indizio dell'origine omiletica dell'*Exp. ps. CXVIII.*

[31] Gv 5, 30 (e 5, 19) è richiamato anche in *De Spir. Sanct.*, II, 135 per sottolineare *l'unità* tra Figlio e Padre *per substantiam naturalem*, ma non *secundum Sabellianam perfidiam*, la quale, secondo Ambrogio, parlava di unità come *confusio* (*ibid.*, II, 136). Qui però si tratta di quegli eretici che da questo testo evangelico sottolineavano la *subiectio* e la *distantia* del Figlio dal Padre, e quindi si tratta degli Ariani. Cf., del resto, *De fide*, V, 165.

aduertunt, quod hoc quoque magis potestatis diuinae unitas con-
probetur, ubi putant inter patrem et filium esse distantiam potestatis. Nihil a se facit filius, quia per unitatem operationis nec
filius sine patre facit nec sine filio pater. Denique pater dicit ad
filium: *Faciamus hominem ad imaginem et similitudinem nostram* ᵃ,
communem adserens operationem esse, ubi commune consilium
est. Quid sine sapientia facit qui omnia in sapientia fecit, ut lectum
est: *Omnia in sapientia fecisti* ᵇ? Denique Sapientia dixit: *Cum
faceret caelos cum illo eram, et ego eram cui adplaudebat* ᶜ, et
euangelista ait: *Omnia per ipsum facta sunt et sine ipso factum est
nihil* ᵈ, ut doceret non solum operatorem omnium filium, sed
etiam paternae operationis esse consortem.

33.   Ego tamen arbitror, quod hic locus ad iudicii formam
uideatur esse referendus; euangelium etenim non solum fidei
doctrina, sed etiam morum est magisterium et speculum iustae
conuersationis. Inuenio in euangelio, quod dominus Iesus multorum affectus et officia susceperit, ut docere, quomodo nos in his
conuersari oporteret officiis. Suscepit personam pastoris et ait:
*Pastor bonus animam suam ponit pro ouibus suis* ᵃ, ideoque pro
rationabili grege se ipsum passioni corporis non negauit, ut ouem
lassam crucis suae humeris superponens ᵇ pii oneris functione
recrearet.

34.   Suscepit aduocati personam; ipsum enim aduocatum
habemus apud patrem ᵃ. Pernoctabat in oratione ᵇ pro nobis, ut
nos suo informaret exemplo, quemadmodum ueniam nostris debeamus exorare peccatis. Non enim ideo pernoctaret, quasi qui
aliter patrem nobis reconciliare non posset, sed ut qualis aduocatus esse debeat demonstraret, qualis sacerdos, ut non solum
diebus, sed etiam noctibus pro grege Christi debeat precator
adsistere, an inpetrandi egebat auxilio, qui facere ipse poterat
quod rogabat, quemadmodum ipse dicebat: *Ego ad patrem uado,
et quodcumque ab eo petieritis in nomine meo hoc faciam* ᶜ? Denique
alibi ait, cum Lazarum suscitaret: *Sciebam quod semper me audis* ᵈ,

32. ᵃ Gen 1, 26.
    ᵇ Ps 103, 24.
    ᶜ * Prou 8, 27.30.
    ᵈ Io 1, 3.
33. ᵃ * Io 10, 11.
    ᵇ Cf. Lc 15, 5.
34. ᵃ Cf. 1 Io 2, 1.
    ᵇ Cf. Lc 6, 12.
    ᶜ Io 14, 12-13.
    ᵈ * Io 11, 42.

la sua natura divina egli fosse sottomesso e assoggettato al comando del Padre. Costoro non s'accorgono che anche questo passo conferma vieppiú l'unità della potenza divina, mentre essi credono che ci sia una difformità di potenza tra il Padre e il Figlio. Il Figlio non fa nulla da Se stesso perché, in forza dell'unità di operazione, né il Figlio opera senza il Padre né il Padre senza il Figlio. Tant'è vero che il Padre dice al Figlio: *Facciamo l'uomo a nostra immagine e somiglianza.* Qui, nell'indicare un progetto comune, si afferma una comune operazione. E che cosa mai può operare senza la Sapienza Colui che tutto ha fatto nella Sapienza, come è stato letto: *Tutto hai fatto nella Sapienza?* Tant'è vero che la Sapienza dice: *Quando creava i cieli, io ero con lui. Ed ero io la causa del suo compiacimento.* E l'evangelista esclama: *Tutto è stato fatto per mezzo suo e senza di lui non è stato fatto nulla.* Questo, per insegnarci che il Figlio non solo è operatore di tutto [32], ma che è anche compartecipe [33] dell'operazione del Padre.

33. Ciononmeno io ritengo che questo passo [34] sia da riferire alla forma del giudizio. E difatti il Vangelo non è solo insegnamento della fede, ma è anche maestro di comportamento e specchio di un giusto stile di vita. Io trovo nel Vangelo che il Signore Gesú ha assunto sentimenti e compiti di molti, per insegnarci il modo di comportarci in questi compiti. Ha assunto il ruolo del pastore ed ha esclamato: *Il buon pastore mette in gioco la sua vita per le sue pecore.* E per questo gregge provvisto di ragione Egli non ha rifiutato di sottoporre alla sofferenza il suo stesso corpo, proprio per ridar nuova vita alla pecorella affaticata, ponendola sulle braccia della sua croce, in esecuzione d'un misericordioso incarico.

34. Ha assunto il ruolo di difensore, e infatti noi lo troviamo come difensore presso il Padre. Passava la notte in preghiera per noi, per educarci, modellandoci sul suo esempio, sul modo di implorare perdono per i nostri peccati. Non passerebbe certo la notte come uno che non avesse altra possibilità di riconciliare a noi il Padre, ma proprio per dimostrarci come deve essere un difensore, come deve essere un sacerdote che dovrebbe assistere con la sùa intercessione il gregge di Cristo non solo di giorno, ma anche nel corso delle notti. Forse che Egli aveva bisogno di mezzi per ottenerne il favore, se poteva fare da Sé quello che domandava? Era Lui stesso che diceva: *Io vado al Padre, e qualsiasi cosa voi chiederete a lui a nome mio, l'esaudirò.* Tant'è vero che in un altro passo, quando risuscitava Lazzaro, Egli esclamò: *Sapevo che tu mi ascolti sempre.* Passava la notte in preghiera come

---

[32] Ciò discende dal *per ispum.*
[33] Ciò discende dal *sine ipso.*
[34] Cioè, Gv 5, 30.

hic quasi infirmus pernoctabat, qui sciebat quod semper auditur, *et clamauit: Lazare, ueni foras* [e]. Locuta est resurrectio [f], mors recessit.

35.  Suscepit etiam affectum rei et stetit ante iudicem reus nec dedignatus est dominus omnium praesidis uilitatem. Interrogatus tacebat [a], ostendens non in clamore uocis nec in forensis adsertione patrocinii, sed in conscientiae integritate esse innocentiae defensionem nec salutem corporis ambiendam, sed animi puritatem. Denique, qui Susannam obsoluit tacentem, se obtulit morti; in illa causa, ut nemo desperaret, in hac, ut redimendae uniuersitatis sacrificium non negaret. Caesus postremo non conuiciatus est, non repercussit, et dominus caeli atque terrarum studium deposuit ultionis, uocem humilitatis emisit dicens: *Si male locutus sum, testimonium perhibe de malo; si bene, quid me caedis?* [b]. Quasi infirmus caedis deplorat iniuriam et, cum se posset ulcisci, queri maluit quam uindicare.

36.  Ergo et hic personam iudicis propositumque suscepit dicens: *Non possum a me facere quicquam* [a]. Bonus enim iudex nihil ex arbitrio suo facit et domesticae proposito uoluntatis, sed iuxta leges et iura pronuntiat, scitis iuris obtemperat, non indulget propriae uoluntati, nihil paratum et meditatum domo defert, sed sicut audit ita iudicat et sicut se habet negotii natura decernit. Obsequitur legibus, non aduersatur, examinat causae merita, non mutat [b].

37.  Discite, iudices saeculi, quem in iudicando tenere debeatis affectum, quam sobrietatem, quam sinceritatem. Dominus omnium dicit: *Non possum ego a me facere quicquam* [a]. Alibi lego: *Negare semet ipsum non potest* [b]. Non potest, utique non per infirmitatem, sed per integritatem, non per inpossibilitatem faciendi, sed per obseruantiam iudicandi. Qui non potest qui omnia potest, nisi quod posse nolit? Non uult posse quod damnet, non uult posse aduersus fidem, non uult posse aduersus ueritatem. Audi postremo ipsum dicentem, cur non possit a se facere quicquam: *Sicut audio*, inquit, *et iudico* [c], hoc est: Non ex mea potestate

[e] Io 11, 43.
   [f] Cf. Io 11, 25.
35. [a] Cf. Mt 26, 63.
    [b] Io 18, 23.
36. [a] * Io 5, 30.
    [b] Cf. Ibid.
37. [a] * Ibid.
    [b] * 2 Tim 2, 13.
    [c] * Io 5, 30.

---

34, 12 hic *codd.*, nec *Petschenig.*

un debole bisognoso, Costui che pur sapeva di trovar sempre udienza. E gridò: *Lazzaro, vieni fuori!* Ha parlato la Risurrezione; la morte si è ritirata.

35.  Ha fatto propria anche la sensibilità dell'imputato; è comparso come imputato di fronte al giudice e — Signore di tutto — non ha disdegnato di abbassarsi al livello di un governatore. Interrogato taceva, mostrando che la difesa dell'innocente non è affidata al suono delle parole né alle dichiarazioni di un'arringa difensiva ma all'integrità della coscienza. E che l'obiettivo da raggiungere non è la salvezza del corpo, ma la purezza dell'anima. Tant'è vero che Lui, che ha assolto Susanna che taceva [35], ha consegnato Se stesso alla morte: in quel processo, perché nessuno fosse vinto dalla disperazione; nel suo processo, per non sottrarsi al sacrificio di riscattare tutto il mondo. Infine, percosso, non ha reagito né con insulti né con la restituzione di colpi e — Signore del cielo e della terra — ha deposto ogni desiderio di vendetta. Ha sussurrato una parola di umiltà, dicendo: *Se ho parlato male, dimostramelo! Se ho detto bene, perché mi colpisci?* Come un debole, deplora l'oltraggio della percossa e, pur potendo vendicarsi, ha preferito il lamento alla vendetta.

36.  Anche qui [36] dunque ha assunto un ruolo, quello del giudice; e ne ha assunto l'intenzione, dicendo: *Non posso far nulla da me stesso.* Il bravo giudice non compie nulla di arbitrario od obbedendo ad una volontà personale, ma sentenzia in conformità alle leggi e ai codici. Rispetta i decreti dei codici e non dà retta al proprio desiderio. Non si porta da casa nulla di predisposto o di premeditato, ma giudica secondo quanto avviene in udienza e decide secondo la natura del caso in questione. Egli è ossequiente alle leggi e non le contraddice, prende in esame la vera natura della causa e non la stravolge [37].

37.  Imparate anche voi, giudici di questo mondo, quale atteggiamento si debba tenere nell'attività giudiziaria, quale misura, quale dirittura! Il Signore di tutto dice: *Io non posso fare nulla da me stesso.* In un altro passo trovo scritto: *Non può rinnegare se stesso.* «Non può» [38]: certo, non per debolezza, ma per onestà; non per impossibilità di agire ma per rispetto della funzione giudicante. Perché mai uno che è onnipotente non può fare, se non perché non vuole potere? Non vuole poter fare ciò che dovrebbe condannare; non vuole poter fare ciò che è contro la lealtà, ciò che è contro la verità. Ascolta, alla fine, la sua stessa parola sul perché non possa far nulla da Se stesso: *Secondo quanto ascolto* — Egli dice — *cosí giudico.* Cioè: Non sentenzio, secondo un gusto personale, quello che mi aggrada, ma quello che è giusto

---

[35] Cf. *Expl. ps. XXXVII*, 45.

[36] Cioè, in Gv 5, 30, che viene ripresa come lettura del giorno (cf. 20, 31).

[37] Qui, come in altri passi (cf. anche il seguito), emergono la preparazione giuridica di Ambrogio e il suo alto senso del dovere e dell'etica professionale, di magistrato prima che di vescovo, che pure doveva dedicare gran parte del proprio tempo ai processi, anche civili, nell'*episcopalis audientia*.

[38] Si sofferma sul *non posse* per rintuzzare l'interpretazione ariana.

decerno quod libitum, sed ex iudicandi religione quod iustum est, et ideo iudicium meum uerum, quia non uoluntati meae indulgeo, sed aequitati. Audite quid iudex dicat caelestis: *Non possum a me facere quicquam; sicut audio, et iudico* [d].

38.   Et Pilatus dicebat ad dominum Iesum: *Potestatem habeo dimittendi te et potestatem habeo crucifigendi te* [a]. Vsurpas, o homo, potestatem quam non habes, cum deus neget se habere, qui habet super omnia potestatem. Audi quid iustitia dicat: *Non possum a me facere quicquam* [b]. Audite quid iudex aequitatis adserat: *Sicut audio, et iudico* [c]. Audite quid iudex iniquitatis loquatur: *Potestatem habeo dimittendi te et potestatem habeo crucifigendi te* [d]. Tua, Pilate, uoce constringeris, tua damnaris sententia. Pro potestate igitur, non pro aequitate crucifigendum dominum tradidisti, per potestatem absoluisti latronem, auctorem autem uitae interfecisti. Sed nec istam a te habuisti quam habere te adseris potestatem. Denique dicit tibi dominus Iesus: *Non haberes potestatem aduersum me ullam, nisi data tibi esset desuper* [e]. Mala potestas licere quod noceat; potestas ista tenebrarum est, uerum non uidere, sed spernere.

39.   Audite quid uerus iudex loquatur: *Non quaero uoluntatem meam, sed uoluntatem eius qui me misit* [a]. Quasi homo loquitur, quasi iudex docet, quoniam qui iudicat non uoluntati suae obtemperare debet, sed tenere quod legum est. Constitue iudicem de hoc saeculo: numquid potest aduersus imperialis formam uenire rescripti? Numquid potest normam Augustae definitionis excedere? Quanto magis diuini formam debemus seruare iudicii! Christus dicit: *Non quaero uoluntatem meam* [b], hoc est hominis, quae uel odio dirigitur uel studio intenditur uel gratia inflectitur uel aliorum mendacio deprauatur — *omnis* enim *homo mendax* [c] —, *sed uoluntatem*, inquit, *eius qui me misit* [d], hoc est: diuinae cognitionis formam ueni docere, ut in iudicando magis cordi sit ueritatis custodia quam oboedientia uoluntatis. Non ergo hic quoque infirmitas potentiae, sed forma est expressa iustitiae.

40.   Iustum igitur est iudicium filii dei, quia secundum uoluntatem est dei, non secundum hominis affectum. Deus enim misericordiarum plenus est et misericordia eius cum iudicio et iudicium

---

  [d] * Ibid.
38. [a] * Io 19, 10.
  [b] * Io 5, 30.
  [c] * Ibid.
  [d] * Io 19, 10.
  [e] * Io 19, 11.
39. [a] * Io 5, 30.
  [b] * Ibid.
  [c] Ps 115, 2 (11).
  [d] Io 5, 30.

secondo lo scrupoloso rispetto delle norme giudiziarie. E per questo il mio giudizio è vero: perché io non assecondo il mio desiderio, ma la giustizia. Sentite che cosa dice il giudice del Cielo: *Io non posso fare nulla da me stesso; secondo quanto ascolto, così anche giudico.*

38.   E Pilato diceva al Signore Gesú: *Io ho il potere di liberarti e il potere di crocifiggerti.* Tu ti arroghi, uomo, un potere che non hai, mentre Dio, che invece ha potere su tutto, afferma di non averlo. Ascolta che cosa dice la Giustizia: *Io non posso fare nulla da me stesso.* Ascoltate che cosa afferma il giudice di giustizia: *Secondo quanto ascolto, così giudico.* Ascoltate ora come parla il giudice di ingiustizia: *Io ho il potere di liberarti e il potere di crocifiggerti.* È la tua parola, o Pilato, che ti compromette; è la tua sentenza che ti condanna. E cosí tu hai consegnato il Signore alla crocifissione sulla base del potere, non sulla base della giustizia: sulla base del potere hai assolto un brigante ed hai invece assassinato l'autore della vita. Ma tu non avevi da te nemmeno questo potere che affermi di avere. Tant'è vero che il Signore Gesú ti dice: *Non avresti alcun potere su di me, se non ti fosse stato dato dall'alto.* Rendere lecito il nocumento è un tristo potere; non vedere il vero, anzi disprezzarlo, questo è il potere delle tenebre.

39.   Ascoltate quanto dice il vero giudice: *Non cerco la mia volontà, ma quella di colui che mi ha mandato.* Parla da uomo, insegna da giudice, giacché colui che giudica non deve obbedire alla sua volontà, ma attenersi alle leggi. Immaginati un giudice di questo mondo: forse che può giungere a conclusioni contrastanti con il dettato di un rescritto imperiale? Forse che può superare i confini posti dalla norma della definizione di Augusto [39]? Quanto piú allora dobbiamo rispettare il dettato del giudizio di Dio! Cristo dice: *Non cerco la volontà mia,* cioè di uomo: questa si lascia guidare dal risentimento, indirizzare dalla passione, piegare dal favoritismo, incattivire dalle calunnie (*ogni uomo è menzognero*). ...*Ma quella di colui che mi ha mandato,* Egli dice; cioè: io sono venuto ad insegnare il modo di conoscere di Dio, cosicché nel vostro giudizio sia privilegiato il rispetto della verità piuttosto che l'accondiscendenza al vostro volere. Nemmeno qui dunque si esprime un'incapacità di potere, bensí un modello di giustizia.

40.   Giusto allora è il giudizio del Figlio di Dio, perché esso si basa sulla volontà di Dio, non sull'istintività umana. Dio infatti è pieno di misericordia, e la sua misericordia convive con il

---

[39] All'alto senso della certezza del diritto, si aggiunge qui l'idea che il giudice non interpreta la norma, ma la applica, essendo — nell'Impero romano — l'istanza legislativa la stessa ultima istanza giudiziaria.

cum misericordia; neque sine iudicio miseretur neque sine misericordia iudicat. Denique scriptum est: *Misericordia eius in stateris* [a]. *Filii* autem *hominum mendaces in stateris ut decipiant* [b]. Examinat ergo et trutinat deus merita singulorum et quemadmodum pro mensura dat gratiam [c], ne supra mensuram sit, ita pro mensura dat misericordiam. Vnde ait: *Mensuram bonam confertam commotam superaffluentem dabunt in sinum uestrum. Eadem mensura qua mensi fueritis reddetur uobis* [d]. Similiter in statera singulorum opera pensantur, ut, si bona malis praeponderant, remuneratio praemii deferatur, si peccata uirtutibus, tristior reum poena constringat. Quod expressum habes ad Timotheum, dicente apostolo Paulo: *Quorundam hominum peccata manifesta sunt praecedentia ad iudicium, quosdam autem et subsecuntur* [e]. Similiter et facta bona manifesta sunt et quae aliter se habent abscondi non possunt.

    41.   Omnia ergo a domino deo nostro mensura quadam et pondere fiunt. *Quis posuit*, inquit, *rupes in statera?* [a]. Et supra: *Quis mensus est manu aquam et caelum palmo?* [b]. Qui nostra examinat, sua utique examinata largitur et saluo omnia decernit examine. Ponderat misericordiam, ponderat ultionem; in utroque certum pondus habilisque mensura est. Vnde et Dauid ait: *Et potum dabis illis in lacrimis in mensura* [c], ne sine moderatione mensurae poenae cumulo grauarentur et sustinere non posset. Et alibi idem ait propheta: *Calix in manu domini uini meri plenus est mixto, et inclinauit ex hoc in hoc; uerumtamen faex eius non est exinanita* [d]. Et Hieremias ait: *Calix aureus Babylon in manu domini, a quo inebriatae sunt gentes* [e], hoc est: poena a nationibus persoluta est, ne diutius insultarent, quod dei populum acerbissima populatione uexarint. Sensus igitur uersus Dauitici hic est. Parata et plena est poena quae debetur impiis, quam dominus declinat in perfidos; sed tamen miseratione sua non usque ad faecem dignatur effundere, ne plenitudinem supplicii ferre non possint. Inclinat ergo calicem, non euacuat; quod inclinat, censurae est, quod non euacuat, misericordiae.

40. [a] * Is 28, 17.
   [b] * Ps 61, 10.
   [c] Cf. Eph 4, 7.
   [d] * Lc 6, 38.
   [e] 1 Tim 5, 24.
41. [a] * Is 40, 12.
   [b] * Ibid.
   [c] * Ps 79, 6.
   [d] * Ps 74, 9.
   [e] * Ier 28 (51), 7.

giudizio e il giudizio con la misericordia. Non usa misericordia
senza giudizio né giudica senza misericordia. Tant'è vero che sta
scritto: *La sua misericordia sta sui piatti della bilancia.* Mentre,
*menzogneri sono i figli degli uomini, talché falsano il peso della
bilancia.* Dio dunque valuta e soppesa i meriti di ciascuno e, come
concede una grazia proporzionata alla loro misura e non superiore, cosí concede pure una misericordia proporzionata alla loro
misura. Perciò esclama: *Vi sarà versata in grembo una misura
buona, ben piena, scossa e traboccante. Con quella misura con la
quale avrete misurato, sarà misurata la vostra ricompensa.* In modo
analogo vengono pesate sulla bilancia le opere di ciascuno e, se
il bene sarà piú pesante del male, verrà accordata una ricompensa
in premio; se invece i peccati saranno piú pesanti delle virtú,
l'imputato si vedrà vincolato da una punizione piú severa. Cosí
si trova espresso anche in una lettera a Timoteo, laddove l'apostolo Paolo dice: *I peccati di alcuni vengono alla luce prima del
giudizio, quelli di altri invece dopo.* In modo analogo, le buone
azioni vengono alla luce e quelle che non sono buone non possono
restare nascoste.

41. Tutte le cose sono dunque costituite dal Signore Dio
nostro secondo una certa misura e un certo peso. Si dice: *Chi ha
pesato le rupi sulla bilancia?,* e prima: *Chi ha misurato il mare con
la mano e il cielo con il palmo?* Colui che valuta le nostre opere,
dispensa certamente con valutazione attenta le sue e tutto stabilisce dopo una valutazione. Soppesa la misericordia, soppesa il
castigo: in entrambi i casi il peso è preciso e la misura è esatta.
Perciò anche Davide ha esclamato: *E darai loro da bere lacrime
su misura,* affinché non fossero schiacciati dal peso di una punizione che non conosce la giusta misura e non fossero in grado di
sopportarlo. E in un altro passo, sempre il medesimo profeta
esclama: *Il calice nella mano del Signore è pieno d'una mistura di
vino puro, e l'ha inclinato da una parte e dall'altra, eppure la sua
feccia non viene mai svuotata.* E Geremia esclama: *Babilonia era
un calice d'oro nella mano del Signore e ne sono state inebriate le
nazioni.* Cioè: le nazioni hanno scontato la loro punizione, perché
non cantassero troppo a lungo vittoria per aver afflitto con duris-
sime devastazioni il Popolo di Dio. Allora il senso del versetto di
Davide è questo: pronta e piena è la punizione che devono scontare quelli che non credono e che il Signore fa riversare sui miscredenti. Eppure, nella sua misericordia, Egli ha la bontà di non
versarla tutta fino alla feccia, perché altrimenti non potrebbero
sopportare la pienezza del supplizio. Piega dunque il calice, ma
non lo vuota: l'inclinarlo è segno di riprovazione, il non vuotarlo
è segno di misericordia.

42. Ergo iudicium quoque misericordia temperat dominus deus noster. Quis enim nostrum sine diuina potest miseratione subsistere? Quid possumus dignum praemiis facere caelestibus? Quis nostrum ita adsurgit in hoc corpore, ut animum suum eleuet, quo iugiter adhaereat Christo? Quo tandem homini merito defertur, ut haec corruptibilis caro induat incorruptionem et mortale hoc induat inmortalitatem [a]? Quibus laboribus, quibus iniuriis possumus nostra eleuare peccata? *Indignae sunt passiones huius temporis ad superuenturam gloriam* [b]. Non ergo secundum merita nostra, sed secundum misericordiam dei caelestium decretorum in homines forma procedit.

43. Sequitur uersus quintus: *Multi persequentes me et tribulantes me; a testimoniis tuis non declinaui* [a]. Non est magnum, si tunc a dei testimoniis non declines, cum te nullus adfligit, nullus persequitur. Quis enim inoffense sibi prosperorum euentuum secundante successu fieret ingratus? Quis diuitiis adfluens, iugi salute robustus non ad dei gratiam referat quod sibi illa concessa sint? Denique cum sanctum Iob dominus praedicaret, ait aduersarius: *Num quid gratis colit Iob dominum? Nonne tu omnia dedisti ei? Mitte manum tuam in omnia quae habet, si non in faciem te benedicet* [b]. Tunc igitur plus probatus est, quando amissis opibus et filiis a domini cultu et gratia non recessit. Sed non unus persecutor est, multos ministros habet. Sed non te terreat. *Per multas* enim *tribulationes oportet nos introire in regnum dei* [c]. Si multae persecutiones, multae probationes; ubi multae coronae, multa certamina. Tibi ergo proficit quod multi persecutores sunt, ut inter multas persecutiones facilius inuenias quemadmodum coroneris.

44. Vtamur exemplo Sebastiani martyris, cuius hodie natalis est. Hic Mediolanensis oriundo est. Fortasse aut iam discesserat persecutor aut adhuc non uenerat in haec partium aut mitior erat. Aduertit hic aut nullum esse aut tepere certamen. Romam profectus est, ubi propter fidei studium persecutione acerbae feruebant; ibi passus est, hoc est ibi coronatus. Itaque illic, quo

---

42. [a] Cf. 1 Cor 15, 53.
  [b] * Rom 8, 18.
43. [a] * Ps 118, 157.
  [b] * Iob 1, 9-11.
  [c] * Act 14, 21.

42.   Dunque, anche il giudizio viene mitigato dal Signore Dio nostro tramite la misericordia. Chi di noi potrebbe mai esistere senza la misericordia di Dio? Che potremmo mai fare di meritevole delle ricompense celesti? Chi di noi può mai elevarsi tanto in questo corpo da innalzare l'anima fino a giungere ad una stretta unione con Cristo? In forza di qual merito alfine è attribuita all'uomo la capacità che questa carne corruttibile si vesta di incorruttibilità e che questo corpo mortale si vesta di immortalità? Con quali sforzi, con quali mortificazioni potremmo alleviare i nostri peccati? *Le sofferenze di questo tempo sono inadeguate rispetto alla gloria che ci attende.* L'espressione della volontà del Cielo si applica all'uomo — dunque — non secondo i nostri meriti, ma secondo la misericordia di Dio.

43.   Prosegue il versetto quinto: *Molti sono quelli che mi perseguitano e mi molestano; io non ho deviato dai segni della tua volontà.* Non è gran cosa se non si devia dai segni della volontà di Dio quando nessuno ti affligge, nessuno ti perseguita. Chi mai, quando fortuna e successo gli arridono, si macchierebbe immotivatamente di ingratitudine? Chi mai, quando trabocca di ricchezze, quando lo sostiene una salute stabile, non è disposto ad attribuire alla grazia di Dio quei beni che gli sono concessi? Tant'è vero che, quando il Signore lodava le virtú di Giobbe, l'Avversario esclamava: *Forse che Giobbe onora disinteressatamente il Signore? Non è forse vero che tu gli hai concesso tutto? Stendi invece la tua mano su tutti i suoi averi: e vediamo allora se egli ti glorificherà apertamente!* Orbene, la sua reputazione è salita proprio allora, quando perse beni e figli, senza per questo allontanarsi dalla sua disinteressata devozione verso il Signore. Ma non c'è un solo persecutore: costui ha molti gregari. Ma tu non lasciarti impaurire: *È necessario passare attraverso molte molestie per entrare nel regno di Dio.* Molte persecuzioni, molti meriti. Molte corone, molte gare. Dunque, un gran numero di persecutori è per te un vantaggio, perché tra tante persecuzioni hai piú probabilità di ottenere una corona.

44.   Prendiamo l'esempio del martire Sebastiano, del quale oggi ricorre la festa [40]. Egli è un milanese di origine [41]. Probabilmente il persecutore era già passato di qui oppure non era ancora arrivato da queste parti oppure era troppo mite; fatto sta che egli si rese conto che non c'era lotta o che, se c'era, era tiepida. Se ne andò a Roma [42], dove infuriavano aspre le persecuzioni per

---

[40] Sulla utilità di questo spunto liturgico (festa di S. Sebastiano al giorno 20 gennaio), per stabilire la cronologia dell'*Exp. ps. CXVIII*, cf. l'Introduzione, pp. 12-15. Sul significato particolare dei *martiri militari* nel sec. IV, cf. J. FONTAINE, *Le culte des martyrs militaires et son expression poétique au IV<sup>e</sup> siècle: l'idéal évangélique de la non-violence dans le christianisme théodosien*, in «Augustinianum», 20 (1980) (= *Ecclesia Orans. Mélanges patristiques offerts au p. A.G.Hamman*), pp. 141-171.

[41] Altre fonti lo dicono nativo di Narbona, ma di madre milanese. Subí il martirio forse alla fine del sec. III o agli inizi del IV: cf. *Bibliotheca Sanctorum*, XI, Roma 1968, coll. 776 ss.

[42] Nei confronti di Roma, la Chiesa milanese appariva ad Ambrogio *sterilem martyribus*: *Epist.*, 72 (= Maur. 22), 7.

Cf. CATTANEO, *La religione a Milano...*, pp. 101 s.

hospes aduenit, domicilium inmortalitatis, perpetuae conlocauit. Si unus persecutor fuisset, coronatus hic martyr utique non fuisset.

45. Sed quod peius, non hi solum persecutores sunt qui uidentur, sed etiam qui non uidentur, et multo plures persecutores. Sicut enim unus persecutor rex multis persecutionis praecepta mittebat et per singulas uel ciuitates uel prouincias erant diuersi persecutores, ita etiam diabolus multos ministros suos dirigit, qui non foris tantummodo, sed etiam intus faciant persecutiones in animis singulorum. De his dictum est persecutionibus: *Omnes qui uolunt pie uiuere in Christo Iesu persecutionem patiuntur* [a]. «Omnes» dixit, nullum excepit. Quis enim exceptus potest esse, cum ipse dominus persecutionum temptamenta tolerauerit? Persequitur auaritia, persequitur ambitio, persequitur luxuria, persequitur superbia, persequitur fornicatio. Vnde et apostolus ait: *Fugite fornicationem* [b]; nam qua causa fugeres, nisi illa te persequeretur? Est enim malus spiritus fornicationis, est malus spiritus auaritiae, malus spiritus superbiae.

46. Isti sunt persecutores graues, qui sine gladii terrore mentem hominis frequenter elidunt, qui inlecebris magis quam terroribus animos expugnant fidelium. Hi tibi hostes cauendi, hi grauiores tyranni, per quos Adam captus est. Multi in persecutione publica coronati occulta hac persecutione ceciderunt. *Foris*, inquit, *pugnae, intus timores* [a]. Aduertis quam graue certamen sit quod est intra hominem, ut secum ipse confligat, cum suis cupiditatibus proelietur? Ipse apostolus fluctuat haeret adstringitur, captiuari se adserit in lege peccati et mortis corpore debellari nec potuisse euadere, nisi esset domini Iesu gratia liberatus [b].

47. Verum ut multae persecutiones, ita multa martyria. Cotidie testis es Christi. Temptatus es spiritu fornicationis sed ueritus Christi futurum iudicium temerandam mentis et corporis castimoniam non putasti: martyr es Christi. Temptatus es spiritu auaritiae, ut possessionem minoris inuaderes, indefensae uiduae iura temerares, et tamen contemplatione caelestium praeceptorum opem magis ferendam quam inferendam iniuriam iudicasti: testis es Christi. Denique tales uult testes Christus adsistere, secundum quod scriptum est: *Iudicate pupillo et iustificate uiduam. Et uenite*

---

45. [a] * 2 Tim 3, 12.
   [b] 1 Cor 6, 18.
46. [a] 2 Cor 7, 5.
   [b] Cf. Rom 7, 23-25.

la fede. Lí subí il martirio, o meglio, lí ottenne la corona. E cosí, in un luogo dove era arrivato da ospite, fissò la sua dimora immortale per sempre. Se ci fosse stato un solo persecutore, questo martire non avrebbe certo ottenuto la corona [43].

45. Ma — quel che è peggio — non sono persecutori solo quelli che si vedono, ma anche quelli che non si vedono. Anzi, sono molto piú numerosi questi ultimi. Come un solo re persecutore inviava ordini di persecuzione a molti e come in ogni città e provincia esistevano diversi persecutori, cosí anche il diavolo sguinzaglia i suoi gregari a suscitare persecuzioni non solo all'esterno ma anche all'interno, nell'animo di ciascuno. Su queste persecuzioni è stato detto: *Tutti coloro che vogliono vivere devotamente in Cristo Gesú subiscono persecuzioni*. È stato detto «tutti», nessuno escluso. Chi mai potrebbe esserne escluso, dal momento che il Signore stesso ha sopportato le tentazioni delle persecuzioni? Ci perseguita l'avidità, ci perseguita il desiderio di successo, ci perseguita la lussuria, ci perseguita la superbia, ci perseguita l'impudicizia. Per questo anche l'Apostolo esclama: *Fuggite l'impudicizia!* Altrimenti, perché fuggirla se essa non ti perseguitasse? C'è infatti uno spirito maligno dell'impudicizia, uno spirito maligno dell'avidità, uno della superbia.

46. Questi sono i persecutori piú duri: quelli che, senza ricorrere alla minaccia della spada, stritolano spesso lo spirito dell'uomo, quelli che espugnano l'animo dei credenti piú con le lusinghe che con le minacce. Guardati da questi nemici! Sono questi i tiranni piú duri, grazie ai quali è stato catturato Adamo. Molti che avevano ottenuto la corona in una persecuzione palese, sono invece caduti sotto questa persecuzione occulta. *Lotte all'esterno, paure all'interno*: cosí è detto. Ti rendi conto della gravità della lotta che si scatena all'interno dell'uomo? Lí, è lui stesso in lotta con se stesso, che combatte con i propri desideri. Lo stesso Apostolo ondeggia, esita, è legato, afferma di essere imprigionato dentro la legge del peccato, di essere sconfitto dal corpo di morte; e che non sarebbe riuscito a sottrarsene se non fosse stato liberato dalla grazia del Signore Gesú.

47. In verità, quanto piú sono le persecuzioni tanto piú sono i martirii. Ogni giorno sei chiamato ad essere testimone di Cristo [44]. Sei stato tentato dallo spirito dell'impudicizia, ma il timore del futuro giudizio di Cristo ti ha vietato di violare la castità dello spirito e del corpo? Sei un martire di Cristo. Sei stato dallo spirito di avidità tentato di occupare le proprietà di un orfano minorenne, di violare i diritti di una vedova indifesa, eppure la considerazione delle prescrizioni celesti ti ha convinto a portare aiuto piuttosto che arrecare danno? Sei un testimone di Cristo. Tant'è vero che è Cristo che desidera la presenza di testimoni di questo tipo, secondo quanto sta scritto: *Rendete giustizia all'orfano e*

---

[43] Lo sviluppo del tema del martirio è modellato su ORIGENE, in HARL, SCh 189, p. 436, 12-24.

[44] Il martirio è condizione usuale della vita cristiana: cf. 12, 43 e la nota 57.

*disputemus, dicit dominus* [a]. Temptatus es spiritu superbiae, sed uidens inopem atque egenum pia mente conpassus es, humilitatem magis quam adrogantiam dilexisti: testis es Christi; quod est amplius, non sermonis tantummodo, sed etiam operis testimonium praebuisti. Quis enim locupletior testis est quam qui confitetur dominum Iesum in carne uenisse, cum euangelii praecepta custodit? Nam qui audit et non facit, negat Christum [b]; etsi uerbo fatetur, operibus negat. Quam multis dicentibus: *Domine domine, nonne in tuo nomine prophetauimus et daemonia eiecimus et uirtutes multas fecimus?* [c]. In illo die respondebit: *Discedite a me omnes operarii iniquitatis!* [d]. Ille ergo testis est, qui adstipulantibus factis domini Iesu praecepta testatur.

48. Quanti ergo cotidie in occulto martyres Christi sunt et Iesum dominum confitentur! Nouit hoc martyrium apostolus et testimonium Christi fidele, qui dixit: *Haec est enim gloriatio nostra et testimonium conscientiae nostrae* [a]. Quanti foris confessi sunt et intus negauerunt! Namque uxoris ducendae gratia, quae gentili uiro a christianis parentibus negabatur, simulata ad tempus fide plerique produntur quod foris confessi sunt intus negasse. An fornicationis causa tantummodo putamus dominum deum nostrum in populum Iudaeorum tam seuere esse commotum, ut uiginti tria milia de populo necarentur [b], propterea quod Madianitae gentis feminis concubitu miscerentur ac non eo, quod per illos concubitus alienigenarum discedere a fide, negare dominum cogerentur?

49. *Nolite*, inquit, *omnis spiritui credere* [a], sed a fructibus eorum cognoscite [b] quibus credere debeatis. Venit quis in ecclesiam, dum honorem affectat sub imperatoribus christianis, simulato metu orationem deferre se fingit, inclinatur et solo sternitur qui genu mentis non flexerit. Videt illum homo, christianum putat; uidet homo orantem suppliciter et credit, sed deus audit negan-

---

47. [a] * Is 1, 17-18.
   [b] Cf. Mt 7, 26.
   [c] * Mt 7, 22.
   [d] Lc 13, 27; cf. Ps 6, 9.
48. [a] * 2 Cor 1, 12.
   [b] Cf. Num 25, 9.
49. [a] 1 Io 4, 1.
   [b] Cf. Mt 7, 16.

---

49, 3-4 simulato metu *codd.*, simulata mente *Petschenig.*

*trattate con giustizia la vedova. Venite e discutiamo, dice il Signore* [45]. Sei stato tentato dallo spirito di superbia, ma lo spettacolo del povero e del bisognoso ti ha mosso a misericordiosa compassione ed hai amato piú l'umiltà che la prepotenza? Sei un testimone di Cristo. Ancor di piú: non hai dato testimonianza solo a parole, ma anche con l'opera. Chi è testimone piú attendibile di colui che professa la sua fede nell'Incarnazione del Signore Gesú, osservando fedelmente le prescrizioni del Vangelo? Infatti, chi ascolta e non fa, rinnega Cristo; anche se lo confessa a parole, lo rinnega nei fatti. Oh, quanti diranno: *Signore, Signore, non è forse vero che nel tuo nome abbiamo profetato, abbiamo cacciato i demoni e abbiamo compiuto molti prodigi?* E a questi, in quel giorno, Egli risponderà: *Andate lontano da me, voi tutti, operatori di ingiustizia!* Dunque, vero testimone è l'uomo che testimonia confermando coi fatti l'adesione ai precetti del Signore Gesú.

48. Quanti dunque sono, ogni giorno, i martiri occulti di Cristo e i confessori del Signore Gesú! L'Apostolo conosce questo tipo di martirio e questa fedele testimonianza di Cristo. Egli ha detto: *Questo è infatti il nostro vanto e la testimonianza della nostra coscienza.* Quanti hanno professato la loro fede all'esterno e l'hanno rinnegata all'interno! Infatti corre voce che parecchi, per poter sposare una donna che a loro — pagani — era rifiutata da genitori cristiani, hanno finto temporaneamente di credere ed hanno rinnegato dentro di sé quello che professavano all'esterno [46]. O pensiamo davvero che sia stata solo una questione di fornicazione che ha spinto il Signore Dio nostro ad adirarsi con il popolo dei Giudei cosí severamente da ucciderne ventitremila — perché si erano congiunti con donne della nazione dei Madianiti — e non invece il fatto che, a causa della loro unione con donne di altra razza, i Giudei erano indotti ad abbandonare la loro religione, a rinnegare il Signore?

49. *Non prestate fede* — si dice — *ad ogni spirito!* Ma cercate di conoscere dai loro frutti quelli a cui dovete prestar fede. C'è chi viene in chiesa perché aspira ad una carica, visto che gli imperatori sono cristiani [47]: con un atteggiamento di falso timore di Dio finge di elevare una preghiera, si inginocchia e si prostra fino a toccare terra, mentre non piega il ginocchio del suo spirito. La gente lo vede, lo giudica un cristiano. La gente lo vede pregare

---

[45] Cf. 16, 6-13.

[46] È qui espresso un tipo di conversione «sociologica» al Cristianesimo, propria di un'età in cui il Cristianesimo è lecito e diffuso, ma non ancora del tutto «vincitore». Il passo è anche indicativo dell'atteggiamento di condanna che Ambrogio assume nei confronti dei cosiddetti «matrimoni misti». Particolarmente rilevante è, al proposito, il testo di *De Abr.*, I, 84: *Si christiana sit, non est satis, nisi ambo initiati sitis sacramentis baptismatis:* cf. G. OGGIONI, *Matrimonio e verginità presso i padri (fino a S. Agostino),* in AA.VV., *Matrimonio e verginità. Saggi teologici,* Venegono Inf. 1963 (Ambrogio alle pp. 286-306); D. TETTAMANZI, *Valori cristiani del matrimonio nel pensiero di S. Ambrogio,* in «La Scuola Cattolica», 102 (1974), pp. 457-465.

[47] Se non si tratta di riferimento generico all'Impero da quando è diventato «cristiano», nel plurale potrebbero essere ravvisati gli imperatori Arcadio e Onorio, che reggono l'Impero dal gennaio del 395, dopo la morte di Teodosio.

tem. Discedit probatus ab homine, sed condemnatus a iudice. Quanto tolerabilius fuerat homini negasse et deo esse confessum! Licet hoc quoque reprehensibile; perfecta enim confessio et animi quaerit deuotionem et uocis professionem; *corde enim creditur ad iustitiam, ore autem confessio fit ad salutem* c.

50.    Ergo in persecutionibus interioribus esto fidelis et fortis, ut et istis forensibus persecutionibus adproberis. Et in intimis persecutionibus sunt reges et praesides, terribiles iudices potestate. Habes exemplum in domini temptatione quam pertulit. Demonstrata sunt ei omnia regna et dictum ei est: *Tibi dabo haec omnia, si procidens adoraueris me* a. Lectum est et alibi: *Non regnet peccatum in uestro mortali corpore* b. Vides ante quos reges statueris, o homo, ante quos praesides peccatorum, si culpa regnat. Quot peccata, quot uitia, tot reges; et ante hos adducimur et ante hos stamus. Habent etiam isti reges tribunal in mentibus plurimorum. Sed si quis Christum fateatur, statim regem illum facit esse captiuum, deicit de solio suae mentis. Quomodo enim poterit diaboli tribunal manere in eo, cui Christi tribunal adsurgit?

51.    *Multi* ergo *persequentes et tribulantes me* a. Et fortasse Christus hoc dicit et dicit in uocibus singulorum; ipsum enim aduersarius persequitur in nobis. Si declinas persequentes, Christum abicis, qui se temptari patitur, ut uincat. Vbi illum uiderit diabolus, ibi insidias parat, ibi temptationum machinas admouet, ibi dolos nectit, ut illum, si possit, excludat. Vbi autem diabolus proeliatur, ibi Christus adsistit, ubi diabolus adsidet, ibi Christus includitur, ibi murorum spiritalium saepta defendit. Ergo, qui persecutorem refugit, reicit etiam defensorem. Sed cum audis: *Multi persequentes et tribulantes me* b, noli timere, qui potes dicere: *Si deus pro nobis, quis contra nos?* c. Verum hoc ille dicit, qui a testimoniis domini nullo uitiorum declinat anfractu.

52.    Sequitur uersus sextus: *Vidi non seruantes pactum et tabescebam, quoniam uerba tua non custodierunt* a. Beatus qui in

    c Rom 10, 10.
50. a * Mt 4, 9.
    b Rom 6, 12.
51. a * Ps 118, 157.
    b * Ibid.
    c Rom 8, 31.
52. a * Ps 118, 158.

umilmente e gli presta fede, ma Dio sente che quello lo rinnega. Esce di chiesa elogiato dall'uomo, ma condannato dal giudice. Oh, quanto meglio sarebbe stato se quello fosse stato un ateo per la gente e un credente agli occhi di Dio! Anche se pure questa discrepanza sarebbe criticabile, perché una perfetta professione di fede esige la devozione dell'anima *e* la proclamazione della voce: *Col cuore si crede per la giustizia, mentre dalla bocca esce la professione di fede per la salvezza.*

50   Cerca dunque di essere fedele e forte nelle persecuzioni interiori, se vuoi essere confermato anche in queste persecuzioni esterne. Anche le persecuzioni che si scatenano dentro di te hanno il loro re, i loro governatori, i loro giudici strapotenti. Ne hai un esempio nella tentazione che ha dovuto subire fino in fondo il Signore. Gli sono stati mostrati tutti i reami e gli è stato detto: *Ti darò tutto questo, se prostrato mi adorerai.* Si è letto anche in un altro passo: *Non regni il peccato nel vostro corpo mortale!* Tu vedi, o uomo, davanti a che razza di re sei collocato, davanti a che razza di governatori dei peccati, se ti trovi nel reame della colpa. Tanti peccati, tanti vizi, altrettanti re; e siamo trascinati al loro cospetto e stiamo ritti al loro cospetto. Anche questi re possiedono un loro tribunale dentro l'anima di moltissime persone. Ma basta confessare Cristo che subito quel re diventa un prigioniero, viene scalzato dal trono dell'anima. Come potrà resistere il tribunale del diavolo nell'uomo in cui s'innalza il tribunale di Cristo?

51.   *Dunque, molti sono quelli che mi perseguitano e mi molestano.* E forse a parlare cosí è Cristo; ed Egli parla col discorso di ciascuno di noi, perché è Lui che l'Avversario perseguita in noi. Se tu eviti i persecutori, rinunci a Cristo, che accetta la tentazione per vincerla. Dove lo vede, là il diavolo tende il suo agguato, là piazza le sue macchine di  tentazione, là ordisce la tela del suo inganno, per tentare — se può — di metterlo fuori gioco. Ma dove il diavolo dà battaglia, là Cristo è presente. Dove il diavolo pone l'assedio, là — chiuso tra gli assediati — sta Cristo a difendere la cerchia delle mura spirituali. Dunque, chi scappa lontano dal persecutore, respinge via da sé anche il difensore. Ma quando senti dire: *Molti sono quelli che mi perseguitano e mi molestano,* tu non impaurirti, perché puoi rispondere: *Se Dio è con noi, chi è contro di noi?* In verità, questo lo può dire l'uomo che non devia dai segni della volontà del Signore e non sceglie la strada tortuosa del vizio.

52.   Prosegue il versetto sesto: *Ho visto persone che non mantenevano fede al patto e mi consumavo, perché non hanno osservato fedelmente le tue parole.* Beato l'uomo che si consuma

caritate dei tabescit, qui uidet non seruantes pactum. Alius propter uitiosos amores tabescit, qui destillat, dum est dilatus amore
dilectae, et dum protelatur flagrantis cupiditatis effectus, animus
deficit, uires corporis quadam deformitate palloris fessorumque
artuum tabe minuuntur. Alius, qui pecuniam concupiscit, donec
potiatur ea, auaro miser tabescit affectu. Alius inmodice capessen-
di honoris inpatiens, si desideria longa suspiret, non mediocri
mentis tabe conficitur. Non talis qui dicit: *Quam distabuit caro
mea in terra deserta et [in] inuia et sine aqua!* [b]. Hic enim castigabat
carnem suam [c] et tabescere faciebat, dum indefesso desiderio
diuinae cognitionis intentus et lucem diei sollicita expectatione
praeueniens antelucanum soluere domino canticis et hymnis gestiebat obsequium [d].

53.   Tabescit ergo uir pacificus, quando alios uidet pacta
rescindere, consensuum abolere concordiam, iurgia de pace reparare, in tumultus redire de gratia. Quod utique non facit qui domini
praecepta custodit, non facit qui audit dicentem: *Pacem meam
do uobis, pacem meam relinquo uobis* [a]. Ergo qui pactum seruat,
is Christi oboedit imperiis, qui autem non seruat, ille Christi
praecepta contemnit et, quod peius est, conperta fastidit et neglegit.

54.   Sequitur uersus septimus: *Vide quia praecepta tua dilexi,*
*domine; in misericordia tua uiuifica me* [a]. Hic quoque inuitata
dominum, ut plenum caritatis suae spectet affectum. Nemo dicit
«uide» nisi qui iudicat se, si uideatur, esse placiturum. Et pulchre
dicit «uide» et secundum legem dicit, quia lex praecipit, ut unusquisque ter in anno se offerat in conspectu domini [b]. Cotidie
sanctus se offert, cotidie apparet et non uacuus apparet; non est
enim uacuus qui de plenitudine eius accepit [c]. Non erat uacuus
Dauid, qui ait: *Repletum est gaudio os nostrum* [d], quia gaudium
fructus est spiritus sancti [e]. Et sicut de plenitudine uerbi nos
omnes accepimus [f], quemadmodum dixit Iohannes, ita etiam spiritus sanctus de plenitudine sua repleuit orbem terrarum [g]. Non

---

  [b] * Ps 62, 2-3.
  [c] Cf.1 Cor 9, 27.
  [d] Cf. Ps 118, 148.
53. [a] * Io 14, 27.
54. [a] * Ps 118, 159.
  [b] Cf. Ex 23, 17.
  [c] Cf. Io 1, 16.
  [d] Ps 125, 2.
  [e] Cf. Gal 5, 22.
  [f] Cf. Io 1, 16.
  [g] Cf. Sap 1, 7.

nell'amore di Dio quando vede che non si mantiene fede al patto!
C'è gente che si consuma in amori viziosi, che cola a goccia a
goccia, quando vede che gli è ritardato l'amore per la donna
amata. C'è gente che si sente venir meno, quando si prolunga
l'effetto di una passione bruciante, e le forze del suo corpo denota-
no una prostrazione rivelata da un innaturale pallore e da un
esaurimento fisico spossante. C'è gente che spasima per la ricchezza fino a che non la raggiunge, e si consuma miseramente nella
passione dell'avidità. C'è gente che scalpita eccessivamente per
arrivare a qualche carica e, se insegue a lungo questa meta
sospirata, va a finire che si rovina in un dispendio non comune
di energie psichiche. Non appartiene a queste categorie di persone
l'uomo che dice: *Oh, come si è consunta la mia carne in un deserto
impraticabile e senz'acqua!* Quest'uomo castigava il suo corpo e
lo faceva consumare, nel momento in cui — tutto proteso a
raggiungere instancabilmente la conoscenza di Dio — correva
avanti alla luce del giorno in una ansiosa attesa, e bramava di
levare al Signore il tributo antelucano di cantici ed inni [48].

53.    L'uomo di pace si consuma dunque quando vede qualcuno rompere i patti, annullare l'accordo raggiunto, far rinascere
il disaccordo dalla pace, far ritorno dalla benevolenza ai disordini.
Non sono queste, certo, le opere dell'uomo che osserva fedelmente le prescrizioni del Signore; non sono queste le opere dell'uomo
che ascolta chi dice: *Vi do la mia pace, vi lascio la mia pace.*
L'uomo dunque che mantiene fede al patto obbedisce al comando
di Cristo; chi non vi mantiene fede, invece, ha in poco conto le
prescrizioni di Cristo e — peggio ancora — dimostra fastidio e
trascuratezza per realtà a lui ben note.

54.    Prosegue il versetto settimo: *Guarda, o Signore, come ho
amato le tue prescrizioni; nella tua misericordia infondimi vita!*
Anche qui egli invita il Signore a guardare l'intensità della sua
carità. Nessuno dice: «Guarda!», se non è sicuro che chi lo guarda
lo troverà di suo gradimento. E dice bene: «Guarda!», anche in
ossequio alla Legge, perché questa prescrive che ognuno si ponga
tre volte all'anno al cospetto del Signore. L'uomo devoto vi si
pone ogni giorno, ogni giorno si palesa, e non si palesa vuoto:
non è vuoto chi ha ricevuto parte della pienezza di Lui. Non era
vuoto Davide, che esclamava: *Si è riempita di gioia la nostra bocca,*
perché la gioia è un frutto dello Spirito Santo. E, come tutti noi
abbiamo ricevuto parte della pienezza della Parola — secondo
quanto ha detto Giovanni —, così anche lo Spirito Santo ha
riempito tutta la terra della sua pienezza. Non era vuoto Zaccaria,

[48] Cf. 19, 22.

erat uacuus Zacharias, qui repletus est spiritu sancto et prophetabat aduentum domini Iesu [h]. Non erat Paulus uacuus [i], qui euange-
lizabat in abundantia et repletus erat, accipiens odorem bonae
suauitatis ab Ephesiis placentem deo hostiam [l]. Non erant Corinthii, in quibus abundabat dei gratia iuxta eiusdem apostoli testimonium [m].

55.   Offerebat se ergo Dauid cotidie deo et non uacuus offerebat, qui poterat dicere: *Os meus aperui et duxi spiritum* [a]; ideo
ergo dicebat: *Vide quia praecepta tua dilexi* [b]. Audi in quo te offerre
debeas Christo, non in his quae uidentur, sed in occultis, sed in
abscondito, ut pater tuus qui uidet in abscondito reddat tibi [c] et
fidelem remuneretur affectum. *Praecepta*, inquit, *tua dilexi* [d]. Non
dixit «seruaui», non dixit «custodiui»; nam inprudentes non custodierunt praecepta domini [e]. Aliqui enim codices habent ἀσυνετοῦντας, hoc est insipientes, non  intellegentes [f]. Ergo qui non intellegunt non sapiunt hique non custodiunt. Qui autem perfectus est
intellectu, perfectus sapientia, diligit, quod est amplius quam
custodire; custodire enim necessitatis plerumque est et timoris,
diligere caritatis. Custodit qui euangelizat, sed qui uolens euangelizat mercedem accipit [g]; quanto magis qui diligit mercede donatur! Possumus enim non amare quod uolumus, non possumus
nolle quod amamus. Sed quamuis mercedem perfectae caritatis
expectet, et miserationis diuinae suffragium poscit, ut in ea uiuifi-
cetur a domino. Non ergo adrogans debitae mercedis exactor,
sed uerecundus misericordiae diuinae est deprecator.

56.   Sequitur ultimus uersus litterae huius: *Principium uerborum tuorum ueritas, in aeternum omnia iudicia iustitiae tuae* [a]. Cum
principium uerborum dei ueritas sit, ueritas utique fidei fundamentum est. Primum etenim oportet ut credamus uera esse dei
summi quae in diuinis scripturis legimus oracula, secundum est,

[h] Cf. Lc 1, 67.
[i] Cf. Rom 15, 29.
[l] Cf. Eph 5, 2.
[m] Cf. 1 Cor 1, 7.
55. [a] * Ps 118, 131.
  [b] * Ps 118, 159.
  [c] Cf. Mt 6, 4.
  [d] * Ps 118, 159.
  [e] Cf. Ps 118, 158.
  [f] Cf. ibid.
  [g] Cf. 1 Cor 9, 17.
56. [a] Ps 118, 160.

che è stato riempito di Spirito Santo e profetava la venuta del
Signore Gesú. Non era vuoto Paolo, che annunciava il Vangelo
nell'abbondanza e ne era stato riempito, ricevendo dagli Efesini
un odore soave, una vittima gradita a Dio. Non lo erano i Corinzi,
che abbondavano della grazia di Dio, secondo la testimonianza
del medesimo Apostolo.

55.   Davide dunque si presentava a Dio ogni giorno, e non
si presentava a mani vuote, se poteva dire: *Ho aperto la mia bocca
e ho tratto lo spirito*. Per questo dunque diceva: *Guarda come ho
amato le tue prescrizioni!* Ascolta sotto quale aspetto tu ti debba
presentare a Cristo: non sotto un aspetto appariscente, ma celato,
nel nascondimento, affinché il Padre tuo — che vede nel nascondimento — ti dia la ricompensa e ripaghi il tuo atteggiamento di
fede. *Ho amato le tue prescrizioni*, egli dice. Non ha detto: «Ho
mantenuto fede», né: «Ho osservato fedelmente», ché gli ignoranti
non hanno osservato le prescrizioni del Signore. Qualche codice
porta ἀσυνετοῦντας [49] (*asynetountas*), cioè «ignoranti», «non intel-
ligenti». Dunque, quelli che non capiscono, non conoscono, e
quindi non possono nemmeno osservare [50]. Mentre chi ha una
perfetta comprensione, una perfetta conoscenza, questi ama [51],
che è ben piú che osservare: l'osservanza per lo piú dipende da
costrizione e da paura, l'amore invece dalla carità [52]. L'osservanza
è messa in pratica da chi annuncia il Vangelo, ma riceve la
ricompensa colui che lo annuncia liberamente. Quanto piú allora
riceve la ricompensa colui che lo ama! È possibile non amare
quello che si vuole, ma non si può non volere ciò che si ama.
Ma benché Davide si attenda la ricompensa per la sua perfetta
carità, egli domanda anche il conforto della misericordia di Dio,
perché in essa il Signore gli infonda vita. Non si comporta dunque
da arrogante esattore di una ricompensa dovuta, ma da timido
postulante della misericordia divina.

56.   Prosegue l'ultimo versetto di questa lettera: *Principio
delle tue parole è la verità; rimangono per sempre tutti i giudizi
della tua giustizia.* Se il principio delle parole di Dio è la verità,
allora la verità è il fondamento della fede. Infatti è necessario
che per prima cosa riteniamo veraci i detti di Dio altissimo, che
leggiamo nelle Sacre Scritture [53]. Per seconda cosa, che ne appren-

---

[49] Questa è in realtà la lezione di Sal CXVIII, 158 secondo i Settanta, mentre
la traduzione *non seruantes pactum*, accolta da Ambrogio (cf. c. 52), presuppone
ἀσυνετοῦντας, lezione attestata da Aquila, Simmaco e Teodozione (cf. F. FIELD,
*Origenis Hexaplorum*, II, Hildesheim 1964 — rist. anast. —, p. 278), che la *Vulgata*
rende con *praeuaricatores*. La lezione ἀσυνετοῦντας è accolta anche da Agostino
come *insensátos*, anche se egli pure afferma che *alii codices habent...*, «*non seruantes
pactum*» (*Enarr. ps.* CXVIII, 30, 6; CChL 40, p. 1769).
[50] Tipica azione «concordista» di Ambrogio, la cui attenzione al testo non è
rivolta all'accertamento della lezione migliore, ma alla giustificazione teologica di
tutte le lezioni tràdite.
[51] Cf. ORIGENE, in HARL, SCh 189, p. 438, 159, 7-9. Lo sviluppo del versetto in
questa direzione è dovuto all'accettazione, qui, della lezione ἀσυνετοῦντας, che è
riportata da Origene (*ibid.*, p. 436, 158a).
[52] Cf. ILARIO, *Tract. ps.* CXVIII, 20, 9 (CSEL 22, p. 534).
[53] La Scrittura è il fondamento della fede: cf. anche a *Expl. ps.* XLVIII, 5-7.

ut uirtutem eorum pleniore cognitione discamus. Sicut enim *initium sapientiae timor domini* [b], plenitudo autem sapientiae dilectio — lex enim sapientia, plenitudo autem legis dilectio [c] —, ita plenitudo uerbonum dei sapientia cognitioque iustitiae. Namque sicut a timore domini processus quidam est ad gratiam caritatis [d], ita a ueritate ad iudicium iustitiae diuinae quidam uidetur fieri processus.

57.   Venisti ad ecclesiam, audisti unum deum dici, unde lex incipit, sicut habes scriptum: *Audi, Israel, dominus deus tuus dominus unus est* [a]. Crede unum deum esse, non plures deos. Cum autem coeperis legere dominum Iesum dei filium in carne uenisse propter totius mundi redemptionem [b], distingue sapienter unum deum patrem esse, ex quo omnia et nos in illum, et unum dominum Iesum, per quem omnia et nos per ipsum [c]. Cognosce quia ideo uenit, ut uirtutis semitis noster informaretur affectus, ut morum mansuetudinem conuersationis eius disceremus exemplo, ut aboleretur culpa per gratiam, et tunc a ueritatis confessione ad cognitionem iustitiae processisti. Fides principium christiani est, plenitudo autem christiani iustitia est; fides in confessione populorum, iustitia in martyrii passione.

58.   Scientes igitur in aeternum mansura iudicia omnia iustitiae dei caueamus, ne opera nostra displiceant et aeternum incipiamus subire iudicium nec, si aliquid boni fecimus, resupino soluamur affectu. *Omnes oportet nos ante tribunal Christi adsistere, ut recipiat unusquisque quod gessit, siue bonum siue malum* [a]. Vides quia et Paulus adsistet, ut ipse commemorat. Caue ne ligna, caue ne stipulam ad iudicium dei tecum deferas, quae ignis exurat [b]. Caue ne, cum in uno aut duobus habeas quod probetur, in pluribus operibus deferas quod offendat. *Si, cuius opus arserit, detrimentum patietur, potest tamen per ignem et ipse saluari* [c]. Vnde colligitur, quia idem homo et saluatur ex parte et condemnatur ex parte. Cognoscentes itaque multa esse iudicia opera nostra examinemus omnia. In uiro iusto graue est detrimentum graue operis alicuius incendium, in impio poena miserabilis. Sint magis omnia iudicia plena gratiae, plena florentium coronarum, ne forte, cum trutinantur facta nostra, culpa praeponderet.

[b] Ps 110, 10.
[c] Cf. Rom 13, 10.
[d] Cf. 1 Io 4, 18.
57. [a] Deut 6, 4.
[b] Cf. 1 Io 4, 2.
[c] Cf. 1 Cor 8, 6.
58. [a] * 2 Cor 5, 10.
[b] Cf. 1 Cor 3, 12-15.
[c] * 1 Cor 3, 15.

diamo il valore con una conoscenza piú approfondita: infatti,
come *inizio della sapienza è il timore del Signore* mentre la pienezza
della sapienza è l'amore (la Legge è sapienza, ma la pienezza
della Legge è l'amore), cosí la pienezza delle parole di Dio è
sapienza e conoscenza della giustizia. Difatti, come dal timore del
Signore muove un processo che conduce alla grazia della carità,
cosí pare instaurarsi un processo ·che conduce dalla verità al
giudizio della giustizia divina.

57.    Sei venuto in chiesa, hai sentito parlare di un solo Dio,
donde trae inizio la Legge, come puoi trovare scritto: *Ascolta,
Israele: «Il Signore Dio tuo è l'unico Signore».* Credi in un solo
Dio, non in piú dèi. Quando poi comincerai a leggere del Signore
Gesú, Figlio di Dio, incarnato per riscattare tutto il mondo, allora
sappi distinguere con sapienza che c'è un solo Dio, il Padre, dal
quale viene ogni cosa e noi tendiamo verso di Lui, e un solo
Signore, Gesú, per mezzo del quale viene ogni cosa e noi stessi
siamo per mezzo suo. Impara che Egli è venuto tra noi proprio
perché le nostre aspirazioni fossero modellate sui sentieri della
virtú; perché imparassimo dall'esempio della sua vita il modo di
vivere in mitezza; perché fosse cancellata la colpa per mezzo della
grazia. Ecco che allora potrai dire di aver progredito dalla professione di fede nella verità alla conoscenza della giustizia [54]. La fede
è il principio, per il cristiano, mentre la pienezza, per il cristiano,
è la giustizia: la fede sta nella professione di fede dei popoli, la
giustizia nella sopportazione del martirio.

58.    Noi sappiamo che tutti i giudizi della giustizia di Dio
rimarranno per sempre. Stiamo allora attenti che non gli siano
sgradite le nostre opere; che non cominciamo già a ricevere un
giudizio eterno e, se abbiamo fatto qualcosa di buono, che non
ci roviniamo con un atteggiamento di superbia. *È necessario che
tutti noi ci presentiamo davanti al tribunale di Cristo, affinché
ciascuno riceva, secondo quanto ha compiuto, o il bene o il male.*
Tu puoi vedere che anche Paolo vi si presenta, come egli stesso
ricorda. Attento a non portare con te a quel giudizio legno o
paglia; che sono materiali infiammabili. Attento a non avere al
tuo attivo solo una o due azioni meritorie e a non portare, al
contrario, una lunga serie di azioni sgradite. *Se soffrirà danno
colui il cui operato sarà incenerito, egli può tuttavia salvarsi attraverso il fuoco.* Se ne deduce che una stessa persona può essere
parzialmente salvata e parzialmente condannata. E allora, se sappiamo che ci sono molti giudizi, dobbiamo valutare bene ogni
nostra azione. Per un uomo giusto rappresenta un grave danno
che qualche sua opera venga gravemente bruciata, ma per l'uomo
empio ciò rappresenta una punizione miseranda. È meglio però
che tutti i giudizi siano pienamente favorevoli; che siano come
corone di fiori, piuttosto che, nel soppesare le nostre azioni, vi
si trovi la colpa in eccedenza.

[54] ORIGENE, in HARL, SCh 189, pp. 438, 11 - 440, 24 distingue pure due tappe
formative, che vanno da «verità» a «sapienza/ragione» — e non da «verità» a
«giustizia» —; anche se la verità è caratterizzata dalla fede in un solo Dio trascen-
dente, mentre il secondo termine è rappresentato dall'Incarnazione.

# XXI
## Littera «Sin»

1. Incipit littera «Sin», quae Latine dicitur «super uulnus». Super uulnus quid est nisi medicamentum, quo uulneris acerbitas mitigatur? Super uulnus oleum infunditur, ut omnis uulneris molliatur asperitas; super uulnus malagma, super uulnus alligatura, quibus omnes uulnus fouetur. Vbi ergo spes refundendae est sanitatis, ibi adhibentur medicamenta uulneribus. Vbi autem *omne caput in dolore et omne cor in maestitia, non est uulnus neque cicatrix, non plaga cum feruore* [a], hoc est: ubi non portio, sed uniuersitas periclitatur et quadam corrupti totius corporis tabe consumitur, ibi *non est malagma inponere neque oleum neque alligaturam* [b]. Multo igitur commodius, ut sit uulnus, quod foueas atque constringas, quam sine uulnere mors serpat interior.

2. Sed est non solum corporis uulnus, sed etiam mentis, quod oleo quodam mollioris alloquii et pacifici sermonis suauitate mitescit. Sunt fomenta uerborum, sunt medicamenta caelestium praeceptorum, quibus omne nequitiae uirus aboletur. Sunt legis uincula quae non adurant, sed magis liberent alligatos, et malagma spiritale, quo conlisa animae quaedam membra solidentur.

3. Consideremus igitur quid sit uulnus, quid supra uulnus: *Principes persecuti sunt me gratis* [a] uulnus est, *exulto ego in uerba tua, sicut qui inuenit spolia multa* [b], super uulnus est, quia uerbis dominicis uulneris dura curantur.

4. In Threnis quoque Hieremiae habes sub hac littera scriptum: *Audisti obprobium eorum, domine, omnia consilia eorum aduersum me, labia insurgentium et meditationes eorum aduersum me tota die, sessionem eorum et resurrectionem eorum* [a]; uulnus est. Sed subiecit: *Aspice in oculis eorum, redde illis retributionem, domine, secundum opera manuum ipsorum* [b]; super uulnus est, quia uindicta plerumque dolorem solet uulneris mitigare. Et infra idem Hieremias ait: *Gaude et laetare, filia Idumaeae quae habitas in Geth, et quidem ad te transibit calix, bibes et inebriaberis adhuc* [c]; super uulnus est. Calix enim domini remissio peccatorum est,

1. [a] * Is 1, 5-6.
   [b] * Ibid.
3. [a] Ps 118, 161.
   [b] * Ps 118, 162.
4. [a] * Thren 3, 61-63.
   [b] * Thren 3, 63-64.
   [c] * Thren 4, 21.

---

4, 3   *post* insurgentium *Petschenig cum edd. Maurinorum et Ballerinii inseruit* mihi.

# XXI
## Lettera «Sin»

1. Comincia qui la lettera «Sin», che nella nostra lingua può essere tradotta come «sopra la ferita». Sopra la ferita che cosa sta? La medicazione, che allevia il bruciore della ferita. Sopra la ferita si versa olio come emolliente contro ogni indurimento. Sopra la ferita si mette un impiastro e una fasciatura per tenerla calda. Dove dunque si intravede qualche possibilità di guarire il male, là si mettono in atto le medicazioni delle ferite. Dove invece *tutta la testa è piena di dolore e tutto il cuore è nella tristezza, non c'è ferita o cicatrice, non c'è piaga infiammata.* In altre parole: dove non è in crisi solo una parte, ma tutto l'organismo è logorato — da una cancrena generalizzata —, là *non è il caso di mettere impiastri né olio né fasciatura.* Risulta allora molto piú accettabile una ferita che si possa riscaldare e fasciare, piuttosto che nessuna ferita ma una morte strisciante dentro l'organismo.

2. Ma non c'è solo la ferita del corpo, bensí anche quella dello spirito. Questa è curata da quell'olio che è un colloquio piú tenero e da quella dolcezza che è un discorso di pace. Ci sono le medicazioni fatte di parole, quelle fatte di precetti celesti, che annientano tutti i *virus* del male. La Legge ha legacci che non provocano infiammazioni, ma che liberano quelli che ne sono fasciati. Essa ha un impiastro spirituale che rassoda le membra dell'anima spappolate.

3. Prendiamo allora in esame la ferita e quello che vi sta sopra. La ferita, eccola: *I potenti mi hanno perseguitato senza motivo.* Quello che vi sta sopra è: *Esulto per le tue parole, come chi trova un grande bottino.* Infatti le parole del Signore curano gli induramenti della ferita.

4. Anche nelle Lamentazioni di Geremia, sotto questa lettera «Sin», trovi scritto: *Hai udito, o Signore, la loro derisione, tutti i loro progetti contro di me, le labbra di loro che si scatenano e le trame che ordiscono contro di me tutto il giorno; li hai uditi quando si siedono e quando si alzano.* Questa è la ferita. Ma ha soggiunto: *Guardali fisso negli occhi, rendi loro quello che si meritano, o Signore, secondo le azioni delle loro mani.* Questo è ciò che sta sopra la ferita, perché la vendetta di solito sa placare il bruciore della ferita. E, piú avanti, sempre Geremia esclama: *Gioisci e rallegrati, figlia dell'Idumea che abiti in Geth. Sí, proprio a te passerà il calice, berrai e ti inebrierai ancora.* Questo è ciò che sta sopra la ferita. Il calice del Signore è infatti riscatto dei peccatori, perché da esso trabocca il sangue che ha riscattato i peccati di tutto il mondo [1]. Questo calice ha reso ebbre le nazioni, facendo

---

[1] Risulta evidente la sacramentalità del sacrificio eucaristico, messo in relazione esplicitamente col sacrificio della croce: cf. R. JOHANNY, *L'Eucharistie, centre...*, p. 153. Cf. anche 8, 48 e nota 76; 15, 28 e nota 53; 18, 28.

quo sanguis effunditur, qui totius redemit peccata mundi. Hic calix inebriauit gentes, ne proprii meminissent doloris, sed ueterem obliuiscerentur errorem. Bona igitur ebrietas spiritalis, quae turbare corporis nescit incessum, leuare mentis nouit uestigium. Bona ebrietas poculi salutaris, quae maestitiam peccatricis abolet conscientiae, iucunditatem uitae infundit aeternae. Ideo scriptura dicit: *Et poculum tuum inebrians quam praeclarum est!* [d]

5.   Medicamentum igitur super uulnus est, quia medicus ipse dominus Iesus, qui uulnera nostra curauit, infundens uinum et oleum et alligans uulnera Adae illius, qui descendens ab Hierusalem a latronibus uulneratus est [a]. Caueat ergo unusquisque, ne descendat ab Hierusalem; peccatis enim suis unusquisque descendit et meritis ascendit. Aut, quia fragiles sumus, qui descendit currat ad illum Samaritanum, custodem operis sui, custodem legis et gratiae, ut uulneri suo possit inuenire medicinam, qui alligaturam uerborum caelestium super uulnus inponat dicens: *Paenitentiam agite; adpropinquauit enim regnum caelorum* [b]. Bona alligatura, quae fracta animae tuae ossa conectat et soliditate reparata in pristinas uires reformet ac discissos artus sine ulla sibi cicatricis offensione restituat.

6.   De litterae interpretatione satis pro captu nostro dictum putamus. Adoriamur sancti prophetae uersus considerare, quos spiritu sancto reuelante subiecit: *Principes persecuti sunt me gratis, et a uerbis tuis trepidauit cor meum* [a]. Si ueterem repetamus historiam, et Saul et Abessalon et multi alienigenae principes sanctum Dauid persecuti sunt, sed nemo de eo potuit triumphare. Sunt et principes mundi rectoresque tenebrarum [b], qui te in tuo pectore conantur obprimere et persecutionum saeua intus operantur, promittentes regna terrarum, honores atque diuitias, si fragili mente subcumbas et oboediendum eorum imperiis arbitreris. Isti principes interdum gratis persecuntur, interdum non gratis. Gratis persecuntur apud quem nihil suum inueniunt et eum subiugare contendunt, non gratis persecuntur eum, qui se eorum dederit potestati et in possessionem saeculi totus intrauerit. In suos enim iure sibi dominatum uindicant atque ab his mercedem iniquitatis efflagitant.

7.   Bene hoc martyr dicit, quod iniuste persecutionum tormenta sustineat, qui nihil rapuerit, nullum uiolentus oppresserit,

---

[d] * Ps 22, 5.
5.   [a] Cf. Lc 10, 30.
      [b] Mt 4, 17.
6.   [a] * Ps 118, 161.
      [b] Cf. Eph 6, 12.

loro dimenticare il proprio stato di dolore, ma non l'antico errore. È quindi valida questa ebbrezza spirituale [2], che non rende barcollante l'andatura del corpo ma fa levitare il passo dello spirito. È valida l'ebbrezza della coppa salvifica, che cancella la tristezza della coscienza peccatrice, che istilla il piacere della vita eterna. Per questo la Scrittura dice: *Che meraviglia la tua coppa, che dà l'ebbrezza!*

5. Orbene, sopra la ferita sta la medicazione, perché il medico è proprio il Signore Gesú, che ha curato le nostre ferite versandovi sopra vino ed olio e fasciando le ferite di quell'Adamo che — discendendo da Gerusalemme — fu ferito dai briganti. Si faccia dunque attenzione a non discendere da Gerusalemme: si discende a causa dei propri peccati e vi si sale in forza dei meriti. Oppure: dato che siamo fragili, chi discende corra da quel Samaritano che osserva fedelmente la sua pratica, che osserva la Legge e la grazia, se vuol trovare una medicina per la sua ferita. Se vuol trovare chi sa fare sopra la ferita una fasciatura di parole celesti, dicendo: *Fate penitenza, perché il regno dei cieli si è fatto vicino.* È una fasciatura fatta bene quella che sa tenere unite le ossa fratturate della tua anima, ripristinarne le forze — ridando loro la primitiva robustezza — e ristabilire gli arti lacerati [3] senza che la cicatrice li deturpi.

6. Sul significato di questa lettera ci pare di avere detto abbastanza in rapporto alle nostre capacità. Accingiamoci ora a prendere in esame i versetti del santo profeta, che egli ha posto qui di seguito per rivelazione dello Spirito Santo: *I potenti mi hanno perseguitato senza motivo, e le tue parole hanno fatto trepidare il mio cuore.* Se ripercorriamo quelle antiche vicende, troviamo che Saul, Abessalon e molti capi potenti di popoli stranieri hanno perseguitato il santo Davide, ma nessuno ha potuto riportare piena vittoria su di lui. Ci sono anche capi potenti di questo mondo e reggitori delle tenebre, che tentano di soverchiarti dentro il tuo cuore e che scatenano dentro di te le atrocità delle persecuzioni: ti promettono i reami del mondo, onori e ricchezze, se il tuo spirito diventa fragile e si arrende e accetta di obbedire ai loro comandi. Questi potenti perseguitano, talora senza motivo, ma talaltra con buon motivo. La loro persecuzione è senza motivo nel caso in cui si rivolga contro un uomo che non ha niente a che spartire con essi ed essi cerchino di sottometterlo. Ha motivo nel caso in cui si rivolga contro un uomo che si è dato in loro potere ed è totalmente entrato a far parte della proprietà di questo mondo. Essi rivendicano una legittima signoria sui loro sudditi e da essi reclamano il guiderdone dell'ingiustizia.

7. L'affermazione di subire ingiustamente le prove crudeli delle persecuzioni sta bene in bocca al martire, perché egli non

---

[2] Torna ancora il tema dell'ebbrezza, qui esplicitamente messa in relazione con l'eucaristia: cf. 13, 24.
[3] Cf. VIRGILIO, *Georg.*, III, 514: *discissos... artus.*

nullius sanguinem fuderit, nullius torum putauerit esse uiolandum, qui nihil legibus debeat et grauiora latronum sustinere cogatur supplicia, qui loquatur iusta et non audiatur, qui loquatur plena salutis et inpugnetur, ut possit dicere: *Cum loquebar illis, inpugnabant me gratis* [a]. Gratis igitur persecutionem patitur qui inpugnatur sine crimine, inpugnatur ut noxius, cum sit in tali confessione laudabilis, inpugnatur quasi ueneficus, quia in nomine domini gloriatur, cum pietas uirtutum omnium fundamentum sit. Vere frustra inpugnatur, qui apud inpios et infidos impietatis accersitur, cum fidei sit magister.

8.   Verum qui gratis inpugnatur fortis esse debet et constans. Quomodo ergo subtexuit: *Et a uerbis tuis trepidauit cor meum* [a]? Trepidare infirmitatis est, timoris atque formidinis; sed est etiam infirmitas ad salutem, est etiam timor sanctorum. *Timete dominum, sancti eius* [b], et: *Beatus uir qui timet dominum* [c]. Qua ratione «beatus»? Quia *in mandatis eius cupiet nimis* [d]. Pone ergo martyrem inter pericula constitutum, cum inde inmanitas bestiarum ad incutiendum terrorem infremat, aliunde stridor candentium laminarum et flamma fornacis ardentis exaestuet, ex parte alia personent tractus grauium catenarum, hinc carnifex cruentus adsistat: Pone, inquam, circumspectantem omnia plena suppliciis, deinde cogitantem mandata diuina, illum ignem perpetuum, illud sine fine incendium perfidorum, illam poenae recrudescentis aerumnam, trepidare corde, ne, dum praesentibus cedit, perpetuis se dedat exitiis, perturbari animo, dum futuri iudicii romphaeam illam terribilem [e] quadam conspectus specie contuetur. Nonne hanc trepidationem fiduciae uiri constantis aequabis? In eundem concurrit effectum confidentia cupientis aeterna et diuina trepidantis. Sit tamen fortior ille qui sperat, sit fortior qui praesumit.

7.   [a] Ps 119, 7.
8.   [a] * Ps 118, 161.
     [b] * Ps 33, 10.
     [c] Ps 111, 1.
     [d] * Ibid.
     [e] Cf. Gen 3, 24.

ha commesso ruberie, non ha usato violenza ad alcuno, non ha versato il sangue di alcuno, non ha pensato di insozzare il talamo di alcuno, non è in debito con la legge, eppure è costretto a subire i piú pesanti supplizi riservati ai briganti, perché egli dice il giusto eppure non è ascoltáto, perché dice parole di salvezza eppure riceve ostilità. A tal punto che può dire: *Quando io parlavo con loro, mi assalivano con una ostilità senza motivo* [4]. Allora, subisce una persecuzione «senza motivo» l'uomo che è oggetto di ostilità senza colpa; che è oggetto di ostilità come un malfattore, mentre in questa sua attestazione risulta invece lodevole; che è oggetto di ostilità come un avvelenatore, perché si vanta nel nome del Signore, mentre in realtà la devozione è fondamento di ogni virtú. È oggetto proprio di una ostilità immotivata, perché è accusato di irreligiosità dagli irreligiosi e dagli increduli, mentre in realtà è maestro di fede [5].

8. Ma chi riceve un'ostilità immotivata deve essere forte e saldo. Come mai dunque ha soggiunto: *e le tue parole hanno fatto trepidare il mio cuore?* La trepidazione è segno di debolezza, di timore e di vigliaccheria. Ma c'è anche una debolezza che porta alla salvezza; c'è anche il timore dei santi: *Temete il Signore, voi, suoi santi!*; e: *Beato l'uomo che teme il Signore!* Perché, «beato»? Perché *la sua somma aspirazione dipende dai suoi comandamenti.* Prendi dunque il caso di un martire nel mezzo dei pericoli [6]: da una parte bestie feroci che ruggiscono per mettere paura, dall'altra lastre arroventate che stridono e la fiamma di una fornace ardente che avvampa; da una parte cigolano catene trascinate e di qua si trova il carnefice sporco di sangue. Prendi — dico — il caso di questo martire che, dovunque giri lo sguardo, non vede che strumenti di tortura. Poi metti che il suo pensiero vada ai comandamenti di Dio, a quel fuoco eterno, a quell'incendio senza fine riservato ai miscredenti, a quell'angoscia per una punizione che sempre si rinfocola. Ecco che comincia a trepidare il suo cuore, per la paura di cedere di fronte ai mali presenti e di buttarsi cosí in braccio a quelli eterni. Ne resta sconvolto il suo animo quando scorge, sotto questi strumenti, lo spettro terrificante della spada del 'giudizio futuro. Allora, non è forse possibile che questa trepidazione equivalga alla sicurezza d'un uomo saldo? La fiduciosa certezza dell'uomo che desidera l'eternità e dell'uomo che trepida per Dio vanno nella stessa direzione. Sia pure, tuttavia, piú forte l'uomo che spera, sia pure piú forte l'uomo che dimostra piena sicurezza!

---

[4] Funziona qui il richiamo della parola *gratis*, presente in Sal CXVIII, 161.

[5] Sotto questa presentazione del martire si possono leggere, come in filigrana, molti motivi tipici della testimonianza di Socrate.

[6] Il tema è cosí introdotto già in ORIGENE, in HARL, SCh 189, p. 446, 25-36. Ambrogio peraltro presenta un maggior numero di dettagli. L'insistenza sul tema del martirio pare che riveli una celebrazione liturgica in onore di martiri. Di fatto, al 27 gennaio — data probabile di questo *Sermo* — i Martirologi ricordano una serie di martiri africani: cf. *Acta Sanctorum*, Januarii, t. III, Parisiis 1863; pp. 384-385.

9. Vtinam ego talis esse merear, ut, si forte persecutor ingruerit, non considerem suppliciorum meorum acerbitates, non metiar tormenta, non poenas, non cogitem ullius atrocitatem doloris, sed haec omnia leuia ducam, trepidem autem ne Christus me neget, ne Christus excludat, ne me repellat de concilio sacerdotum, si indignum eo collegio iudicauerit, uideat magis, licet permotum corporalium terrore poenarum, plus tamen trepidantem futura iudicia! Etsi dixerit mihi: *Modicae fidei, quare dubitasti?* [a], porriget tamen dexteram et insurgentis fluctus saecularis huius mole turbatum fida mentis statione firmabit.

10. Sequitur uersus secundus: *Exulto in uerbis tuis, sicut qui inuenit spolia multa* [a]. Bona ergo trepidatio a uerbis dei, si exultationem generat; qui enim trepidat a uerbis dei, postea exultat in dei uerbis. Ergo qui habet in aula sua, corde uidelicet suo, uerba dei, excludit sermones principum a corde suo, excludit timor timorem. Si enim quis ingressus balneas solis deponit aestus et calor excludit calorem, quanto magis diuini iudicii terror hunc terrorem excludit humanum, feruorem gratiae saecularis gratiae feruor aeternae!

11. Exultat ergo qui habet uerbum dei; habet enim spolia multa quae Iudaeis abstulit, habet prostrati hostis exuuias. Sicut Dauid abstulit Goliae gladium et ipsius gladio caput eius exsecuit [a], sic uerus Dauid, humilis atque mansuetus dominus Iesus, intellegibilis Goliae caput armis ipsius amputauit. Arma enim diaboli gentes erant, fide autem gentium uulneratus caput quod habebat amisit. Detracta sunt spolia prostrato, uasa eius direpta [b], quia alligatus est fortis [c]. Vas diaboli caro erat hominis peccatoris; sed posteaquam in Christum credidimus, caro nostra coepit esse uas electionis, ut habes de apostolo Paulo, qui ad gentes missus est, dictum ad Ananiam a domino Iesu: *Vade, quoniam uas electionis mihi est* [d]. Merito ergo uocatum nomen est Christi *uelociter spolia detrahe, cito diuide, quia, priusquam sciat puer uocare patrem aut matrem, accipiet uirtutem Damasci et spolia Samariae contra regem Assyriorum* [e]. Ergo rex Assyriorum, eorum scilicet quos uanos perfidia fecerat, amisit spolia quae tenebat. Et ut iterum cognoscas, quia spolia Christus a diabolo, quae in Adam ille inuaserat, uindicauit, et Sabain uiri excelsi [f] ad dominum Iesum alligati

9. [a] Mt 14, 31.
10. [a] * Ps 118, 162.
11. [a] Cf. 1 Reg 17, 51.
  [b] Cf. Is 49, 25.
  [c] Cf. Mt 12, 29.
  [d] * Act 9, 15.
  [e] * Is 8, 3-4.
  [f] Cf. Is 45, 14.

9.   Oh, se fossi capace anch'io, nel caso in cui mi investisse una persecuzione, di non fermarmi a considerare la durezza delle mie prove, a misurare il peso delle torture, le punizioni, di non pensare all'asprezza di alcun dolore, ma di considerarli tutti fardelli leggeri! Mi sta bene anche trepidare per la paura che Cristo mi rinneghi, per la paura che mi escluda, che mi respinga dal collegio dei sacerdoti, avendomene giudicato indegno. Purché Egli veda piuttosto che, anche se sono scosso dal terrore delle sofferenze fisiche, la mia trepidazione è ancora piú grande per i giudizi che mi aspettano. Anche se mi dirà: *Uomo di poca fede, perché non hai avuto fiducia?*, mi porgerà pur sempre la sua destra, e il mio turbamento per questi marosi del mondo che si gonfiano troverà sicura posa nella fiduciosa stabilità dello spirito.

10.   Prosegue il versetto secondo: *Esulto nelle tue parole, come chi trova un grande bottino*. Dunque, è positivo quel trepidare sotto le parole di Dio, se esso produce l'esultanza: l'uomo che le parole di Dio fanno trepidare, è l'uomo che poi esulta nelle parole di Dio. Dunque, l'uomo che dentro la sua reggia — cioè nel suo cuore — possiede le parole di Dio, non dà ricetto nel suo cuore ai discorsi di quei capi potenti: un timore caccia l'altro. Se, quando si entra ai bagni, ci si sottrae alla vampa del sole e un calore caccia l'altro, quanto piú il terrore del giudizio di Dio caccia questo terrore degli uomini; quanto piú il calore della bellezza eterna caccia il calore della bellezza temporale!

11.   Esulta dunque chi possiede la parola di Dio, perché possiede un grande bottino sottratto ai Giudei; possiede le spoglie d'un guerriero nemico abbattuto. Come Davide ha sottratto la spada a Golia e gli ha spiccato la testa con la sua stessa spada, cosí il vero Davide — il Signore Gesú, umile e mansueto — ha tagliato la testa di quel Golia *ideale*, servendosi delle sue stesse armi. Erano armi del diavolo i Gentili; ma ecco che egli è stato colpito proprio dalla fede dei Gentili ed ha perso la testa che aveva. Al guerriero abbattuto sono state sottratte le spoglie: giacché l'uomo forte è stato legato, gli vengono portati via i vasi. Vaso del diavolo era la carne dell'uomo peccatore. Ma, dopo che noi abbiamo creduto in Cristo, la nostra carne ha cominciato ad essere vaso di elezione, come — a proposito dell'apostolo Paolo, che è stato inviato ai Gentili — puoi trovare detto dal Signore Gesú ad Anania: *Va', perché egli per me è un vaso di elezione!* Ben a proposito dunque è stato invocato cosí il nome di Cristo: *Rapidamente sottrai il bottino! Fa' presto a spartirlo, perché, prima ancora di saper dire «papà» o «mamma», quel fanciullo riceverà la potenza di Damasco e il bottino di Samaria nella sua lotta contro il re degli Assiri*. Dunque, il re degli Assiri — cioè il re di sudditi resi spogli dall'incredulità — ha perso il bottino in suo possesso. E se vuoi ancora apprendere che Cristo ha voluto indietro dal diavolo quel bottino — sul quale, in Adamo, quello aveva messo le mani —, ecco che anche i giganteschi Sabei, che erano avvinti da catene, sono passati tra le file del Signore Gesú ed hanno

uinculis transierunt atque ipsum adorare coeperunt, quia *capti-*
*uam duxit captiuitatem* ᵍ. Ideo caput eius abstulit, ut ipse caput
esset corporis interempti. Merito nunc gentes toto orbe caput
regale circumferunt, quia membra sunt Christi.

12.  Cognouisti de nationibus. Cognosce etiam de Iudaeis,
quibus dominus Iesus abstulit spolia, hoc est regnum caelorum
abstulit et dedit genti facienti fructum eius ᵃ. Abstulit *uirtutem*
*panis et uirtutem aquae, prophetam et admirabilem consiliarium et*
*prudentem architectum et sapientem auditorem* ᵇ illis abstulit, nobis
dedit; merito *exulto, sicut qui inuenit spolia multa* ᶜ. Sine labore
meo inueni spolia quae non habebam, inueni Heptateuchum,
inueni Regnorum libros, inueni prophetarum scripturam, inueni
Esdram, inueni Psalmos, inueni Prouerbia, inueni Ecclesiasten,
inueni Cantica canticorum, inueni admirabilem consiliarium Christum, inueni Paulum prudentem architectum, inueni sapientem
auditorem popolum christianum, qui nouit ea quae leguntur audire; ille enim audit, qui ea quae audit intellegit. *Lex spiritalis est* ᵈ;
non illam audit Iudaeus qui audit corporaliter, sed ille audit qui
audit in spiritu. Habent illi libros, sed sensum librorum non
habent; habent prophetas, sed non habent quem illi prophetaue-
runt. Quomodo enim habent quem non receperunt ᵉ? Ideo cum
Moyse et Helia mihi apparuit ᶠ, quia ab illis recessit. Multa habet
spolia qui habet dei uerbum; habet resurrectionem, habet iustitiam, uirtutem atque sapientiam, habet omnia, quia *omnia in ipso*
*constant* ᵍ. Hebraei spoliauerunt Aegyptios et uasa eorum abstulerunt ʰ; Iudaeorum spolia habet populus christianus et totum habemus, quod illi habere se nesciebant. Illi aurum et argentum materiale abstulerunt, nos aurum mentis accepimus, nos adquisiuimus
caelestis sermonis argentum.

13.  Sequitur uersus tertius: *Iniustitiam odio habui et abomi-*
*natus sum, legem autem tuam dilexi* ᵃ. Merito odit iniustitiam qui
habet arma iustitiae ᵇ. Hebraeus cum haberet haec arma, hoc est
legem et prophetas, abominabatur mortuum, quia lex dicit: *Omnis*
*qui tetigerit mortuum inmundus erit* ᶜ, et humanitatis suprema

ᵍ Eph 4, 8.
12. ᵃ Cf. Mt 21, 43.
     ᵇ * Is 3, 1-3.
     ᶜ * Ps 118, 162.
     ᵈ Rom 7, 14.
     ᵉ Cf. Io 1, 11.
     ᶠ Cf. Mt 17, 3.
     ᵍ Col 1, 17.
     ʰ Cf. Ex 12, 36.
13. ᵃ * Ps 118, 163.
     ᵇ Cf. Rom 6, 13.
     ᶜ * Num 19, 11.

cominciato ad adorarlo, perché *ha fatto prigioniera la prigionia*. Gli ha tagliato la testa, proprio perché aveva da essere il Signore la testa di quel corpo ucciso. Ed ora meritatamente i Gentili si portano attorno, per tutto il mondo, una testa regale, dal momento che essi sono le membra di Cristo [7].

12.   Hai riconosciuto il suo intervento nella sorte dei Gentili. Ora, conoscilo anche in quella dei Giudei [8], ai quali il Signore Gesú ha sottratto il bottino; cioè ha sottratto il Regno dei cieli, per darlo ad una nazione capace di farlo fruttificare. Ha sottratto loro *l'energia del pane e dell'acqua, il profeta e il consigliere ammirevole, il costruttore esperto e l'ascoltatore sapiente*: li ha sottratti a loro e li ha dati a noi. *Ho buon motivo di esultare, come chi trova un grande bottino*. Senza far fatica ho trovato un bottino non mio: ho trovato l'Eptateuco, i Libri dei Re, i testi dei Profeti, Esdra, i Salmi, i Proverbi, l'Ecclesiaste, il Cantico dei Cantici, quell'ammirevole consigliere che è Cristo, quell'esperto costruttore che è Paolo, quell'ascoltatore sapiente che è il popolo cristiano [9], che sa veramente ascoltare ciò che si legge. Sí, perché ascolta veramente chi capisce ciò che ascolta. *La legge è spirituale,* ma non l'ascolta il giudeo che l'ascolta in modo carnale. L'ascolta invece chi l'ascolta in spirito. Essi, i Giudei, possiedono i Libri ma non il senso di quei Libri [10]; possiedono i Profeti ma non Colui che i Profeti hanno preannunciato. E come possono possederlo, se non l'hanno accolto? E perciò Egli è apparso a me con Mosè ed Elia, perché si è allontanato da loro. Possiede un grande bottino, chi possiede la parola di Dio: possiede la risurrezione, la giustizia, la virtú e la sapienza; tutto possiede, perché *tutto sussiste in lui*. Gli Ebrei hanno portato via il bottino agli Egiziani ed hanno sottratto i loro vasi. Ora il bottino dei Giudei è nelle mani del popolo cristiano, tutto intero, come quelli nemmeno si sognavano di avere. I Giudei hanno sottratto oro e argento materiali, noi abbiamo ricevuto l'oro dello Spirito, abbiamo guadagnato l'argento del linguaggio del Cielo.

13.   Prosegue il versetto terzo: *Ho odiato l'ingiustizia e l'ho detestata, mentre ho amato la tua legge*. Ha buon motivo di odiare l'ingiustizia colui che possiede le armi della giustizia. L'ebreo, che pur aveva queste armi — cioè la Legge e i Profeti —, si teneva lontano dai cadaveri, perché la Legge recita: *Chiunque toccherà*

---

[7] Cf. *Expl. ps. XXXVII*, 29.

[8] La trattazione è strettamente vicina a ORIGENE, in HARL, SCh 189, p. 446.

[9] La Tradizione è collocata sulla stessa linea della rivelazione, come tesoro del cristiano.

[10] La *littera/caro* è atteggiamento tipico dei Giudei nei confronti del testo sacro, che essi fraintendono, non perché usino metodi interpretativi errati, ma perché la loro scarsa attitudine a cogliere la categoria, intellettuale e morale, dello *spiritus* preclude loro il senso stesso del testo. Essi non riescono a emanciparsi da una logica *terrestre*, o tutt'al piú umano-etica nella comprensione della Parola di Dio: cf. il mio, *La dottrina esegetica...*, pp. 194-201.

negabat officia defunctis; sed legi non est mortuus nisi qui iniustus est. Haec est inmunditia iusti, quae iniquitas. Quid enim inmundius quam mentem, qua nihil homini pretiosius est datum, turpibus commaculare criminibus et atrocibus efferare commentis? Quid illis prodest, quod mortuum hominem uisere reformidant? Vtinam uita eorum non pollueret adpropinquantem, quorum mors contaminare neminem potest! Mors nemini nocet; utinam uita non noceat! Contagium enim conluuionis consortium iniquitatis est. Quomodo ergo contaminare potest qui iniquus esse iam non potest, cum, etiamsi fuit, tamen esse desiuit? Fuge ergo iniquitatem, ne te conprehendat, fuge iniustitiam, quae uiuentes adhuc mortuos facit.

14. Sed nemo fugit iniquitatem nisi qui diligit aequitatem, et ideo ait: *Legem autem tuam dilexi* [a]. In lege aequitas est, si spiritalem accipias legem [b], si consurgas cum Christo [c] et ibi altare sacrosanctum illud caeleste consideres, non altare terrenum, quod hostili populatione destructum est; si illam Hierusalem spectes quae in caelo est [d], non istam quae a populo Iudaeorum frequentabatur in terris, quae propter incolarum perfidiam a Romano exercitu triumphata iniecto flagrauit incendio; si intuearis in illum principem sacerdotum de quo scriptum est: *Habentes itaque magnum sacerdotem egressum de caelis, Iesum filium dei, teneamus confessionem fidelem* [e], qui cotidie aduocatus pro nobis est apud patrem [f], ut, pro quibus in diebus carnis suae misericordi est compassus affectu, pro his operetur remissionem cotidie peccatorum. Quae enim spes alia generi humano, nisi omnium uiuentium delicta donentur? Ille ergo princeps solus est sacerdotum, cui adstant pii sacerdotes in caelestium sacrarium illud altissimum merito proprii cruoris ingressi. Illa ergo lex diligenda, in qua uerus Hebraeus liber ab omni seruitute uitiorum est, in qua magnum sabbatum et inoffensa requies defunctorum [g], in qua mortui populi semen resuscitatur non conmixtione, sed redemptione fraterna. Secundum hanc ergo legem odio habet sanctus iniustitiam, non iniustum, qui potest saepe conuerti, nec mortuorum reliquias, sed mortuam iniquitatem exsecratur.

14. [a] Ps 118, 163.
  [b] Cf. Rom 7, 14.
  [c] Cf. Col 3, 1.
  [d] Cf. Gal 4, 26.
  [e] * Hebr 4, 14.
  [f] Cf. 1 Io 2, 1.
  [g] Cf. Io 19, 31.

*un cadavere, sarà impuro* [11]; e allora rifiutava ai defunti l'estremo ufficio di umanità: ma per la legge è cadavere solo chi è ingiusto. Per il giusto, l'impurità è solo l'ingiustizia. Quale impurità può essere piú grave dell'insozzare con colpe vergognose o dell'abbrutire con spietate mire l'intelletto, che è la dote piú preziosa dell'uomo? Che giova ad essi nutrire un sacro terrore per un cadavere? Magari la loro vita non contagiasse chi li accosta, al modo in cui la loro morte non può sicuramente contaminarne alcuno! La morte non danneggia nessuno. Oh, fosse come essa la vita! Contatto contagioso è un consorzio disonesto. Come può allora essere contagioso chi non può piú essere disonesto, per il fatto che — anche ammesso che lo fosse — ha ormai cessato di esserlo? Evita dunque la disonestà e non lasciartene afferrare! Evita l'ingiustizia, che trasforma i viventi in cadaveri!

14.   Ma non si può evitare la disonestà se non amando l'onestà. E per questo esclama: *mentre ho amato la tua legge*. Nella Legge si trova l'onestà, se si interpreta la Legge in maniera spirituale. Se si risorge con Cristo e se vi si considera quel sacrosanto altare celeste e non l'altare terreno, che è andato distrutto in un'azione di saccheggio durante una guerra. Se si contempla quella Gerusalemme che sta nel Cielo e non questa sulla terra, popolata dai Giudei, la quale è stata messa a fuoco dall'esercito romano, che la sconfisse a causa dell'infedeltà dei suoi abitanti. Se si guarda a quel Principe dei sacerdoti, del quale sta scritto: *Noi che abbiamo un grande sacerdote, uscito dai cieli, Gesú, il Figlio di Dio, dobbiamo mantenere una costante professione di fede*. Egli sta presso il Padre, ogni giorno, quale nostro difensore, per compiere ogni giorno l'opera di riscatto dai peccati a favore di quelli per i quali, nei giorni della sua vita carnale, ha patito, usando misericordia. Quale speranza ha il genere umano, se non il condono delle colpe di tutti i viventi? È Lui dunque l'unico Principe dei sacerdoti, accanto a cui stanno i sacerdoti suoi fedeli, entrati in quell'altissimo santuario del Cielo grazie ai meriti del suo sangue. Dunque, bisogna amare quella legge, nella quale il vero ebreo trova la liberazione da ogni schiavitú di vizi; nella quale regnano il grande sabato e, per i defunti, un riposo senza affanni; nella quale il seme di un popolo cadavere si ridesta, non in forza di un rapporto sessuale, ma d'un riscatto fraterno. È secondo questa legge che il santo odia l'ingiustizia ma non l'ingiusto, che ha sempre una possibilità di convertirsi. Secondo questa legge il giusto sente ripugnanza non per i resti mortali, ma per una mortale ingiustizia.

---

[11] Questa citazione richiama il testo di DIDIMO (?), in HARL, SCh 189, p. 448, 4-5.

15.   Sequitur uersus quartus: *Septies in die laudem dixi tibi super iudicia iustitiae tuae* [a]. Et numero quidem studium sanctae deuotionis exprimitur, sed puto magis quod purus et quietus ac uacuus ab omni onere delictorum declaretur affectus, ut sine ullo iracundae inprecationis aut flagitiosae cupiditatis incendio deferatur oratio, nihil quod alii noceat postulemus, nihil quod nos saecularibus petitionibus decoloret. Laudemus in hymnis et canticis, uera semper et iusta ea quae de diuinis canimus laudibus confitentes. Non sit anceps et dubia sententia, non discolor mentis intentio, non materialibus negotiis occupata a proposti spiritalis exsecutione deflectat. Iustificetur semper iustitia dei tranquillo animo, non otio feriato.

16.   Sequitur uersus quintus: *Pax multa diligentibus nomen tuum, et non est his scandalum* [a]. Supra diximus, quia caritas excludit timorem [b], nunc dicimus, quia excludit omnem perturbationem. Etenim qui deum diligit, profunda est in eo confirmatae mentis tranquillitas. *Aqua*, inquit, *multa excludere non poterit caritatem et flumina non inundabunt eam* [c]. Multa aqua diuersarum est passionum et flumina saecularium cupiditatum corporalibus motibus incitata, quae tamen murum caritatis subuertere non possunt. Ideoque caritate fundatus dicit: *Torrentem pertransiuit anima nostra* [d]. Numquid aqua maris excludere Moysi potuit caritatem? Vt et secundum litteram tibi psalmorum series suffragetur,

15. [a] Ps 118, 164.
16. [a] * Ps 118, 165.
     [b] Cf. 1 Io. 4, 18.
     [c] * Cant 8, 7.
     [d] Ps 123, 5.

15. Prosegue il versetto quarto: *Sette volte al giorno ti ho elevato lode sui giudizi della tua giustizia.* Certo, anche un numero [12] può esprimere lo zelo di una devozione fedele. Ma io preferisco pensare che qui si manifesti un sentimento di purezza, di pace [13] e di libertà da ogni condizionamento di colpa: in queste condizioni la preghiera può levarsi libera da vampate di irose maledizioni o di basse cupidigie, e cosí non invoca né punizione per gli altri né grazie mondane che ci corrompano [14]. La nostra lode si levi con inni e cantici e professi la perenne verità e la giustizia di quelle imprese delle lodi divine che noi celebriamo. Non ci sia alcuna movenza ambigua o equivoca, alcuna intenzione spirituale stonata, alcuna preoccupazione materiale l'ingombri o la devii [15] dal perseguire un ideale spirituale. Si lodi sempre la giustizia di Dio con animo sgombro da passioni, e non quando è libero da impegni [16].

16. Prosegue il versetto quinto: *Grande pace per quelli che amano il tuo nome, e non c'è per loro scandalo.* Sopra [17] abbiamo detto che la carità caccia il timore. Ora diciamo che essa caccia ogni turbamento. E infatti in colui che ama Dio, c'è l'assoluta tranquillità di uno spirito che si sente sicuro. *Acqua ed acqua —* sta scritto *— non potrà escludere la carità e i fiumi non la sommergeranno.* Questa grande quantità d'acqua è quella delle varie passioni e i fiumi sono quelli degli smodati desideri mondani [18], stimolati dagli istinti del corpo, che tuttavia non son capaci di sfondare la diga della carità. E per questo l'uomo, che ha per suo fondamento la carità, dice: *L'anima nostra ha attraversato il torrente impetuoso.* Forse che l'acqua del mare è riuscita ad eliminare la carità di Mosè? Se vuoi trovare una conferma anche nel senso letterale [19]

[12] Il rinvio al valore del numero 7 è già in ORIGENE, in HARL, SCh 189, p. 450, 3-4. In *De uirginib.*, III, 18-19 il passo presente è spiegato con il ricorso a *solemnes orationes*: alla levata, all'uscita pubblica, prima di prendere cibo, dopo il pranzo, all'ora dell'incenso (Vespero), quando si va a letto, a letto.

[13] Cf. 7, 1: *ipse litterae septimus numerus est quietis.*

[14] Cf. *De uirginib.*, III, 19, dove c'è l'esempio di Pitagora che intendeva scacciare le preoccupazioni con la musica, ma non faceva altro che *saecularia saecularibus... abolere.*

[15] Cf. *Exp. eu. Luc.*, VII, 80.

[16] È possibile interpretare in vari modi l'espressione, a seconda che vi si vedano contrapposti *tranquillo* e *feriato* («con animo tranquillo e non libero per l'ozio»; o «scioperato nell'ozio»); *animo* e *otio* («quando l'animo è tranquillo e non quando c'è un riposo festivo»). Preferisco però vedere come principale la contrapposizione tra *semper* e *otio feriato*, come se qui Ambrogio contrapponesse la necessità di *pregare sempre* (anche tra i *negotia*) e non solo nel momento del tempo libero (o festivo): il numero 7 delle preghiere è invito a pregare in tutti i giorni e non solo al settimo. Il termine *feriatus* si riferisce al sabato in *De Iac.*, II, 52 e in *De fug.*, 32, ma a 19, 22 indica un tempo lasciato libero dall'impegno ed ha valore negativo. Secondo 21, 17 sembra che vada interpretato nel senso di «sgombro da passioni».

[17] Cf. 21, 10, ma vedansi anche 9, 2; 18, 20.

[18] Cf. AGOSTINO, *Enarr. ps. XLVII*, 13: *Huius ignem nulli fluctus saeculi, nulla flumina tentationis extinguunt* (CChL 38, p. 548): cf. TAJO, *Un confronto tra...*, p. 138.

[19] Si noti che qui *littera* (nel significato di senso letterale) ha un valore positivo, diversamente dalla categoria di *littera/caro*, che indica un negativo atteggiamento mentale di precomprensione del testo sacro.

nempe diligens deum tutum sibi credidit iter esse per maria; qui autem non dilexerunt deum, hi demersi fluctibus dignum sacrilegiis suis exitum pertulerunt. Helias atque Helisaeus Iordanen transmiserant pede [e]; et haec fuit nimiae merces et gratia caritatis. Hi igitur ut transirent aquas fluuii Iordanis, passionum fluenta nostrarum mentis prius uestigio transierunt. De hac aqua dicit dominus: *Si transeas per aquam, tecum sum, et flumina non inundabunt te* [f]. Adest iustis suis semper, cum aliquibus teruntur aduersis, si tamen transeant mente constanti, non dubitanti, non fidei turbentur incerto.

17.   Transi ergo et tu fidelis animi directione. Si diuinam uis tibi adesse praesentiam, non solum pax, sed etiam multa pax sit in animo tuo, nulla te proelia diuersae cupiditatis inpugnent, non iracundia stimulet, non libido et, si est pugna, tamen foris, non intus sit [a]. Proeliare aduersus persequentes, licet et ipsis silentio saepe cedendum sit, quia tibi uincunt. Illorum potentia tua est uictoria; tunc denique triumphantur, cum se uicisse crediderint. Non ergo te inpugnet auaritia, non cupiditas exagitet, non tristitia deiciat, non inflammet libido, non resupinet superbia, non curuet ambitio, non formido consternat. Pax multa abundet, quae superat omnem mentem [b] secundum apostoli sententiam, quo nihil pulchrius dici potuit. Summus enim sapientiae finis est, ut simus mente tranquilla, non commenticiis poetarum fabulis lubricus turbetur affectus. Summus finis iustitiae est, ut iniquitas mentem iusti mouere non possit, uirtutis totius hic finis et corporeae ipsius fortitudinis, ut confecto bello pacem reformet. Paci ergo et ipsa plerumque militat fortitudo bellandi; nemo ergo pacificum turbet affectum.

18.   Multa generantur ad perturbationem hominis: et uxor plerumque decepta serpentis insidiis animum uiri exagitare conatur et pater fidem filii frequenter inridet et uir suae coniugis mentem temptat obprobriis. Sed in his omnibus superat iustus et dicit: *Quis nos separabit a caritate Christi? Tribulatio an angustia*

---

[e] Cf. 4 Reg 2, 8.
[f] * Is 43, 2.
17. [a] Cf. 2 Cor 7, 5.
  [b] Cf. Phil 4, 7.

---

17, 1   directione *codd.*, dilectione *Petschenig*.

dei Salmi nel loro insieme, eccoti la prova che chi ama Dio ha ritenuto di avere un cammino sicuro attraverso i mari; mentre quelli che non l'hanno amato sono stati sommersi dai flutti ed hanno subíto una fine degna della loro sacrilega empietà. Elia ed Eliseo hanno attraversato camminando il Giordano: e ciò è stato ricompensa e premio concessi ad una ardente carità. Essi, quindi, per attraversare le acque correnti del Giordano, hanno prima dovuto attraversare con un guado spirituale le correnti delle nostre passioni. È questa l'acqua di cui parla il Signore: *Se tu attraversi l'acqua, ecco che io sono con te, e le correnti non ti travolgeranno.* Egli è sempre al fianco dei suoi giusti, quando qualche sventura li logora, purché essi attraversino, con animo fermo, non esitante, e non si lascino turbare da incertezze di fede.

17.   Passa dunque anche tu, seguendo la linea diritta di un animo che crede. Se vuoi sentire al tuo fianco la presenza di Dio, non basta la pace, ma ci vuole una *grande* pace nel tuo animo. Non devono esserci lotte scatenate da vari desideri né istigazioni prodotte dall'ira né sensualità. E se battaglia vi è, questa sia all'esterno, non dentro di te. Lotta contro i persecutori, anche se spesso è meglio arrendersi ad essi col silenzio, perché ci pensano già loro a vincere per te! Il loro potere è la tua vittoria: tant'è vero che la loro sconfitta comincia proprio quando credono di aver vinto. Non lasciarti trascinare nella lotta dall'avidità; non ti sconvolga un desiderio smodato; non ti abbatta la tristezza; non ti faccia avvampare la sensualità; non ti faccia montare la testa la superbia; non ti pieghi l'amore della carriera; non ti prostri la paura! Sii ricco di una grande pace che sorpassa ogni intelligenza, secondo il pensiero dell'Apostolo, di cui non si sarebbe potuto dir meglio. L'obiettivo piú alto della sapienza è uno spirito sgombro da passioni, quando il sentimento non vacilla sotto la forza perturbatrice di fantasiose favole di poeti [20]. L'obiettivo piú alto della giustizia è l'imperturbabilità dello spirito del giusto di fronte alla disonestà. L'obiettivo piú alto di tutta la forza d'animo e della stessa forza fisica è questo: ricostituire la pace alla fine della guerra. Dunque, a favore della pace, spesso combatte la stessa forza della guerra: nessuno dunque turbi un animo operatore di pace!

18.   Ci sono molte cose che sembrano fatte apposta per turbare l'uomo: una moglie, ingannata dalle astuzie insidiose del serpente, spesso cerca di eccitare l'animo del marito; un padre spesso deride la fede del figlio; un marito fa vergognose proposte alla sua consorte. Ma in tutte queste difficoltà il giusto esce vincitore e dice: *Chi potrà staccarci dall'amore di Cristo? La tribola-*

---

[20] La forza corruttrice della poesia a carattere mitologico o erotico, sulla cui lettura si fondava l'insegnamento scolastico, ancora nel sec. IV, è probabilmente presa qui di mira. Si ricordi l'analoga posizione di AGOSTINO, *Conf.*, I, 13, 20-22 (CChL 27, pp. 11 s.).

*an persecutio?* [a]. Quotiens benefacta crimini dantur, quotiens uirtus obprobrio ducitur, quotiens ipsa ingrata est gratia! Vendidit iustus facultates suas, dispensauit pauperibus, nihil sibi reliquit: contemnitur plerumque in ipsa ecclesia quia diues esse desiuit, sicut scriptum est: *Si dederit uir omnes facultates suas in caritate, contemptu contemptus erit* [b]. Non ergo moueatur; non enim mercedem huius saeculi nec gratiam, sed uitae quaesiuit aeternae. Non indignetur, quia homines pecuniis magis quam operibus bonis deferunt. Nam si ei propter bonum opus in hoc saeculo deferatur et huius studii fructum hic adipiscatur, dicitur de eo: *Percepit mercedem suam* [c]. Habet quidem opus bonum et hic gratiam, sed breuis portio emerendae salutis est. Serua futuris mercedem tuam et istius saeculi obprobria incrementa mercedis tuae iudica. Cogita semper apostolicum illud, quod *indignae* sint *passiones huius temporis ad superuenturam gloriam* [d]. Nullis ergo iustus frangatur iniuriis, nullis moueatur periculis, nullis temptetur procellis, siue mors ingruat siue uita siue angeli caelorum [e]. Neque deiciatur aduersis neque extollatur secundis, nusquam sit eius infirmus affectus. Et mors temptat et uita temptat; caue scandalum.

19.   Qui pacem habet, quae omnem mentem superat [a], magnus est, non est de pusillis istis. Ideo scandalum pati non debet, quia pusillorum est exagitari scandalo. Vnde et dominus ait: *Quicumque scandalizauerit unum de pusillis istis minimis* [b]. Non solum pusillos, sed etiam minimos dixit quos perturbant scandala, et ideo graui obnoxius poenae est, ut legisti, quicumque turbauerit infirmae mentis infantiam. Sicut enim grauiore dignus supplicio est, qui persuaserit crimen infantulo et incautam praecipitarit aetatem, ita, qui inualidum et insipientem et inprouidum circumscripserit persuasione erroris aut exagitatione cordis affectum. Vis scire quam infirmus sit qui scandalizatur? *Non manducabo*, inquit, *carnem, ne fratrem scandalizem* [c]. Quanta infirmitas et quaedam infantia animi, ut eum etiam esca fratris exagitet! Vnde non potest homini esse praecipitium, quando etiam hinc periculum est?

18. [a] Rom 8, 35.
    [b] * Cant 8, 7.
    [c] * Mt 6, 2.
    [d] * Rom 8, 18.
    [e] Cf. Rom 8, 38.
19. [a] Cf. Phil 4, 7.
    [b] * Mt 18, 6.
    [c] 1 Cor 8, 13.

*zione, l'angoscia, la persecuzione?* Quante volte la colpa è premiata! Quante volte la virtú diventa un disonore! Quante volte è sgradita perfino la grazia! Un giusto ha venduto i suoi averi, li ha distribuiti ai poveri senza conservare nulla per sé: su di lui quasi sempre cade il disprezzo, perfino nella Chiesa, perché non è piú ricco, come sta scritto: *Se un uomo darà via tutti i suoi averi nell'amore, sarà fortemente disprezzato.* Non ha dunque da turbarsi: non ha cercato la ricompensa o la lode di questo mondo, ma quelle della vita eterna. Non si scandalizzi se gli uomini apprezzano di piú la ricchezza della bontà. Che se egli fosse apprezzato in questo mondo per la sua bontà, e ricevesse quaggiú il frutto di questo suo zelo, si direbbe di lui: *Ha già avuto la sua ricompensa.* Non voglio dire che la bontà non riceva anche quaggiú il suo apprezzamento, ma non è che una piccola parte della salvezza che le spetta. Mettiti in serbo per il futuro la tua ricompensa e gli insulti di questo mondo considerali aumenti di quella ricompensa! Rifletti sempre a quelle parole dell'Apostolo: *Le sofferenze di questo tempo sono inadeguate rispetto alla gloria che ci attende.* Il giusto dunque non deve lasciarsi abbattere da alcun insulto né farsi turbare da alcun pericolo né lasciarsi tentare da alcuna tempesta: gli cascassero addosso morte o vita o angeli del cielo [21]. Non si lasci abbattere dalle sventure né esaltare dalla fortuna. In nessuna circostanza il suo animo conosca la debolezza. Tentazione è la morte e tentazione è la vita: guai a scandalizzarsi!

19. L'uomo, che possiede quella pace che sorpassa ogni intelligenza, è un uomo grande e non appartiene alla massa di questi piccini. Perciò dev'essere inattaccabile dallo scandalo, perché sono solo i piccini che si fanno sconvolgere dallo scandalo. Perciò anche il Signore esclama: *Chiunque darà scandalo ad uno di questi piccini piú piccoli...* Non solo piccini, ma anche i «piú piccoli», ha chiamato gli uomini per i quali sono sconvolgenti gli scandali. E perciò, come hai letto, si rende passibile di grave punizione chiunque abbia recato turbamento alla «piccolezza» d'un intelletto ancora insicuro. Come si rende meritevole di una punizione piú grave la persona che ha convinto alla colpa un bambino e che ha spinto verso il precipizio un'età ancora ingenua, cosí è anche per l'uomo che ha raggirato un incapace, un minorato e un inesperto, convincendolo a commettere colpa o turbandone la sensibilità. Vuoi sapere quanta sia la debolezza di colui che è vittima dello scandalo? *Non mangerò carne — si dice — per non dare scandalo al fratello.* Quanto grave deve essere quella debolezza, quella specie di infanzia spirituale, se la può turbare perfino ciò che mangia un fratello! Quale lato della vita umana non sarà allora esposto a precipizio, se il pericolo viene anche da questa parte!

---

[21] Il richiamo di Rom 8, 38, per esprimere, come qui, l'impossibilità di essere separati da Dio, è già in ORIGENE, in HARL, SCh 189, p. 452, 17-22.

20.   Et quod peius est, infirmitas huiusmodi serpit in multos. Vides inopem iustum, temptaris; uides diuitem iniquum, temptaris; uides sine liberis sanctum, temptaris; uides liberis honoribus laudibus saecularibus abundantem iniustum, temptaris. Quantae foueae, quanti laquei et, quod est grauius, qui plurimos strangulent! In Sodomitana urbe uix unus Loth qui non temptaretur inuentus est, cuius tamen etiam uxor non potuit laqueos temptationis euadere. Hebraeorum populus maria transiuit, sed non potuit temptamenta transire. Temptati omnes praeter Iesum et Caleph, qui ideo de senioribus terram repromissionis introire meruerunt, quia fuerunt temptationis expertes ª. Nec Aaron introiuit nec Maria, quia et ipsi temptati sunt ᵇ, nec Moyses introiuit, quia dux erat populi qui temptabatur ᶜ. Typus legis, quae excludere temptamenta non poterat, non poterat in terram resurrectionis inducere, quia ista euangelio gratia debebatur. Lex pacem non potuit dare; ideo Moyses, quoad uixit, proeliatus semper est; semper legis populus in ancipiti bellorum est, Iesus autem Naue plebis animos profunda pace composuit, quoniam, qui sub lege est, agitatur incertis, qui sub euangelio, audit dicentem: *Pacem relinquo uobis, pacem meam do uobis* ᵈ, ideoque diligentibus non est scandalum ᵉ.

21.   Accipe aliter: crux domini Iudaeis scandalum, Graecis stultitia est ª. Scandalum est perfido, quia dicit Iudaeus: «Ergo hic deus est qui homo uisus est, hic deus est qui ieiunauit, hic deus est qui uapulauit, hic deus est qui crucifixus est, qui de cruce descendere et se liberare non potuit?». Denique hoc dicebant tempore dominicae passionis: *Descendat de cruce et credimus ei. Confidit in deo, liberet nunc eum, si uult eum* ᵇ. Non te ista temptent, non te ista perturbent, non in animum tuum huiusmodi se inserant cogitationes. Vbi pax est et multa pax, ibi crux Christi non obprobrio, sed saluti est. Non fuit obprobrio Petro crux domini, quae tantum ei gloriae dedit, ut inuersis Christum honoraret uestigiis, metuens ne, si ea specie crucifixus esset qua dominus,

20. ª Cf. Num 14, 30; 32, 12.
   ᵇ Cf. Num 20, 1.28.
   ᶜ Cf. Deut 34, 4.
   ᵈ Io 14, 27.
   ᵉ Cf. Ps 118, 165.
21. ª Cf. 1 Cor 1, 23.
   ᵇ * Mt 27, 42-43.

20.   E, quel che è peggio, una debolezza senile si insinua
strisciando in molti. Il vedere un giusto nella povertà costituisce
una tentazione. Il vedere un disonesto ricco costituisce una tentazione. Il vedere un uomo devotissimo privo di figli costituisce
una tentazione. Il vedere un disonesto ricco di figli, di onori, di
riconoscimenti mondani costituisce una tentazione. Quanti tra-
bocchetti, quanti lacci: e quel che è peggio è che riescono a
strozzare parecchi! Nella città di Sodoma a malapena si riuscì
a trovare il solo Loth che fosse superiore alle tentazioni, e tuttavia
nemmeno sua moglie riuscì a sottrarsi ai lacci della tentazione.
Il popolo dei Giudei ha superato i mari [22], ma non è stato capace
di superare le tentazioni. Tutti caddero in tentazione tranne Gesú
di Nave (Giosuè) e Calef, i quali — unici fra gli anziani — ebbero
il privilegio di entrare nella Terra Promessa, proprio perché furono esenti da tentazione. Non vi entrarono né Aronne né Maria,
perché anch'essi caddero in tentazione. Non vi entrò nemmeno
Mosè, perché era il condottiero di un popolo che cadeva in
tentazione. Figura della Legge, che non era in grado di chiudere
il varco alle tentazioni, non poteva introdurre alla terra della
risurrezione, perché questa grazia era riservata al Vangelo. La
Legge non è riuscita a garantire la pace, ed è per questo che
Mosè dovette combattere sempre, finché visse: il popolo della
Legge si trova sempre in mezzo a guerre dall'esito incerto. Gesú
di Nave (Giosuè) invece seppe disporre a profonda pace gli animi
del popolo, perché chi vive sotto la Legge, vive nell'angoscia
dell'incertezza; chi vive invece sotto il Vangelo, può udire Colui
che dice: *Vi lascio la pace, vi do la mia pace.* Per questo non c'è
scandalo per chi ama.

21.   Eccoti un'altra interpretazione. La croce del Signore è
uno scandalo per i Giudei, per i Greci è una stoltezza. È uno
scandalo per chi non crede, perché il giudeo dice: «Dunque è un
Dio costui che si è mostrato come un uomo? È un Dio costui che
ha digiunato? È un Dio costui che è stato picchiato? È un Dio
costui che è stato crocifisso e non è riuscito a scendere dalla
croce e a liberare se stesso?». Tant'è vero che cosí parlavano
durante la Passione del Signore: *Scenda dalla croce e noi gli
crederemo! Ha fiducia in Dio, lo liberi ora, se gli sta a cuore!* Queste
parole non raffreddino il tuo ardore, non ti procurino turbamento! Pensieri di questo tipo non si insinuino nel tuo animo! Dove
c'è la pace, e una pace *grande*, lí la croce di Cristo si erge non
come un disonore, ma come una salvezza. Non fu un disonore
per Pietro la croce del Signore: anzi, gli ha conferito una gloria
cosí alta che egli ha voluto in essa onorare Cristo a testa in giú,
per non sembrare un presuntuoso aspirante alla gloria del Signore se fosse stato crocifisso nello stesso modo del Signore [23]. Dun-

---

[22] Al tempo dell'uscita dall'Egitto.
[23] La testimonianza risale agli *Actus Petri*, 37-38 (cf. *Gli Apocrifi del Nuovo
Testamento*, a cura di M. ERBETTA, II, Casale Monf. 1966, p. 167). Ma la notizia è
conosciuta anche da Origene, dal quale la riprende, citandolo, EUSEBIO, *Hist. eccl.*,
III, 1, 2 (GCS 9/1, p. 188).

affectasse domini gloriam uideretur. Crux ergo obprobrium perfido, fideli autem gratia, fideli redemptio, fideli resurrectio est,
quia pro nobis passus est dominus, quia illo nos redemit sanguine,
illa ad paradisum resurrectione reuocauit. Qui haec credit, quomodo turbari potest, cui spes regni caelestis adsurgit?

22.   Sequitur uersus sextus: *Expectabam salutare tuum, domine, et praecepta tua feci* [a]. Qui expectat sperat. Caritatem ergo spes
praecedit, sequitur salus. Spes igitur praecurrit effectum. Ideo
qui expectauit salutem a domino, praecepta domini fecit. Vnde
et dominus amicos appellat in euangelio, non seruos [b], qui sua
praecepta fecerunt. Qui diligit enim facit et qui fecerit merito
dilectionis remuneratione donatur.

23.   Sequitur uersus septimus: *Custodiuit anima mea testimonia tua et dilexit illa nimis* [a]. Plus esse diligere quam custodire et
supra diximus, quia custodire interdum necessitatis est uel timoris, diligere caritatis. Ideo hic cum dixisset «custodiui», adiecit
«dilexi», ut custodia amantis fuerit, non timentis. Qui nimium
diligit, nimium custodit.

24.   Sequitur uersus octauus: *Seruaui praecepta tua et testimonia tua, quoniam omnes uiae meae in conspectu tuo, domine* [a].
Beatus qui potest dicere: *Omnes uiae meae ante te* [b], qui nolit
abscondere omnes cogitationes suas, omnes actus suos. Abscondе-
bat Adam uiam suam, abscondebat Eua post culpam, abscondebat
Cain necem fratris. In affectu habemus abscondere, non in effectu.
Plena abscondentis perfidia, etsi apud deum nulla sit latebra.
Ideo ecclesia in Canticis sua ei secreta monstrabat dicens: *Adsumam te et ducam te in domum matris meae, in secretum eius quae
concepit me* [c]. Nam etsi deus omnia uideat cordis occulta, bonum
tamen est ut unusquisque animam suam ei aperiat et expandat
et tamquam lumini uel calori eius occurrat. Nec inmerito gloriatur
ecclesia dicens: *Ego eram in oculis eius tamquam inueniens
pacem* [d], quoniam uias suas prodere non timebat. Iusti ergo est
ista uox; *oculi* enim *domini super iustos* [e]. Itaque domino Iesu

22. [a] * Ps 118, 166.
      [b] Cf. Io 15, 15.
23. [a] * Ps 118, 167.
24. [a] * Ps 118, 168.
      [b] * Ibid.
      [c] * Cant 8, 2.
      [d] * Cant 8, 10.
      [e] Ps 33, 16.

que, la croce, che è un disonore per chi non ha fede, è invece un valore per il credente, un riscatto, una risurrezione, perché per noi vi ha sofferto il Signore; perché con quel sangue ci ha riscattato; con quella risurrezione ci ha richiamati in paradiso. Chi crede in tutto questo, come può trovare turbamento, dato che per lui è spuntata la speranza del Regno dei cieli?

22. Prosegue il versetto sesto: *Aspettavo la tua salvezza, o Signore, ed ho eseguito le tue prescrizioni.* Chi aspetta, spera. Dunque, la speranza precede la carità, mentre la salvezza la segue. La speranza quindi vien prima dell'effetto. E cosí, colui che ha aspettato la salvezza del Signore ha eseguito le prescrizioni del Signore [24]. Perciò anche il Signore nel Vangelo chiama «amici», e non «servi», quelli che hanno eseguito le sue prescrizioni. Chi ama, esegue; e chi ha eseguito, giustamente viene ripagato con il dono dell'affetto.

23. Prosegue il versetto settimo: *Ho fedelmente osservato nella mia anima i segni della tua volontà e li ho amati assai.* Amare è piú che osservare, l'abbiamo detto anche prima [25], perché l'osservanza talvolta dipende da costrizione e da paura, l'amore dalla carità. E qui ha detto: «ho osservato», ma poi ha soggiunto: «ho amato» [26], proprio perché si capisca che questa osservanza è di uno che ama, non di uno che teme. Chi assai ama, *osserva* assai.

24. Prosegue il versetto ottavo: *Ho mantenuto fede alle tue prescrizioni e ai segni della tua volontà, poiché tutte le mie strade stanno al tuo cospetto, Signore.* Beato l'uomo che può dire: *Tutte le mie strade stanno davanti a te*; che non vuole nascondere nessuno dei suoi pensieri, nessuna delle sue azioni. Adamo nascondeva la sua strada, come la nascondeva Eva dopo la colpa. Caino nascondeva l'assassinio del fratello. Questo nascondere è un'intenzione, non un risultato. Peraltro, anche se non c'è nascondiglio che tenga di fronte a Dio, piena risulta la perfidia di chi vuole nascondersi. Perciò la Chiesa, nel Cantico dei Cantici, gli mostrava i suoi segreti, dicendo: *Ti prenderò e ti condurrò nella casa di mia madre, nel segreto luogo dove ella mi ha concepito.* Che, anche se Dio è capace di vedere tutti i segreti del cuore, è però bene che ciascuno gli apra la sua anima, la squaderni e vada — per cosí dire — incontro alla sua luce e al suo calore. E non ha torto la Chiesa a vantarsi, dicendo: *Io ero davanti ai suoi occhi come una che trova la pace.* Infatti non aveva timore di palesare le sue strade. Questa dunque è la voce del giusto e *gli occhi del Signore sono posati sui giusti.* E allora gli uomini che desiderano incontrare quella vera strada con la fede, con il comportamento e con

---

[24] Il legame tra esecuzione dei precetti e attesa della salvezza è presente in ORIGENE (?), in HARL, SCh 189, 166, p. 454, 1-6. Tale presenza in Ambrogio può eliminare il dubbio della Harl sull'originalità origeniana di quel testo.

[25] Cf. 20, 55.

[26] Ambrogio qui, diversamente da quanto annota la HARL, SCh 190, p. 763, si distacca da ORIGENE (?), *ibid.*, SCh 189, p. 454, 167, 3-5, perché egli pone prima il *custodire* e poi il *diligere*.

Christo, qui est uia et ueritas <sup>f</sup> bene hoc dicitur ab his qui illam ueram uiam fide moribus actuque desiderant conuenire: *Omnes uiae meae coram te, domine* <sup>g</sup>. Nulla enim potest uia bona esse nisi quam tu inluminandam tui uisitatione luminis iudicaueris, cui est honor, gloria, laus, perpetuitas a saeculis et nunc et semper et in omnia saecula saeculorum. Amen.


# XXII
## Littera «Tau»


1.  Incipit «Tau» littera, quae Latina interpretatione significat «errauit»; alia interpretatio habet «consummauit». Quid est «errauit»? Vicesima et secunda littera est quae est apud Hebraeos ultima. Psalmo autem isto, hoc est centesimo octauo decimo profectum hominis diximus significari, qui doctrinae moralis magisteriis eruditus deponeret omnem inexercitatae mentis infantiam, adsumeret autem ueterani consilii scientiam et prudentiae senilis aetatem. Vbi autem error est, culpa signatur. Hic ergo est profectus, finis ut culpae sit. Sed quid est quod interpretetur? «Errauit», inquit; non «errat», sed «errauit». Errasse praeteriti est temporis, errare praesentis; qui errauit desiuit errare et ueterem condemnat errorem. De eo enim dicitur «errauit», qui in errore iam non sit. Nam is, qui adhuc in errore permaneat, non errasse dicitur, sed errare; errare enim permanentis in uitio est, errasse corrigentis est lapsum.


2.  Denique emendator morum ait: *Eramus enim aliquando insipientes, increduli, errantes in desideriis et uoluptatibus* <sup>a</sup>. Non dixisset utique: *Eramus aliquando insipientes*, nisi qui adeptus esset postea sapientiae disciplinam, neque dixisset: *Eramus errantes*, nisi superiorem deposuisset errorem. Denique ut abolitum lapsum doceret nec ullum offensionis resedisse uestigium, ait: *Cum autem benignitas et humanitas apparuit saluatoris nostri, non*

---

<sup>f</sup> Cf. Io 14, 6.
<sup>g</sup> * Ps 118, 168.

---

2.  <sup>a</sup> * Tit 3, 3.

---

24, 17 conuenire *codd.*, inuenire *Petschenig*.

l'operare, dicono al Signore Gesú — che è strada [27] e verità —
queste belle parole: *Tutte le mie strade stanno di fronte a te, Signore.*
Non può esserci strada giusta al di fuori di quella che hai inteso
illuminare, percorrendola con la tua luce, Tu, a cui è onore, gloria,
lode, eternità dai secoli, ora e sempre e per tutti i secoli dei
secoli. Amen.

## XXII

### Lettera «Tau»

1.  Comincia ora la lettera «Tau», che nella nostra lingua
può essere interpretata come «ha errato»; secondo un'altra interpretazione come «ha portato a compimento». Che cosa vuol dire
«ha errato»? Si tratta della lettera ventiduesima, l'ultima dell'alfabeto ebraico. Ma abbiamo detto [1] che questo Salmo — cioè il
Salmo CXVIII — esprime il cammino di perfezione dell'uomo,
che passa dal distaco totale dall'infanzia — con la sua inesperien-
za intellettiva — all'assunzione, mediante l'istruzione impartita
dall'insegnamento della dottrina morale, di un sapere confacente
ad un'adulta maturità di giudizio e all'acquisizione d'un grado di
saggezza tipico degli anziani. Ma dove si parla di «errare», si
indica una condizione di colpa. Il progresso qui si esprime nel
senso che si ha la fine della colpa. Ma qual è la parola che viene
interpretata? È detto: «ha errato»; non «erra», bensí «ha errato».
Aver errato indica un passato, errare un presente: chi ha errato,
vuol dire che ha smesso di errare e che condanna l'errore del
passato. «Ha errato» si dice di uno che non è piú nell'errore.
Infatti di uno che persista ancora nell'errore non si dice che «ha
errato», ma che «erra». Errare si addice a chi persiste ancora
nel vizio; aver errato a chi corregge la caduta.
2.  Tant'è vero che uno che sa correggere il proprio comportamento, esclama: *Un tempo eravamo insensati, non credenti, erranti nei desideri e nei piaceri* [2]. Non avrebbe certo detto: *Un tempo
eravamo insensati,* se non avesse successivamente conseguito il
metodo della sapienza. E non avrebbe detto: *eravamo erranti,* se
non avesse ora abbandonato l'errore d'un tempo. Tant'è vero che,
per insegnare che la caduta era stata cancellata e che ormai non
c'era piú alcuna traccia residua dell'offesa compiuta, ha esclamato: *Quando poi è apparsa la bontà e l'umanità del nostro Salvatore,*

---

[27] Stesso riferimento a Cristo/via, secondo Gv 14, 6, è in ORIGENE (?), in HARL,
SCh 189, 168, p. 454, 6.

---

[1] Cf. prol., 1.
[2] Si nota, tra il c. 2 e il c. 4, un'insistenza sul testo paolino di Tit 3, che
potrebbe lasciare intendere un'utilizzazione liturgica di esso in questa particolare
giornata.

*ex operibus iustitiae quae fecimus nos, sed secundum suam miseri-cordiam saluos nos fecit per lauacrum regenerationis et renouationis spiritus sancti* [b]. Veteri igitur errore deposito et spiritu sancto atque omni morum emendationem renouatus dicit: *Eramus enim aliquando errantes* [c]. Vides ergo, quia errori renuntiasse non uitii, sed profectus est.

3. Postremo ipse te doceat dominus Iesus, si humanis consi-liis uel sententiis non putas esse credendum. Namque in euangelio suo ipse adseruit, quod pastor reliquit nonaginta et nouem oues et unam requirit quae errauit [a]. Centesima ouis est quam dicit errasse; perfectio et plenitudo numeri ipsa te instruat et informet. Non inmerito ceteris antefertur, quia plus est a uitio se reuocasse quam prope uitia ipsa nescisse. Inbutos enim uitiis animos exuere frenis cupiditatum atque emendasse non solum perfectae uirtutis, sed etiam caelestis est gratiae. Emendare etenim futura attentio-nis humanae est, praeterita donare diuinae est potestatis. Denique inuentam pastor ouem umeris inponit suis [b]. Agnoscis utique mysterium, quomodo ouis lassa reficiatur, quia non potest aliter humana condicio lassa recreari nisi sacramento dominicae passio-nis et sanguinis Iesu Christi, *cuius principium super humeros eius* [c]; in illa enim cruce infirmitates nostras portauit [d], ut ibi omnium peccata uacuaret. Merito gaudent angeli, quia is qui errauit iam non errat [e], iam suum est oblitus errorem.

4. Non error igitur, sed consummatio est, ut altera docet interpretatio; consummatio autem perfectio disciplinae est. Vnde et Hieremias in suis Threnis sub hac littera ait: *Defecit iniquitas tua, filia Sion, non adiciet te expellere adhuc. Visitauit iniquitates tuas, filia Edom, reuelauit super peccata tua* [a]. Aduertis, quoniam iniquitas non potuit sine dei uisitatione deficere nec plena esse correctio nisi per gratiam domini saluatoris? Quomodo autem deficiat iniquitas, audi dicentem ecclesiam: *Exui tunicam meam, quomodo induam eam? Laui pedes meos, quomodo inquinabo eos?* [b].

[b] * Tit 3, 4-5.
[c] * Tit 3, 3.
3. [a] Cf. Lc 15, 4.
[b] Cf. Lc 15, 5.
[c] * Is 9, 6.
[d] Cf. Is 53, 4; Mt 8, 17.
[e] Cf. Lc 15, 7.
4. [a] * Thren 4, 22.
[b] * Cant 5, 3.

*ci ha reso salvi non secondo le opere di giustizia che abbiamo fatto noi, ma secondo la misericordia sua, per mezzo del lavacro di rigenerazione e di rinnovamento dello Spirito Santo.* Ha abbandonato allora l'errore d'un tempo ed è stato rinnovato con lo Spirito Santo e con una compiuta correzione di comportamento. E dice: *Un tempo eravamo erranti.* Vedi dunque che l'aver rinunciato all'errore non è prova del vizio, ma del progresso.

3.    Infine, se non vuoi prestar fede all'esperienza e al pensiero degli uomini, lasciati ammaestrare dal Signore Gesú in persona! E infatti nel sùo Vangelo fu Lui ad affermare che il pastore ha abbandonato le novantanove pecore per andare alla ricerca dell'una che andava errando. La pecora, che Egli chiama errante, è la centesima: la perfetta interezza di questo numero è di per se stessa istruttiva e significativa. E non senza ragione quella pecora viene preferita a tutte le altre, perché vale di piú l'essersi sottratti al vizio che l'averne quasi ignorata l'esistenza [3]. Per chi è stato alla scuola del vizio, liberare l'animo dai ceppi dei desideri ed essere riusciti a correggerlo, è segno non solo di perfetta virtú, ma anche di benevolenza celeste. E difatti, correggersi per il futuro è possibile all'uomo che si impegni, ma rimettere il passato è possibile solo alla potenza di Dio. Tant'è vero che quella pecora, una volta trovata, viene issata sulle spalle del pastore. Tu puoi vedere qui in forma certa il misterioso modo con cui viene rianimata la pecorella stanca, dal momento che la condizione umana cosí stanca non può essere richiamata alla vita se non grazie al sacro segno della Passione del Signore e del sangue di Gesú Cristo, *di cui il principio sta sulle sue spalle.* Su quella croce infatti Egli ha sorretto le nostre debolezze, per cancellare lí i peccati di tutti. Con motivo gioiscono gli angeli, quando colui che errava ormai non erra piú, ormai ha scordato il suo errore.

4.    Non si tratta piú allora di errore, ma di «compiutezza finale», secondo l'altra interpretazione di «Tau». Ma «compimento» significa: raggiunta perfezione di una regola di vita. Perciò anche Geremia nelle sue Lamentazioni, sotto questa lettera, esclama: *È scomparsa la tua malvagità, figlia di Sion; non ti sospingerà ancora in esilio. È venuto vicino alle tue malvagità, figlia di Edom, e ha messo a nudo i tuoi peccati.* Ti rendi conto perché la malvagità non è potuta scomparire senza la venuta di Dio e la correzione non è potuta essere completa, se non attraverso la grazia del Signore salvatore? Ma come scompare la malvagità? Senti quel che dice la Chiesa: *Ho smesso la mia tunica, come me la rimetterò? Ho lavato i miei piedi, come me li risporcherò?* Orbene: nella

---

[3] Pare che in questa esegesi a Lc 15, 4 ss. (che si ritrova anche in *Exp. eu. Luc.*, VII, 209 ss.) si riprenda Origene, il quale nel numero 100 (simbolo della perfezione) vedeva l'insieme delle *creature razionali*, di cui — assieme alle creature angeliche — fa parte l'uomo, che è la *centesima* di quelle creature, amata e cercata proprio perché esposta al peccato. Sull'importanza di questa parabola nel Cristianesimo antico, cf. P. SINISCALCO, *Mito e storia della salvezza. Ricerche sulle piú antiche interpretazioni di alcune parabole evangeliche*, Torino 1971 (su questo particolare motivo, cf. pp. 162-168).

Veteris igitur hominis uestimentum uitiis erroris intextum in lauacri regeneratione ᶜ depositum nescit quomodo possit induere; studio enim correctionis inoleuerat obliuio peccatorum. Tanta uis consummatae emendationis est, ut in quandam redeat pueritiae spiritalis aetatem, quae uias erroris ignoret, crimen, etiamsi uelit, non possit admittere, quia desueuerit usum nosse peccandi. Et iam de huius litterae interpretatione satis dictum arbitror. Nunc cognoscamus ex subditis, quae sit uiri consummati sententia.

5.   Itaque sic ait: *Adpropinquet oratio mea in conspectu tuo, domine; secundum uerbum tuum intellectum tribue mihi* ᵃ. Volare facit orationem bona uita et dat alas precibus spiritales, quibus sanctorum ad deum euehatur oratio. Sed et spiritus quo oramus subleuat precem iusti, maxime si corde contrito compatiens eam commendet affectus. Consummati autem uiri ista est confidentia. Denique ipse Dauid in superioribus istius psalmi lucernam suis pedibus requirebat ᵇ, ne in hoc itinere terreno ambulans posset errare. Nunc autem quasi iam in fine positus et processu consummato uiandi munere totus adsurgit et orationem suam dirigit in caelestia, mittit eam in conspectu domini saluatoris dans illi flabra iustitiae, sapientiae flamina, remigia deuotionis et fidei, innocentiae puritatisque subsidia; peccato enim grauescit oratio et longe a deo fit. Tanto autem plus grauatur, quanto inprobior uita est deprecantis. Innocentium autem ascendit oratio et gemitus conpatientis affectus, si Aegyptium lutum oderint et operari terrena declinent. Denique sic legisti, quod Hebraeorum, qui dura Aegyptiorum imperia ferre non poterant et ut grauia, ita et lutulenta opera indigna sui nobilitate generis recusabant, gemitus et uox ascenderit ad dominum deum nostrum ᶜ. Ascendit enim oratio, quia, etsi operabantur, tamen operabantur inuiti. Descendebat itaque ad illos dei misericordia, quia illorum ad deum scendebat deuotio.

6.   Ascendebat itaque non corporaliter; neque enim propheta tantus precationem suam petebat corporaliter adpropinquare. Nam qui ita putat, utique is deum certo aliquo loco ac sede

ᶜ Cf. Tit 3, 5.
5.   ᵃ * Ps 118, 169.
    ᵇ Cf. Ps 118, 105.
    ᶜ Cf. Ex 2, 23-25.

rigenerazione del lavacro ha deposto il vestito dell'uomo vecchio, tessuto con i vizi della colpa. Ora non sa come possa rimetterselo: con la volontà di ravvedimento si è dilatato l'oblio dei peccati. Tanta è la forza della completa correzione, che egli fa ritorno a quell'età della fanciullezza spirituale, nella quale si ignorano le strade dell'errore; nella quale, anche se lo si vuole, non c'è possibilità di colpa, perché non sa più che cosa sia la frequentazione del peccato. E così penso di aver detto a sufficienza sul significato di questa lettera. Ora cerchiamo di apprendere, dai concetti radunati sotto di essa, quale sia il pensiero dell'uomo che ha raggiunto la sua compiutezza finale.

5.  Allora, ecco che esclama: *Si accosti la mia preghiera al tuo cospetto, o Signore. Accordami la comprensione secondo la tua parola.* Una vita onesta fa volare la preghiera e mette ali addosso alle preci: quelle ali spirituali che trasportano la preghiera dei santi su fino a Dio. Ma anche lo Spirito con cui preghiamo solleva la prece del giusto, specialmente se essa è valorizzata da un sentimento di partecipata sofferenza, che si esprime nel pentimento del cuore. Ma questa intima fiducia è una dote dell'uomo che ha raggiunto la sua finale compiutezza. Tant'è vero che perfino Davide — in precedenti versetti di questo Salmo — cercava una lampada per i suoi piedi, per non errare nel cammino lungo la strada di questa terra. Ora invece, come se si fosse già insediato alla fine e avesse portato a compimento il suo sviluppo a forza di camminare, ecco che si solleva tutto e indirizza al Cielo la sua preghiera [4]; la manda al cospetto del Signore salvatore, sospingendola con folate di giustizia, con brezze di sapienza, con i colpi d'ala della devozione e della fede, con il sostegno dell'integrità morale e della purezza. Ché il peccato fa appesantire la preghiera e la tiene lontana da Dio. Ma tanto più è appesantita quanto più disonesta è la vita di chi prega. Mentre la preghiera di chi non ha colpe sale alta [5] e, con essa, il gemito d'un sentimento di partecipata sofferenza, se chi prega ha odiato la melma dell'Egitto ed ha evitato di immergersi in attività che sanno di terra. Tant'è vero che si è letto che è salita al Signore nostro Dio la voce degli Ebrei, che non potevano più sopportare il crudele dominio degli Egiziani e che rifiutavano di compiere lavori tanto pesanti quanto sporchi di melma, indegni della loro nobile prosapia. È salita la preghiera perché, anche se essi compivano lavori di quel tipo, li compivano però sotto costrizione. E così scendeva fino a loro la misericordia di Dio, perché fino a Dio saliva la loro preghiera.

6.  E così essa saliva non fisicamente [6]: e il profeta, nella sua grandezza, non pretendeva che la sua preghiera si accostasse fisicamente a Dio. Chi pensa a una cosa del genere non può non

---

[4] Il progresso spirituale di Davide, che qui — alla fine del Salmo — raggiunge il suo culmine, è tema origeniano: cf. HARL, SCh 189, p. 456, 1-5.

[5] L'ascesa della preghiera del giusto, con lo stesso riferimento alla situazione degli Ebrei in Egitto (secondo Es 2, 23-24), è già in ORIGENE, *ibid.*, p. 458, 28-32.

[6] Anche questo motivo, dell'accostamento a Dio della preghiera, *non corporaliter*, è tratto da ORIGENE, *ibid.*, p. 456, 12-19.

concludit, ut diffusiorem locum in quo deus sit arbitretur, cum
utique inuisibilis ineffabilis inconprehensibilis impleat omnia ᵃ et
diuinitatis in eo habitet plenitudo ᵇ. Legi Moysen adpropinquasse
deo ᶜ, cum legem acceperit; sed solita Dauid uerecundia non semet
ipsum, sed orationem suam deo adpropinquare postulat, ut uideatur ordo quidam esse distinctus, quo hi qui perfectiores sunt ipsi
adpropinquent deo, sequentis autem ordinis iusti uiri satis habeant, si eorum adpropinquet oratio.

7.   Ex usu autem sermonis nostri consideremus quid sit
adpropinquare. Constitue magistrum atque discipulum. Si discipulus studiosius magistri uel hausit ingenium uel praecepto inten-
dit, ita ut ad similitudinem operis eius atque doctrinae proxime
uideatur accedere, nonne dicere solemus, quod adpropinquauit
magistro? Ergo et tu, si imitatorem te praebeas Christi, sicut ille
qui ait: *Imitatores mei estote sicut et ego Christi* ᵃ, si dolum nescias,
mendacium oderis, ueritatem sequaris, iustitiam non refugias,
diligas castimoniam, adpropinquasti Christo et per Christum deo.
Ipse est uia qua peruenitur ad patrem, qui apud patrem semper
est.

8.   Didicimus quid sit adpropinquare orationem, hoc est
«eleuetur actibus nostris». Si eleuas actus tuos, eleuasti orationem
tuam. Qui nouit leuare manus suas, dirigit orationem suam in
conspectu dei, sicut infra legisti: *Dirigatur oratio mea sicut incensum in conspectu tuo, eleuatio manuum mearum sacrificium uesper-
tinum* ᵃ. Haec utique oratio ad uitam, alia oratio in peccatum: *Et
oratio eius fiat in peccatum* ᵇ. Et tu si saecularia petas, si flagitiosa
postulas, oratio tua non ad deum dirigitur, sed in peccatum,
ideoque intellege quae petas.

9.   *Secundum*, inquit, *uerbum tuum intellectum tribue mihi* ᵃ.
Aduerte quid postulet. Non «intellectum» generaliter dixit, sed
«intellectum secundum uerbum dei», est enim intellectus ad
mortem, sicut est prudentia ad interitum: *Filii huius saeculi pru-
dentiores sunt quam filii lucis in hac generatione* ᵇ. Sed prudentia

6.   ᵃ Cf. Eph 4, 10.
     ᵇ Cf. Col 1, 19.
     ᶜ Cf. Ex 24, 18.
7.   ᵃ 1 Cor 4, 16.
8.   ᵃ Ps 140, 2.
     ᵇ * Ps 108, 7.
9.   ᵃ * Ps 118, 169.
     ᵇ * Lc 16, 8.

racchiudere Dio dentro uno spazio o dentro una sede definiti, se ritiene che ci sia un luogo piú esteso all'interno del quale Dio si situi. Mentre si sa che Egli, invisibile, inesprimibile, inafferrabile, riempie tutto e dentro di Lui abita la pienezza della divinità. Ho letto che Mosè si è accostato a Dio quando ha ricevuto la Legge. Ma Davide, con la sua abituale modestia, non domanda di essere lui ad accostarsi a Dio, ma che sia la sua preghiera. Ne risulta cosí una specie di graduatoria: quelli che sono piú perfetti si accostano personalmente a Dio, mentre gli uomini giusti del gradino successivo di perfezione sono paghi se si accosta a Dio la loro preghiera.

7. Ma prendiamo ora in esame il senso dell'accostarsi, ricavandolo dalla nostra consuetudine lessicale [7]. Si dia il caso di un maestro e di un discepolo. Se il discepolo, con grande passione, ha assorbito le qualità del maestro o si è applicato al suo insegnamento al punto da essere arrivato vicinissimo al modello della sua opera e della sua dottrina, non si usa forse dire che «si è accostato al maestro»? Dunque, anche tu, quando ti mostrassi imitatore di Cristo come colui che ha esclamato: *Siate miei imitatori come io lo sono di Cristo*, quando non conoscessi inganno, odiassi la menzogna, seguissi la verità, non evitassi la giustizia, amassi la castità, ecco che ti saresti accostato a Cristo e, attraverso Cristo, a Dio [8]. Sí, perché è Lui la via che ci conduce al Padre, Lui che sta sempre presso il Padre.

8. Abbiamo visto che cosa significhi «accostarsi», riferito alla preghiera. Si può dire cosí: «Sia sollevata dalle nostre azioni!». Quando tu sollevi le tue azioni, ecco che hai sollevato la tua preghiera. Chi è capace di levare le sue mani, ecco che indirizza la sua preghiera al cospetto di Dio, come hai letto piú avanti: *Si indirizzi la mia preghiera come incenso al tuo cospetto, le mie mani sollevate siano un sacrificio vespertino*. Questa è veramente la preghiera che diventa vita. C'è anche un'altra preghiera che diventa peccato: *E la sua preghiera si trasformi in peccato*. Anche tu: quando domandassi valori mondani, quando invocassi grazie vergognose, la tua preghiera non si indirizzerebbe a Dio, ma al peccato. Per questo, cerca di capire bene quello che devi chiedere.

9. Dice: *Accordami la comprensione secondo la tua parola*. Nota bene che cosa egli domandi. Non ha detto genericamente «la comprensione», ma «la comprensione secondo la Parola di Dio». C'è anche una comprensione che porta alla morte, come c'è una sagacia che porta alla rovina: *I figli di questo mondo sono piú sagaci dei figli della luce in questa epoca* [9]. Ma questa sagacia,

---

[7] Ambrogio non si accosta ai termini soltanto per via etimologica, ma anche per quella dell'*usus sermonis*, come anche per quella dell'*usus auctoris*. Cf. anche *De Abr.*, I, 67; *De fide*, III, 59.

[8] L'avvicinamento a Dio tramite Cristo è introdotto, a questo stesso proposito, anche da ORIGENE, in HARL, SCh 189, pp. 456, 19 - 458, 25.

[9] La stessa citazione, che conferma la superiorità dell'intelletto (σύνεσις) sulle realtà mondane, è già in ORIGENE, *ibid.*, p. 458, 43-46. Come, sempre in Origene (*ibid.*, pp. 458, 47 - 460, 51), sono espressi la ricerca della comprensione secondo

ista quae saeculi est ad uitam non suffragatur aeternam. Circa honorem, circa lucella est, quaestibus coaceruandis intenta, non meritis conparandis. Postremo circa elementa mundi est falerata magis quam uera sapientia, ut est philosophia omnis, quae aliena quaerit, cum sua nesciat, scrutatur caeli plagas, mundi spatia rimatur quae sibi prodesse nihil possunt, deum ignorat quem solum deberet inquirere.

10. Ideo uerus sapiens dicit: *Si quis uidetur sapiens esse inter uos in hoc saeculo, stultus fiat, ut sit sapiens; sapientia enim huius mundi stultitia est apud deum* [a]. Elaborandum est igitur, ut in hoc saeculo stulti simus, nihil nobis cum philosophia, ne uis fidem nostram per elementa mundi huius transducat a uero, ne quis adsertionem nostram per philosophiam depraedetur. Sic enim Arrianos in perfidiam ruisse cognouimus, dum Christi generationem putant usu huius saeculi colligendam. Reliquerunt apostolum, secuntur Aristotelem. Reliquerunt sapientiam quae apud deum est, elegerunt disputationis tendiculas et aucupia uerborum secundum dialecticae disciplinam, cum clamet apostolus: *Ne quis uos depraedetur per philosophiam et inanem seductionem secundum traditiones hominum, secundum elementa huius mundi et non secundum Christum* [b].

11. Vtinam possim imitari illam stultitiam qua sim sapiens, illum uirum habentem amplas possessiones, sed neglegentem fructuum, intentum deo illum uirum, qui honores etiam delatos

---

10. [a] * 1 Cor 3, 18-19.
   [b] * Col 2, 8.

---

10, 4   *post* nobis *Petschenig addidit* sit.

che appartiene al mondo, non è un vantaggio per la vita eterna. Essa gira attorno agli onori, attorno agli affarucci [10], tutta tesa ad accumulare profitti, non a procurarsi meriti. Infine, gira attorno agli elementi del mondo questa sapienza, piú pomposa che reale, come è la filosofia di qualunque tipo, che indaga al di fuori mentre non sa indagare dentro il proprio ambito; che scruta le regioni del cielo, sonda gli spazi del mondo che non possono servirle a niente, e ignora Dio, l'unica realtà che dovrebbe ricercare [11].

10. Perciò, chi è realmente sapiente dice: *Se qualcuno tra voi crede di essere sapiente in questo mondo, diventi stolto, se vuol essere sapiente. Perché la sapienza di questo mondo non è che stoltezza presso Dio.* Dobbiamo allora sforzarci di essere stolti in questo mondo. Non ci sia alcun rapporto con la filosofia [12], se non vogliamo che sia scostata dalla verità la nostra fede a causa degli elementi di questo mondo; se non vogliamo che sia rovinata la nostra dottrina a causa della filosofia. Sappiamo bene che è stato cosí che gli Ariani sono precipitati nell'eterodossia, nel momento in cui pensavano di interpretare la generazione di Cristo secondo i criteri di questo mondo. Hanno abbandonato l'Apostolo per seguire Aristotele. Hanno abbandonato la sapienza — che si trova presso Dio — per scegliersi le trappole della discussione filosofica e i roccoli delle parole [13], seguendo le regole della dialettica. Mentre l'Apostolo leva il grido: *Attenti, che nessuno vi rovini per mezzo della filosofia e della vuota seduzione secondo le tradizioni umane, secondo gli elementi di questo mondo e non secondo Cristo* [14].

11. Magari potessi anch'io imitare quella stoltezza che mi renderebbe sapiente! Imitare quell'uomo [15] che ha vaste proprietà, ma non si dà cura della loro rendita; quell'uomo che è dedito

la Parola di Dio e il disprezzo, che invece i Greci ostentano nei confronti della Scrittura. Il breve accenno origeniano agli Ἕλληνες è sviluppato da Ambrogio attraverso la descrizione della *philosophia* e della *sapientia mondana*.

[10] Cf. *Exp. eu. Luc.*, VII, 220.

[11] Anche qui, come a 10, 20 (cf. nota 39), la citazione di Ennio (*Iphig.*, 244, Vahlen) unita a quella di Varrone, *caeli rimari plagas* (*Menipp.*, 233, Buecheler-Heraeus), già fuse da MINUCIO FELICE, *Oct.*, 12, 7 (Beaujeu, p. 18), serve a dare al precetto delfico «conosci te stesso» una valenza antifisicistica e un orientamento verso l'interiorità. Già PLATONE, *Phaedr.*, 229e, qui echeggiato nell'espressione *aliena quaerit cum sua nesciat*, aveva aperto la polemica tra analisi fisicistica e analisi antropologica. Ambrogio sembra averla accolta in opposizione al fisicismo astrale della religione cosmica, per influsso di Minucio Felice: cf. COURCELLE, *Connais-toi...*, III, p. 534 e note 10-11.

[12] Non è necessario aggiungere *sit*, come propone il Petschenig. Cf. TERTULLIANO, *De praescr. haer.*, 7, 9: *Quid ergo Athenis et Hierosolymis? Quid academiae et ecclesiae?* (CChL 1, p. 193).

[13] Cf. CICERONE, *Pro Caec.*, 65: *tum aucupia uerborum et litterarum tendiculas.*

[14] La citazione paolina (cf. Col 2, 8), il richiamo ad Aristotele e particolari costrutti linguistici fanno accostare questo testo a TERTULLIANO, *De praescr. haer.*, 7: cf. il mio, *Tertulliano e la dialettica*, in *Paradoxos politeia. Studi patristici in onore di G. Lazzati* («Studia Patristica Mediolanensia», 10), Milano 1979, pp. 145-177. Si veda anche l'analogo uso di Ilario, segnalato da J. DOIGNON, *Hilaire de Poitiers avant l'exil*, Paris 1971, pp. 147-149.

[15] Pare che qui si alluda alla vicenda della vocazione radicale di Paolino da Bordeaux, poi da Nola. Cf. Introduzione I, p. 13.

sibi respuat, doctrinam philosophiae non requirat, etiamsi ante cognouit, tamen scire dissimulet et non requirendo dediscat, non quaerat quae sua sunt [a], sed aliis sua conferat, sibi adquirat aeterna! Hic potest dicere: *Secundum uerbum tuum intellectum tribue mihi* [b], id est non secundum philosophos, non secundum causidicos, non secundum mercatores huius saeculi, non secundum architectos domorum, sed secundum tuum uerbum quod est uerae sapientiae bonorumque operum fundamentum, ut super illud constituat propheta aurum cordis sui, argentum sermonis sui, lapides pretiosos operationum suarum [c], ut opus suum labi et perire non possit.

12. Sequitur uersus secundus: *Intret postulatio mea coram te; secundum uerbum tuum libera me* [a]. Vide ordinem. Primum dixit: *Adpropinquet oratio mea*, postea intellectum poposcit: *secundum uerbum* [b], tertio ait: *Intret postulatio mea coram te* [c]. Nonne quodam dominus nos inuitat usu et suscipere dignatur affectu? Nonne, cum aliquem de primariis uiris desideras conuenire, primo ad eius domum adpropinquas, postea quaeris informari atque instrui, ut cognoscas mentem patris familias, deinde ut eius domum ingrediaris inploras, ne quis te abiciat et excludat? Pulsa ergo et tu regiam illam caelestem, pulsa non manu corporis, sed quadam orationis tuae dextera. Non sola manus corporis pulsat, pulsat et uox; scriptum est enim: *Vox fratris mei pulsat ad ianuam* [d]. Pulsamus et digito; denique et Thomas digito meruit ianuam resurrectionis aperire. Et tibi dicit Iesus: *Infer digitum tuum huc et mitte in manus meas et latus meum, et noli esse incredulus, sed fidelis* [e]. Pulsa ergo digito, si non potes tota manu. Pulsa ianuam; Christus est ianua, qui ait: *Per me si quis introierit saluabitur* [f].

13. Cum hanc igitur ianuam pulsaueris, uide quomodo ingrediaris, ne forte iam ingressus extra conspectum regis sis. Multi ingrediuntur palatia et non statim regem istum terrae uident, sed frequenter obseruant, ut aliquando uidere mereantur. Nec praesu-

11. [a] Cf. 1 Cor 13, 5.
   [b] * Ps 118, 169.
   [c] Cf. 1 Cor 3, 12.
12. [a] * Ps 118, 170.
   [b] * Ps 118, 169.
   [c] * Ps 118, 170.
   [d] * Cant 5, 2.
   [e] * Io 20, 27.
   [f] Io 10, 9.

a Dio, tanto da rifiutare le cariche che gli sono state offerte; quell'uomo che non va in cerca della dottrina filosofica e che, pur avendola prima conosciuta, ne nasconde la conoscenza e la disimpara, rifiutandosi di ricercarla; quell'uomo che non cerca il suo interesse, ma anzi dona agli altri i suoi beni e guadagna per sé gli eterni! Questi è l'uomo che può dire: *Accordami la comprensione secondo la tua parola*. Vale a dire: non secondo i filosofi, non secondo i legulei, non secondo i mercanti di questo mondo, non secondo gli architetti di case [16], ma secondo la tua Parola, che è il fondamento della vera sapienza e del buon operare. Sopra di essa il profeta possa fissare l'oro del suo cuore, l'argento del suo discorso, le pietre preziose delle sue azioni, affinché il suo operato non possa vacillare né crollare.

12.   Prosegue il versetto secondo: *Entri la mia supplica davanti a te; liberami secondo la tua parola*. Osserva la costruzione del versetto [17]! Prima ha detto: *Si accosti la mia preghiera*, poi ha domandato la «comprensione» *secondo la parola*; in un terzo momento ha esclamato: *Entri la mia supplica davanti a te* [18]. Non è forse vero che il Signore ci invita proponendoci una trafila usuale e che poi si degna di accoglierci con affetto? Non avviene cosí anche quando si desidera avere un abboccamento con qualche persona importante? Per prima cosa ci si accosta alla sua casa, poi si chiedono informazioni per sapere che cosa ne pensi il capofamiglia, infine si chiede il permesso di entrare in casa, per non andare incontro a rifiuti o a divieti. Bussa dunque anche tu alla porta di quella reggia celeste; bussa non con la mano del tuo corpo, ma con quella destra che ti fornisce la tua preghiera: non solo la mano sa bussare, lo sa anche la 'voce. Sta scritto infatti: *La voce del mio fratello bussa alla porta*. Si può bussare anche col dito. Tant'è vero che anche Tommaso ha ottenuto di aprire col dito la porta della risurrezione. E Gesú ti dice: *Metti qua dentro il dito, toccami le mani e il costato e non essere incredulo, ma pieno di fede!* Bussa dunque col dito, se non puoi farlo a piena mano! Bussa alla porta: la porta è Cristo, che esclama: *Colui che passerà attraverso me, sarà salvo*.

13.   Orbene, dopo aver bussato a questa porta, sta' attento a fare una buona entrata: che non ti capiti di poter, sí, entrare, ma non al cospetto del re. Ci sono molti che riescono ad entrare nei palazzi dei re, eppure non vedono subito questo re terreno. Ma essi hanno un gran daffare per riuscire, prima o poi, a vederlo.

---

[16] È un interessante elenco delle professioni liberali in auge a quel tempo: la filosofia (insegnamento della retorica), l'avvocatura (carriera politica), la mercatura, l'architettura.

[17] L'*ordo*, cioè il rispetto della scansione secondo la quale i termini entrano nel discorso, è da salvaguardare soprattutto per il testo biblico. Il principio si trova già nell'esegesi cristiana alessandrina: cf. ORIGENE, in HARL, SCh 189, p. 458, 49: πρόσεχε τῇ ἀκριβείᾳ τῆς τάξεως τῶν γραφῶν; cf. anche SCh 190, p. 766.

[18] Il passaggio, però scandito in due momenti, da *accostamento* a *entrata*, è già in ORIGENE, in HARL, SCh 189, p. 460, 170a, 1-5; ATANASIO, *Exp. ps. CXVIII*, 170 (PG 27, 508 B).

munt uidendi copiam, sed iussi repraesentantur et precem fundunt, ut cum beniuolentia suscipiantur, primus sui sermonis ingressus ne quid titubet, ne quid offendat. Quanto magis rogandus est deus, ut ostium misericordiae suae nostra ingrediatur oratio! Denique et Paulus rogat, ut aperiatur sibi ostium uerbi ad loquendum mysterium Christi [a].

14.  Sed quia Graecus habet: Εἰσέλθοι τὸ ἀξίωμά μου [a] hoc est «dignitas mea» [b], licet potuerit et scriptor errare et fuerit ἀξίωσις, hoc est «deprecatio» [c], tamen hoc quoque explanemus, ut possumus. Nempe cum hominem rogas regem, dicis ut contemplationem habeat honoris tui, tangat eum tuae contemplatio dignitatis, ut aut misereatur, si uenia postulanda est, aut deferat pro ordine dignitatis. Et quid dicam? Rogans sic unusquisque ingreditur, ut dignitatibus deferatur. Recte ergo et deuotus deo dicit: *Intret dignitas mea coram te* [d]. Habet et christianus dignitatem suam, qui tanto imperatori militat.

15.  Sunt maximae et uerae fidei dignitates, sunt honorum diuersi et apud Christum ordines: *Posuit deus in ecclesia primo apostolos, secundo prophetas, tertio doctores* [a]. Sed istae administrantium dignitates sunt etiam priuatorum, ut est pietas iustitia sobrietas castimonia disciplina. Sunt etiam orationis dignitates, si pro uidua roges, si roges pro pupillo, si roges pro misericordi, roges pro nimium deuoto ac fideli, si roges in tribulatione, roges cum dolore, si maesto et ipse qui rogas compatiaris affectu. Intrat oratio tua dei gratiam, intrat domum eius, si tecum ecclesia deprecetur, si populus uniuersus inploret, ut domini inclinet fauorem.

16.  Quid autem rogat? Vt eruatur, ut liberetur, eo quod iam diu aduersus nequitias spiritales, aduersus temptamenta huius saeculi proelietur [a], eo quod graue est satis longaeuo cursu istius uitae diuturnam sustinere militiam. Denique et infra dicit: *Heu me quod incolatus meus prolongatus est!* [b]. Ingemescit enim, quod indefessas iugi labore tendat excubias; ideo petit a tot aduersantibus liberari nec cum terrenis hominibus uult habere consortium.

13. [a] Cf. Col 4, 3.
14. [a] * Ps 118, 170.
    [b] * Ibid.
    [c] * Ibid.
    [d] * Ibid.
15. [a] * 1 Cor 12, 28.
16. [a] Cf. Eph 6, 12.
    [b] * Ps 119, 5.

15, 4   *inter* dignitates *et* sunt *Petschenig alterum* sunt *inseruit.*

E non pretendono di avere una udienza lunga, ma si fanno avanti
al comando ed elevano a lui la preghiera per farsi accettare con
benevolenza. Stanno ben attenti che l'esordio del loro dire non
incespichi o non trovi qualche intoppo. Quanto piú allora bisogna
pregare Dio, se vogliamo che la nostra preghiera possa varcare
la soglia della sua misericordia! Tant'è vero che anche Paolo
chiede che gli sia aperta la porta del Verbo, per parlare del
mistero di Cristo.

14.   Ma il testo greco porta: Εἰσέλθοι τὸ ἀξίωμά μου (eisélthoi
tò axiōma mou), e parla quindi di «mia dignità». Certo, è possibile
che lo scrivano si sia sbagliato e che ci fosse ἀξίωσις (axiōsis),
cioè «supplica» [19]. Ma voglio spiegare anche quel testo, per quanto
ne sono capace. Evidentemente, quando uno rivolge domanda ad
un re umano, lo prega di aver riguardo al suo rango, di essere
sensibile alla sua dignità, per ottenere misericordia se gli deve
rivolgere una invocazione di clemenza, o un onore proporzionato
alla propria dignità. Allora, che dire? Ognuno cosí comincia col
chiedere un riconoscimento conforme alla propria dignità. Giustamente dunque anche l'uomo devoto dice a Dio: Entri la mia
dignità davanti a te! Una sua dignità possiede anche il cristiano,
che milita nell'esercito di un imperatore cosí grande.

15.   All'interno della fede ci sono le dignità, gli onori, piú
grandi e veraci; anche presso Cristo c'è una vasta gamma di gradi:
Dio ha posto nella Chiesa al primo rango gli apostoli, al secondo i
profeti, al terzo i dottori. Ma queste dignità si trovano anche
all'interno di coloro che amministrano fatti privati: si chiamano,
ad esempio, devozione, giustizia, sobrietà, castità, fedeltà. Ci sono
dignità anche dentro la preghiera: l'intercessione per una vedova,
per un orfano minorenne, per un benefattore, per un uomo
profondamente devoto e fedele; l'intercessione nell'angoscia, nel
dolore, con un mesto senso di partecipazione alle sofferenze
altrui. La tua preghiera entra nelle grazie di Dio, entra nella sua
casa, se la Chiesa leva la sua supplica assieme a te, se tutto il
popolo implora per conciliarsi il favore del Signore.

16.   Ma qual è il contenuto della domanda? La salvezza, la
liberazione, perché già da troppo tempo dura la lotta contro gli
spiriti del male, contro le tentazioni di questo tempo; perché è
gravoso sostenere continuamente il peso d'una milizia, durante
il corso già tanto lungo di questa vita. Tant'è vero che, anche piú
avanti, Davide dice: Ahimè, come si è prolungata la mia permanenza! Si lamenta perché deve prolungare il suo snervante servizio
in armi, senza trovar riposo. Per questo chiede di essere liberato
da tanti avversari e non vuole avere a che fare con uomini legati
solo alla terra.

[19] Si tratta d'una congettura di Ambrogio che va incontro al senso che, piú
chiaramente, postulano le versioni di Aquila (δέησις) e di Simmaco (ἱκεσία): cf.
Origenis Hexaplorum, Field, II, p. 279. Del resto, già il termine ἀξίωμα può avere
il valore di «richiesta», come il piú usuale ἀξίωσις: cf. PLUTARCO, Quaest. conuiual.,
II, 9. 633c.

17.   Sequitur uersus tertius: *Eructabunt labia mea hymnum,*
*cum docueris me iustificationes tuas* [a]. Eructat hymnum, qui potest
dicere: *Bonus enim odor Christi sumus deo* [b], et bene eructat, qui
plurima et suauia praecepta domini gustauerit. Eructat hymnum
qui eructauerit uerbum. Denique et Dauid ante eructauit uerbum
bonum [c], hic eructat hymnum. Bonum enim panem gustauit qui
descendit e caelo [d], bonum panem, quem si quis manducauerit
non morietur in aeternum. Habet uerbum dei epulas suas, alias
fortiores, ut est lex et euangelium, alias suauiores, ut sunt psalmi
et Cantica canticorum. Eructabat hymnum ecclesia uel anima
pia, cui dicebat deus uerbum: *Insinua mihi uocem tuam, quia uox*
*tua suauis est* [e]. Eructabat hymnum, cui dicebat: *Fauum destillant*
*labia tua, o sponsa; mel et lac sub lingua tua* [f].

18.   Sed non potest quis ante eructare hymnum, nisi didicerit
iustitias dei et didicerit ab ipso domino deo suo. Ideo hoc speciali-
ter Dauid petit, ut eum doceat deus; audierat enim et cognouerat
in spiritu, quia unus magister est [a], et ideo ubique ipsum doctorem
fieri postulabat, ut ab ipso disceret iustificationes eius. Quomodo
enim cantare potest in metu positus et timore poenarum? Quomodo cantare potest grauium sibi conscius delictorum, nisi prius
fiat ueniae securus? Denique in posterioribus habes: *Quomodo*
*cantabimus canticum domini in terra aliena?* [b], in qua inpugnetur,
in qua captiuetur in lege peccati [c], in qua defleat atque deploret
suae captiuitatis aerumnas.

19.   Et tu ergo ede scripturarum caelestium cibos et ede, ut
permaneant tibi in uitam aeternam, et ede cotidie, ut non esurias,
ede ut replearis, ede ut uerborum caelestium eructes saginam.
Spiritales epulae non obesse solent, sed prodesse satiatis, ideoque
repleri uolebat propheta, qui dicit: *Repleatur os meum laude tua,*
*ut cantem gloriam tuam* [a]. Qui cantat dei gloriam, hymnum domino
cor eius eructat.

---

17. [a] Ps 118, 171.
   [b] * 2 Cor 2, 15.
   [c] Cf. Ps 44, 2.
   [d] Cf. Io 6, 50.
   [e] * Cant 2, 14.
   [f] * Cant 4, 11.
18. [a] Cf. Mt 23, 8.
   [b] Ps 136, 4.
   [c] Cf. Rom 7, 23.
19. [a] * Ps 70, 8.

17. Prosegue il versetto terzo: *Erutteranno le mie labbra un inno, quando tu mi insegnerai le opere con le quali mi giustifichi.* Erutta un inno l'uomo che può dire: *Noi siamo per Dio il buon odore di Cristo.* E può bene eruttare chi ha gustato quelle vivande copiose e dolci che sono i precetti del Signore. Erutta un inno chi ha eruttato la Parola [20]. Tant'è vero che anche Davide prima ha eruttato la buona Parola e qui erutta un inno. Ha gustato prima il buon pane che discende dal Cielo; il buon pane che chi mangerà non morirà in eterno. La Parola di Dio ha le sue vivande: alcune piú forti, come la Legge e il Vangelo; altre piú soavi, come i Salmi e il Cantico dei Cantici [21]. Eruttava un inno la Chiesa, oppure l'anima fedele, a cui Dio Parola diceva: *Fa' penetrare dentro di me la tua voce, perché la tua voce è soave.* Eruttava un inno lei, a cui Egli diceva: *Le tue labbra, o mia promessa, stillano un favo; miele e latte sotto la tua lingua.*

18. Ma non si può eruttare un inno, se prima non si sono apprese le divine opere di giustizia e se non si sino apprese dallo stesso Signore Dio nostro. Per questo Davide chiede in modo particolare che Dio gli si faccia maestro. Aveva già inteso e saputo in spirito che uno solo è il Maestro: proprio per questo motivo egli dovunque supplicava di avere proprio quello come maestro, per imparare direttamente da Lui le opere con cui lo giustificava. Come si può cantare in uno stato di paura e di timore di punizioni? Come si può cantare quando si è consapevoli di proprie gravi colpe, se prima non si è sicuri di ottenere il perdono? Tant'è vero che piú avanti si trova scritto: *Come canteremo il cantico del Signore in una terra straniera?* In una terra che ci è ostile, che ci tiene prigionieri nella legge del peccato, che ci vede piangere amaramente sulle disgrazie della nostra prigionia?

19. Anche tu dunque mangia le vivande delle Scritture celesti; mangiale per tenertele dentro in vista della vita eterna! Mangiale giorno dopo giorno per non sentire fame! Mangiale per riempirtene; mangiale per eruttare il pingue nutrimento delle parole celesti! Le vivande spirituali non sono nocive per chi se ne sazia, anzi sono giovevoli. È per questo che il profeta voleva riempirsene e diceva: *Si riempia la mia bocca della tua lode, perché io possa cantare la tua gloria.* Il cuore di colui che canta la gloria di Dio erutta un inno al Signore.

[20] Si può cogliere qui un motivo della poetica ambrosiana: l'ispirazione poetica deriva da una pienezza di incontro mistico col divino, che si deposita nell'anima in forza d'una lunga frequentazione di questa con quello e della particolare pregnanza dei testi scritturistici. E poi l'espressività poetica è riconducibile alla riespressione di quell'incontro attraverso quello stesso cibo scritturistico rimuginato (cf. anche 7, 25 e la nota 26). Cosí, dal testo sacro derivano sia l'ispirazione che l'espressione, e il poeta è *solo* organizzatore dei motivi e dell'espressione, ma perché è in primo luogo esegeta. Mi pare che l'innografia ambrosiana rispecchi realmente questa poetica.

[21] Cf. 16, 28 e la nota 32.

La *lex* è *fortior* perché resiste all'ermeneutica: cf. il mio, *La dottrina esegetica...,* pp. 102 s. Sul valore del termine *suauis*, volentieri accostato a testi poetici e alla valenza morale del testo sacro, cf. *Expl. ps. I,* 4-5 e il mio, *La dottrina esegetica...,* pp. 33-34, 105, 135.

20.  Sequitur uersus quartus: *Loquetur lingua mea uerbum tuum, quoniam omnia mandata tua iustitia est* [a]. Qui didicerit iustitias dei, loquitur uerbum dei, et qui uerbum dei loquitur, otiosum uerbum non loquitur [b]. Otiosum uerbum est loqui opera hominum. Ideo sanctus dicit dari sibi a domino gratiam, ut non loquatur os suum opera hominum [c], quia otiosum uerbum est, nec solum otiosum, sed etiam periculosum, pro quo rationem reddituri sumus. Omne enim uerbum otiosum quodcumque locuti fueritis, reddetis pro eo rationem [d]. Non enim mediocre periculum est, ⟨ut⟩, cum habeas tanta eloquia dei et dei opera quae fecit in Genesi, fecit in Exodo, fecit in Leuitico Numeris Deuteronomio, Iesu Naue, Iudicum libro, Regnorum atque Esdrae libris, fecit in euangelio uel Actibus apostolorum, illis praetermissis loquaris quae saeculi sunt, audias quae saeculi sunt. *Saepi aures tuas spinis* [e]; utinam et linguam obsaepias, ne loquaris! Sed, quod peius est, circumdata est lingua tua spinis, quae conpungunt et uulnerant loquentem quae mundi sunt. Ideo aduersarius etiam orantibus frequenter saeculares offundit cogitationes. Si ergo non debemus audire aliena uel superflua, quanto magis non debemus obloqui, cum dicat unicuique nostrum scriptura uenerabilis: *Argentum et aurum tuum alliga et ori tuo fac iugum et pondus!* [f]. Alliga sensum tuum fida taciturnitate, alliga sermones tuos, inpone iugum ori tuo, ne indomita uerborum ceruice se iactet, inpone pondus, ut cauto omnia quae loquimur trutinemus examine. Quibus tamen spinis ut saepias aures tuas scriptura tibi dicit nisi contrito corde [g] et timore iudicii? Salubriter ista conpungunt, stimulant ista, non uulnerant, licet et uulnera utilia sint amici [h].

21.  *Omnia*, inquit, *mandata dei iustitia est* [a], quia sunt mandata iustitiae et ideo sine iustitia esse non possunt, mandatum dei est, ut diligas deum tuum [b]. Vnde ait Paulus: *Qui enim diligit proximum suum legem impleuit. Scriptum est enim: Non adulterabis, non occides, non furaberis, non concupisces, et si quod est aliud mandatum, in hoc uerbo instauratur* [c]. Si in ipso uerbo instauratur

20. [a] * Ps 118, 172.
    [b] Cf. Mt 12, 36.
    [c] Cf. Ps 16, 4.
    [d] Cf. Mt 12, 36.
    [e] Eccli 28, 24 (28).
    [f] * Eccli 28, 24-25 (29).
    [g] Cf. Ps 50, 19.
    [h] Cf. Prou 27, 6.
21. [a] * Ps 118, 172.
    [b] Cf. Deut 6, 5.
    [c] * Rom 13, 8-9.

20. Prosegue il versetto quarto: *La mia lingua pronuncerà la tua parola, poiché giustizia è ogni tuo comandamento*. Chi ha appreso le opere di giustizia di Dio, pronuncia la Parola di Dio; e chi pronuncia la Parola di Dio, non pronuncia una parola oziosa [22]. Parola oziosa è pronunciare le opere dell'uomo. Perciò l'uomo di Dio dice di ricevere dal Signore la grazia di non pronunciare con la sua bocca le opere dell'uomo: sarebbe questa una parola oziosa; e non solo oziosa, ma anche pericolosa, della quale dovremmo rendere conto. Infatti, di ogni parola oziosa che avrete pronunciato, renderete conto. E non si tratta di piccolo pericolo se, pur avendo a tua disposizione detti e imprese così importanti di Dio — espressi nella Genesi, nell'Esodo, nel Levitico, nei Numeri, nel Deuteronomio, nel Libro di Giosuè, dei Giudici, nei Libri dei Re e di Esdra, nel Vangelo e negli Atti degli Apostoli [23] —, tu li tralasci tutti e pronunci e ascolti parole di questo mondo. *Poni una siepe di spine attorno alle tue orecchie!*: e magari recintassi anche la lingua, per impedirle di parlare! Ma — e questo è anche peggio — è stata, sí, recintata di spine la tua lingua, ma queste pungono e feriscono chi pronuncia parole mondane. E per questo l'Avversario diffonde una nebbia di pensieri mondani spesso anche sull'uomo che sta in preghiera. Se dunque non dobbiamo prestare ascolto a parole estranee o superflue, a maggior ragione non dobbiamo ad esse replicare. A ciascuno di noi infatti la Scrittura venerabile dice: *Lega insieme il tuo argento e il tuo oro e poni un giogo e un peso alla tua bocca!* Lega insieme il tuo pensiero con una sicura taciturnità; lega insieme i tuoi discorsi, poni un giogo alla tua bocca, perché non insuperbisca, levando alta la testa spavalda delle parole; poni sopra di essa il peso della bilancia, per soppesare con attento esame tutto ciò che diciamo. Eppure, con quali spine la Scrittura ti dice di recintare le tue orecchie, se non con un cuore contrito e con il timore del giudizio? Queste, sí, sono trafitture salutari, che stimolano senza ferire. Per quanto, di un amico, sono utili anche le ferite.

21. *Giustizia* — si dice — *è ogni comandamento di Dio*, perché questi sono i comandamenti della giustizia e perciò non possono essere sprovvisti di giustizia. Comandamento di Dio è amare il tuo Dio. Perciò Paolo esclama: *Chi ama il prossimo suo, ha adempiuto la legge*. Sta scritto infatti: «*Non fornicare, non ammazzare, non rubare, non desiderare*», e qualsiasi altro comandamento è ricapitolato in questa parola. Se nella Parola stessa si ricapitola

---

[22] Cosí in ORIGENE, in HARL, SCh 189, p. 464, 1-4; ATANASIO, *Exp. ps. CXVIII*, 172 (PG 27, 508 C).

[23] I libri storici della Scrittura sono da Ambrogio colti nel loro significato di espressione degli *opera Dei*. La scelta della *storia sacra* rientra in maniera privilegiata nella tradizione catechetica della Chiesa antica: cf. J. DANIÉLOU - R. DU CHARLAT, *La catechesi nei primi secoli*, trad. it., Torino-Leumann 1969, pp. 223-235.

omne mandatum quod uerbum iustitia est — quid enim tam
iustum quam ut diligas deum tuum et diligas fratrem tuum? —,
utique omnia dei mandata iustitia est. Sicut enim qui occidere
potest, fratrem utique non diligit, qui adulterat fratris uxorem
utique non diligit fratrem, qui furatur, qui concupiscit alienum
utique non diligit eum quem fraudare desiderat, ita qui superbe
despicit fratrem, qui eum deformare conatur, qui pascitur eius
iniuriis, a consortio caritatis alienus est.

22. Sequitur uersus quintus: *Fiat manus tua saluum facere
me, quoniam mandata tua elegi* [a]. Aduentum domini uidetur orare,
quia manus dei Christus est. Ipsum legimus dexteram dei, de quo
supra ait: *Dextera domini fecit uirtutem, dextera domini exaltauit
me* [b]. Cur ergo hic manum dixit, nisi forte non solum propter
diuersitatem gratiae [c], quam scriptores non praetermittere solent,
sed etiam propter quandam proprietatem manuum dictum est,
ut ibi dextera dicatur, ubi scribitur quod exaltauit eum uirtute,
hic manus, ubi intellegi oporteat quod eum humilitate seruauit [d]?
Potest et sic intellegi manus domini sicut dicitur in usu: «Magna
est manus illius regis», hoc est magnus exercitus, et «illius inferior
manus est», ut etiam hic intellegamus: «Fiat adiumentum tuum
atque subsidium, ut mittas angelos tuos, opem tuam, subsidia
potentiae tuae ad liberandum populum tuum». Haec est manus
dei de qua scriptum est: *Nonne omnes ministri spiritus qui mittuntur in ministerium propter eos, qui futuri erunt heredes salutis?* [e]
Qui ergo elegit mandata dei, utitur confidentia, ut cum auctoritate
deposcat sibi diuina subsidia.

23. Sequitur uersus sextus: *Concupiui salutare tuum, domine,
et lex tua meditatio mea est* [a]. Alius longaeuitate uitae istius delectatur et concupiscit usque ad depositae finem senectutis corporis
huius uitam producere. Alii franguntur aegritudinis infirmitate,
de quibus nemo potest dicere: *Cum infirmor, tunc potens sum* [b].
Beatos se putant, si inoffensa ualitudinis commoditate potiantur,

22. [a] * Ps 118, 173.
   [b] Ps 117, 16.
   [c] Cf. Rom 12, 6; 1 Cor 12, 4.
   [d] Cf. Ps 118, 153.
   [e] * Hebr 1, 14.
23. [a] Ps 118, 174.
   [b] 2 Cor 12, 10.

21, 10 *inter* fratrem *et* utique *Petschenig alterum* ⟨fratrem⟩ *inseruit.*
22, 6 scriptores *codd.,* scripturae *Petschenig.*

ogni comandamento, perché la Parola è giustizia (che cos'è altrettanto giusto dell'amare il tuo Dio e dell'amare il tuo fratello?),
ne consegue che ogni comandamento di Dio è giustizia. Infatti
chi può ammazzare il fratello, non ama di certo; chi commette
adulterio con la moglie del fratello, non ama certo il proprio
fratello; chi ruba, chi desidera la roba d'altri, non ama certo colui
che desidera derubare. Allo stesso modo, chi, dall'alto della sua
superbia, disprezza il fratello; chi cerca in ogni maniera di deni-
grarlo; chi si diverte ad offenderlo, non partecipa alla comunità
dell'amore.

22.   Prosegue il versetto quinto: *Giunga la tua mano a render-
mi salvo, poiché io ho scelto i tuoi comandamenti*. Pare che qui
egli preghi per la venuta del Signore, se è vero che la mano di
Dio è Cristo. Abbiamo letto che mano di Dio è proprio Lui, del
quale sopra si dice: *La destra del Signore ha fatto prodigi, la destra
del Signore mi ha esaltato*. Perché qui dunque ha usato il termine
«mano» [24]? Non solo forse per una *variatio* stilistica, a cui gli
scrittori non sanno rinunciare, ma anche per rispettare una certa
caratteristica delle mani: si usa «destra» quando si vuole esprimere l'esaltazione sua ad opera della potenza; qui si dice «mano»,
perché è giusto far capire che si tratta di una salvezza operata
dall'umiltà [25]. Si può interpretare il termine «mano» del Signore
anche in quest'altro modo corrente nell'uso: ad esempio, «grande
è la mano di quel re», ossia «ha un grande esercito»; e «piú
debole è la mano di quello». Di modo che anche qui abbiamo
ad intendere in modo analogo: «Venga il tuo aiuto e il tuo soccorso, in modo che tu mandi i tuoi angeli, la tua forza, i soccorsi
della tua potenza, per liberare il tuo popolo». Questa è la mano
di Dio, a proposito della quale sta scritto: *Non è forse vero che
sono tutti ministri dello Spirito, essi che sono inviati al servizio di
coloro che sono destinati ad essere eredi della salvezza?* Dunque,
l'uomo che ha scelto i comandamenti di Dio assume l'atteggiamento ardito di chi chiede con diritto il soccorso divino.

23.   Prosegue il versetto sesto: *Ho desiderato ardentemente
la tua salvezza, o Signore, e la tua legge è la mia riflessione*. C'è
chi ripone la propria soddisfazione nella lunghezza di questa vita
e desidera protrarre questa vita fisica fino all'estremo limite della
decrepita vecchiaia. Altri si lasciano abbattere dagli acciacchi
della malattia, a proposito dei quali non si può certo dire che
*quando sono debole, è allora che sono potente*. Si ritengono felici
se godono d'una condizione fisica di benessere, perché per costoro

---

[24] Trattazione e citazione (Ebr 1, 14) simili in ORIGENE, in HARL, SCh 189, p.
466, 173c, 1-7.
[25] L'immagine della *mano* indica una generica umiltà operosa, mentre quella
della *destra* indica la potenza.

quibus non est infirmitas ad salutem <sup>c</sup>. Horum quoque nemo potest dicere: *Concupiui salutare tuum, domine* <sup>d</sup>; suam enim magis salutem quam salutare dei quaerunt, medicis potius quam scripturis oboedientes. Contraria autem studiosis diuinae cognitionis praecepta medicinae sunt; a ieiunio reuocant, lucubrare non sinunt, ab omni intentione meditationis abducunt. Itaque qui se medicis dederit, se ipsum sibi abnegat; qui autem quaerit salutare dei, Christum sequitur, qui dicitur salus dei <sup>e</sup>, non quae corporis, sed quae aeterna sunt quaerens, cum hoc in corpore conuersetur. Qui autem salutem dei quaerit, die utique et nocte meditatur in lege <sup>f</sup>. Iugis illi meditatio est diuinorum decretorum neque aliqua cura corporis huius auertitur a studio disciplinae.

24.    Sequitur uersus septimus: *Viuet anima mea et laudabit te, et iudicia tua adiuuabunt me* <sup>a</sup>. Futurae utique uitae, non praesentis sibi remuneratione blanditur. Haec enim uita quomodo dici potest, de qua scriptum est: *Et in puluerem mortis deduxisti me* <sup>b</sup>? Quam multi uiuentes in inferno sunt! Ipse Paulus cupiebat de mortis huius corpore liberari <sup>c</sup>, qui uere concupiuit salutare dei dicens: *Dissolui enim cupio et cum Christo esse, multo enim melius; permanere autem in carne magis necessarium* <sup>d</sup> quam uoluntarium. Quomodo ergo uiuit anima operta mortis inuolucro aut quae est uita, quae in umbra est? In regione umbrae mortis sumus <sup>e</sup>, abscondita est uita nostra <sup>f</sup>, non libera; erit enim libera in regione uiuorum, in qua fiduciam conplacendi iustus adsumit, ut placeat domino in regione uiuorum <sup>g</sup>. Ibi ergo uiuit anima nostra, ubi nihil mortale, nihil infirmum amicta sit, nihil debitum poenae.

25.    Ibi laudabit dominum, ubi deposito infirmitatis corpore conformis esse coeperit gloriae corporis Christi <sup>a</sup>. Nam dum in peccato sumus, plene laudare qui possumus? *Peccatori* enim *dixit*

<sup>c</sup> Cf. 2 Cor 12, 9.
<sup>d</sup> Ps 118, 174.
<sup>e</sup> Cf. Act 28, 28.
<sup>f</sup> Cf. Ps 1, 2.
24. <sup>a</sup> Ps 118, 175.
<sup>b</sup> Ps 21, 16.
<sup>c</sup> Cf. Rom 7, 24.
<sup>d</sup> * Phil 1, 23-24.
<sup>e</sup> Cf. Is 9, 2.
<sup>f</sup> Cf. Col 3, 3.
<sup>g</sup> Cf. Ps 114, 9.
25. <sup>a</sup> Cf. Phil 3, 21.

24, 13 uiuit *codd.*, uiuet *Petschenig*.

la debolezza non serve alla salvezza. Nessuno, nemmeno tra costoro, può dire: *Ho desiderato ardentemente la tua salvezza, o Signore.* Questi cercano la loro salute piuttosto che la salvezza di Dio, e si attengono ai medici piú che alle Scritture. Invece, gli uomini appassionati della conoscenza di Dio ritengono che le prescrizioni della medicina siano contrastanti con le proprie: quelle mediche sconsigliano i digiuni, non permettono che si passino le notti insonni, distolgono dall'applicarsi alla riflessione. E cosí, la persona che si è messa nelle mani dei medici rinuncia ad essere padrona di se stessa. Invece, la persona che cerca la salvezza di Dio si mette al seguito di Cristo — che è chiamato salvezza di Dio — e cerca non il bene del corpo, ma il bene eterno, pur vivendo in questo corpo [26]. La persona che cerca la salvezza di Dio riflette sulla legge giorno e notte. Senza tregua è la sua riflessione sui voleri di Dio e non c'è preoccupazione corporale che la possa distogliere dalla passione per questa materia.

24.   Prosegue il versetto settimo: *Vivrà l'anima mia e ti loderà, e i tuoi giudizi saranno un aiuto per me.* Certo, è mediante la ricompensa di una vita futura, e non della presente, che colui che parla cosí lusinga se stesso. Come può trattarsi di questa vita, se di essa sta scritto: *E nella polvere della morte mi hai trascinato?* Quanti si trovano all'inferno già da vivi! Paolo stesso desiderava di essere liberato dal corpo di questa morte, mentre desiderava ardentemente — lui, sí, per davvero — la salvezza *di Dio*, quando diceva: *Desidero essere dissolto e stare con Cristo, che è molto meglio. Ma restare nella carne è piú necessario* che volontario. Come dunque può vivere la carne, ricoperta da un involucro di morte? O, che vita è quella che sta nell'ombra? Noi siamo nella regione dell'ombra della morte, la nostra vita è nascosta, non è libera. Sarà libera nella regione dei vivi, laddove il giusto acquista la fiduciosa certezza di essere gradito, gradito al Signore nella regione dei viventi. Là, dunque, vive la nostra anima, dove non c'è traccia di morte, dove non c'è traccia di infermità che la rivesta, dove non c'è traccia di punizione da scontare.

25.   Loderà il Signore in quel luogo dove ha deposto il corpo della debolezza ed ha cominciato ad essere conforme al corpo di gloria di Cristo. Finché siamo sotto il peccato, chi di noi può rendere piena lode? *Al peccatore Dio ha detto: «Perché vai raccon-*

---

[26] Il tema segue da vicino ORIGENE (?), in HARL, SCh 189, p. 468, 6-10; ILARIO, *Tract. ps. CXVIII*, 22, 5 (CSEL 22, p. 542). La ripresa da parte di Ambrogio depone a favore dell'originalità origeniana del motivo.

*deus: Quare tu enarras iustitias meas?* [b]. In umbra sumus hic positi, in umbra uiuimus, in umbra laudamus; perfecte in umbra laudare non possumus. In terra aliena sumus; denique audisti in posterioribus dicentes: *Quomodo cantabimus canticum domini in terra aliena?* [c].

26.   Adiuuant autem iudicia dei sanctos, cum bonis operibus remuneratio uitae confertur aeternae. Beatus qui dicit: *Et iudicia tua adiuuabunt me* [a]. Ego infirmus, ego peccator timeo iudicia dei propter conscientiam delictorum, mihi terrorem adferunt, me exagitant; sanctos adiuuant. Sed tamen iuuabunt etiam peccatorem, licet diuerso modo. Sanctus adiuuabitur, dum probatur, peccator adiuuabitur, dum humiliatur, dum castigatur, ut peccata soluat duplicia [b], dum opus eius exuritur, ut ipse saluus fiat, sic tamen quasi per ignem [c]. Fortassis etiam sic conuenit sensus: si dignus fuero iudicio, dignus ero ut exuar consortiis impiorum, quoniam *non resurgunt impii in iudicium* [d], et iuuabunt me iudicia, quoniam qui credit in domino non iudicatur [e]. Proderit illi fides et suffragabitur ad ueniam, etiamsi qua in operibus offensa sit.

27.   Sequitur uersus octauus: *Erraui sicut ouis quae perierat. Viuifica seruum tuum, quoniam mandata tua non sum oblitus* [a]. Graecus habet: *Quaere seruum tuum* [b], hoc est ζήτησον, et potuit falli scriptor, ut scriberet ζῆσον, quod est *uiuifica.* Sensus quidem uterque constat, sed oportunior est huic loco: *Quaere seruum tuum* [c], quoniam ouis quae errauit quaerenda est a pastore [d], ne pereat. Ideo dicit «erraui». *Dic et tu iniquitates tuas, ut iustificeris* [e]. Quod lapsum fateris, in eo tibi cum omnibus commune consortium est, quia nemo sine peccato. Negare hoc sacrilegium est — solus enim deus sine peccato est —, confiteri hoc deo inpunitatis remedium est. *Erraui*, inquit — sed qui errauit in uiam potest redire, in uiam reuocari potest — et pulchre addidit: *sicut ouis quae perierat* [f]; non enim perit qui agnoscit errorem.

[b] Ps 49, 16.
[c] Ps 136, 4.
26. [a] Ps 118, 175.
   [b] Cf. Is 40, 2.
   [c] Cf. 1 Cor 3, 15.
   [d] * Ps 1, 5.
   [e] Cf. Io 3, 18.
27. [a] * Ps 118, 176.
   [b] Ibid.
   [c] Ibid.
   [d] Cf. Lc 15, 4.
   [e] * Is 43, 26.
   [f] * Ps 118, 176.

25, 7   dicentes *codd.,* dicentem *Petschenig.*

*tando le mie opere di giustizia?*». Quaggiú noi siamo situati nell'ombra, viviamo nell'ombra, lodiamo nell'ombra: ma nell'ombra non possiamo lodare perfettamente. Siamo in terra straniera. Tant'è vero che hai sentito, in un passo successivo, quelli che dicevano: *Come canteremo il cantico del Signore in una terra straniera?*

26.    Però i giudizi di Dio sono di aiuto ai santi, quando alle buone opere è attribuita la ricompensa della vita eterna. Beato l'uomo che dice: *E i tuoi giudizi saranno un aiuto per me.* Io che sono debole, io che sono peccatore, temo i giudizi di Dio perché ho coscienza delle mie colpe, ed esse mi fanno paura, mi sconvolgono, mentre sono un aiuto per i santi. Eppure quei giudizi saranno un aiuto anche per il peccatore, sia pure in modo diverso [27]. Il santo riceverà il loro aiuto nel momento in cui viene messo alla prova. Il peccatore, invece, quando viene abbassato, quando viene castigato in modo da pagare una pena che è il doppio dei peccati, quando saranno incenerite le sue opere, per far vivere lui, anche se come attraverso il fuoco. Forse il senso torna anche se si interpreta cosí: se sarò degno del giudizio, sarò degno di liberarmi della compagnia di chi non ha fede, perché *chi non ha fede, non risorge per il giudizio.* E saranno un aiuto per me i giudizi, perché chi crede nel Signore non viene giudicato. Gli gioverà la sua fede e gli varrà ad ottenere il perdono, anche se le sue opere recano traccia di offesa a Dio.

27.    Prosegue il versetto ottavo: *Sono andato errando come una pecora che si era perduta. Infondi vita al tuo servo, se è vero che non ho scordato i tuoi comandamenti.* Il testo greco porta «cerca il tuo servo», cioè ζήτησον (*zētēson*). Può trattarsi anche di un errore dello scriba nello scrivere ζῆσον [28] (*zēson*), cioè «infondi vita». Certo, entrambi i sensi sono accettabili, ma in questo passo è piú calzante «cerca» il tuo servo [29], perché si tratta qui di un pastore che deve andare alla ricerca della pecora che è andata errando, acciocché non si perda. Per questo c'è il verbo «sono andato errando». *Dichiara anche tu le tue ingiustizie per essere giustificato.* La confessione della tua colpa ti situa nella condizione comune a tutti, perché nessuno è senza peccato. Negare questo è un sacrilegio — Dio solo è senza peccato —; confessarlo apertamente a Dio è già un correttivo alla tua impudenza. *Sono andato errando* — dice — ma chi è andato errando può tornare sulla strada, può esservi richiamato. E bene ha soggiunto: *come una pecora che si è perduta*: non si perde chi riconosce il proprio errore.

---

[27] Stessa trattazione in ORIGENE, in HARL, SCh 189, pp. 468, 4 - 470, 8.
[28] È attestata nella tradizione dei Settanta anche questa lezione, dalla quale discende la traduzione della *Vetus Latina.*
[29] Questa lezione è confermata in *De laps. uirg.*, 51.

28. *Quaere*, inquit, *seruum tuum, quoniam mandata tua non sum oblitus* [a]. Veni ergo, domine Iesu, quaere seruum tuum, quaere lassam ouem tuam, ueni, pastor, quaere sicut oues Ioseph. Errauit ouis tua, dum tu moraris, dum tu uersaris in montibus [b]. Dimitte nonaginta nouem oues tuas et ueni unam ouem quaerere quae errauit [c]. Veni sine canibus, ueni sine malis operariis, ueni sine mercennario, qui per ianuam introire non nouerit [d]. Veni sine adiutore, sine nuntio, iam dudum te expecto uenturum; scio enim uenturum, *quoniam mandata tua non sum oblitus* [e]. Veni non cum uirga, sed cum caritate spirituque mansuetudinis [f].

29. Noli dubitare relinquere in montibus nonaginta nouem oues tuas, quia in montibus constitutas lupi rapaces incursare non possunt. In paradiso semel nocuit serpens; amisit ibi escam, postquam Adam inde depulsus est; illic iam nocere non poterit. Ad me ueni, quem luporum grauium uexat incursus. Ad me ueni, quem eiectum de paradiso serpentis diu ulceris uenena pertemptant, qui erraui a gregibus tuis illis superioribus. Nam et me ibidem conlocaueras, sed ab ouilibus tuis lupus nocturnus auertit. Quaere me, quia te requiro, quaere me, inueni me, suscipe me, porta me. Potes inuenire quem tu requiris, dignaris suscipere quem inueneris, inponere umeris quem susceperis. Non est tibi pium onus fastidio, non tibi oneri est uectura iustitiae. Veni ergo, domine, quia, etsi erraui, tamen *mandata tua non sum oblitus* [a], spem medicinae reseruo. Veni, domine, quia et erraticam solus es reuocare qui possis [b] et quos reliqueris non maestificabis; et ipsi enim peccatoris reditu gratulabuntur. Veni, ut facias salutem in terris, in caelo gaudium.

30. Veni ergo et quaere ouem tuam non per seruulos, non per mercennarios, sed per temet ipsum. Suscipe me in carne quae in Adam lapsa est. Suscipe me non ex Sarra, sed ex Maria, ut incorrupta sit uirgo, sed uirgo per gratiam ab omni integra labe peccati. Porta me in cruce quae salutaris errantibus est, in qua sola est requies fatigatis, in qua sola uiuent quicumque moriuntur.

---

28. [a] Ibid.
   [b] Cf. Gen 37, 14.
   [c] Cf. Lc 15, 4.
   [d] Cf. Io 10, 12.9.
   [e] * Ps 118, 176.
   [f] Cf. 1 Cor 4, 21.
29. [a] Ps 118, 176.
   [b] Cf. Lc 15, 6-7.

28.  *Cerca il tuo servo* — egli dice — *se è vero che non ho scordato i tuoi comandamenti*. Vieni, dunque, Signore Gesú, cerca il tuo servo, cerca la tua pecora spossata. Vieni, pastore [30], cerca, come cercava le pecore Giuseppe. È andata errando la tua pecora finché Tu indugiavi, finché Tu ti intrattenevi sui monti. Lascia stare le tue novantanove pecore e vieni a cercare quell'una che è andata errando. Vieni senza i cani, vieni senza rudi salariati, vieni senza il mercenario che non sa passare attraverso la porta. Vieni senza aiutante, senza intermediari, ché già da tanto tempo sto aspettando la tua venuta. So che stai per venire, *se è vero che non ho scordato i tuoi comandamenti*. Vieni, ma senza bastone; con amore invece e con atteggiamento di clemenza.

29.  Non esitare ad abbandonare sui monti le tue novantanove pecore, perché, fin che stanno sui monti, non subiscono gli attacchi dei lupi rapaci. Nel paradiso, solo una volta il serpente ha potuto nuocere, ma vi ha perduto l'esca, dacché Adamo ne è stato cacciato, e non vi può piú nuocere. Vieni piuttosto da me, che sono oppresso dall'attacco dei lupi feroci. Vieni da me che, cacciato dal paradiso, subisco da un pezzo i morsi del veleno nella piaga provocata dal serpente; da me che sono andato errando lontano da quel tuo gregge sui monti. Perché anch'io ero stato collocato da Te lassú, ma il lupo della notte mi ha distolto dai tuoi ovili. Cerca me, perché io ricerco Te. Cercami, trovami, sollevami, portami [31]. Tu puoi trovare quello che ricerchi. Tu accetti di prendere su di Te quello che hai trovato [32]; di porre sulle tue spalle quello che hai accolto. Non ti dà noia un peso d'amore, non ti è di peso un trasporto che sa di giustizia. Vieni dunque, o Signore, se è vero che, anche se posso aver errato, *non ho però scordato i tuoi comandamenti*. Vieni, o Signore, perché Tu sei l'unico che possa far tornare indietro una pecora vagabonda, senza far rattristare quelli che hai lasciato. Perché anche loro si rallegreranno del ritorno del peccatore. Vieni ad operare la salvezza sulla terra, la gioia in Cielo.

30.  Vieni, dunque, e cerca la tua pecora; ma non farla cercare dai servitori o dai mercenari; cercala tu di persona! Accogli me con quella carne che è caduta in Adamo. Accoglimi non da Sarra, ma da Maria, di modo che si tratti, sí, d'una vergine inviolata, ma d'una vergine che la grazia ha reso immune da ogni macchia di peccato. Portami sulle spalle nella croce, che è salvezza degli erranti, nella quale sola trova riposo chi è stanco, nella quale sola trova vita l'uomo che muore.

---

[30] L'accostamento di *quaere* (ζήτησον) all'immagine del «buon pastore» deve essere di derivazione origeniana, perché è presente in DIDIMO, in HARL, SCh 189, pp. 470 s. e in ATANASIO, *ibid.*, p. 472. Cf. anche il commento della HARL, in SCh 190, pp. 776-778. Ambrogio però sviluppa il motivo in senso eucologico (cc. 28-30 e oltre).

[31] Cf. ORIGENE, in HARL, SCh 189, p. 472, 3-4: «ζήτησόν» με εὑρέ με ἀνάλαβέ με ἐπάνελθε ἔχων με.

[32] Suggestiva è la proposta di correzione del Castiglioni, che crea un bel parallelismo: *potes inuenire quem tu requiri[s] dignaris, suscipere quem inuenis*: *Spigolature ambrosiane...*, p. 121.

31.   Pulchre autem etiam *uiuifica* ª potest dici, eo quod mori non possit quem humeris suis uirtus portauerit.

32.   Dicit ergo et anima, dicit et ecclesia: ̃*Err... sicut ouis quae perierat* ª; sed dicit: *Quaesiui quem dilexit anima mea* ᵇ. Hoc est dicere: *Viuifica seruum tuum, quoniam mandata tua non sum oblitus* ᶜ. Ego te quaesiui, sed inuenire non possum, nisi tu uolueris inueniri. Et tu quidem uis inueniri, sed uis diu quaeri, uis diligentius indagari. Nouit hoc ecclesia tua, quia non uis ut te dormiens quaerat, non uis ut iacens te inuestiget. Denique pulsas ad ianuam ᵈ, ut excites dormientem, exploras, si cor uigilat et caro dormit. Vis iacentem leuare dicens: *Surge qui dormis et exsurge a mortuis* ᵉ. Mittis manum per cauernam ᶠ, ut surgat, et, si tardius surrexerit, derelinquis. Vis ut quaerat iterum et quaerat a multis et non obliuiscatur quaerere; non obliuiscatur sermones tuos, et, si tenet eos, offeras te uidendum, non refugias teneri.

33.   Quae cum te meruerit amplecti, ostendet fructus suos, docebit non oblitam se mandatorum tuorum, dicet tibi: *Veni, frater meus, exeamus in agrum, et in foribus nostris omnis fetus arborum, noua et uetera, frater meus, seruaui tibi* ª. Hoc est dicere: «Teneo mandata omnia noui et ueteris testamenti». Sola hoc dicere ecclesia potest. Non dicit alia congregatio, non dicit synagoga, nec secundum litteram noua tenens nec secundum spiritum uetera. Non dicit haeresis Manichea: «Vetera seruaui tibi», quae prophetas non suscipit. Merito dealbata cernitur ᵇ quae utriusque fulget gratia testamenti.

34.   Respondit ei sponsus: *Pone me ut signaculum in cor tuum, ut sigillum in brachium tuum* ª, quae noua et uetera seruasti mihi. Signaculum meum es, ad imaginem meam es et similitudinem. Fulget in te imago iustitiae, imago sapientiae, imago uirtutis. Et quia imago dei in corde est tuo, sit et in operibus tuis, sit

31. ª * Ps 118, 176.
32. ª * Ibid.
    ᵇ * Cant 3, 1.
    ᶜ * Ps 118, 176.
    ᵈ Cf. Cant 5, 2.
    ᵉ Eph 5, 14.
    ᶠ Cf. Cant 5, 4-6.
33. ª * Cant 7, 11.13 (12.14).
    ᵇ Cf. Cant 8, 5.
34. ª * Cant 8, 6.

32, 2   *post* sed *Petschenig addidit* ⟨et⟩.
   12   et *codd.*, ut *Petschenig.*
34, 1   Respondit *codd.*, Respondet *Petschenig. Cf. 2, 2.8.13; 8, 9.*

31. Ma si può dire altrettanto bene «infondi vita»[33], dal momento che non può provare la morte l'uomo che la Potenza ha portato sulle sue spalle.

32. È l'anima dunque che parla; ed è la Chiesa che parla: *Sono andata errando come una pecora che si era perduta.* Ma dice: *Ho cercato colui che l'anima mia ha amato.* È come dire: *Infondi vita al tuo servo, se è vero che non ho scordato i tuoi comandamenti.* Io ti ho cercato, ma non sono capace di trovarti, se tu non ti fai trovare. Ma Tu vuoi farti trovare, sí, ma vuoi farti cercare a lungo, vuoi farti scovare con maggiore zelo. Lo sa la tua Chiesa, perché Tu non vuoi che ti cerchi da addormentata, non vuoi che cerchi le tue tracce stando a letto. Tant'è vero che Tu bussi alla sua porta, per svegliare chi sta dormendo; ti accerti se desta sia la mente e dorma la carne. Tu vuoi che chi sta a letto si alzi, quando dici: *Svegliati, alzati e sollevati dai morti!* Tu introduci la mano attraverso la fessura perché si alzi, e se tarda ad alzarsi tu l'abbandoni. Tu vuoi che cerchi un'altra volta, che cerchi in molti posti e che non si scordi di cercare. Vuoi che non scordi i tuoi discorsi e, se essa li conserva, ti piace offrirti al suo sguardo e non sottrarti al suo amplesso.

33. Ed essa, quando otterrà il tuo amplesso, mostrerà i suoi frutti; insegnerà come non abbia scordato i tuoi comandamenti e ti dirà: *Vieni, mio diletto, usciamo alla campagna! Alle nostre porte sta ogni prodotto delle piante: nuovi e vecchi, o mio diletto, li ho messi in serbo per te.* È come dicesse: «Conservo tutti i comandamenti, del Nuovo e dell'Antico Testamento». Cosí può parlare solo la Chiesa[34]. Non lo può dire nessun'altra assemblea: non la Sinagoga, che non sa conservare il nuovo secondo la lettera né il vecchio secondo lo spirito. Nemmeno l'eresia manichea può dire: «Ho messo in serbo per te l'antico», perché essa non accetta i Profeti. Giustamente invece appare tutta bianca lei che risplende della bellezza dei due Testamenti[35].

34. A lei lo Sposo ha risposto: «*Poni me a sigillo del tuo cuore, a sigillo del tuo braccio,* tu che cose nuove e cose vecchie hai messo in serbo per me. Tu sei il mio sigillo, tu sei a mia immagine e somiglianza. Risplende in te l'immagine della giustizia, l'immagine della sapienza, l'immagine della virtú. E, visto che c'è nel tuo cuore, l'immagine di Dio stia anche nelle tue opere;

---

[33] Solo in questa forma il Sal CXVIII, 176 è citato in *De Spir. Sanct.*, II, 29.

[34] L'esatta ermeneutica della Scrittura è possesso solo della Chiesa, che è depositaria dell'Antico e del Nuovo Testamento: cf. J. Huhn, *Bewertung und Gebrauch der Heiligen Schrift durch den Kirchenvater Ambrosius*, in «Historisches Jahrbuch der Görresgesellschaft», 77 (1958) (= B. Altaner... an seinen 70. Geburtstag), p. 395 (con i passi ivi riportati). Sul rapporto tra Scrittura e Chiesa, cf. anche Toscani, *Teologia della Chiesa...*, pp. 94-146.

[35] Agostino, riprendendo forse e superando, afferma: *Vtique dealbata qiua innouata; unde nisi mandato nouo (scil.* dell'amore vicendevole) ?: *Tract. Ioh.*, LXV, 1 (CChL 36, p. 451): cf. Tajo, *Un confronto tra...*, p. 137.

effigies euangelii in tuis factis, ut in tuis moribus mea praecepta custodias. Effigies euangelii erit in te, si percutienti maxillam alteram praebeas [b], si diligas inimicum tuum, si crucem tuam tollas et me sequaris [c]. Ideo crucem ego pro uobis portaui, ne tu propter me portare dubitares.

35.    Audierunt hoc filiae Hierusalem, quod iam dominus Iesus sibi ecclesiam copulabat et, quia considerantes magnitudinem uerbi imparem tantis nuptiis aestimabant, ne forte copulae pondus sustinere non posset, excusant dicentes: *Soror nobis parua et ubera non habet* [a]. Sic enim qui uolunt differre nuptias excusare consuerunt, ut praetendant inmaturae aetatis infirmitatem et adstruant, quod ubera non habeat, quae nubilis significant tempus aetatis. Hoc solet symbolum commune omnibus uirginibus esse nupturis, ut, cum ubera coeperint eminere, tunc coniunctioni habiles iudicentur.

36.    Turbatae igitur, quod studio dilectionis urgeat nuptias sponsus, dicunt: *Quid faciemus sorori nostrae in die qua loquitur in ea?* [a]. Vel, ut Symmachus, *qua loquitur ei* [b], hoc est: sponsalium celebritate solet fieri conlocutio et confirmatio nuptiarum. Quid ergo faciemus, dicunt turbatae, quia urgetur coniunctio spiritalis? A tantis nuptiis excusare non possunt; nemo est enim qui copulam uel animae et spiritus uel Christi et ecclesiae non beatam putet. Sed quia plenitudo uerbi uel spiritus sancti uibrat et fulget et nihil est quod ei possit aequari, ideo differre desiderant, ut illa dilatione uel anima uel ecclesia possit esse perfectior.

37.    Dicunt ergo: *Si murus est, aedificemus super eum receptacula; et si ianua est, sculpamus super eam tabulas cedrinas* [a]. Murus est anima sancti. Habet et ecclesia muros suos, quae iam perfectior dicit: *Ego ciuitas munita* [b]. Hic est murus qui habet duodecim portas apostolicas, per quas populo nationum patet ingressus in ecclesiam. Sed murus quamuis ambitum totius urbis includat,

---

[b] Cf. Mt 5, 39.
[c] Cf. Mt 5, 44; 16, 24.
35. [a] * Cant 8, 8.
36. [a] * Ibid.
    [b] Symmachus, Cant 8, 8.
37. [a] * Cant 8, 9.
    [b] * Is 27, 3.

l'effigie del Vangelo stia nelle tue azioni; che si veda che tu, nel tuo modo di vivere, conservi fedelmente le mie prescrizioni. Ci sarà in te l'effigie del Vangelo, se tu offrirai l'altra guancia a chi ti percuote, se amerai il tuo nemico, se prenderai la tua croce e mi seguirai. Io ho portato per voi la croce, proprio perché tu non esitassi a portarla a causa mia».

35. Hanno inteso, le figlie di Gerusalemme, che il Signore Gesú già stava unendo a Sé la Chiesa. E siccome, di fronte alla grandezza del Verbo, la ritenevano impari a nozze cosí importanti, ecco che cercano di addurre come scusa d'un rifiuto una sua presunta incapacità a sorreggere il peso di quella unione, dicendo: *La nostra sorella è piccola e non ha ancora i seni.* Queste giustificazioni sono quelle addotte da chi vuole differire le nozze: si accampa il pretesto dell'età immatura e fragile e si sostiene che non sono ancora sviluppati i seni, che sono indizio di età maritale. È questo di solito il simbolo [36] comune a tutte le vergini in età da marito, tanto che si ritiene che esse siano mature per il matrimonio quando i seni cominciano a sporgere.

36. Quindi, sconvolte dal fatto che lo Sposo, infiammato d'amore, sollecita le nozze, dicono: *Cosa decideremo per nostra sorella, nel giorno in cui se ne parlerà?* Oppure, secondo Simmaco: «in cui le parlerà?». Mi spiego: nella celebrazione solenne del fidanzamento, di solito avviene un colloquio e la conferma del matrimonio. «Che faremo dunque — dicono quelle, sconvolte — dal momento che si sollecita questa unione spirituale?». Non possono certo rifiutarsi, di fronte a nozze cosí importanti: nessuno può ritenere men che fortunata un'unione o dell'anima con lo Spirito [37] o di Cristo con la Chiesa. Ma siccome la pienezza del Verbo o dello Spirito Santo balena e sfolgora, e non c'è nulla che le possa stare alla pari, esse cercano di differire le nozze, proprio perché nel frattempo l'anima o la Chiesa possano diventare piú perfette.

37. Dicono dunque: *Se c'è un muro, diamoci da fare per costruire sopra di esso dei rifugi; e se c'è una porta, mettiamoci sopra pannelli di cedro intagliati.* Quel muro è l'anima dell'uomo di Dio. Anche la Chiesa ha i suoi muri, se essa — fatta ormai piú perfetta — dice: *Io sono una città fortificata.* Questo è quel muro che possiede le dodici porte degli Apostoli, che permettono al popolo delle altre razze di entrare nella Chiesa [38]. Ma quel muro,

---

[36] Ricorre qui il termine *symbolum*, che è raro in Ambrogio: esso sembra inserirsi nell'ambito dell'allegoria e non della tipologia, perché indica la concentrazione dell'intelligibile in un particolare sensibile: cf. il mio, *La dottrina esegetica...*, p. 74.

[37] È questo un punto singolare del pensiero ambrosiano, perché lo Sposo della Chiesa qui non è Cristo, ma (anche) lo Spirito. Il Marcelič (*Ecclesia Sponsa...*, pp. 115 s.) risolve la difficoltà sulla scorta di altri testi ambrosiani (*De Spir. Sanct.*, III, 64; *De myst.*, 34, 35, 37-41), dove lo Spirito rende la Chiesa Sposa di Cristo. Lo Spirito può dirsi *sposo* della Chiesa in quanto conduce le anime verso Cristo-Sposo e le unisce intimamente a Lui.

[38] Sul ruolo degli Apostoli nell'edificazione della Chiesa, cf. TOSCANI, *Teologia della Chiesa...*, p. 397.

tunc tamen est munitior, cum receptacula habuerit praeparata, in quibus propugnatores urbis tutum speculandi ac tuendi possint habere subsidium. Sed quia rationabilis haec ciuitas est et omnis spes eius in dei uerbo est, non ferrea, sed argentea ei propugnacula requiruntur, eloquiis caelestibus magis quam corporis uoluptatibus hostiles impetus repulsare consueta. Eo fulta praesidio, eo splendore fulgens habilior Christi copulae iudicatur.

38.    Et quia ianua Christus est, qui ait: *Per me si quis introierit saluabitur* [a], et ecclesia ianua nuncupatur, quia per ipsam patet populis aditus ad salutem. Sed ne haereticorum corrumpatur tineis aut uermibus [b], dicunt filiae Hierusalem, uel angeli uel animae iustorum: *Aedificemus super eam tabulas cedrinas* [c], hoc est fidei sublimis bonum odorem; est enim suauis huius materiae odor, quam non uermis, non tinea corrumpat. Ideo huius materiae usus eligitur tectorum fastigiis eleuandis formandisque litterarum elementis, quibus aetas puerilis ad studium liberalis eruditionis inbuitur. Est ergo materia ista sublimis ad gratiam, leuis ad onus, suauis ad odorem, utilis ad instrumentum scientiae, habilis ad ministerium cognitionis aeternae.

39.    Sed quemadmodum sponsam suam diligens Christus urgebat ad copulae spiritalis sollemnitatem, ita et ecclesia uerbi decore iam capta festinabat ad nuptias. Ideoque morarum et dilationis inpatiens, quas filiae Hierusalem innectere gestiebant, dicit: *Ego murus, et ubera mea turres* [a], hoc est: Nolite dubitare utrum murus sim — illae enim dixerant: *Si murus est* [b] —; ego, inquit, murus sum et non parua ubera habeo, sed ut turres ubera mea sunt. Quomodo dicitis quia non habeo ubera [c]? Sensus, ut turres, habeo sapientiae, in quibus est abundantia, sicut scriptum est: *Et abundantia in turribus tuis* [d]. His uberibus, id est sensibus, habilem se tantis nuptiis aestimabat, sed filiae Hierusalem adhuc non poterant aestimare, quia sensuum eius abundantiam non uidebant.

38. [a] Io 10, 9.
   [b] Cf. Prou 25, 20.
   [c] Cant 8, 9.
39. [a] * Cant 8 10.
   [b] Cant 8, 9.
   [c] Cf. Cant 8, 8.
   [d] Ps 121, 7.

benché serri di per sé nel suo perimetro tutta la città, diventa peraltro piú fortificato allorquando sia dotato di rifugi attrezzati dove possano trovare sicura opportunità di osservazione e di difesa i difensori della città. Ma siccome qui si tratta di una città *ideale* [39], e siccome ogni sua speranza è riposta nel Verbo di Dio, ecco che non si richiedono per essa postazioni ferrigne, ma d'argento, che siano attrezzate a rintuzzare gli attacchi nemici con la forza dei detti celesti piú che con quella delle voglie [40] del corpo. Dotata di tale difesa, sfolgorante di tale splendore, essa viene giudicata maggiormente idonea all'unione con Cristo.

38. E siccome «porta» è Cristo, che esclama: *Colui che passerà attraverso me, sarà salvo*, anche la Chiesa può essere chiamata «porta», perché essa spalanca ai popoli l'accesso alla salvezza. Ma perché non venga corrosa dalle tignole o dai vermi degli eretici, le figlie di Gerusalemme — ovvero gli angeli, ovvero le anime dei giusti — dicono: *Costruiamoci sopra dei pannelli di cedro* [41], cioè la buona fragranza di una fede elevata. Soave è la fragranza di questo materiale, che né verme né tignola riescono a corrodere [42]. Perciò si sceglie questo materiale per la costruzione delle sommità dei tetti e per costruire i caratteri dell'alfabeto, che permettono ai fanciulli di procurarsi un'istruzione liberale [43]. Questo materiale — il cedro — è nobile per bellezza, leggero di peso, soave di fragranza, utile come mezzo didattico, idoneo al servizio della conoscenza delle realtà eterne.

39. Ma allo stesso modo in cui Cristo, amando la sua Sposa, sollecitava la celebrazione dell'unione spirituale, cosí anche la Chiesa, già invaghita della bellezza del Verbo, affrettava le nozze. E cosí, mal sopportando indugi e dilazioni — che le figlie di Gerusalemme volevano frapporre —, dice: *Io sono il muro e i miei seni sono i bastioni.* Cioè: «Non c'è motivo di chiedersi se io sia il muro (quelle avevano detto: *Se c'è un muro*). Io — è lei che parla — sono un muro e non ho seni poco sviluppati; anzi, essi sono come dei bastioni. Come fate a dire che non ho seni? Come bastioni ho pensieri di sapienza, dentro i quali regna l'abbondanza, secondo quanto sta scritto: *E l'abbondanza regna nei tuoi bastioni*». Grazie a questi seni — cioè a questi pensieri —, essa si riteneva matura per nozze cosí importanti, ma non la ritenevano ancora tale le figlie di Gerusalemme, perché non ne vedevano la ricca abbondanza di pensiero.

---

[39] Sul rapporto Gerusalemme-Chiesa in Ambrogio, cf. TOSCANI, *ibid.*, pp. 173-175.

[40] Non so se non sia piú giusto leggere *uoluntatibus.*

[41] Il mutamento da *sculpamus* (22, 37) a *aedificemus* può tradire una certa fretta redazionale.

[42] Cf. 4, 20. Sulla proprietà del cedro di non essere intaccato dalla *tinea*, cf. SERVIO, *In Verg. Aen.*, VII, 178.

[43] A questo forse fa riferimento AGOSTINO, *Conf.*, IX, 4, 7: *Magis eas* (scil. *litteras nostras*) *uolebat redolere gymnasiorum cedros, quas iam contriuit Dominus, quam salubres herbas ecclesiasticas aduersas serpentibus* (CChL 27, p. 137). A differenza di Ambrogio, per il quale il *cedro* è strumento utile alla formazione, Agostino legge nei *cedri* l'immagine della superbia della scuola pagana: cf. anche *Conf.*, VIII, 2, 4 (CChL 27, p. 115); *Enarr. ps. LXXIX*, 9 (CChL 39, p. 1115).

40.   Et addidit: *Ego eram in oculis eius tamquam inueniens pacem* [a], hoc est: Deliberatis de meis sensibus, cum pacem dei inuenerim, quae superat omnem mentem [b] et custodit et corda et sensus in Christo Iesu. Talis, inquit, eram in oculis sponsi qualis quae habet pacem; scriptum est enim: *Qui recte quaerunt pacem, habebunt eam testimonium* [c]. Festinantibus igitur dilecto atque dilecta celebrata coniunctio spiritalis est mutuo expetita consensu.

41.   Ideoque tamquam nuptiale canens carmen exultauit spiritus in propheta dicens: *Vinea facta est Salomoni in Belamon; dedit uineam suam his qui seruant* [a]. Clamat ergo spiritus: plantata est congregatio populorum et uitis aeternae [b] radice fundata et spiritalia sub iugum uerbi corde mansueto colla subiecit; plantata autem in multitudine nationum. Hoc enim intellegendum «Belamon» [c] Symmachus, Aquila aliaeque traditiones Graeco sermone docuerunt. Repudiata est uetus copula quae fructum adferre non poterat, data est uinea nouis fidelibusque cultoribus, qui non solum facere fructum possent, sed etiam custodire. Vna igitur ouis errauit [d], sed reuocata totius spatia orbis impleuit; unam ouem error abduxerat, sed multitudinem populorum domini gratia congregauit. Errauit homo, sed ecclesia iam murus est et murus ualidus. Errauit Adam, murus est Dauid qui mandata dei non est oblitus.

42.   Custodita igitur et uallata haec uinea munimine spiritali mille fructus dat Christo, ducentos autem fructus custodibus. Ideoque ait ecclesia: *Vitis mea in conspectu meo; mille Salomoni et ducenti seruantibus fructum* [a]. Perfectio et plenitudo Christi est, portio seruulorum. Habes hoc mysterium in Genesi, ubi quinque partes Beniamin [b] fratri iuniori tribuit Ioseph, singulas reliquis fratribus. Domino igitur quinque sensuum portio et praerogatiua defertur, quam illi utique tribuit ipse quem diligit, sicut dilexit et Paulum, cui dedit ad euocandas gentes sapientiae principatum [c].

40. [a] * Cant 8, 10.
    [b] Cf. Phil 4, 7.
    [c] * Prou 12, 20 (?).
41. [a] * Cant 8, 11.
    [b] Cf. Io 15, 1.
    [c] Symmachus et Aquila, Cant 8, 11.
    [d] Cf. Lc 15, 4.
42. [a] * Cant 8, 12.
    [b] Cf. Gen 43, 34.
    [c] Cf. Eph 3, 8.

40. E soggiunse: *Io ero davanti agli occhi suoi come una che trova la pace*. In altre parole: voi state a pensare ai miei pensieri, mentre io ho trovato la pace di Dio, che supera ogni intelletto e che conserva fedeli cuore e pensieri in Cristo Gesú. Cosí — lei dice — io ero davanti agli occhi dello Sposo: come una che possiede la pace. Sta scritto infatti: *Quelli che cercano la pace con retta intenzione, l'avranno come testimonianza* [44]. Orbene, siccome si affrettano sia l'amato che l'amata, la celebrazione dello sposalizio spirituale è ricercata con mutuo consenso.

41. E cosí — come se levasse un canto nuziale — esultò lo Spirito nel profeta, dicendo: *È stata piantata una vigna per Salomone in Belamon; ha dato la sua vigna ai custodi*. È lo Spirito Santo dunque che grida: è stata piantata un'assemblea di popoli; è stata abbarbicata alla radice della vite eterna, ed ha piegato con mansuetudine il suo collo spirituale sotto il giogo del Verbo; ma è stata impiantata nella moltitudine delle razze (cosí è da intendere «Belamon», secondo l'insegnamento di Simmaco, di Aquila e di altri testi tràditi in lingua greca [45]). È stata ripudiata l'antica unione — che non era riuscita a produrre frutto — e la vigna è stata data a nuovi e fedeli coltivatori, che non solo fossero in grado di ricavarne frutti, ma anche di custodirla. Ebbene, una sola pecora se ne andò errando, ma, una volta ricondotta indietro, riempí lo spazio di tutto il mondo [46]. L'errore aveva fatto allontanare una sola pecora, ma la grazia del Signore ha radunato una moltitudine di popoli. Se n'è andato errando l'uomo, ma ormai la Chiesa costituisce un muro e un muro possente. Se n'è andato errando Adamo, ma un muro è Davide, che non ha scordato i comandamenti di Dio.

42. Ecco allora che questa vigna, ben custodita e recintata da una fortificazione spirituale, produce mille frutti a Cristo e duecento ai suoi custodi. E cosí la Chiesa esclama: *La mia vite sta davanti a me: mille a Salomone e duecento ai custodi del suo raccolto*. La perfezione e la pienezza spettano a Cristo, una parte ai suoi poveri servi. Puoi trovare espressa un'analoga misteriosa realtà nella Genesi, laddove Giuseppe assegnò cinque parti al fratello minore, Beniamino, e una per ciascuno agli altri fratelli. Ebbene, al Signore va attribuita la parte privilegiata dei cinque sensi, che Egli stesso ovviamente distribuisce fra le persone che ama, come ha amato anche Paolo, al quale ha dato il primato della sapienza nell'attirare i Gentili.

[44] La citazione è solo lontanamente identificabile con Prov 12, 20.

[45] In effetti, anche TEODORETO DI CIRO testimonia che, al posto di ἐν Βεελαμών dei Settanta, Aquila portava ἐν ἔχοντι πλήθη e Simmaco ἐν κατοχῇ ὄχλου (cf. *Origenis Hexapl.*, Field, II, p. 423). PROCOPIO DI GAZA (V-VI sec.) nel suo *Commento al Cantico* spiega ἐν βεελαμών come ἐν πλήθεσιν e sembra attribuire a Cirillo la spiegazione ἔχων πλῆθος ἀθροίσματος (*Comm. Cant.*, 8, 11; PG 87, 1748 CD); e in un passo conservato tra i frammenti spiega l'espressione come ἐν πλήθει ἐθνῶν (*Fragm. Cant.*, 8, 11; PG 87, 1776 D).

[46] Probabilmente, come lascia intendere il seguito, l'*una ouis* errante è stato Adamo e la pecora che torna indietro è l'uomo nuovo, riedificato da Cristo: questo uomo nuovo nella Chiesa ha riempito il mondo.

43. His igitur fructibus delectata ecclesia dicit ad Christum: *Qui sedes in hortis, amici intendentes uoci tuae; uocem tuam insinua mihi* [a]. Delectabatur enim, quod in hortis Christus sedebat et in hortis positi amici intendebant uoci eius. Sed quia amici illi de caelestibus erant archangeli uel dominationes et throni [b] — homines enim expulsi de paradiso fuerant propter inoboedientiam caelestium mandatorum atque ideo adhuc ecclesia uocem eius non poterat quam cupiebat audire —, ideo ait: *Vocem tuam insinua mihi* [c]. Vnde et nos, si uolumus eum in nobis sedere, simus horti clausi [d] atque muniti, feramus uirtutum flores, gratiae suauitatem, ut disputantem cum angelis dominum Iesum audire possimus.

44. Sed quia futurum erat, ut, cum ad plenitudinem ecclesia peruenisset, persecutionibus uariis temptaretur, ideo, cum uerbi gratia delectaretur, subito cernit insidias persecutorum, et quae plus sponso quam sibi timeret, aut quia a persecutoribus Christus magis adpetitur in nobis, ideo ait: *Fuge, frater meus, et similis esto tu capreolae aut hinulo ceruorum super montes aromatum* [a]. Propter infirmos fugiat, qui temptamenta grauiora ferre non possint. Ideoque scriptum est, ut de ciuitatibus ad ciuitates fugiamus et, si nos in hac ciuitate fuerint persecuti, fugiamus in aliam [b]. Propter infirmos igitur, ut diximus, fugiat aut fugiat ab infirmis et transeat ad montes aromatum, qui pro martyrio odorem possint beatae resurrectionis adferre. Montes aromatum sancti sunt. Ad eos confugit Christus, quia *fundamenta eius in montibus sanctis* [c]. Ad eos igitur confugit qui sunt eius stabilia fundamenta; in nobis fugit, in illis fida statione consistit. Mons igitur aromatum Paulus est, qui potest dicere: *Bonus enim odor Christi sumus deo* [d], mons aromatum Dauid, cuius orationis odor ascendebat ad dominum, et ideo dicebat: *Dirigatur oratio mea sicut incensum in conspectu tuo* [e].

45. Symmachus tamen et Aquila interpretati sunt [a], quod Christus dicit ad ecclesiam: *Quae sedes in hortis* [b], hoc est: iam

---

43. [a] * Cant 8, 13.
   [b] Cf. Col 1, 16.
   [c] * Cant 8, 13.
   [d] Cf. Cant 4, 12.
44. [a] * Cant 8, 14.
   [b] Cf. Mt 10, 23.
   [c] Ps 86, 1.
   [d] 2 Cor 2, 15.
   [e] Ps 140, 2.
45. [a] Symmachus et Aquila, cf. Cant 8, 13.
   [b] * Cant 8, 13.

43. Piena di gioia per questi frutti, ecco che la Chiesa, rivolta a Cristo, dice: *Tu che siedi negli orti e alla cui voce prestano attenzione gli amici, infondi in me la tua voce!* Era contenta che Cristo sedesse negli orti e che gli amici, seduti negli orti, prestassero attenzione alla sua voce. Ma i suoi amici erano esseri celesti, arcangeli e dominazioni e troni, dato che gli uomini erano stati cacciati dal paradiso a causa della loro disubbidienza ai comandamenti celesti, ed era per questo che la Chiesa non poteva ascoltare la sua voce, che tanto desiderava sentire. E allora esclama: *Infondi in me la tua voce!* Perciò, anche noi, se vogliamo che Lui sieda dentro di noi, dobbiamo essere orti recintati e fortificati, dobbiamo germogliare i fiori delle virtú, la fragranza della grazia, se vogliamo essere in grado di sentire il Signore Gesú mentre conversa con gli angeli.

44. Ma siccome doveva accadere che la Chiesa — una volta giunta alla sua piena realizzazione — subisse la prova di varie persecuzioni, ecco che essa, nel momento in cui si rallegra della grazia del Verbo, vede contemporaneamente anche le insidie dei persecutori. E, preoccupandosi piú dello Sposo che di se stessa — oppure perché in realtà è Cristo che dentro di noi subisce i veri attacchi da parte dei persecutori —, ecco che esclama: *Fuggi, mio diletto, e sii come una gazzella o un cerbiatto sopra i monti degli aromi!* Fugga, sí, ma a causa dei piú deboli che non potrebbero sostenere tentazioni piú gravi. E perciò sta scritto che noi dobbiamo fuggire da una città all'altra e che, se saremo perseguitati in una città, noi dobbiamo fuggire in un'altra. Allora — come abbiamo detto — fugga, sí, ma a causa dei deboli, ovvero fugga via dai deboli, e salga sui monti degli aromi, donde si alzi per il martirio il profumo della beata risurrezione. I monti degli aromi sono i santi. In essi ripara Cristo, se è vero che *le sue fondamenta sono sui monti santi.* Egli quindi ripara in essi, che sono le sue fondamenta fisse: se si trova in noi, fugge, ma su di essi si ferma, trovandovi una fidata dimora. Orbene: monte degli aromi è Paolo, che può dire: *Noi siamo per Dio il buon odore di Cristo.* Monte degli aromi è Davide, la cui preghiera esalava un profumo che saliva fino al Signore e che gli faceva dire: *Si diriga la mia preghiera come incenso al tuo cospetto.*

45. Però Simmaco ed Aquila hanno inteso che sia Cristo a rivolgersi alla Chiesa con le parole: *Tu che siedi negli orti* [47]. Ossia:

---

[47] Il realtà Aquila porta ἡ καθημένη e Simmaco ἡ κατοικοῦσα (cf. *Origenis Hexapl.*, Field II, p. 423), al posto di ὁ καθήμενος dei Settanta.

in hortis sedes superno digna paradiso, et ideo *uocem tuam insinua mihi* [c] cui amici intendunt; ego quoque eam audire desidero. Coepit in hortis esse ecclesia, postquam in hortis passus est Christus [d].

[c] * Ibid.
[d] Cf. Io 19, 41.

tu stai già seduta negli orti, perché sei degna del supremo paradiso. E perciò *infondi la tua voce in me*, a cui gli amici prestano attenzione. Anch'io desidero ascoltarla. La Chiesa ha cominciato a trovar posto negli orti da quando, nell'orto, Cristo consumò la sua Passione.

# INDICI*

* Le indicazioni in tondo si riferiscono al testo ambrosiano e rinviano a *Littera* (*Sermo*) e capitolo.·

Le indicazioni in corsivo rinviano alle pagine, precedute dall'indicazione del volume (*I* o *II*), della presente edizione.

# INDICE DELLE VARIANTI RISPETTO A CSEL 62

I, 7, linea 6:   *et* per *ei.*
    linea 14:   *etiam* per *iam.*
I, 9, linea 22:   non accolto *an* dopo *gratiam.*
II, 2, linea 1:   *respondit* per *respondet.*
II, 8, linea 8:   *respondit* per *respondet.*
II, 13, linea 1:   *respondit* per *respondet.*
II, 18, linea 12:   *custodientem* per *ad custodiendum.*
II, 18, linea 13:   *seniorem elegit* per *senior eligitur.*
II, 19, linea 2:   *manifestat* per *manifestatur.*
II, 26, linea 13:   *otiose. Erat* per *otiose blaterat.*
II, 30, linea 11:   non accolto *eadem* dopo *autem.*
II, 30, linea 12:   non accolto *?* dopo *sumus.*
III, 8, linea 9:   accolto *quia in Iudaea et locus sic dicitur.*
III, 9, linea 1:   *respondit et* per *respondet ei.*
III, 22, linea 6:   *tumoris* per *umoris.*
III, 41, linea 8:   non accolto *non* dopo *quem.*
III, 43, linee 3-7:   testo espunto.
IV, 7, linea 10:   *animas* per *animae.*
IV, 11, linea 5:   *coaceruare* per *coacerbare.*
IV, 21, linea 11:   accolto *suis.*
V, 11, linea 7:   accolto *quae.*
    linea 10: altra interpunzione.
V, 30, linea 17:   *tuorum* per *suorum.*
VI, 3, linea 5:   *conuertuntur* per *conuertunt.*
VI 30, linea 5:   *liberatur* per *liberatus.*
VI, 34, linea 7:   *repellat* per *refellat.*
VII, 13, linea 13:   *quia* per *qua.*
VII, 20, linea 3:   *uulneris* per *uulneri.*
VII, 33, linea 15:   non accolto *in lumine dei* dopo *dei.*
VII, 36, linea 8:   *dominus* per *a domino.*
VIII, 6, linea 3:   non accolto *nos* dopo *imitatores.*
VIII, 9, linea 8:   *respondit* per *respondet.*
VIII, 12, linea 10:   *dicit* per *dicet.*
VIII, 16, linea 1:   *deprecabor* per *deprecabar.*
VIII, 19, linea 2:   *sunt et* per *sume.*
VIII, 20, linea 12: altra interpunzione.
VIII, 25, linea 5:   *latronis* per *latronem.*
VIII, 46, linee 4-5:   *errorum* è probabilmente da correggere in *erronum.*
VIII, 54, linea 13:   altra interpunzione.
IX, 1, linea 16:   *sensus* per *sensui.*
IX, 7, linea 18:   *deserta* per *desecta.*
X, 5, linea 6:   *includat* per *concludat.*
X, 12, linea 7:   *flatu superante* per *flatu suparo superante.*

X, 18, linea 1:  *hic* per *sic.*
    linea 7:  *animae* per *homini.*
    linea 8:  *tamen quia* per *anima qua.*
X, 42, linea 7:  altra interpunzione.
XI, 3, linea 3: *spero* è probabilmente da correggere in *speraui.*
XI, 4, linea 15:  non accolto *tua* dopo *dextera.*
XI, 9, linea 4:  *contenti* per *intenti.*
XI, 11, linea 11:  a *et scias* è probabilmente da preferire *ut scias.*
XI, 14, linea 11:  altra interpunzione.
XI, 16, linea 20:  *propheticorum praemiis* per *praemiis prophetico ore promissis.*
XI, 21, linea 15:  *persecutoribus* per *persecutionibus.*
XII, 14, linee 15-16:  altra interpunzione.
XII, 41, linea 9:  *dicebat* per *dicebatur.*
XIII, 2, linea 23:  *decoctus* per *decocto.*
XIII, 5, linea 1:  *Alius uero uersus* per *alio uero uersu.*
XIII, 5, linea 5:  non accolto *feruntur* dopo *ferae.*
XIII, 14, linea 18:  *sponsum* per *speciosum.*
    *indicium* per *iudicium.*
XIII, 20, linee 16-17:  *altero... altero* per *alterum... alterum.*
XIV, 1, linea 14:  *prophetatur* per *prophetat.*
XIV, 9, linea 7:  *cogitatione* per *contagione.*
XIV, 14, linea 4:  accolto da *humiliatus* fino a *quaque.*
XIV, 16, linea 11:  forse da accettare *paenitentiae* per *patientiae.*
XIV, 20, linea 9:  *humana sapientia* per *humanam sapientiam.*
XIV, 26, linea 20:  *ratione... cupiditate* per *rationem... cupiditatem.*
XIV, 27, linee 29-30:  *bono filio* per *bono filii.*
XIV, 34, linea 21:  *pretiosus* per *speciosus.*
XIV, 38, linea 18:  *adsurgit* per *adsurget.*
XIV, 41, linea 10:  *eius* per *et ius.*
XV, 4, linea 14:  *cognosceret* per *cognosceres.*
XV, 15, linea 9:  *exosos* per *exosus.*
XV, 28, linea 1:  non accolto *habet: «non erubescere facias»* dopo *interpretatio.*
XV, 31, linea 4:  *coaceruat* per *coacerbat.*
XVI, 10, linea 14:  *aliqui usus* per *aliqui ausus.*
XVI, 32, linea 4:  accolto *id est in posterioribus.*
XVII, 3, linea 4:  *sicut* per *sic.*
XVII, 14, linea 16:  *cogitationum* per *concitationum.*
XVII, 16, linea 8:  accolto *ecclesiastica gratia.*
XVII, 27, linea 22:  *auferret* per *auferretur.*
XVII, 36, linea 2:  *deduxerunt* per *deuexerunt.*
XVIII, 5, linee 1-2:  accolto da *mandasti* fino a *nimis.*
XVIII, 5, linea 6:  *repetens* per *reputans.*
XVIII, 6, linea 19:  *terris* per *telis.*
XVIII, 13, linea 3:  *adprehendit* per *adprehendet.*
XVIII, 13, linea 8:  *operata* per *operatus.*
XVIII, 18, linea 7:  accolto *proprie.*
XVIII, 22, linea 5:  *conlatum* per *conlocatum.*
XVIII, 32, linea 1:  *si* per *sic.*
XIX, 13, linea 17:  *indolem subolis* per *subolem indolis.*
XIX, 18, linea 10:  non accolto *si* dopo *lucet.*
XIX, 22, linee 13-14:  *mergentia* per *marcentia.*
XIX, 28, linea 19:  non accolto *«neque potestates neque praesentia neque futura separare nos poterunt a caritate dei quae est in Christo Iesu»* dopo *angeli.*

XIX, 30, linea 8:  *poterat* per *poterit.*
XX, 3, linea 4:  altra interpunzione.
XX, 19, linea 1:  *sed* per *et.*
XX, 21, linea 6:  *corporis* per *cordis.*
XX, 22, linea 3:  *arbitri* per *arbitro se.*
XX, 34, linea 12:  *hic* per *nec.*
XX, 49, linee 3-4:  *simulato metu* per *simulata mente.*
XXI, 4, linea 3:  non accolto *mihi* dopo *insurgentium.*
XXI, 17, linea 1:  *directione* per *dilectione.*
XXI, 24, linea 17:  *conuenire* per *inuenire.*
XXII, 10, linea 4:  non accolto *sit* dopo *nobis.*
XXII, 15, linea 4:  non accolto *sunt* dopo *dignitates.*
XXII, 21, linea 10:  non accolto *fratrem* tra *fratrem* e *utique.*
XXII, 22, linea 6:  *scriptores* per *scripturae.*
XXII, 24, linea 13:  *uiuit* per *uiuet.*
XXII, 25, linea 7:  *dicentes* per *dicentem.*
XXII, 32, linea 2:  non accolto *et* dopo *sed.*
    linea 12:  *et* per *ut.*
XXII, 34, linea 1:  *respondit* per *respondet.*

# INDICE SCRITTURISTICO*

* Il presente indice contiene le citazioni riportate in calce al testo latino. Il primo numero si riferisce al capitolo, il secondo al paragrafo; quelli in corsivo, al volume ed alla pagina (nelle note).

# INDICE DEGLI AUTORI ANTICHI *

*ACTVS PETRI*
37-38: *II, 389.*

*AD DIOGNETVM*
12, 4: *I, 63.*

**AMBROSIASTER**
*Ad I ad Corinthios*
12, 29: *II, 71.*

**AMBROSIVS**
*De Abraham*
I, 6: *I, 249.*
I, 65: *II, 301.*
I, 67: *II, 399.*
I, 80-94: *I, 183.*
I, 84: *II, 361.*
II, 1: *II, 67.*
II, 11: *I, 249.*
II, 14: *I, 155.*
II, 21: *I, 249.*
II, 43: *I, 177.*
II, 54: *I, 185.*
II, 79: *I, 57.*
II, 81: *I, 57.*
II, 84: *I, 57.*

*Apologia Dauid*
16: *I, 481.*
20: *I, 71.*
25: *II, 213, 237.*
51: *II, 199.*
58: *I, 149, 433.*
59: *II, 121.*

*Apologia Dauid altera*
38: *II, 19.*

*Contra Auxentium*
6: *II, 227.*

*De bono mortis*
15: *II, 245.*
18: *I, 34.*
20: *I, 457.*
43-44: *II, 117.*
48-49: *I, 327.*

*De Cain et Abel*
I, 5: *I, 455.*
I, 12: *I, 355.*
I, 13: *II, 85.*
I, 19: *I, 65.*
I, 29-32: *I, 455.*
I, 30: *I, 39.*
II, 11: *I, 311.*

*Epistulae* **
6 (= M 28), 1: *I, 89.*
11 (= M 29), 10: *I, 391.*
11 (= M 29), 20: *I, 455.*
12 (= M 30), 15: *I, 34.*
16 (= M 76): *II, 29.*
18 (= M 70), 2: *I, 44.*
18 (= M 70), 7: *I, 465.*
18 (= M 70), 9: *I, 249.*
19 (= M 71), 8: *II, 305.*
20 (= M 77): *II, 73.*
20 (= M 77), 8: *II, 43.*
27 (= M 58), 1: *I, 13.*
31 (= M 44), 5: *I, 57.*

* In questo indice compaiono quegli autori antichi dei quali si fa riferimento a qualche opèra. Sotto l'*Indice dei nomi* sarà possibile rinvenire quegli autori che siano citati senza riferimento ad opere.

** Il numero delle *Epistulae* è quello di CSEL 82; quando il numero è preceduto da M, esso rinvia invece alla numerazione secondo l'edizione dei Maurini (PL 16, 913-1342).

*De philosophia*
fr. 4: *I, 405.*
fr. 5: *I, 469.*

*De sacramentis*
IV, 5: *II, 121.*
IV, 15: *I, 145.*
IV, 28: *II, 267.*
V, 11: *I, 81.*
V, 13: *II, 161.*
V, 25: *II, 267.*

*De Spiritu Sancto*
I, prol., 7-9: *II, 191.*
I, 23: *II, 35.*
I, 49: *II, 35.*
I, 102: *I, 473.*
I, 164: *I, 347.*
II, 1: *I, 329.*
II, 29: *II, 419.*
II, 56: *I, 34.*
II, 135: *II, 27, 347.*
II, 136: *II, 347.*
II, 162: *I, 195.*
III, 34: *I, 417.*
III, 64: *II, 421.*
III, 74: *I, 259.*
III, 123: *I, 397.*

*Tituli*
5: *II, 327.*

*De Tobia*
46: *I, 463.*

*De uiduis*
29-32: *II, 141.*

*De uirginibus*
I, 22: *II, 239.*
I, 31: *I, 39.*
I, 37: *I, 367.*
I, 45: *II, 177.*
I, 47: *I, 34.*
III, 18-19: *II, 383.*
III, 18-20: *I, 15.*
III, 19: *II, 383.*

*De uirginitate*
48: *II, 121.*
83: *II, 145.*
92: *I, 307.*
96: *II, 167.*
105: *I, 435.*
106-117: *II, 167.*
114: *I, 405.*

ARISTOTELES

*Historia animalium*
I, 7, 613a 14 s.: *II, 295.*
IX, 34, 619b 18: *II, 295.*

*De partibus animalium*
11.691b32: *I, 255.*

*Fragmenta*
195.1512b9: *I, 471.*

ASCENSIO ISAIAE

V, 4.8: *II, 41.*

ATHANASIVS

*Contra Arianos*
III, 35: *I, 473.*

*Epistula ad episcopos Aegypti et Libyae*
17: *I, 473.*

*Expositiones in Psalmos*
CXVIII, 4-5: *I, 77.*
       21: *I, 161.*
       47: *I, 273.*
       60: *I, 345.*
       62: *I, 357.*
       81: *I, 453.*
       92: *II, 39.*
      117: *II, 161.*
      118: *II, 163.*
      125: *II, 201.*
      135: *II, 235.*
      142: *II, 275.*
      170: *II, 403.*
      172: *II, 409.*

AVGVSTINVS

*Contra Adimantum,* 9: *I, 327.*

*De ciuitate Dei*
XI, 33: *I, 373.*
XV, 23: *I, 177.*
XXII, 8: *I, 255.*

*Confessiones*
I, 13, 20-22: *II, 385.*
I, 15, 24: *II, 189.*
V, 5, 9: *II, 219.*
V, 14, 24: *I, 24.*
VI, 1, 1: *I, 379.*
VI, 4, 6: *I, 24.*
VI, 5, 8: *I, 24.*
VIII, 2, 4: *II, 423.*

IX, 4, 7: *II, 423.*
IX, 7, 16: *I, 255.*
IX, 12, 32-33: *I, 297.*
X, 7, 12: *I, 297.*
XII, 2, 2 ss.: *I, 373.*

*De cura pro mortuis gerenda*
21: *I, 255.*

*De doctrina christiana*
II, 6, 7: *II, 195, 197.*
II, 12, 17: *II, 219.*

*Enarrationes in Psalmos*
XLVII, 13: *II, 383.*
LXXIX, 9: *II, 423.*
CXVIII, prooem.: *I, 17.*
        17, 6: *I, 391.*
        23, 5: *II, 117.*
        30, 6: *II, 367.*
        32, 8: *I, 17.*
CXLIII, 18: *II, 119.*

*Contra Faustum*
XXII, 56: *II, 305.*

*De Genesi ad litteram*
I, 9, 17: *I, 373.*

*In Heptateuchum*
II, 151.154: *I, 327.*
V, 9: *I, 327.*

*Contra Iulianum opus imperfectum*
V, 57: *I, 227.*

*Contra mendacium*
10, 24: *II, 187.*

*Retractationes*
I, 13, 7: *I, 255.*

*Sermones*
CCXXXVI, 5, 4: *I, 255.*

*Tractatus in Iohannis euangelium*
III, 17: *I, 327.*
LXV, 1: *II, 255, 419.*

BASILIVS

*Constitutiones monasticae*
4, 2: *I, 211.*

*Hexaemeron*
III, 3, 4: *I, 463.*
VIII, 6: *II, 295.*

*Homilia in «Attende tibi ipsi...»*: *I, 101.*
2: *I, 251.*

*Homiliae in Psalmos*
XXVIII, 6: *I, 251.*
        7: *I, 423.*
XLVIII, 6: *I, 255.*

CAESAR

*De bello Gallico*
I, 4, 1: *I, 357.*

CELIVS AVRELIANVS

*De acutis passionibus*
II, 4, 20: *II, 305.*

CELSVS

*De medicina*
VI, 6, 35: *I, 145.*
VII, 7, 14: *I, 145.*

CICERO

*Brutus*
322: *I, 405.*

*Pro Caecina*
65: *II, 401.*

*De diuinatione*
II, 30: *I, 421.*

*De finibus bonorum et malorum*
III, 75: *II, 117.*
V, 59: *I, 27.*

*Pro Flacco*
40: *I, 405.*

*De natura deorum*
II, 29: *I, 419.*
II, 140: *II, 323.*

*De officiis*
I, 22: *I, 405.*

*De oratore*
I, 18: *I, 297.*
III, 43: *I, 55.*

*Partitiones oratoriae*
117: *I, 405.*

*Contra Pisonem*
28, 69: *I, 177.*

*De re publica*
I, 30: *I, 421.*
III, 12: *I, 405.*
VI, 14: *II, 145.*

*Pro Sexto*
9, 21: *II, 85.*

*Tusculanae disputationes*
I, 20: *I, 419; II, 323.*
I, 52:  *I, 101.*
I, 114: *II, 245.*
I, 118: *II, 145.*
III, 52-56: *I, 343.*
IV, 20: *I, 55.*

*In Verrem*
II, 136: *I, 405.*

CLAVDIANVS MAMERTVS

*De statu animae*
II, 12: *I, 471.*

CLEMENS ALEXANDRINVS

*Stromates*
I, 15, 66, 1-2: *I, 91.*
IV, 2, 5, 3: *I, 211.*
V, 5, 27, 1-4: *I, 471.*
V, 6, 32, 3: *II, 263.*
V, 11, 67, 3: *I, 89.*

CLEMENS ROMANVS

*Epistula ad Corinthios*
25: *II, 295.*

*CODEX THEODOSII*

IX, 1, 19: *I, 337.*
XV, 7, 12: *I, 329.*

CYPRIANVS

*De opere et eleemosynis*
13: *I, 161.*

DIDYMVS ALEXANDRINVS
*Catena Palestinese su Ps. CXVIII: I,*
*81, 243, 289, 353, 391, 417, 451, 463;*
*II, 53, 93, 199, 219, 261, 381, 417.*

*Expositio in Psalmos*
CXVIII, 85: *I, 471.*

DIOGENES LAERTIVS
*Vitae philosophorum*
III, 6: *II, 247.*
VIII, 10: *I, 89.*

DIOSCORIDES
*De materia medica*
IV, 75: *II, 305.*

EGESIPPVS
*Historiae*
IV, 17: *I, 131, 465.*

ENNIVS
*Iphigenia*
244 Vahlen: *I, 421; II, 401.*

EPIPHANIVS
*Panarion*
XXVI, 8, 1: *II, 305.*
LXIV, 4-6: *I, 387.*

*Fragmenta* (Diels): *I, 89.*

EVSEBIVS CAESARIENSIS
*De ecclesiastica theologia*
I, 8: *I, 213.*

*Historia ecclesiastica*
III, 1, 2: *II, 389.*

*Praeparatio euangelica*
5: *I, 30.*

GELLIVS
*Noctes Atticae*
V, 16, 2: *I, 425.*

GREGORIVS MAGNVS
*Homiliae in Euangelia*
XXIX, 10: *I, 245.*
XXXVIII, 10: *II, 263.*

*Moralia in Iob*
XXX, 21, 66: *I, 133.*

GREGORIVS NYSSAENVS
*Homiliae in Canticum*
5: *I, 251.*

VI, 2: *I, 99.*
VII, 1-3: *I, 101.*
VII, 1-5: *I, 101.*
VIII, 2: *I, 123.*
VIII, 3: *I, 195.*
IX: *I, 129.*
X, 1: *I, 129.*
XI, 1: *I, 131.*
XII; 1: *I, 131.*
XIII, 1-2: *I, 131.*
XIII, 4: *I, 133.*
XV, 2: *I, 187.*
XVI, 1-2: *I, 187.*
XVII, 2: *I, 203.*
XVIII, 2: *I, 205.*
XIX, 3: *I, 271.*
XX, 1: *I, 483.*
XXI, 2: *I, 245.*
XXI, 2-XXII, 1: *I, 245.*
XXII, 4: *I, 245, 247.*

## HORATIVS

*Epistulae*
I, 2, 54: *I, 395.*
II, 2, 103: *I, 245.*

*Sermones*
II, 6, 46: *I, 185.*

## IAMBLICVS

*De uita Pythagorica*
17, 71-74: *I, 89*

## IN S. PASCHA

I, 1-4: *I, 361.*

## IOSEPHVS FLAVIVS

*Antiquitates Iudaicae*
II, 313: *I, 361.*
XIV, 54: *I, 131.*

*Bellum Iudaicum*
V, 212: *II, 263.*

*Contra Apionem*
I, 22, 162-165: *I, 89, 91.*

## ISIDORVS HISPALENSIS

*Etymologiae*
XVII, 9, 30: *II, 305.*

*Quaestiones in Genesim*, 24, 1: *I, 251.*

## LACTANTIVS

*De aue Phoenice*
95-98: *II, 295.*
164: *II, 295.*

*Diuinae institutiones*
III, 19, 1-6: *II, 247.*
VII, 24, 9: *I, 371.*

*De ira Dei*
7, 1: *II, 285.*

## LVCIANVS

*Vitarum auctio*
3: *I, 89.*

## MAXIMVS TAVRINENSIS

*Sermones*
XXXII, 1: *I, 107.*
XLVIII, 2: *I, 107.*

## MINVCIVS FELIX

*Octauius*
12, 7: *II, 401.*

## OPVS IMPERFECTVM IN MAT-THAEVM

I: *I, 125.*

## ORIGENES *

*Contra Celsum*
I, 15: *I, 91.*

*Commentarius in Canticum*
Prol.: *I, 45, 63.*
I: *I, 22, 65, 67, 93.*
II: *I, 93, 95, 97, 101, 129, 131; II, 295.*
III: *I, 203, 205, 243, 245, 249, 251, 257, 259, 261, 483.*
IV: *I, 263; II, 103.*

---

* Si aggiungano le testimonianze origeniane, qui non riportate perché troppo estese, dalla *Catena Palestinese su Ps. CXVIII*, per le quali cf. l'*Indice dei nomi, s.v.* ORIGENE.

# INDICE ANALITICO

# INDICE DEI NOMI

# INDICE

BIBLIOTECA AMBROSIANA - MILANO
CITTÀ NUOVA EDITRICE - ROMA

# OPERA OMNIA DI SANT'AMBROGIO

Edizione latino-italiana

## PIANO DI PUBBLICAZIONE

vol. 24
Fonti

vol. 25
Bibliografia

vol. 26
Cronologia ragionata

*EXTRA*

vol. 27
Commento «ambrosiano» alla Cantica di Guglielmo di Saint-Thierry

# SCRITTORI DELL'AREA SANTAMBROSIANA

## COMPLEMENTI DELL'OPERA OMNIA
## DI SANT'AMBROGIO

Edizione latino-italiana

## PIANO DI PUBBLICAZIONE

1     Zenonis veronensis tractatus;
      I Discorsi
      Introduzione, traduzione, note e indici di Gabriele Banterle
      Roma 1987, pp. 336

2     Filastrii brixiensis diversarum hereseon libèr
      Gaudentii brixiensis tractatus

3/I   Chromatii aquileiensis sermones

3/II  Chromatii aquileiensis tractatus in Mathaeum

Finito di stampare nel mese
di luglio 1987
dalla tipografia Città Nuova della P.A.M.O.M.
Largo Cristina di Svezia, 17
00165 Roma tel. 5813475/82